Langenscheidt

Cartas Comerciais em Inglês

Frases intercambiáveis e modelos de cartas, ordenados por assunto

Martins Fontes
São Paulo 1999

Esta obra foi publicada originalmente em alemão com o título
GESCHÄFTSBRIEFE ENGLISCH por Langenscheidt KG.
Copyright © 1996, Langenscheidt KG, Berlim e Munique.
Copyright © Livraria Martins Fontes Editora Ltda.,
São Paulo, 1997, para a presente edição.

1ª edição
abril de 1999

Tradução
CARLOS S. MENDES ROSA

Revisão técnica
Reinaldo Mathias Ferreira
Revisão gráfica
Márcia da Cruz Nóboa Leme
Ivete Batista dos Santos
Produção gráfica
Geraldo Alves
Paginação/Fotolitos
Studio 3 Desenvolvimento Editorial (6957-7653)

Dados Internacionais de Catalogação na Publicação (CIP)
(Câmara Brasileira do Livro, SP, Brasil)

Abegg, Birgit
  Cartas comerciais em inglês : frases intercambiáveis e modelos de cartas, ordenados por assunto / Birgit Abegg, Michael Benford ; [tradução Carlos S. Mendes Rosa]. – São Paulo : Martins Fontes, 1999.

  Título original: Geschäftsbriefe Englisch.
  ISBN 85-336-1031-9

  1. Correspondência comercial inglesa I. Benford, Michael. II. Título.

99-1143   CDD-808.066651042

Índices para catálogo sistemático:
1. Correspondência comercial : Inglês   808.066651042
2. Inglês : Correspondência comercial   808.066651042

Todos os direitos para o Brasil reservados à
Livraria Martins Fontes Editora Ltda.
Rua Conselheiro Ramalho, 330/340
01325-000 São Paulo SP Brasil
Tel. (011) 239-3677 Fax (011) 3105-6867
e-mail: info@martinsfontes.com
http://www.martinsfontes.com

Prefácio

As cartas comerciais, muito mais que a correspondência pessoal, seguem determinados modelos ou referem-se a situações-padrão recorrentes. Dessa maneira, uma seleção ampla de tipos de cartas e fórmulas de correspondência é capaz de abarcar cerca de 95% de todas as cartas comerciais costumeiras. A presente edição contém tal seleção e apresenta um resumo da maioria das cartas utilizadas nos negócios.

Cartas Comerciais em Inglês foi elaborado para esse fim. Com o auxílio desses modelos de correspondência comercial, ordenados por assunto, e dos textos paralelos em inglês, você poderá redigir rápida e corretamente cartas comerciais em inglês.

Esta obra possui uma sistemática de eficácia comprovada: a primeira parte traz exemplos de cartas nas áreas comerciais mais importantes; a segunda parte, bem mais ampla – em português e inglês –, traz frases-modelo que lhe permitirão elaborar sua carta aplicando o sistema de estruturas unificadas.

A linguagem e o conteúdo são atuais, incluindo inúmeros neologismos recentes e assuntos considerados da maior importância nos dias de hoje.

Ao consultar com regularidade o presente livro, que reproduz as estruturas e as expressões idiomáticas utilizadas no inglês comercial, você irá adquirir gradativamente um vocabulário amplo no âmbito da correspondência comercial, bem como um uso natural da fraseologia do inglês, habilidades extremamente úteis no dia-a-dia dos negócios.

Os autores, com ampla experiência em administração e consultoria de negócios, são Birgit Abegg, tradutora jurídica e professora em diversas indústrias, e Michael Benford, que há muitos anos leciona inglês comercial em uma escola técnica de comércio. Ambos os autores atuam também há vários anos na banca examinadora da Câmara da Indústria e do Comércio de Düsseldorf, Alemanha. Além disso, são autores da obra *100 Briefe Englisch* (100 Cartas em Inglês), da editora Langenscheidt.

Esperamos que estas "Cartas Comerciais em Inglês" contribuam para o aprimoramento da correspondência comercial inglês-português e português-inglês e para a excelência das relações comerciais.

Autores e editora

Referências para o leitor

Exemplos de cartas

A primeira parte deste livro contém exemplos de cartas em português e inglês, da maneira como são utilizadas na prática comercial diária. Neles são abordados os temas mais importantes da correspondência comercial: consulta, proposta (solicitada e não solicitada), referências, condições de fornecimento, reclamações, representações e negócios comissionados, eventos especiais (convites, abertura de firmas, entrevistas etc.), correspondência hoteleira, correspondência bancária, marketing e publicidade, cartas de recomendação e de solicitação de emprego, admissões e demissões e, ainda, transportes.

Evidentemente, é impossível esgotar todos os aspectos da área comercial. No entanto, tentamos oferecer exemplos abrangendo as mais variadas situações da vida profissional cotidiana, baseados em cartas redigidas especificamente para cada caso.

Frases intercambiáveis

A segunda parte deste livro traz uma série de frases intercambiáveis que, devido ao sistema de estrutura unificada, poderão ser inseridas nas cartas da primeira parte ou reelaboradas em novas cartas. A divisão dos capítulos corresponde à da primeira parte, para que o leitor possa encontrar mais rapidamente as frases intercambiáveis correspondentes a cada tema. Além disso, as frases encontram-se divididas em subcapítulos, a fim de facilitar ao leitor a busca da frase "certa" e ampliar as possibilidades de escolha.

Na tradução dos exemplos de frases do português para o inglês nem sempre se optou pela correspondência literal, em sentido restrito. Procuramos, sim, reproduzir corretamente o sentido de cada frase intercambiável. Assim, freqüentemente a estrutura da frase em inglês não é igual à do português, por uma questão de correção sintática e estilística. Além disso, numa carta comercial procura-se atingir sem rodeios a compreensão do destinatário. Todas as frases foram traduzidas visando à reprodução correta do registro lingüístico do texto em português.

Características formais

Por fim, no início deste livro há uma introdução geral às formas que devem ser observadas na redação de uma carta comercial em inglês: com base em modelos de carta e de fax, comentam-se suas características, dão-se indicações sobre a forma e as diferenças entre a correspondência comercial britânica e a americana e são apresentados modelos de endereçamento britânicos e americanos. Encontram-se ainda instruções e detalhes sobre os sistemas adotados na Grã-Bretanha e nos Estados Unidos, de acordo com os códigos de endereçamento postal. No Anexo há uma lista de abreviações comerciais importantes, bem como um índice de países com a indicação da moeda corrente e do idioma utilizado no comércio internacional.

O Sumário pormenorizado, no início do livro, e o Índice Remissivo, no final, facilitam a busca de exemplos de cartas e frases intercambiáveis.

Sumário

Prefácio	3
Referências para o leitor	4
A carta comercial correta em inglês	15
Exemplo de carta	15
As seções de uma carta	16
Postagem e endereçamento na Grã-Bretanha e nos EUA	18
O fax	20
Expressões da área postal e de transportes	22
Exemplos de cartas	23
A consulta	25
Solicitação de proposta	25
A proposta	27
Resposta a solicitação de proposta	27
Recusa	27
Proposta condizente com a consulta	29
Proposta diferente da consulta	31
Modelo diferente	31
Qualidade diferente	31
Não se fazem fornecimentos a título de prova	32
Proposta com restrições	32
Proposta não solicitada	34
Resposta à proposta	36
Confirmação de recebimento	36
Resposta negativa	36
Resposta positiva	36
Pedido de alteração da proposta	37
Recusa do pedido de alteração da proposta	37
Pedido poderá ser atendido	37
Pedido poderá ser atendido com restrições	38

Referências	39
Pedido de referências	39
De um parceiro de negócios	39
A terceiros	39
Resposta a pedido de referências	40
Referência favorável	40
Informação vaga	40
Referência negativa	41
Impossibilidade de dar referências	41
Condições	42
Armazenamento	42
Entrega	42
Quantidade	43
Embalagem	43
Seguro	44
Condições de pagamento	44
Pedido	45
Apresentação do pedido	45
Aceitação do pedido	46
Recusa do pedido	46
Processamento rotineiro do pedido	47
Aviso de início de produção	47
Aviso de despacho	47
Faturamento	48
Confirmação de recebimento de mercadoria	49
Discrepâncias e irregularidades	50
Atraso na entrega	50
Atraso no pagamento	51
Reclamação de mercadoria com defeito	51
Resposta a reclamações	53
Pedido de compreensão	53
Apuração da reclamação	53
Reclamação rejeitada	54
As empresas e seus representantes	55
Proposta de representação	55
Solicitação	56

Resposta a proposta de representação	56
Pedido de representação	57
Resposta da empresa a ser representada	57
Contrato de representação	58
Apresentação do representante	59
Rescisão de contrato pelo representante	59
Rescisão de contrato pela empresa	60
Negócios comissionados	60
Transferência de pedido mediante comissão	61

Cartas para ocasiões especiais   62

Carta de agradecimento	62
Carta de felicitações	63
Aniversário de empresa	63
Aniversário	63
Abertura de filial	63
Comemoração de anos de serviço	64
Aviso de inauguração de ponto de venda	64
Aviso de abertura de filial de vendas	65
Alteração de razão social e endereço	65
Saída de sócio	66
Nomeação de diretor	66
Notificação de visita	67
Confirmação de visita	67
Convite para exposição	68
Aceitação de convite para exposição	68
Comunicação da informatização da contabilidade	69
Pedido de informação a entidade pública	70

Correspondência hoteleira   71

Consulta	71
Reserva individual	72
Reserva para congresso	72
Reserva para grupo	73
Resposta do hotel	74
Recusa	74
Resposta positiva	74
Confirmação de congresso	75

Correspondência bancária   76

Abertura de conta	76
Solicitação	76
Consulta sobre execução de ordem de cobrança	76
Autorização	77
Encerramento de conta	77
Pedido de crédito	78
Carta de crédito para viagem	78
Cobertura de conta	78
Conta especial	79
Crédito sem garantia	79
Remessa de documentos	80
Abertura de crédito documentário	80
Apresentação de documentos para cobrança	81
Apresentação de documentos contra aceite	82
Retirada de letra	82
Ordem de pagamento	83
Extrato de conta	83
Solicitação de envio	83
Concordância com o extrato	83
Discordância com o extrato	84
Operações com cheque	84
Apresentação de cheque	84
Devolução de cheque	84
Cancelamento de cheque	85
Perda de cartão de crédito	85
Investimento de capital	85
Operações na bolsa de valores	86
Compra de títulos	86
Venda de títulos	87

Correspondência de marketing e publicidade   88

Consulta sobre pesquisa de mercado	88
Resposta à consulta sobre pesquisa de mercado	89
Contratação de agência de publicidade	89
Publicidade e relações públicas	90
Solicitação de elaboração de campanha publicitária	90
Envio de material publicitário	90
Informe da agência de publicidade	90
Mala direta ao cliente	91

Cartas de recomendação, cartas de apresentação, solicitação de emprego   92

Comunicação de visita	92
Resposta a uma carta de apresentação	92
Referência favorável	93
Referência vaga	93
Solicitação de emprego	94
Convite para entrevista	94
Aprovação de candidato	95

Recusa de solicitação de emprego	95
Demissão	96

Correspondência de transportes

	97
Frete aéreo	97
Consulta a transportadora (exportação)	97
Consulta a transportadora (nacional)	97
Pedido a transportadora (importação)	98
Resposta da transportadora	98
Frete marítimo e frete fluvial nacional	99
Consulta à companhia de navegação	99
Consulta à companhia de navegação sobre afretamento	99
Resposta da companhia de navegação	100
Contrato de frete com companhia de navegação fluvial	100
Transporte rodoviário e ferroviário	101
Consulta a transportadora	101
Proposta da transportadora	102
Pedido de frete a transportadora rodoviária	103
Pedido de frete a transportadora ferroviária	103

Frases intercambiáveis 105

A consulta 107

Consulta genérica	107
Solicitação de folhetos	107
Solicitação de preços e lista de preços	108
Pedido de informações sobre qualidade e garantia	108
Pedido de informações sobre quantidade e tamanho	109
Pedido de amostras	109
Fornecimento para prova	110
Compra a título de prova	110
Consulta sobre oferta especial	110
Consulta sobre condições de entrega e pagamento	111

A proposta 112

Resposta a solicitação de proposta	112
Proposta impossível	112
Proposta condizente com a consulta	113
Frases introdutórias	113
Cotação de preços	113
Descontos e acréscimos	115
Validade da proposta	115
Qualidade e garantia	116
Quantidades e tamanhos	117
Embalagem	117
Prazo de entrega	118
Aviso de envio de folhetos	118
Aviso de envio de lista de preços	119
Aviso de envio de amostras	119
Resposta a pedido de fornecimento de prova	120
Proposta divergente	120
Diferença de qualidade	120
Diferença de quantidade e tamanho	121
Diferenças de preço	122
Diferenças de embalagem	122
Impossibilidade de envio de amostra	123
Impossibilidade de fornecimento para prova	123
Impossibilidade de venda a título de prova	124
Diferenças nas condições de entrega	124
Diferenças nas condições de pagamento	125
Proposta com restrições	126
Proposta com prazo limitado	126
Oferta com quantidades limitadas	126
Quantidades mínimas	127
Proposta não solicitada	127
Resposta a proposta	130
Confirmação de recebimento	130
Resposta negativa	130
Resposta positiva	130
Pedido de alteração da proposta	131
Qualidade	131
Quantidade e tamanho	131
Preços	132
Embalagem	133
Entrega	133
Condições de pagamento	134
Garantias	135
Tipo de despacho	135
Recusa do pedido de alteração da proposta	136
O pedido pode ser atendido	137
Recusa do pedido de alteração e nova proposta	138

Referências	139
Solicitação de referências	139
Parceiros de negócios	140
Garantia de discrição e frases finais	140
Solicitação de referências a bancos	140
Solicitação de referências a serviços de proteção ao crédito	141
Resposta a pedido de referências	142
Referência favorável	142
Referência vaga	143
Referência desfavorável	143
Recusa do pedido de referências	144
A firma não é conhecida	144
Não costuma dar referências	145
Condições	146
Armazenamento	146
Condições genéricas	146
Condições específicas	146
Transporte para o depósito	147
Propostas genéricas	148
Recusas	148
Proposta de local de armazenamento ao ar livre	148
Proposta de local de armazenamento com equipamento especial	149
Indicação de um parceiro de negócios	150
Apresentação de pedido	150
Recusa	151
Confirmação	151
Fornecimento	152
Consultas	152
Proposta	152
Despacho	153
Prazos	153
Quantidade	154
Quantidade mínima	154
Mercadoria não pode ser fornecida em quantidade suficiente	154
Embalagem	155
Consultas genéricas	155
Consultas específicas	155
Propostas genéricas	156
Propostas específicas	157
Apresentação de pedidos genéricos	158
Apresentação de pedidos específicos	158
Confirmação de pedido e aviso de despacho	159
Condições gerais de embalagem	159

Seguro	160
Consulta	160
Solicitação de contrato de seguro	161
Condições de pagamento	162
Pagamento à vista sem desconto no recebimento da mercadoria	162
No recebimento da fatura	162
Desconto (pagamento à vista/antecipado)	162
Prazo de pagamento	163
Concessão de crédito	163
Pagamento à vista	164
Transferência bancária	164
Cheque	164
Cessão de crédito	164
Letra de câmbio	165
Entrega contra carta de crédito	165
Entrega com reserva de domínio	166
Local de execução	166
Foro competente	166
Cobrança	166
Pedido	167
Apresentação de pedido	167
Frases introdutórias	167
Quantidade	168
Qualidade	168
Embalagem	169
Preços	169
Tipo de expedição	170
Prazo de entrega	170
Local de entrega	171
Condições de pagamento	171
Execução do pedido	172
Referência a pedidos subseqüentes	172
Solicitação de confirmação de pedido	173
Confirmação de pedido	173
Aceitação de pedido	173
Aceitação com a observação "conforme encomenda"	173
Aceitação reproduzindo o pedido	174
Aceitação com modificações	174
Recusa de pedido	175
Recusa de pedido sem justificativa	175
Recusa de pedido com justificativa	175
Processamento rotineiro do pedido	176
Aviso de início de produção	176
Aviso de término de produção e disponibilidade da mercadoria	176

Aviso de despacho	177
Faturamento	178
Frases costumeiras na apresentação de fatura	178
Confirmação de recebimento da mercadoria	179
Confirmação de recebimento do pagamento	179

Discrepâncias e irregularidades   181

Notificação de atraso da encomenda	181
Cancelamento da proposta	181
Atraso na entrega	182
Prorrogação do prazo de entrega	183
Ameaça de ressarcimento	183
Cancelamento de pedido	184
Compra alternativa e indenização por perdas	185
Atraso no pagamento	185
Primeira advertência	185
Segunda advertência	186
Terceira advertência e fixação de prazo	187
Advertência final e ameaça de medidas judiciais	187
Recurso jurídico	187
Reclamações	188
Diferença de quantidade	188
Diferença de qualidade em relação à amostra	189
Diferença de qualidade em relação à remessa para prova	190
Qualidade diferente da pedida	190
Qualidade diferente da indicada	190
Embalagem insatisfatória	191
Entrega errada	192
Faturamento incorreto	192
Omissão de descontos prometidos	193
Equívocos e ambigüidades	194
Extravio de mercadorias	195
Respostas a notificações de irregularidades	195
Cancelamento da proposta	195
Cancelamento do pedido	196
Justificativa de atraso	196
Atraso de fornecimento	196
Atraso de pagamento	197
Desculpas por atraso de fornecimento	198
Desculpas por atraso de pagamento	199
Resposta rejeitando reclamações	200
Recusa de fornecimento a mais	200
Fornecimento a menos	200
Reclamações sobre qualidade	201
Embalagem insatisfatória	202
Reconhecimento de erro	202
Quantidade fornecida	202
Qualidade	203
Embalagem	204
Fornecimento incorreto	204
Justificativas sobre o faturamento	205
Resposta sobre descontos incorretos	205
Aviso de crédito em conta	207
Respostas a equívocos e ambigüidades	207
Medidas preventivas	207
Fornecimento	207
Pagamento	208
Quantidades	208
Qualidade	209
Embalagem	209
Diversos	210
Resposta sobre extravio de mercadoria	210

Questões jurídicas   212

Consultas	212
Respostas	212

As empresas e seus representantes   214

Proposta de representação	214
Anúncio em jornal	214
Cartas pessoais	214
Descrição de atividades	215
Descrição dos produtos	215
Descrição do mercado	216
Descrição de campanha publicitária	217
Descrição da área de representação	217
Exigências	218
Personalidade	218
Qualificação profissional	218
Currículo (*curriculum vitae*)	219
Diplomas e certificados	219
Referências	220
Remuneração	220
Salário	220
Comissões	220
Despesas	221
Período de emprego	222
Início	222
Duração	222
Entrevista	223
Candidatura em resposta a proposta de representação	223

Frases introdutórias	223
Dados pessoais	223
Data da entrevista	224
Resposta a proposta de representação	224
Recusa	224
Aceitação	225
Procura de representação	225
Anúncios em jornal	225
Dados pessoais	226
Referências	226
Ramo	226
Remuneração (do ponto de vista do representante)	227
Duração do contrato (do ponto de vista do representante)	227
Área de representação (do ponto de vista do representante)	228
Recusa de solicitação	228
Aceitação de solicitação	229
Setor de atividade	229
Área de representação	229
Remuneração (do ponto de vista da firma representada)	230
Duração do contrato (do ponto de vista da firma representada)	231
Data da entrevista	231
Contrato de representação	232
As partes	232
Obrigações	232
Área de representação	233
Remuneração	234
Salário	234
Comissões	234
Despesas	235
Liquidação de contas	235
Publicidade	236
Apoio da firma	236
Publicidade a cargo do representante	236
Proibição de concorrência	236
Duração do contrato	237
Rescisão do contrato	237
Alterações do contrato	238
Apresentação do representante	239
Informe do representante	239
Atividades	239
Dificuldades	240
Situação geral do mercado	241
Poder aquisitivo	241
Concorrentes	242
Sugestões de melhora	243
Pedidos	243
Informe da empresa ao representante	244
Confirmação de pedidos	244
Formalidades dos pedidos	244
Conteúdo dos pedidos	245
Carta de reconhecimento	245
Repreensão ao representante	246
Ampliação da produção	246
Artigos fora de linha	247
Alterações de preço	247
Correspondência entre cliente, empresa e representante	247
Do cliente à empresa	247
Da empresa ao representante	248
Do representante à empresa	249
Da empresa ao cliente	249
Divergências entre a empresa e o representante	250
Processamento de pedidos	250
Queixas da empresa	250
Resposta do representante	250
Pagamento de comissões e de despesas	251
Informe do representante	251
Resposta da empresa	251
Réplica do representante	252
Rescisão da representação	253
Rescisão contratual pela empresa	253
Rescisão contratual pelo representante	253
Rescisão contratual pela empresa sem aviso prévio	253
Rescisão contratual pelo representante sem aviso prévio	254
Negócios consignados e comissionados	254
Proposta de negócio comissionado: compra	254
Resposta do agente comercial	255
Proposta de negócio comissionado: venda	256
Resposta do agente comercial/consignatário	257
Agente comercial procura comissionamento de compra	257
Resposta do comitente	258
Agente comercial procura comissionamento de venda	258
Resposta do comitente/consignador	259
Divergências entre comitente/consignador e agente comercial/consignatário	260
Carta do comitente/consignador	260
Resposta do agente comercial/consignatário	260

Rescisão do negócio comissionado	262
Rescisão de contrato pelo comitente/consignador	262
Rescisão de contrato pelo agente comercial/consignatário	262

Cartas para ocasiões especiais	264
Cartas de agradecimento	264
Cartas de felicitações	264
Aniversário de empresa	264
Natal e Ano-Novo	265
Abertura de novo negócio	265
Casamento, aniversário	266
Cartas de pêsames	266
Informações da empresa	266
Aviso de abertura de negócio/filial/escritório de vendas	266
Alteração da razão social	267
Alteração de endereço	268
Alteração de número do telefone	268
Novo número de fax e alteração de número	269
Alteração da participação societária	269
Saída de colega/sócio	269
Entrada de sócio	270
Nomeações	271
Mudanças de pessoal	271
Compromissos	272
Notificação de visita	272
Pedido de permissão de visita	272
Pedido de reserva de quarto e cancelamento de reserva	273
Ponto de encontro, pedido para ser pego	273
Cancelamento de visita	273
Exposições	274
Comunicado de exposição	274
Convite para visitar uma exposição	274
Organização de exposição	275
Informatização	275

Correspondência com órgãos oficiais	277
Cartas a órgãos oficiais	277
Respostas de órgãos oficiais	278

Correspondência hoteleira	279
Generalidades	279
Pedidos especiais	280
Transporte	280

Reservas	281
Faturas de hotel	281
Esclarecimentos	282
Pedido de informações por escrito	282
Sugestões de cardápio	282
Folhetos	282
Achados e perdidos	283
Quarto, objetos de valor e objetos perdidos	283
Listas de controle	283
Reservas	283
Sugestão de modelo de carta	284
Telefone – fax – computador	284
Telefone	284
Fax	284
Computador	284

Correspondência bancária	285
Abertura de conta	285
Encerramento de conta	286
Solicitação de crédito	286
Remessa de documentos	287
Extrato de conta	288
Operações na bolsa de valores	289
Pagamento por transferência de valores	290

Marketing e publicidade	291
Pesquisa de mercado	291
Consultas	291
Respostas	292
Publicidade e relações públicas	293
Consultas	293
Respostas	294
Proposta de uma agência de publicidade ou de relações públicas	294
Resposta positiva a proposta de agência de publicidade ou de relações públicas	295
Resposta negativa a proposta de agência de publicidade ou de relações públicas	296

Cartas de recomendação, cartas de apresentação, solicitações de emprego	297
Notificação de visita	297
Pedido de assistência	297
Informações sobre novos funcionários	298
Treinamento/capacitação	298
Referência favorável	299
Referência vaga	299
Cartas de solicitação de emprego	300

Frases introdutórias	300
Detalhes complementares	300
Frases finais	301
Resposta a pedido de emprego e convite para entrevista	302
Emprego concedido	303
Recusa de solicitação de emprego	303
Demissão pelo empregador	304
Demissão por parte do empregado	304

Correspondência de transportes — 305

Frete aéreo	305
Consulta a transportadora	305
Resposta da transportadora	306
Pedidos de transporte	307
Confirmação de pedido	308
Disposições gerais	308
Frete marítimo e frete fluvial	309
Solicitação de proposta	309
Consultas gerais à transportadora	309
Contratos de frete	310
Possibilidade de carga	310
Carga, descarga, embarque	311
Contêineres	312
Custos	312
Pedidos	313
Respostas a consultas	314
Contratação	317
Contratação com restrições	317
Confirmação da contratação	318
Transporte rodoviário e ferroviário	320
Consultas genéricas	320
Consultas específicas	321
Entroncamento ferroviário	321
Consulta sobre condições	322
Material de embalagem	323

Transporte multimodal	323
Documentos de transporte	324
Assuntos diversos	325
Propostas	326
Custos	326
Custos de embalagens	327
Transporte multimodal	327
Documentos de transporte e anexos	328
Diversos	329
Contratos especiais	330
Aviso de despacho	331
Seguro de transporte	331
Condições	331
Consultas	332
Propostas	333
Contratação	333
Confirmação de contrato	334
Extensão da cobertura do seguro	334
Sinistros	335

Anexos — 337

Abreviaturas comerciais e expressões técnicas internacionais — 339

Índice de países com moeda corrente e idioma comercial internacional — 344

Pesos e medidas britânicos e americanos — 350

Índice remissivo — 353

A carta comercial correta em inglês

ACORN DECOR

Unit 6, Whitefield Industrial Estate ①
Lancaster LA4 5DA, Great Britain

Tel. +(0)1524-56431. Telex: 54229. Fax: +(0)1524 56000

Your ref: KL/th
Our ref: GG/vc ②

21 May 19... ③

West Ridge Trading Company Ltd.
98-104 Dawson Road
Calgary
Alberta T2N 2E9 ④
Canada

For the attention of Ms Miles ⑤

Dear Ms Miles ⑥

<u>Your Enquiry regarding Refuse Containers</u> ⑦

Many thanks for your enquiry of 15 May regarding our new, environmentally
friendly refuse containers. ⑧

We take pleasure in sending you our latest, illustrated catalogue containing comprehensive details of our entire sales range. Our current price list is also enclosed.

We are able to supply most of the articles depicted in it from stock and are
also willing to grant generous discounts to first-time buyers.

We look forward to hearing from you soon.

Yours sincerely ⑨

(Signature) ⑩

Gerald Grisham
Sales Manager

Enc ⑪   ⑬

cc: A. Clark, European Sales Co-ordinator ⑫

15

As seções de uma carta

1 Cabeçalho (letterhead)

Normalmente o cabeçalho já está impresso no papel de carta ou, trabalhando-se com o computador, encontra-se arquivado no programa de texto. O cabeçalho em inglês deve conter nome, endereço, número de telefone e fax. Caso a firma tenha telex e e-mail, estes também devem ser mencionados. O nome dos diretores e o registro de escritório geralmente também devem ser mencionados.

2 Referência (reference line)

A referência consiste normalmente das iniciais da pessoa que ditou a carta e daquela que a escreveu. Às vezes a linha de referência também contém a abreviatura do departamento, que – especialmente em órgãos públicos ou grandes empresas com vários departamentos – deve ser mencionada na resposta.

3 Data (date)

Há diversas formas modernas de escrever a data, por exemplo:

10 September 19...
September 10 19...
September 10th 19...
September 10th, 19...
September 10, 19...

Mesmo considerando a forma diferente adotada pelos norte-americanos, deve-se evitar escrever apenas números, como por exemplo:

1996-9-10

Esta forma de se referir ao dia 10 de setembro de 1996 é bem comum nos Estados Unidos, mas pode confundir. Por isso, o nome do mês deve ser escrito e, especialmente em nomes de meses extensos, citados de forma abreviada, por exemplo:

3 Sept 1996

4 Endereço do destinatário (inside address)

Exemplos:

Mr P.R. Johnson
Mrs A J Howard
Ms Rita Fulham
Miss Jaqueline Howard
Messrs Hooton & Brown

A forma de tratamento em correspondência para pessoas ou empresas é, via de regra, como mostrada no exemplo. "Messrs" usa-se em organizações apenas diante dos nomes de pessoas, todavia, não é uma forma utilizada quando a organização tem outro nome que não o nome de pessoas, como

The Whitehall Exhibition Centre
The Brighton Golf Club

Se a carta é endereçada a uma sociedade de capital, que em inglês geralmente termina em "Ltd." ou "Plc", nos Estados Unidos freqüentemente em "Inc", na África do Sul em "Pty." etc., escreve-se apenas o nome da empresa, por exemplo:

The Boston Rubber Company Inc.
Dexter & Partners Ltd
MacGraw & Hudson Plc

5 Destinatário individual – aos cuidados de (attention line – for the attention of)

Se, por motivo de competência, a carta deve ser dirigida a determinada pessoa, é aconselhável que se use para isso uma linha separada. Naturalmente, a pessoa em questão pode ser mencionada já no endereço do destinatário. Todavia, a desvantagem é que uma carta destinada a determinada pessoa só pode ser aberta por ela. Caso se trate de correspondência comercial, é melhor, portanto, enviá-la "aos cuidados de...". Assim, poderá ser aberta se a pessoa competente estiver ausente, de modo que o colega que estiver presente tome as devidas providências.

6 Saudação (salutation)

O tratamento a uma pessoa ou empresa depende muitas vezes do tratamento utilizado no endereçamento ou na linha de "aos cuidados de...".

O tratamento para "Mr A J Howard" seria, por exemplo:

Dear Sir ou Dear Mr Howard

ou, como é bastante comum no inglês, por meio do nome:

Dear Adam

No caso das senhoras vale o mesmo. "Ms Jane Fielding" poderia receber os seguintes tratamentos:

Dear Madam   Dear Jane
Dear Ms Fielding

A abreviação "Ms" é dos Estados Unidos, onde as mulheres preferiram não usar nem "Mrs" nem "Miss" diante de seus nomes, mas indicar simplesmente por "Ms" de que se trata de pessoas do sexo feminino. "Mrs" e "Miss" evidentemente também são usadas. As abreviações "Mr.", "Mrs.", "Ms." freqüentemente levam um ponto na correspondência norte-americana, mas muito raramente em cartas comerciais britânicas.

Se a correspondência é dirigida a uma empresa em que não se conheça ninguém pelo nome, utiliza-se: "Dear Sirs", "Dear Sir or Madam" ou também "Dear Madam, dear Sir". Se é dirigida a uma organização constituída apenas de mulheres, usa-se também nos Estados Unidos "Ladies". Porém, nem no inglês britânico nem no inglês norte-americano existe um tratamento que englobe a todos, correspondente em português a "Prezados Senhores e Senhoras". Nos exemplos das cartas, para simplificar, foi utilizado o tratamento no singular "Dear Sir ou Madam". Caso se utilize em seguida pontuação, no inglês britânico coloca-se uma vírgula, no norte-americano, dois pontos.

Na era do computador, tanto no endereçamento quanto no tratamento não se utiliza muito a pontuação. No corpo da carta, obviamente, continua tendo a maior importância. Em cartas norte-americanas encontra-se freqüentemente a pontuação tanto no tratamento quanto no final dele (uma vírgula).

7 Assunto (subject line)

Nas diversas organizações da União Européia, não existe unanimidade quanto à necessidade de se referir ao assunto. Enquanto no Brasil a tendência ainda é de considerar a referência ao assunto como parte integrante da carta, ela já não é obrigatória na Grã-Bretanha. Embora no inglês a referência deva estar após a saudação, e não antes, como em português, também aqui existem divergências.

8 Corpo da carta (body of the letter)

Mesmo em uma carta comercial breve, existe unanimidade quanto à necessidade de haver três partes: introdução, a razão da carta e uma frase final.

9 Cumprimento final (complimentary close)

Aqui há diferenças no inglês britânico e no norte-americano. Enquanto o britânico é muito reservado, tenha tratado a pessoa pelo nome ou não, o americano é mais aberto.

Se os britânicos se dirigem a uma pessoa pelo nome, por exemplo,

Dear Roger
Dr Jones
Dear Mr Parker,

costumam usar no cumprimento final "Yours sincerely".

Mas, se escrevem

Dear Sir
Dear Madam
Dear Sirs,

a frase final será "Yours faithfully".

Se se conhece muito bem uma pessoa, podem ser acrescidas algumas palavras cordiais, como

With best wishes
Kind regards

Nos EUA encontra-se freqüentemente

Sincerely yours, ou
Yours (very) truly,

17

não importando como a pessoa foi tratada no início.

10 Nome e assinatura (name and signature)

Na Grã-Bretanha e nos EUA a carta é geralmente assinada pela pessoa que a ditou ou a escreveu. Como assinaturas geralmente são ilegíveis, torna-se cada vez mais comum escrever o nome da pessoa embaixo. A fim de informar o destinatário sobre o cargo da pessoa com a qual se corresponde, muitas vezes se encontra tal indicação também sob o nome, por exemplo:

P R Land
Mary Peterson

Purchase Manager
Chief Accountant

11 Anexos (enclosures)

Se for anexado um documento à carta, isso deve ser mencionado no seu final, o que normalmente se faz pela abreviação "Encl(s)" ou "Enc(s)".

12 Cópias (cc – carbon copy)

Muitas vezes o remetente deseja que determinada pessoa ou organização/departamento (interno ou externo) receba uma cópia da carta, para sua informação. A fim de que o destinatário também saiba disso, coloca-se uma observação no rodapé da carta. Muitas vezes se informam ao mesmo tempo várias pessoas e organizações/departamentos.

13 Post scriptum (postscript – P.S.)

Assim como no Brasil, serve para colocar ao final da carta algo que se tenha esquecido. Mas hoje o P.S. se tornou bastante raro, pois em cartas escritas no computador pode-se facilmente inserir algo. O *post scriptum* fica após a assinatura ou após a indicação de anexo.

Postagem e endereçamento na Grã-Bretanha e nos EUA

1 Grã-Bretanha

Na Grã-Bretanha há basicamente dois sistemas de postagem, a "first class postage", pela qual as cartas são enviadas com mais rapidez, mas também são mais caras, e a "second class postage", mais barata, mas mais demorada.

Na separação da correspondência, as cartas são, a princípio, separadas por máquina, para postagem de 1ª ou 2ª categoria, quando também os selos são carimbados automaticamente.

Os códigos de endereçamento postal têm um sistema mais complexo na Inglaterra do que no Brasil. O "postcode" consiste de dois grupos de letras e números. O primeiro grupo indica em código postal a cidade ou a região do destinatário, e o segundo grupo, seu endereço postal correto.

Um endereço corretamente escrito deve ser como segue:

Mr Joseph Browne
36 Flora Grove
Harwich
Essex
C012 4JR
England

Os nomes das abreviações mais importantes dos condados, reconhecidas pelos correios, são:

Bedfordshire	Beds	Northamptonshire	Northants
Berkshire	Berks	Northumberland	Northd
Buckinghamshire	Bucks	Nottinghamshire	Notts
Cambridgeshire	Cambs	Oxfordshire	Oxon
Gloucestershire	Glos	Shropshire	Shrops/Salop
Hampshire	Hants	South Glamorgan	S Glam
Hertfordshire	Herts	Staffordshire	Staffs
Lancashire	Lancs	West Glamorgan	W Glam
Leicestershire	Leics	Wiltshire	Wilts
Lincolnshire	Lincs	Worcestershire	Worcs
Mid Glamorgan	M Glam	Yorkshire	Yorks
Middlesex	Middx		

2 EUA

Nos endereços dos Estados Unidos deve ser mencionada a abreviação para o Estado correspondente em letras maiúsculas, bem como o código postal (chamado em inglês norte-americano de "ZIP code").

Nos Estados Unidos é usual escrever o endereço no envelope em letras maiúsculas, sem pontuação, por exemplo:

MS RITA PETERSON
40 BRIDGETOWN STREET
FLORIDA FL 810450
USA

O nome dos Estados norte-americanos e seus distritos com abreviações são:

Alabama	AL	Kansas	KS	Ohio	OH
Alaska	AK	Kentucky	KY	Oklahoma	OK
Arizona	AZ	Louisiana	LA	Oregon	OR
Arkansas	AR	Maine	ME	Pennsylvania	PA
California	CA	Maryland	MD	Puerto Rico	PR
Canal Zone	CZ	Massachusetts	MA	Rhode Island	RI
Colorado	CO	Michigan	MI	South Carolina	SC
Connecticut	CT	Minnesota	MN	South Dakota	SD
Delaware	DE	Mississippi	MS	Tennessee	TN
District of		Missouri	MO	Texas	TX
Columbia	DC	Montana	MT	Utah	UT
Florida	FL	Nebraska	NE	Vermont	VT
Georgia	GA	Nevada	NV	Virginia	VA
Guam	GU	New Hampshire	NH	Virgin Islands	VI
Hawaii	HI	New Jersey	NJ	Washington	WA
Idaho	ID	New Mexico	NM	West Virginia	WV
Illinois	IL	New York	NY	Wisconsin	WI
Indiana	IN	North Carolina	NC	Wyoming	WY
Iowa	IA	North Dakota	ND		

O fax

O telefax ou fax, numa época de possibilidades de comunicação crescentemente mais velozes, é cada vez mais apreciado, a ponto de quase ter aposentado o telex.

Em estrutura os faxes assemelham-se a cartas comerciais, contudo seguem menos regras com relação à forma e à própria estrutura. Podem ser enviados ao destinatário por aparelhos específicos de fax, acoplados ao telefone, ou diretamente através do computador.

Quanto à forma, ainda não há regras. Na maioria das vezes as empresas usam impressos próprios, que identificam o remetente com seu endereço exato e demais indicações. O endereço do destinatário nem sempre é indicado por completo, pois basta discar o número correto de fax.

Diferentemente da carta, no fax indica-se o número de páginas, a fim de que o destinatário saiba quantas páginas deve receber e possa contatar o remetente caso o número recebido de páginas não corresponda ao indicado.

Ainda é necessário determinar com clareza se um fax tem legalidade judicial. Se nas relações comerciais ele possui legalidade reconhecida, esse princípio não é válido em todo o âmbito oficial e judicial. No caso de documentos importantes, deve haver, por medida de precaução, uma confirmação por meio de carta.

Estilisticamente um fax é menos formal que uma carta comercial. Quase nunca são usadas fórmulas rígidas de cumprimento ou expressões. Mas no fax é também imprescindível mencionar datas e fatos importantes, para que não ocorram mal-entendidos.

A seguir, dois exemplos de como diagramar um comunicado via fax:

FAX MESSAGE

TO: Mr Wong, ColorPrints (PTE) Ltd., Singapore
FAX: ++65-6423762

FROM: Mr R. Wolf, Langenscheidt Publishers, Munich, Germany
FAX: ++89-2316-234   TEL: ++89-2316-421

Dear Mr Wong

We have tried unsuccessfully to reach your office by telephone several times on an urgent matter. Please ring back at your earliest convenience.

Yours sincerely

(Signature)

ACORN DECOR

Unit 6, Whitefield Industrial Estate
Lancaster LA4 5DA, Great Britain

Tel. +(0)1524-56431. Telex: 54229. Fax: +(0)1524 56000

FAX

TO:	Mr Michael Keller	FAX NO:	00 49 234 228776
FROM:	Ken Jones	DEPT:	Sales
OUR REF:	KJ/TT	YOUR REF:	MK/NM
SUBJECT:	Hanover Trade Fair		
PAGE:	1 OF 3	DATE:	1 June 19…

Dear Michael

As discussed with John Barnes today, please find attached our Briefing Notes re. next month's trade fair in Hanover.

I confirm that I will be pleased to meet you week commencing 13 June and should be grateful if you would contact my secretary with a proposed time and date.

If you require any further information, do not hesitate to contact me.

Kind regards

(Signature)

Ken Jones
Sales Director

Expressões da área postal e de transportes

1 Correios

attn (for the attention of) a/c (aos cuidados de)	P. O. Box caixa postal
By airmail por via aérea	Poste restante / to be called for posta-restante / por retirar
By courier por mensageiro	Printed matter impresso
By registered mail por carta registrada	Printed matter reduced rate impresso com taxa reduzida
c/o (care of) a/c (aos cuidados de)	Private particular
Confidential confidencial	Private and confidential altamente confidencial
Express Delivery Entrega rápida	To be forwarded / Please forward remeter ao novo endereço
If undelivered, please return devolver ao remetente se não entregue	Urgent urgente

2 Transportes

Bottom este lado para baixo	Lift with chains not with hooks erga com corrente, não com ganchos
Do not store in a damp place teme umidade / estoque em local seco	Keep dry teme umidade
Do not remove protective cardboard não remova papelão protetor	Keep upright mantenha em pé
Do not drop não deixe cair	Open here abra aqui
Fragile frágil	To be rolled, not tipped não incline, role
Handle with care manuseie com cuidado	Top este lado para cima
Lift here erga por aqui	Weight, net, legal, gross, tare peso, líquido, legal, bruto, tara

Exemplos de Cartas
Sample Letters

A consulta
Enquiries

Solicitação de proposta

Proposta para motores elétricos

1 Prezados Senhores,

Na qualidade de fabricantes de máquinas de lavar totalmente automáticas, temos uma grande demanda de motores elétricos de 0,1 a 0,5 hp.

Gostaríamos que nos apresentassem uma proposta a respeito de tais motores, cotando seus menores preços, tendo em vista uma demanda anual de ... motores.

Aguardamos com interesse o recebimento de sua proposta detalhada.

Atenciosamente,

2 Prezados Senhores,

Seu endereço nos foi dado por nosso representante sr. ..., em ... Soubemos que os senhores produzem máquinas de calcular de diversos tipos e gostaríamos muito de incluir seus produtos em nosso programa de vendas.

Caso haja interesse de sua parte em um negócio, agradeceríamos que nos enviassem uma proposta detalhada.

Esperamos receber notícias suas em breve e subscrevemo-nos

Atenciosamente,

Requests for offers

Offer for Electric Motors

1 Dear Sir or Madam

As manufacturers of fully automatic washing machines we require large numbers of 0.1 – 0.5 hp electric motors.

Would you please submit us an offer for these motors, quoting your lowest prices, assuming a yearly requirement of ... motors?

We look forward to receiving your detailed offer.

Yours faithfully

2 Dear Sir or Madam

We were given your address by our representative, Mr ... in ... We understand that you manufacture various sorts of desk calculators and would very much like to include your products in our range.

Should you be interested in doing business with us we would request you to submit us a detailed offer.

Hoping to hear from you in the very near future we remain

Yours faithfully

3 Prezados Senhores,

Nos últimos anos colocamos no mercado diversas marcas estrangeiras de ..., o que proporcionou um volume substancial de vendas para os fornecedores.

A ampla gama de produtos que os senhores apresentaram na exposição em ... atraiu nosso interesse, de modo que lhes solicitamos remeter-nos todas as informações sobre seus ...

Gostaríamos de chamar sua atenção para o fato de que nossos clientes dispõem de um excelente serviço de assistência técnica pós-venda.

Aguardamos com grande interesse sua resposta.

Atenciosamente,

3 Dear Sir or Madam

In recent years we have introduced a variety of foreign brands of ... to the market, resulting in substantial sales for the manufacturers supplying us.

The impressive range of products you displayed at the exhibition in ... particularly attracted our attention. We would therefore request you to to send us all the information available on your ...

We would, in addition, like to draw your attention to the fact that our clients also enjoy an excellent after-sales service.

We look forward to your reply with great interest.

Yours faithfully

A proposta
Offers

Resposta a solicitação de proposta

Recusa

1 Prezados Senhores,

Agradecemos sua carta de ... e o interesse nela demonstrado por nossos produtos.

Lamentamos comunicar-lhes que, por motivos de competitividade, nossa produção se limita a determinados artigos. As mercadorias solicitadas pelos senhores não são por nós fabricadas.

Por essa razão, pedimos à ..., empresa com a qual temos estreitos laços comerciais, que lhes apresentasse uma proposta adequada.

A fim de dar-lhes uma visão geral dos produtos que fabricamos, tomamos a liberdade de anexar nosso folheto ilustrado. Caso haja interesse por algum dos artigos nele apresentados, queiram por gentileza nos comunicar. Teremos o maior prazer em lhes apresentar uma proposta detalhada com prazos de entrega, preços, condições de pagamento etc.

Atenciosamente,

Anexo
1 folheto

Response to a request for an offer

Rejection

1 Dear Sir or Madam

Many thanks for your letter of ... and for the interest expressed in our products.

We regret, however, to inform you that in order to remain competitive we only manufacture certain articles and thus do not produce the goods you request.

We have therefore requested the ... plant with whom we have close ties, to make you an appropriate offer.

We have taken the liberty of enclosing our illustrated brochure, to enable you to gain an overall impression of the goods we produce. Should you be interested in any of these articles please do not hesitate to contact us. We will then send a detailed offer including delivery times, prices, terms of payment etc.

Yours faithfully

Enc
1 Brochure

2 Prezados Senhores,

Em resposta à sua consulta de ... , infelizmente temos a informar-lhes que, como nossa lista de pedidos está totalmente tomada nos próximos ... meses, não estamos em condições de lhes apresentar uma proposta. Lastimamos também não termos nenhuma possibilidade de ampliar nossa capacidade de produção em curto prazo.

Na certeza de sua compreensão, subscrevemo-nos

Atenciosamente,

2 Dear Sir or Madam

In response to your enquiry of ..., we regret to inform you that as our order books are full for the next ... months, we are unable to make you an offer. We are also unfortunately not able to expand our capacity in the short term.

We trust you will understand our position.

Yours faithfully

3 Prezados Senhores,

Agradecemos sua consulta datada de ... Infelizmente temos a informar que nossa empresa não atua em exportação. Somos fornecedores apenas no mercado de ...

A firma ... cuida da exportação de todos os produtos de nossa fabricação. Enviamos sua consulta a essa empresa, solicitando que lhes apresentem a proposta desejada. Em breve a ... deverá contatá-los.

Atenciosamente,

3 Dear Sir or Madam

Many thanks for your enquiry dated ... We regret to inform you, however, that we ourselves are not exporters, only supplying goods for the ... market.

All the goods we produce are exported by .... We have passed your order on to them and requested them to make you an offer as requested. You will be hearing from them in the near future.

Yours faithfully

4 Prezados Senhores,

Acusamos o recebimento de sua consulta de ..., a qual agradecemos.

Infelizmente não temos condições de lhes apresentar uma proposta direta.

Há vários anos somos representados pela ..., com a qual temos acordo contratual. Assim, não temos possibilidade de efetuar entregas diretas à sua região.

Portanto, pedimo-lhes que entrem em contato com a ..., mencionando a presente carta.

Atenciosamente,

4 Dear Sir or Madam

We acknowledge receipt of your enquiry of ... for which we thank you.

We are, however, unfortunately not in a position to make you a direct offer.

For many years now we have been represented by ..., with whom we have a contractual agreement. We are therefore unable to make any deliveries to your sales territory directly.

Please therefore contact ... quoting this letter.

Yours faithfully

Proposta condizente com a consulta

1 Prezados Senhores,

Agradecemos sua consulta de ... Anexa, enviamos aos senhores uma amostra dos produtos desejados, que podemos lhes fornecer como segue:

... de plástico, em lotes de ...

Pedido mínimo:	... unidades
Fornecimento:	frete pago até a fronteira
Embalagem:	incluída no preço
Pagamento:	por meio de carta de crédito irrevogável

Ficaríamos muito satisfeitos em receber seu pedido e desde já lhes asseguramos sua pronta execução.

Atenciosamente,

Anexa
1 amostra

2 Prezados Senhores,

Temos o prazer de lhes fornecer nosso mostruário, conforme pedido. Anexa a esta, os senhores encontrarão a lista de preços de exportação de todos os produtos que fabricamos.

Temos grande interesse em exportar para ... e ficaríamos satisfeitos de receber um pedido preliminar para que possamos demonstrar nossa eficiência. Podem estar certos de que quaisquer pedidos recebidos serão cumpridos com o máximo cuidado.

Aguardamos sua resposta quanto antes.

Atenciosamente,

Anexos
1 mostruário
1 lista de preços

Offer as requested in enquiry

1 Dear Sir or Madam

Thank you for your enquiry of ... Enclosed you will find a sample of the goods requested, for which we are able to quote you as follows:

Plastic ... in lots of ...

Minimum order:	... units
Delivery:	freight paid to border
Packing:	no charge
Payment:	by irrevocable letter of credit

We would be very pleased to receive your order, which, you may rest assured, will be executed promptly.

Yours faithfully

Enc
1 Sample

2 Dear Sir or Madam

We are pleased to supply you with a collection of our samples as requested. Enclosed you will also find the export price list for all the articles we manufacture.

We are most interested in exporting to ... and would therefore be pleased to receive a trial order to enable us to demonstrate our efficiency. You may be certain that any orders received will be executed with the utmost care.

A prompt reply would be very much appreciated.

Yours faithfully

Encs
1 Selection of samples
1 Price list

3 Prezados Senhores,

Agradecemos sua consulta feita em ... e confirmamos o recebimento de sua amostra.

Depois de examiná-la, estamos em condições de lhes informar que poderemos fornecer o artigo a nós apresentado em qualidade e modelo idênticos.

Conforme sua solicitação, apresentamos-lhes uma proposta para um fornecimento anual de ... peças, como segue:

Preço unitário: ... posto em fábrica

Embalagem: a preço de custo (incluída no preço)

Pagamento: por meio de carta de crédito irrevogável

Prazo de entrega: ... dias após entrada do pedido

Garantimos que nossos preços são os menores possíveis, tomando por base sua demanda anual.

No folheto anexo os senhores encontram todos os detalhes técnicos. Caso necessitem de esclarecimentos, não hesitem em nos contatar.

Atenciosamente,

Anexo
1 folheto

4 Prezados Senhores,

Recebemos sua consulta de ... Acreditamos que não seja necessário enviar-lhes amostras, uma vez que os senhores já estão bem a par da qualidade de nossos produtos.

Caso recebamos seu pedido em tempo hábil, teremos condições de lhes assegurar um fornecimento de ... unidades por trimestre.

O sr. ..., de nossa empresa, já lhes deu as devidas informações sobre preços, condições de fornecimento etc. Diante da solidez das referências apresentadas pelos senhores, teremos a satisfação de fazer a entrega imediatamente após a entrada do pedido.

Atenciosamente,

3 Dear Sir or Madam

We thank you for you enquiry of ... and confirm receipt of your sample.

Having now examined it we are able to confirm that we can indeed supply an article of identical quality and type.

The following quotation is, as requested, on the basis of an annual requirement of ... units:

Price: unit price ex works ...

Packing: charged at cost price (no charge)

Payment: by irrevocable letter of credit

Delivery: ... days after receipt of order

We assure you that our prices are the lowest possible on the basis of the annual requirement stated.

We enclose a brochure containing technical details. Should you have any queries please do not hesitate to contact us.

Yours faithfully

Enc
1 Brochure

4 Dear Sir or Madam

We have received your enquiry as regards supplying ... We assume it will not be necessary to provide samples as you are already well acquainted with the quality of our merchandise.

If orders are placed in good time we would be able to supply you with ... units per quarter.

Our Mr ... has already given you details of our prices, terms of delivery etc. On the strength of the references provided we will be pleased to deliver immediately on receipt of order.

Yours faithfully

Proposta diferente da consulta

Modelo diferente

Prezados Senhores,

Sentimos informar-lhes que não produzimos o modelo solicitado.

O folheto anexo contém informações detalhadas sobre nossa linha de produtos. Ficaríamos satisfeitos se alguns dos artigos nele mencionados fossem adequados a seu programa de vendas.

Aguardamos com interesse notícias suas e permanecemos

Atenciosamente,

Anexo
1 folheto

Qualidade diferente

Prezados Senhores,

Sua consulta de ... foi recebida com o maior interesse. Infelizmente, devemos informar-lhes que não produzimos os produtos que desejam com a qualidade mencionada.

Para sua informação, estamos enviando uma amostra da qualidade que oferecemos em nossos produtos e pedimos que verifiquem se ela satisfaz suas exigências. Caso só possam contar em seu programa de vendas com a qualidade indicada, informamos que teremos condições de atender ao fornecimento num prazo de ... meses.

Antes de fornecer um orçamento, precisamos saber qual a quantidade exata necessária. Tão logo tenhamos recebido essa informação, apresentaremos uma proposta detalhada.

Aguardamos mais detalhes com especial interesse.

Atenciosamente,

Offer differs from enquiry

Different model

Dear Sir or Madam

We regret to inform you that we do not produce the model you require.

The brochure enclosed contains details of our range of products. We would be pleased if some of the goods described proved suitable for your sales programme.

We look forward to hearing from you and remain

Yours faithfully

Enc
Brochure

Difference in quality

Dear Sir or Madam

We read your enquiry of ... with great interest but are sorry to inform you that we do not produce the goods you require in the quality requested.

For your information we are sending you some samples of the quality of goods we can offer and would request you to ascertain whether they meet your requirements. Should you only be able to include the quality you request in your sales programme we would be able to supply you with this in approx. ... months' time.

We need to know exactly what quantity is required before we can quote you a price. As soon as we have this information we will be able to make you an offer.

We very much look forward to hearing from you with further details.

Yours faithfully

Não se fazem fornecimentos a título de prova

Prezados Senhores,

Infelizmente temos de informar-lhes que não fazemos fornecimentos a título de prova.

Já que nossos produtos possuem grande reputação em diversos países, acreditamos que os senhores compreenderão nossa decisão.

Todavia, temos interesse em exportar para o seu país e, a fim de atendê-los, poderemos conceder um desconto inicial de ...%.

Informem-nos, por favor, se podemos chegar a um entendimento nessas condições. Aguardamos sua resposta.

Atenciosamente,

Company does not supply goods on approval

Dear Sir or Madam

We regret to inform you that we do not supply goods on approval.

As our products have acquired an excellent reputation in many countries we trust you will understand our policy.

We are, however, interested in exporting to your country and would like to accommodate you by granting an introductory discount of ... % on the first consignments.

Please let us know if we can come to an agreement on this basis. We look forward to hearing from you.

Yours faithfully

Proposta com restrições

1 Prezados Senhores,

Em resposta à sua consulta de ..., sentimos informar-lhes que não dispomos do produto na quantidade solicitada pelos senhores.

Podemos, contudo, efetuar uma entrega parcial de ... peças no prazo de ... dias.

Aguardamos que respondam se essa solução lhes convém.

Atenciosamente,

Qualified offer

1 Dear Sir or Madam

In reply to your enquiry of ... we regret to inform you that we are unable to supply the quantity of goods you require.

We are, however, in a position to make a part-delivery of ... within the next ... days.

Please let us know by return whether this would be of help to you.

Yours faithfully

2 Prezados Senhores,

Recebemos com satisfação sua consulta de ... Só poderemos atender ao seu pedido se concordarem em receber, no mais tardar até ..., os produtos de que dispomos em estoque.

Aguardamos sua decisão o mais rápido possível.

Atenciosamente,

2 Dear Sir or Madam

We were pleased to receive your enquiry of ... We will only be able to carry out your order if you agree, by ... at the latest, to accept the goods we currently have available .

Please let us have your decision on this matter as soon as possible.

Yours faithfully

3 Prezados Senhores,

Agradecemos sua consulta.

Conforme solicitado, enviamos com a presente nossa lista de preços de exportação em vigor. Uma vez que os preços da matéria-prima têm sofrido constantes aumentos nos últimos meses, só poderemos manter os preços se recebermos seu pedido dentro de ... dias.

Após esse prazo todos os nossos estoques estarão esgotados e, caso haja alterações no mercado de matéria-prima, seremos obrigados a rever nossos preços, reajustando-os se necessário.

Contando com sua compreensão, aguardamos sua resposta com interesse.

Atenciosamente,

Anexa
1 lista de preços de exportação

3 Dear Sir or Madam

Many thanks for your enquiry.

As requested, we enclose our current export price list. Since the prices of raw materials have been rising steadily for the last few months, we can only offer you as quoted if you place your order within the next ... days.

After this time our supplies will be entirely exhausted and we will be reviewing our prices in the light of any movements in the raw materials market, re-adjusting them if necessary.

We trust you will understand our position and await your response with interest.

Yours faithfully

Enc
1 Export price list

4 Prezados Senhores,

Em sua carta de ..., os senhores infelizmente se esqueceram de mencionar a quantidade dos produtos que desejam.

Enviamos anexa uma lista de preços de nossos produtos, mas chamamos sua atenção para o fato de que todos os preços se baseiam em um pedido mínimo de ... unidades por artigo. Não temos condições de aceitar pedidos de quantidade inferior, pois isso demandaria novos cálculos de preços e alterações na embalagem.

Informem-nos, por favor, se concordam com nossas condições. Poderemos fornecer-lhes a mercadoria dentro de ...

Atenciosamente,

Anexa
1 lista de preços

4 Dear Sir or Madam

In your letter of ... you have unfortunately omitted to state what quantity of the goods offered you require.

We enclose a price list for our range but would draw your attention to the fact that all prices pre-suppose a minimum order of ... units of each article. We are unable to accept smaller orders as this would necessitate re-calculating prices and using non-standardised packaging.

Please let us know whether you agree to our terms. We would be able to deliver the goods to you within ...

Yours faithfully

Enc
Price list

Proposta não solicitada

1 Prezados Senhores,

Seu endereço nos foi dado pelo senhor ..., nosso parceiro de negócios, em ..., o qual nos informou que os senhores necessitam de grande quantidade dos produtos que fabricamos.

Nossas vendas têm crescido bastante em mais de ... países da Europa e de outros continentes, e nos últimos ... anos tivemos condições de ampliar nossas exportações.

Assim sendo, temos também grande interesse em estabelecer-nos em seu país e levar nossa linha completa de ...

Anexamos a esta carta um folheto ilustrado para que os senhores possam ter uma idéia melhor da capacidade de nossa empresa.

Gostaríamos muito de receber uma resposta favorável dos senhores.

Atenciosamente,

Anexo
1 folheto

2 Prezados Senhores,
Tendo em vista que os senhores estão entre nossos clientes mais fiéis há anos, tomamos a liberdade de informar-lhes em primeira mão nossa oferta especial.

De ... a ..., os senhores poderão adquirir quaisquer produtos expostos em nosso depósito com um desconto excepcional de ...%.

Acreditamos que os senhores não deixarão escapar esta oportunidade única e teremos prazer em receber sua visita.

Atenciosamente,

Anexo

Unsolicited offer

1 Dear Sir or Madam

We owe your address to ..., a business associate of ours in ..., who told us that you require a large amount of the articles we manufacture.

Our sales figures are rising in more than ... European and overseas countries and over the past ... years we have consistently been able to expand our exports.

We are therefore also interested in establishing ourselves in your country and introducing our entire line of ... to the market there.

We enclose a comprehensive illustrated brochure in order to give you an impression of our company's capabilities.

We would be very pleased to receive a favourable reply from you.

Yours faithfully

Enc
Brochure

2 Dear Sir or Madam
As you have been one of our most loyal customers for many years, we are making sure today that you are the first to be informed about our special offer.

From ... to ... you will have the opportunity to purchase all the products in our warehouse in ... at an exceptional discount of ... %.

We feel sure that you will not want to miss this unique opportunity and look forward to your visit.

Yours faithfully

Enc

3 Prezados Senhores,

Nossos produtos têm tido crescente aceitação tanto no país quanto no exterior. Nossa intenção agora é de fornecer nossos produtos a uma ou duas grandes casas importadoras de seu país.

Há vários dias, durante visita à representação comercial de seu país, viemos a conhecer o nome de empresas capazes de se interessar pela importação de ... Sua empresa também foi mencionada, de modo que nos permitimos apresentar-lhes uma proposta.

Estamos enviando aos senhores, em outra correspondência, amostras de nossos diversos modelos, junto com as listas de preços de exportação.

Caso os senhores estejam interessados em nossa proposta, agradeceríamos uma resposta rápida, a fim de que possamos iniciar as negociações.

Atenciosamente,

3 Dear Sir or Madam

Our products are becoming increasingly popular both at home and abroad and we now plan to supply one or two major importers in your country.

Several days ago during a visit to your country's trade representation we were given the names of companies which would be suitable as importers of ... Your company was one of those mentioned and we are taking the liberty of submitting an offer to you today.

We are sending you samples of our various models under separate cover. Our export price lists are also included.

Should you be interested in our offer, we would be grateful to hear from you in the near future to enable us to begin negotiations.

Yours faithfully

4 Prezados Senhores,

Por ocasião da exposição/feira ... em ... tivemos a oportunidade de conversar em nosso estande com seu representante, sr. ...

Naquela ocasião ficou acertado que os senhores nos informariam quanto antes sobre a viabilidade de nossos produtos em seu mercado. Infelizmente, não obtivemos resposta alguma até a data de hoje.

Como tratamos também com diversos outros interessados, somos obrigados a tomar uma decisão. Portanto, ficaremos agradecidos se os senhores nos informarem de suas intenções.

Aproveitamos a oportunidade para chamar sua atenção mais uma vez sobre a qualidade de nossos produtos e os preços e condições extremamente favoráveis.

Aguardamos com interesse suas notícias.

Atenciosamente,

4 Dear Sir or Madam

On the occasion of the ... exhibition in ... we were able to talk to your representative, Mr ..., at length at our stand.

It was agreed that you would tell as in the near future whether our products would be suitable for your market. We have, unfortunately, received no further news from you to date.

As we have since had talks with several other interested parties we are now obliged to come to a decision. We would therefore be grateful if you would let us know your intentions by return.

May we take this opportunity to draw your attention once again to the quality of our products and our favourable prices and terms.

We look forward with interest to your reply.

Yours faithfully

Resposta à proposta

Confirmação de recebimento

Prezados Senhores,

Agradecemos muito sua proposta sobre ..., com data de ..., que foi imediatamente encaminhada ao nosso departamento técnico para exame.

Ficaríamos agradecidos se nos concedessem alguns dias para isso e contataremos os senhores o mais rápido possível.

Atenciosamente,

Resposta negativa

Prezados Senhores,

Agradecemos sua proposta de ... Infelizmente, ela não corresponde às nossas expectativas, uma vez que seus preços encontram-se bem superiores aos de produtos similares de nossos concorrentes.

Lamentamos não poder dar-lhes uma resposta mais favorável.

Atenciosamente,

Resposta positiva

Prezados Senhores,

Com base em sua proposta de ..., enviamos anexo nosso pedido n.° ..., nos preços e condições de pagamento expressos pelos senhores.

Prevemos que a entrega será em ...

Atenciosamente,

Anexo
1 formulário de pedido

Answers to offers

Confirmation of receipt

Dear Sir or Madam

Many thanks for your offer for ... dated ..., which we immediately passed on to our Technical Section for examination.

We would be grateful if you could give us a few days for this and will be contacting you as soon as possible.

Yours faithfully

Negative response

Dear Sir or Madam

Thank you for your offer of ... It unfortunately does not meet our expectations as the prices are considerably higher than those of other comparable articles offered by your competitors.

We regret that we are unable to give you a more favourable reply.

Yours faithfully

Positive response

Dear Sir or Madam

We wish to order the articles listed on the order form attached (No. ...) on the basis of your offer dated ... The prices and terms of payment are as stated.

Delivery date to be ...

Yours faithfully

Enc
order form

Pedido de alteração da proposta

Prezados Senhores,

Recebemos sua proposta de ..., que infelizmente não menciona a quantidade mínima do pedido.

Solicitamos que nos remetam uma oferta revisada, contendo também os termos da garantia oferecida pelos senhores.

Atenciosamente,

Request for offer to be amended

Dear Sir or Madam

We have now received your offer of ..., which, unfortunately, does not contain details of the minimum quantity to be ordered.

Please send us an amended offer including details of the terms of your guarantee.

Yours faithfully

Recusa do pedido de alteração da proposta

Prezados Senhores,

Em sua carta de ..., os senhores solicitam que alteremos as condições de pagamento de nossa proposta de ...

Infelizmente, temos a informar-lhes que a solicitada alteração nos termos não é possível.

Lamentamos profundamente a situação, mas seremos obrigados a recusar seu pedido caso os senhores insistam na alteração.

Atenciosamente,

Request to amend offer is refused

Dear Sir or Madam

In your letter of ... you request us to change the terms of payment in our offer of ...

We are obliged to inform you that the change in terms you request is unfortunately not possible.

We sincerely regret this but will be compelled to refuse your order should you insist on being granted the terms requested.

Yours faithfully

Pedido poderá ser atendido

Prezados Senhores,

Temos a satisfação de lhes comunicar que concordamos com a alteração de nossa proposta, solicitada pelos senhores na carta de ...

O pedido será prontamente atendido, de acordo com as suas instruções.

Atenciosamente,

Customer's request is granted

Dear Sir or Madam

We are pleased to tell you that we agree to the amendment to our offer requested in your letter of ...

The order will be executed promptly in accordance with your instructions.

Yours faithfully

Pedido poderá ser atendido com restrições

Prezados Senhores,

Em sua carta de ..., os senhores solicitam que alteremos nossa proposta.

As alterações que estamos em condições de fazer estão contidas na nossa nova proposta, anexa a esta.

Esperamos ter com isso atendido às suas necessidades e firmamo-nos,

Atenciosamente,

Anexa
1 proposta

Qualified agreement to customer's request

Dear Sir or Madam

We refer to your letter of ..., in which you request us to amend our offer.

Any changes in terms which we are in a position to make are contained in our new offer, which we enclose.

We hope thus to have been of service to you and remain

Yours faithfully

Enc
Offer

Referências
References

Pedido de referências

De um parceiro de negócios

Prezados Senhores,

Agradecemos o pedido apresentado à nossa empresa.

Como ainda não mantivemos negócios com sua empresa, solicitamos respeitosamente que nos indiquem suas referências.

Contamos com sua compreensão de nosso pedido.

Atenciosamente,

Request for references

From a business partner

Dear Sir or Madam

Thank you for the order you have placed with us.

As we have had no business dealings with you to date we would respectfully request you to supply us with references.

We trust you will appreciate that we must make this request.

Yours faithfully

A terceiros

Prezados Senhores,

A ... (nome da empresa) tem a intenção de nos apresentar um pedido considerável.

Soubemos que os senhores têm relações comerciais com essa empresa há muitos anos e ficaríamos gratos se lhes fosse possível informar-nos sobre sua reputação e idoneidade creditícia.

Asseguramos desde já que suas informações serão tratadas com o maior sigilo e colocamo-nos à disposição dos senhores para retribuir o favor.

Atenciosamente,

From a third party

Dear Sir or Madam

... (firm) are planning to place a substantial order with us.

We understand that you have had dealings with this company for some years now and would be most grateful if you would provide us with a brief report on its reputation and creditworthiness.

We can assure you that your answer will be treated with the utmost discretion and we, for our part, will be pleased to reciprocate the favour.

Yours faithfully

Resposta a pedido de referências

Referência favorável

Prezados Senhores,

Recebemos sua solicitação em relação a ... Nossa experiência com essa companhia tem sido positiva, a ponto de a recomendarmos sem ressalvas. É administrada com correção e grande competência em seu ramo. Até o momento não tivemos razão nenhuma para reclamações.

Esperando ter-lhes sido úteis com essas informações, firmamo-nos

Atenciosamente,

Informação vaga

1 Prezados Senhores,

Acusamos o recebimento de sua carta de ..., solicitando referências sobre a ... (nome da empresa).

Infelizmente não podemos atender à sua solicitação, pois há anos não temos tido contato comercial com a ...

Lamentamos não poder ser de maior auxílio nesse assunto.

Atenciosamente,

2 Prezados Senhores,

Agradecemos sua carta de ...

Infelizmente não estamos em condições de atender ao seu pedido de referências sobre essa empresa, pois o volume de negócios que mantemos com ela é bastante reduzido.

Sugerimos que consultem outra empresa ou uma instituição bancária para obterem as informações desejadas.

Atenciosamente,

Reply to request for references

Favourable reference

Dear Sir or Madam

We confirm receipt of your enquiry as regards ... Our experience with this company has been positive and we are able to recommend it highly. It is soundly run and most competent in its field of business. We have had no cause for complaint up to now.

We hope this information has been of assistance to you.

Yours faithfully

Non-committal reference

1 Dear Sir or Madam

We have received your letter of ... requesting information about ... (firm).

We are unfortunately unable to comply with your request as we have not had any dealings with ... (firm) for some years now.

We are sorry that we are not able to offer you any more assistance in this matter.

Yours faithfully

2 Dear Sir or Madam

Thank you for your letter of ...

We are unfortunately not in a position to comply with your request for a reference on this firm, as the volume of our business with it is too small.

We feel it would be best for you to approach another firm or bank in this matter.

Yours faithfully

Referência negativa

1 Prezados Senhores,

Em atenção a sua consulta sobre a ..., temos a informar-lhes que, infelizmente, nossa experiência com essa firma não foi boa. A falta de seriedade da administração nos levou, há dois meses, a romper as relações comerciais com essa empresa.

Como esta informação não se destina a terceiros, pedimos que mantenham sigilo total.

Atenciosamente,

2 Ref.: ... (nome da empresa)

Prezados Senhores,

Em resposta a sua consulta lamentamos informar-lhes que nossa experiência com essa empresa foi das mais desagradáveis.

Os prazos de pagamento não foram honrados e conseguimos receber os valores devidos só depois de termos recorrido a cobrança judicial. Decidimos romper as relações comerciais com essa empresa.

Pedimos que esta informação seja tratada com discrição.

Atenciosamente,

Impossibilidade de dar referências

Ref.: ... (nome da empresa)

Prezados Senhores,

Por desconhecermos a empresa acima referida, não temos condições de fornecer-lhes as informações solicitadas.

Lamentamos não poder ajudá-los.

Atenciosamente,

Negative reference

1 Dear Sir or Madam

In reply to your enquiry regarding ... we regret to inform you that our experience with this firm has not been favourable. The management has proved to be highly unreliable. We broke off business relations with the firm for this reason two months ago.

As this information is not intended for any third party we would ask you to treat it in the strictest confidence.

Yours faithfully

2 Dear Sir or Madam

... (name of company)

In response to your enquiry we regret having to inform you that our experience with this company has been most un-favourable.

Deadlines were not kept to and our demands were only met when legal action was taken. We have terminated business relations with them.

We would ask you to treat this information in the strictest confidence.

Yours faithfully

Reference cannot be provided

Dear Sir or Madam

... (name of company)

This company is unknown to us and we are thus not in a position to provide you with the information you request.

We regret that we are unable to assist you.

Yours faithfully

Condições
Terms

Armazenamento

Prezados Senhores,

Com relação à lista anexa de mercadorias, as quais deverão chegar ao porto de Rotterdam em 10 de agosto deste ano, temos necessidade de cerca de ... m^2 de área de armazenamento a céu aberto. A área deverá estar fechada com tela de arame, a fim de proteger os bens de furto ou uso indevido.

Solicitamos que nos apresentem uma proposta sobre o preço por metro quadrado para áreas parciais e totais. Seria possível conceder descontos em contratos de aluguel de longo prazo?

Aguardamos uma resposta rápida.

Atenciosamente,

Storage

Dear Sir or Madam

We require approx. ... m^2 of open storage space for goods due to arrive in the port of Rotterdam on 10 August of this year, as itemised on the enclosed list. The open space must be enclosed by a wire fence to protect the goods from theft or misuse.

Please submit us an offer stating the price per square metre for part and whole areas. Do you grant a price reduction for longer rental periods?

We look forward to your early reply.

Yours faithfully

Entrega

1 Prezados Senhores,

Em sua carta de crédito, que nos foi apresentada por aviso de banco de nossa cidade, os senhores nos pedem que determinemos o preço para entrega CIF ...

Todavia, em nosso contrato de vendas havíamos acordado entrega FOB ...

Solicitamos, portanto, que os senhores procedam à alteração das condições de entrega na carta de crédito ou nos comuniquem se agora desejam uma entrega CIF ..., o que evidentemente acarretará uma alteração de preço.

Atenciosamente,

Delivery

1 Dear Sir or Madam

In your letter of credit as presented to us by the advising bank in our town, you require us to state the price of delivery CIF ...

In our contract of sale, however, we agreed on delivery FOB ...

We would request you either to change the term of delivery in the letter of credit or to notify us whether you do, in fact, now wish to have the goods delivered CIF ..., which, of course, would entail a change in price.

Yours faithfully

2 Prezados Senhores,

Conforme solicitaram, alteramos o preço, anteriormente calculado à base de entrega posto em fábrica, para entrega FOB Bremerhaven.

Caso os senhores desejem um seguro de transporte até Bremerhaven, não previsto na cláusula Incoterm, queiram por favor informar-nos.

Atenciosamente,

2 Dear Sir or Madam

As requested our price is now quoted FOB Bremerhaven and not ex works.

Should you require additional transport insurance to Bremerhaven exceeding the Incoterm clause provision, please let us know.

Yours faithfully

Quantidade

Prezados Senhores,

Agradecemos sua consulta a respeito de nossas condições.

Considerando o fato de nossos preços serem o mais baixos possível, temos condições de aceitar somente pedidos de no mínimo ... Todavia, estamos dispostos a concordar com uma quantidade anual total de ..., que poderá constar de fornecimentos parciais de no mínimo ...

Caso a quantidade combinada não seja totalmente adquirida, calcularemos o preço da quantidade de fato entregue, com um acréscimo de ...% sobre o valor da fatura.

Contando que compreendam essa medida, firmamo-nos

Atenciosamente,

Quantity

Dear Sir or Madam

Thank you for your enquiry about our terms.

Taking into account the fact that our prices are the lowest possible, we can only accept orders for a minimum of ... We are, however, prepared to agree to an overall annual quantity of ..., which can then be taken up in instalments of at least ...

If you do not purchase all the quantity agreed, the price for the goods actually supplied will be charged, plus an additional charge of ...% on the invoice amount.

We trust you will appreciate this ruling and remain

Yours faithfully

Embalagem

Prezados Senhores,

O embarque das mercadorias pedidas pelos senhores será feito em caixas especiais, marcadas de acordo com suas instruções.

A embalagem está incluída no preço, de modo que a devolução das caixas não é necessária.

Atenciosamente,

Packing

Dear Sir or Madam

The goods you have ordered will be despatched in special crates marked in accordance with your instructions.

Packaging is included in the price. The crates do not need to be returned.

Yours faithfully

Seguro

Prezados Senhores,

Para o transporte de uma expedição de mercadorias para ..., necessitamos de uma apólice de seguro que cubra todos os riscos, correspondente, portanto, à cláusula A da Institute Cargo Clauses.

Uma vez que o fornecimento foi contratado porta a porta, necessitamos, além do seguro de transporte marítimo, de uma apólice suplementar que cubra o transporte do porto de destino a ...

Solicitamos que nos apresentem uma proposta favorável. Os demais detalhes da mercadoria a ser segurada pelos senhores encontram-se na cópia do pedido, anexada a esta.

Atenciosamente,

Anexo

Insurance

Dear Sir or Madam

For the transportation of a consignment of goods to ... we require an insurance policy covering all risks, i.e. complying with Clause A of the Institute Cargo Clauses.

As we have contracted to deliver door-to-door we require, in addition to marine insurance, a further policy to cover transportation from the port of destination to ...

We await your favourable offer. Please refer to the copy of the contract enclosed for further details regarding the goods to be insured.

Yours faithfully

Enc

Condições de pagamento

1 Prezados Senhores,

Com relação à nossa proposta de ..., gostaríamos de acrescentar que as entregas a novos clientes só podem ser efetuadas por meio de pagamento contra-entrega.

Atenciosamente,

2 Prezados Senhores,

Agradecemos sua consulta sobre nossas condições de pagamento, que são as seguintes:

...% de desconto em pagamento à vista ou o montante líquido em ... dias.

Atenciosamente,

Terms of payment

1 Dear Sir or Madam

In connection with our offer dated ... we wish to add that it is our policy to supply goods to new customers on C.O.D. terms only.

Yours faithfully

2 Dear Sir or Madam

Thank you for your enquiry regarding our terms of payment, which are as follows:

... % cash payment discount or ... days net.

Yours faithfully

Pedido
Orders

Apresentação do pedido

1 Prezados Senhores,

Com referência a sua proposta de ..., apresentamos o seguinte pedido:

... unidades ao preço de ... Os artigos devem corresponder ao seu folheto e às amostras a nós enviadas.

A entrega deverá ser feita até ..., frete pago. Embalagem em caixas (...), sem acréscimo.

O pagamento será efetuado após a entrada e conferência da mercadoria.

Solicitamos que confirmem o pedido.

Atenciosamente,

2 Prezados Senhores,

Conforme sua proposta de ..., solicitamos o fornecimento de ...
A entrega deverá ser feita até ..., posta na estação ferroviária de ... O pagamento será efetuado na entrada da mercadoria com um desconto de ...% em pagamento antecipado.

Segundo nosso acordo, se houver devolução do material embalado em ... dias, receberemos o crédito de ...% do total cobrado.

Envie-nos, por favor, uma rápida confirmação desta proposta. Desde que as mercadorias cheguem em perfeitas condições, os senhores poderão contar com pedidos regulares de nossa parte.

Atenciosamente,

Placing an order

1 Dear Sir or Madam

We refer to your offer of ... and wish to place the following order with you:

... units at ... (price) type as per your brochure and the samples supplied.

Delivery to be completetd by ..., carriage paid. Packing in crates (...) at no extra charge.

Payment will be made immediately after receipt/examination of the goods.

Please confirm this order.

Yours faithfully

2 Dear Sir or Madam

On the basis of your offer of ..., we wish you to supply us with ... Delivery to be made free ... Railway Station. Payment will be made on arrival of the goods with ...% early payment discount.

According to our agreement, if the packaging material is returned within ... weeks, ...% of the amount charged will be credited to us.

Please send us a brief confirmation of this order. As long as the goods arrive in perfect condition you may expect regular orders from us.

Yours faithfully

Aceitação do pedido

Prezados Senhores,

Confirmamos gratos o recebimento de seu pedido de ... para o fornecimento de ...

Os produtos encomendados serão entregues pontualmente. A remessa será efetuada de acordo com as condições estabelecidas em nossa proposta com data de ...

Temos certeza de que nossa mercadoria terá êxito de vendas imediato.

Atenciosamente,

Acceptance of order

Dear Sir or Madam

We are pleased to confirm receipt of your order of ... for ...

The articles ordered will be delivered to you punctually. The goods will be despatched in accordance with the terms set out in our offer dated ...

We are certain that our merchandise will sell readily.

Yours faithfully

Recusa do pedido

Prezados Senhores,

Agradecemos seu pedido para o fornecimento de ...

Lamentamos informar que não temos condições de efetuar o fornecimento dentro do prazo estabelecido pelos senhores, uma vez que nossa produção está totalmente vendida pelos ... próximos meses.

Solicitamos que nos informem se podemos programar seu pedido para o mês de ...

Sentimos não poder atendê-los no momento.

Atenciosamente,

Rejection of order

Dear Sir or Madam

Thank you for your order for ...

We are unfortunately not in a position to execute your order by the date stated, as our entire production is sold out for the next ... months.

Please let us know whether we should enter your order for ... (month)

We regret not being able to help you for the time being.

Yours faithfully

Processamento rotineiro do pedido
Routine processing of orders

Aviso de início de produção

Prezados Senhores,

Com referência a seu pedido de ... para fornecimento de ..., informamos com satisfação que os produtos encomendados pelos senhores já se encontram em fase de produção e deverão estar prontos para expedição até ...

Pedimos que nos dêem em tempo hábil suas instruções de envio.

Atenciosamente,

Notification that production has begun

Dear Sir or Madam

We refer to your order of ... for ... and are pleased to inform you that the goods you require are already being produced and are expected to be ready for despatch by ...

Please let us have your instructions for despatch in good time.

Yours faithfully

Aviso de despacho

1 Prezados Senhores,

Informamos que os artigos constantes de seu pedido n.º ..., de ..., foram enviados hoje aos senhores.

A empresa transportadora está levando a mercadoria de caminhão, posto ...

Esperamos que o fornecimento satisfaça suas necessidades e aguardamos novos pedidos.

Atenciosamente,

Advice of Despatch

1 Dear Sir or Madam

We are pleased to inform you that the goods, as per your order No. ... of ..., were despatched to you today.

The ... freight forwarding agency is transporting the goods by lorry, free ...

We trust you will be satisfied with the goods supplied and look forward to receiving further orders.

Yours faithfully

2 Prezados Senhores,

Nosso banco nos informou, em ..., que seu processo de crédito está aberto, para cobrir o fornecimento de ...

Imediatamente tomamos as devidas providências e fomos informados por nossa expedição de frete que a mercadoria já se encontra a bordo do *Patricia*, que zarpou em ... com destino a ...

Entregamos os documentos necessários, inclusive o conhecimento de embarque, ao nosso banco para que os encaminhe ao seu banco.

Na certeza de que o valor de ... poderá agora ser transferido e esperando que a mercadoria chegue em perfeito estado, firmamo-nos

Atenciosamente,

2 Dear Sir or Madam

Our bank notified us on ... that your documentary credit covering the delivery of ... has been opened.

The appropriate steps were immediately taken and our freight forwarder now informs us that the goods are already on board the vessel "Patricia", which set sail for ... on ...

We have presented the necessary documents, including the clean bill of lading, to our bank to be forwarded to yours.

We trust that the sum of ... can now be duly remitted and look forward to your receiving the articles in good order.

Yours faithfully

Faturamento

Prezados Senhores,

As mercadorias encomendadas pelos senhores foram despachadas hoje.

Tomamos a liberdade de lhes enviar anexa nossa fatura sobre o fornecimento total.

Esperamos poder contar com mais pedidos de sua parte.

Atenciosamente,

Anexa
1 fatura

Invoicing

Dear Sir or Madam

The goods ordered were despatched to you today.

Enclosed you will find our invoice for the entire consignment.

We look forward to receiving further orders from you.

Yours faithfully

Enc
Invoice

Confirmação de recebimento de mercadoria

Prezados Senhores,

Recebemos hoje as mercadorias mencionadas pelos senhores no aviso de ...

Examinamos os produtos logo em seguida e confirmamos com satisfação que nosso pedido foi plenamente atendido.

Atenciosamente,

Confirmation of receipt of goods

Dear Sir or Madam

The consignment of goods, as per your advice of ..., arrived here today.

The goods were examined immediately and we are pleased to confirm that our order has been executed in accordance with our wishes.

Yours faithfully

Discrepâncias e irregularidades
Discrepancies and irregularities

Atraso na entrega

1 Prezados Senhores,

De acordo com nosso contrato de compra e venda de ..., a mercadoria encomendada deveria ser-nos entregue o mais tardar até ...

Infelizmente, até hoje não recebemos a mercadoria. Tampouco recebemos o aviso de despacho.

Como temos necessidade premente dos produtos, concedemos uma prorrogação no prazo de entrega no máximo até ... Caso esse prazo não seja cumprido, seremos obrigados a cancelar o pedido.

Atenciosamente,

2 Prezados Senhores,

Sentimos informar-lhes que não mais aceitaremos a mercadoria encomendada à sua empresa.

Tal decisão deve-se ao fato de, para nossa surpresa, os senhores não terem cumprido a razoável prorrogação de prazo que lhes concedemos em nossa carta de ... Dessa forma, fomos obrigados a recorrer a outro fornecedor. Anexamos à presente a fatura dos custos adicionais com que tivemos de arcar e solicitamos que nos remetam o montante tão logo possível.

Atenciosamente,

Anexa
1 fatura

Delay in delivery

1 Dear Sir or Madam

According to our Sales Agreement dated ... the goods ordered were supposed to reach us by ... at the latest.

Unfortunately we have not received any goods from you to date. We have not received your advice of despatch, either.

As we need the goods urgently, we are extending the delivery deadline to ... Should this deadline not be kept, we will be obliged to cancel our order.

Yours faithfully

2 Dear Sir or Madam

We are obliged to inform you that we will no longer be purchasing the goods ordered.

This is because we note with suprise that you have failed to keep to the new and quite reasonable deadline set in our letter of ... We have therefore been compelled to stock up elsewhere. We enclose a bill for the the extra expenses incurred and would request you to remit this sum forthwith.

Yours faithfully

Enc
1 Bill

3   Prezados Senhores,

Lamentamos que o novo prazo determinado em nossa carta de ... para a entrega das mercadorias também não tenha sido observado.

Assim, o pedido apresentado aos senhores deve ser cancelado.

Atenciosamente,

3   Dear Sir or Madam

We note with regret that the new deadline set in our letter of ... for the delivery of the goods ordered has also not been observed.

The order we have placed with you is thus null and void.

Yours faithfully

Atraso no pagamento

Prezados Senhores,

Conforme seu pedido de ..., providenciamos em ... a remessa da mercadoria para os senhores pela transportadora ...

De acordo com nossas condições de pagamento, a fatura deveria ter sido paga em até ... dias após o recebimento da mercadoria. Infelizmente, não acusamos recebimento do referido valor.

Assim, solicitamos que nos enviem imediatamente a soma de ... e esperamos sua confirmação do pagamento.

Atenciosamente,

Delay in payment

Dear Sir or Madam

In accordance with your order of ..., arrangements were made on ... for the goods to be delivered to you by the freight forwarding agency ...

Our terms of payment stipulated that the invoice was to be settled within ... days of receipt of the goods. We note that your account has unfortunately not been settled to date.

We therefore urgently request you to remit us the sum of ... by return and await your confirmation that payment has been made.

Yours faithfully

Reclamação de mercadoria com defeito

1   Prezados Senhores,

Recebemos sua remessa em ... Depois de examinar a mercadoria, constatamos que havia ... unidades a menos. Supomos que se trate de um erro ocorrido em seu departamento de expedição.

Queiram por gentileza providenciar a imediata remessa das unidades não enviadas, sem custo de frete adicional.

Atenciosamente,

Complaint about defective goods

1   Dear Sir or Madam

We took delivery of your consignment on ... Upon examining it we discovered that ... items were missing. We assume this is due to an error on the part of your despatch department.

Please send on the missing items immediately without additional freight charges.

Yours faithfully

2 Prezados Senhores,

Ao verificarmos sua remessa parcial, recebida na data de hoje, constatamos que a qualidade da mercadoria não corresponde à sua proposta nem às amostras enviadas anteriormente.

Lamentamos ter de devolver-lhes todo o lote e solicitamos suas instruções de remessa.

Além disso, esperamos que nos informem da possibilidade e do prazo para efetuarem um fornecimento de acordo com as amostras fornecidas.

Até que esta questão seja esclarecida, pedimos que não façam novas remessas.

Atenciosamente,

2 Dear Sir or Madam

Having examined the part-shipment which we received from you today we note that the quality of the goods supplied corresponds neither to your offer nor to the samples sent us.

We regret that we must therefore return the entire consignment. Please let us have your instructions regarding its despatch.

Furthermore, we await your comments as to whether and by what time you will be able to supply us with replacement goods up to sample.

Until this matter has been clarified, we would ask you to make no further shipments.

Yours faithfully

3 Prezados Senhores,

Ao examinar sua primeira remessa de ..., recebida hoje, verificamos que não corresponde ao sortimento que encomendamos. Não há dúvida de que se trata de um equívoco de sua parte, de modo que pedimos que se manifeste imediatamente sobre o assunto.

Até que tenhamos notícias dos senhores, as mercadorias estarão à sua disposição em nosso depósito.

Atenciosamente,

3 Dear Sir or Madam

Having checked your first delivery we note that it does not correspond to the range of goods ordered. This is, without doubt, due to an error on your part. Please let us have your comments on this matter immediately.

Until we hear from you, the goods will be placed at your disposal in our warehouse.

Yours faithfully

4 Prezados Senhores,

Infelizmente, ao examinarmos a remessa de ..., recebida hoje, constatamos que uma das caixas de papelão estava totalmente molhada, o que inutilizou ... artigos.

Estamos devolvendo esses artigos aos senhores e solicitamos imediata reposição.

Atenciosamente,

4 Dear Sir or Madam

On examining the consignment of ... which we received today, we discovered that one cardboard box was wet through. In consequence ... items are now unsaleable.

We are returning these items to you today and would ask you to replace them immediately.

Yours faithfully

Resposta a reclamações

Pedido de compreensão

Prezados Senhores,

Referimo-nos a sua carta de ..., na qual os senhores nos concedem um novo prazo até ...

Como devem ter lido na imprensa, os operários de nosso ramo de atividade fizeram uma greve de ... dias, causando atrasos em toda nossa produção, o que nos impediu de cumprir o prazo de entrega combinado.

No momento, estamos fazendo o possível para recuperar as horas de trabalho perdidas e efetuar a entrega dentro do novo prazo.

Esperamos que os senhores compreendam que o atraso não foi causado por falha de nossa parte.

Atenciosamente,

Reply to complaints

Supplier requests understanding for his predicament

Dear Sir or Madam

We refer to your letter of ..., in which you extend the deadline to ...

As you will probably have read in the press, there was a ...-day strike by workers in our industry, which delayed our entire production. For this reason we were unable to deliver by the date agreed.

We are now doing our utmost to catch up lost working hours and make delivery by the new deadline.

We would ask you to appreciate that this delay is due to no fault of our own.

Yours faithfully

Apuração da reclamação

Prezados Senhores,

Lamentamos muito saber que a mercadoria fornecida aos senhores não corresponde a suas expectativas, já que vários artigos tinham defeito.

Solicitamos a nosso representante em sua região, sr. ..., que lhes faça imediatamente uma visita para verificar as falhas. Voltaremos a contatá-los tão logo recebamos uma comunicação dele a respeito.

Para tanto, pedimos que nos concedam alguns dias.

Atenciosamente,

Looking into a complaint

Dear Sir or Madam

We were most sorry to learn that the goods supplied to you were not to your satisfaction as several items proved to be faulty.

We have instructed our representative in your area, Mr ..., to call on you without delay and note the faults. We will be contacting you again as soon as we have received his report.

We would be grateful if you would give us a few days to do this and remain

Yours faithfully

Reclamação rejeitada

Prezados Senhores,

Não podemos aceitar sua reclamação sobre a qualidade dos produtos por nós fabricados. Uma verificação cuidadosa mostrou que os produtos que lhes enviamos estão em total conformidade com as amostras que os senhores nos enviaram por ocasião da apresentação de seu pedido.

Solicitamos que reconsiderem os motivos de sua reclamação.

Atenciosamente,

Complaint is rejected

Dear Sir or Madam

We are unable to accept your complaint regarding the quality of the goods manufactured by us. Having re-examined them carefully we have come to the conclusion that they are in complete conformity with the sample you provided us with when placing your order.

We would ask you to re-consider your grounds for complaint.

Yours faithfully

As empresas e seus representantes
Companies and their agents

Proposta de representação

Prezados Senhores,

Somos destacados fabricantes de ... e temos exportado um volume crescente de nossos produtos a ... países.

Há certo tempo contratamos um instituto de pesquisa de mercado para verificar se também seu país nos propiciaria oportunidades de venda atraentes.
O resultado dessa pesquisa foi bastante positivo.

Assim sendo, temos interesse em também exportar nossos produtos para ...

Sua empresa nos foi recomendada por uma companhia conhecida nossa com o argumento de que os senhores têm feito boas vendas de outros artigos.

Gostaríamos de saber, portanto, se há interesse de sua parte em ser nosso representante em seu país. Se for o caso, solicitamos que nos enviem a confirmação.

Esperamos poder contar logo com suas notícias.

Atenciosamente,

Offer of agency

Dear Sir or Madam

We are a major manufacturer of ..., and exports of our goods to ... countries are steadily increasing.

Some time ago we commissioned a market research institute to determine whether your country would also provide attractive sales opportunities for our goods. The result of the survey was highly encouraging.

We are now also interested in exporting our goods to ...

A close business associate has recommended you as having achieved good sales figures with other articles.

We would therefore like to know whether you might be interested in acting as our agent in your country. Should this be the case we would ask you to send us a brief confirmation.

We hope to hear from you soon.

Yours faithfully

Solicitação

Prezados Senhores,

Agradeço sua carta de ..., que li com todo interesse.

Eu gostaria de assumir sua representação, mas, como compreenderão, prefiro antes me encontrar pessoalmente com os senhores para analisarmos todos os detalhes, como região, comissões, garantias do cliente etc. Por essa razão, penso que o melhor para mim será visitá-los, a fim de tratarmos das questões envolvidas.

Posso fazer-lhes uma visita na semana de ... a ... Pressuponho que minhas despesas serão ressarcidas pelos senhores mediante apresentação dos comprovantes.

Informem-me, por favor, se a data é adequada, ou sugiram outra.

Aguardo com prazer sua resposta.

Atenciosamente,

Application

Dear Sir or Madam

Many thanks for your letter of ..., which I read with great interest.

I would be pleased to act as your agent but, as you will appreciate, would like to meet with you personally to discuss details, such as territory, commission, customer protection etc. I therefore think it would be appropriate for me to call on you to discuss all such matters arising.

I would be available to visit you in the week of ... – ... and presume that my expenses will be reimbursed on presentation of the usual receipts.

Please let me know whether this date is suitable, or suggest a different one.

I look forward to receiving your reply.

Yours faithfully

Resposta a proposta de representação

Prezado Sr. ...,
(Prezada Sra. ...,)

Agradecemos sua carta de ..., na qual o(a) senhor(a) demonstra ter interesse, em princípio, em assumir nossa representação em ...

Concordamos com sua visita em ... para conversarmos sobre ... No dia ..., o sr. ... o(a) estará esperando no aeroporto de ... às ... horas.

Como não o(a) conhecemos pessoalmente, pedimos que procure pelo sr. ... no balcão de informações. Poderemos iniciar os entendimentos logo em seguida em nossa sede. Todos os membros de nossa diretoria relacionados com o assunto estarão à sua disposição.

Atenciosamente,

Reply to an offer of agency

Dear Mr ...
(Dear Ms ...)

Many thanks for your letter of ... in which you state that you are, in principle, willing to act as our agent in ...

We agree to your visiting us for talks on ... Our Mr ... will be waiting to collect you when you arrive at the airport in ... at ... (time) on ... (date).

As you are not yet known to us personally we would ask you to report to the enquiries desk and ask for Mr ... Talks can be held on our company's premises immediately. All the members of the management concerned will be available for consultation.

Yours sincerely

Pedido de representação

Prezados Senhores,

Obtive seu endereço no catálogo de expositores da Feira ... em ...

Tenho certeza de que seu produto, após a instituição do Mercado Comum, deva ser muito bem vendido em ...

Como venho trabalhando há vários anos na área de ..., estou interessado em incluir seus produtos em meu programa de vendas. Gostaria, portanto, que me informassem se, em princípio, há interesse de sua parte em ser representados na região de ...

Gostaria de frisar a esse respeito que represento renomadas empresas tanto nacionais como estrangeiras e que minhas vendas têm sido bem acima da média. Além disso, disponho de equipe de profissionais competentes e de capacidade de armazenamento e veículos para transporte condizentes.

Ficaria grato em receber sua pronta resposta.

Atenciosamente,

Request for agency

Dear Sir or Madam

We have obtained your address from the exhibitors' catalogue of the .... Exhibition in ...

I can well imagine that with the introduction of the Single Market your product will also sell readily in ...

As I have been active in the field of ... for many years now, I would be very pleased to include your products in my sales programme. Please let me know whether you are, in principle, interested in being represented in the ... area.

In this connection, may I also point out that I represent well-known companies both at home and abroad and that my sales figures are well above average. Furthermore, I also have good staff as well as sufficient storage space and delivery vehicles.

I would be most grateful to receive an early reply.

Yours faithfully

Resposta da empresa a ser representada

Prezado Sr. ...,

(Prezada Sra. ...,)

Temos a satisfação de informar-lhe que estamos bastante interessados em seu oferecimento de representar nossa empresa na região de ...

Sugerimos que nos visite em ... para tratarmos dos detalhes.

Todas as despesas ocasionadas por essa viagem correrão por nossa conta.

Caso o dia sugerido não seja de sua conveniência, entre em contato conosco por telefone.

Atenciosamente,

Reply from the firm to be represented

Dear Mr ...
(Dear Ms ...)

We take pleasure in informing you that we are very interested in your offer to represent our company in the ... area.

We suggest that you visit us here on ... to discuss further details.

All expenses incurred in the course of your visit will be borne by us.

Should the date suggested not be suitable please telephone us.

Yours faithfully

Contrato de representação

Entre ... (empresa), doravante simplesmente denominada empresa,

e o sr. ..., doravante simplesmente denominado representante geral (RG), celebra-se o presente contrato de representação geral:

a) O RG assume a partir de ... a representação geral dos produtos da empresa em ...

b) A região de representação abrange o Sul do país e tem como limites ...

c) O RG receberá comissões por sua atividade. O montante das comissões baseia-se na tabela de comissões anexa, integrante do presente contrato.

d) O RG receberá uma remuneração fixa mensal de ... para despesas com telefone, fax e armazenamento. Não se pagarão outras despesas. O RG arcará com suas despesas de viagem.

e) A empresa dispõe-se a apoiar o RG por meio de publicidade, cujos detalhes serão discutidos com o RG. As despesas totais com publicidade não poderão ultrapassar o montante de ... por ano. Gastos acima desse valor serão de responsabilidade do RG.

f) Durante a vigência deste contrato, o RG não poderá representar empresas concorrentes.

g) O presente contrato tem duração de 5 (cinco) anos. Terminado esse período, ambas as partes poderão rescindi-lo mediante notificação feita seis meses antes do final do ano civil.

h) Quaisquer alterações deste contrato deverão ser feitas por escrito.

Fica eleito o foro de ... (cidade, país) para dirimir qualquer disputa emergente do presente contrato.

Agency agreement

Between ... (firm), hereinafter referred to as firm,

and Mr ..., hereinafter "General Agent (GA)", the following General Agency Agreement has been agreed:

a) As from ... the GA will assume the sole agency for the products of the firm in ...

b) The sole agency territory covers the southern part of the country up to its border with ...

c) The GA will receive commission for his activities. The amount of commission is to be determined by the commission table included, which constitutes part of this agreement.

d) The GA will receive a fixed monthly allowance of ... to cover telephone, fax and storage costs. No other expenses will be paid. Travel expenses are to be borne by the GA himself.

e) The firm is prepared to aid the GA with advertising as appropriate, details of which are to be discussed with the GA. Total advertising costs are not to exceed ... per year. Any additional expenses are to be borne by the GA himself.

f) The GA is not allowed to represent competing companies throughout the duration of this agreement.

g) This agreement is initially concluded for a period of five years. On expiry of this period, both parties may terminate it at six months' notice prior to the end of the calendar year.

h) Any amendments to the agreement are to be made in writing.

Any disputes arising will fall under the jurisdiction of ... (place, country)

Apresentação do representante

Prezados Senhores,

Temos a satisfação de informar-lhes que a partir de ... o sr. ... estará representando os interesses de nossa empresa em ... Os senhores poderão sempre recorrer a ele, que com certeza os aconselhará da melhor maneira possível.

Atenciosamente,

Introduction of agent

Dear Sir or Madam

We are pleased to inform you that Mr ... will be representing our interests in ... as from ... He can be relied on to deal with any queries you may have and give you the best advice available.

Yours faithfully

Rescisão de contrato pelo representante

1 Prezados Senhores,

Por motivos de saúde, infelizmente vejo-me forçado a rescindir, a partir de ..., nosso contrato de representação, iniciado em ...

Sinto imensamente ter sido forçado a tomar essa decisão, ainda mais porque nossa longa cooperação propiciou uma confiança mútua que levou a inúmeros sucessos.

Na certeza de que compreenderão minha decisão, firmo-me

Atenciosamente,

Agent terminates agency agreement

1 Dear Sir or Madam

As from ... I will, for health reasons, unfortunately be obliged to terminate our agency, agreement, which has been in effect since ... (date).

I most deeply regret having to take this step, all the more so since our long-standing co-operation of many years has brought about a bond of trust leading to a great deal of success.

I feel sure you will appreciate the reasons for my decision.

Yours faithfully

2 Prezado Sr. ...
(Prezada Sra. ...)

Como é de seu conhecimento, tenho representado, além de sua empresa, a ... (nome da empresa) há ... anos.

Esta firma ofereceu-me agora um contrato de representação exclusiva bastante atraente em toda a região de ..., que estou disposto a aceitar.

Assim sendo, solicito-lhes aceitarem minha decisão de rescisão do contrato, dentro do prazo acordado, a partir de ...

Agradeço mais uma vez a confiança em mim depositada e desejo a sua empresa todo o sucesso no futuro.

Atenciosamente,

2 Dear Mr ...
(Dear Ms ...)

In addition to your company I have, as you know, also been representing ... (company) for ... years.

They have now made me an attractive offer of the sole agency for the entire ... area, which I intend to accept.

I would therefore ask you to accept my resignation, tendered within the specified notice period, with effect from ...

I would like to thank you for the trust you have placed in me and wish your company all the best in the future.

Yours faithfully

Rescisão de contrato pela empresa

Prezado Sr. ...,

Sentimos informar-lhe que, infelizmente, a partir de ..., vemo-nos obrigados a rescindir nosso contrato de representação. Suspendemos todos os fornecimentos para ... Isso se deve ao fato de termos sentido a constante retração do mercado de seu país nos últimos anos.

Agradecemos pela excelente colaboração que o senhor nos prestou. O sr. ..., de nossa empresa, deverá contatá-lo em sua próxima visita a ...

Atenciosamente,

Company terminates agency agreement

Dear Mr ...

Much to our regret we are unfortunately obliged to inform you that, with effect from ..., we must terminate our agency agreement with you. We have stopped all deliveries to ... The market in your country has been shrinking steadily for us over the past years.

Thank you for the excellent co-operation you have given us. Our Mr ... will be calling on you when he next visits ...

Yours sincerely

Negócios comissionados

Prezados Senhores,

Gostaríamos que nos informassem se estão dispostos a fornecer, sob comissionamento, os produtos constantes de seu programa de vendas para ...

Há muitos anos realizamos esse tipo de negócio com diversos fabricantes de renome. Temos grande disponibilidade de locais de armazenamento, veículos de entrega, assistência técnica etc.

Informem-nos, por favor, se têm interesse nesse tipo de parceria. Se concordarem, mandaremos prontamente um representante nosso à sua empresa para entendimentos.

Se desejarem, estamos também dispostos a fazer um seguro da mercadoria comissionada contra fogo e roubo e a dar-lhes as garantias correspondentes ao valor dela.

Atenciosamente,

Business on consignment

Dear Sir or Madam

Please let us know whether you are willing to supply the goods in your sales programme on a consignment basis to ...

We have been doing business in this way with major manufacturers for many years now. We also have no shortage of storage space, delivery vehicles, maintenance personnel etc.

If you are basically interested in this form of co-operation please let us know. We will then send an authorised representative of our company to you for further talks.

If requested, we are also willing to have the consignment goods insured against fire and theft and provide appropriate security for their value.

Yours faithfully

Transferência de pedido mediante comissão

Prezados Senhores,

Um antigo cliente nosso necessita, no momento, de uma grande quantidade de ... Como esse produto não faz parte de nosso programa, solicitamos aos senhores que apresentem uma proposta a nosso cliente, citando nossa empresa, bem como enviem-nos uma cópia dessa proposta.

Pela nossa participação, esperamos uma comissão de ...%. Informem-nos por favor se a mercadoria mencionada pode ser fornecida de imediato e se os senhores concordam com o valor da comissão proposto por nós.

Assim que recebermos sua resposta daremos o endereço de nosso cliente.

Atenciosamente,

Commission business

Dear Sir or Madam

A long-standing customer of ours currently requires a large amount of ... As this article is not included in our range we would request you to make our customer an appropriate offer, referring to our company, and send a copy of your offer to us.

For this service we suggest a commission of ...%. Please let us know whether you are able to supply the merchandise in question immediately and also whether your are in agreement with our suggestion as regards commission.

We will then forward the customer's address to you without delay.

Yours faithfully

Cartas para ocasiões especiais
Letters on special occasions

Carta de agradecimento

1 Prezados Senhores,

Pela presente, aproveitamos a oportunidade para expressar nosso agradecimento pela gentil acolhida dada por sua empresa ao(à) sr.(a) ..., de nossa empresa.

Fomos informados de que os entendimentos e os acordos tiveram enorme sucesso e temos agora a convicção de que tal fato terá um efeito altamente positivo em nossa cooperação.

Estamos cientes da visita que o(a) sr.(a) ..., de sua empresa, nos fará em ..., para dar continuidade aos entendimentos. É desnecessário dizer que o(a) sr.(a) ... será nosso(a) hóspede durante sua estada.

Atenciosamente,

2 Prezados Senhores,

Os entendimentos com o(a) sr.(a) ..., de sua empresa, foram concluídos ontem, e temos certeza de que foram alcançados resultados favoráveis para ambas as partes.

Aproveitamos esta oportunidade para agradecer-lhes a visita do(a) sr.(a) ..., especialmente pela franqueza com que ele(a) conduziu as negociações com nossa gerência.

Atenciosamente,

Letter of thanks

1 Dear Sir or Madam

We would like to use this letter as an opportunity to express our thanks to you for the friendly way in which our Mr. ... (our Ms ...) was received by your company.

We have learned that the discussions and agreements reached were highly successfull and are convinced that this will have a most positive effect on our co-operation.

We note that your Mr (Mrs) ... will be coming to us in ... for further talks. It goes without saying that Mr (Mrs) ... will be our guest for the duration of his (her) stay.

Yours faithfully

2 Dear Sir or Madam

Discussions with your Mr ... (Mrs ...) were concluded yesterday and we are sure that favourable results were achieved for both sides.

We would like to take this opportunity to thank you for your Mr ...'s (Mrs ...'s) visit, and above all, for the open-mindedness with which he (she) conducted negotiations with our managerial staff.

Yours faithfully

Carta de felicitações

Aniversário de empresa

Prezados Senhores,

Temos a satisfação de felicitá-los pelo 25.º aniversário de sua empresa.

Aproveitamos a oportunidade para expressar nossos mais sinceros agradecimentos pela estreita cooperação entre nossas companhias por tantos anos.

Atenciosamente,

Aniversário

Prezado(a) Sr.(a) ...,

Permita-nos expressar nossos sinceros votos de feliz aniversário.

Desejamos ao(à) senhor(a) muitos anos de vida e saúde e esperamos que sua empresa possa desfrutar por muito tempo de sua inesgotável energia e força criativa.

Atenciosamente,

Abertura de filial

Prezados Senhores,

Soubemos pelos jornais que os senhores inauguraram uma filial em ... Por isso desejamos aos senhores todo o sucesso nesse empreendimento.

Confiamos em que nossas estreitas relações comerciais continuarão a se aprimorar cada vez mais, tanto no presente como no futuro.

Atenciosamente,

Letters of congratulation

Company anniversary

Dear Sir or Madam

We wish to congratulate you on the 25th anniversary of your company.

At the same time, we would like to take this opportunity to express our thanks to you for the many years of close cooperation our companies have enjoyed.

Yours faithfully

Birthday

Dear Mr ... (Ms ...)

Please accept our very best wishes on your birthday.

We wish you many more years of good health and trust that your company will enjoy your indefatigable energies for a long time to come.

Yours sincerely

Opening of a new branch

Dear Sir or Madam

We note from the daily press reports that you have opened a new branch in ... May we wish you every success with this venture.

We also trust that our close business links will continue to flourish both now and in the future.

Yours faithfully

Comemoração de anos de serviço

Prezado(a) Sr.(a) ...,

Completam-se hoje 25 anos de sua gestão na empresa fundada pelo senhor.

Nesses anos todos, seu empenho pessoal e sua administração prudente, originados de sua ampla experiência, conduziram sua empresa à posição de destaque que hoje ocupa.

Assim sendo, temos a imensa satisfação de parabenizá-lo calorosamente pelo sucesso obtido e desejamos-lhe novos êxitos e muita saúde.

Atenciosamente,

Celebrating years of service

Dear Mr ... (Ms ...)

You have now been at the helm of the company you yourself founded for 25 years.

In the course of these many years you have made the company what it is today by dint of personal commitment, circumspect management and thanks to your wide range of experience.

May we congratulate you warmly for your achievements and add our wish that you will enjoy further success and good health.

Yours most sincerely

Aviso de inauguração de ponto de venda

Prezados Senhores,

Temos a grata satisfação de comunicar-lhes que acabamos de inaugurar um ponto de venda de nossos produtos aqui em ...

Além de possuirmos no novo ponto uma equipe de consultores de vendas, dispomos também de pessoal técnico altamente capacitado, que verifica regularmente os equipamentos que vendemos.

Muito nos honraria que os senhores utilizassem nossos serviços e desfrutassem das facilidades de compra que oferecemos. Damos total garantia da alta qualidade de nossos produtos.

Atenciosamente,

Announcement of the opening of a business

Dear Sir or Madam

We are pleased to inform you that we have now opened a sales outlet for our products in ...

In addition to having our own customer sales consultants on the premises, we also have highly trained service personnel who routinely check all equipment purchased from us.

We should be delighted if you would make liberal use of our services and favourable sales opportunities. We offer a full guarantee that our products are of the highest quality.

Yours faithfully

Aviso de abertura de filial de vendas

Prezados Senhores,

A crescente demanda de nossos produtos nos países da União Européia estimulou-nos a abrir uma filial de vendas em ... Dessa forma, pretendemos tornar nossas remessas aos senhores ainda mais rápidas.

Temos também o prazer de colocar à sua disposição nosso departamento de assessoria de vendas e nossos estoques de consignação, bem como nossos serviços de manutenção e consertos.

Acreditamos que, em razão da nossa filial e do pessoal especializado que atenderá os senhores, nossos laços comerciais se estreitarão ainda mais.

Atenciosamente,

Announcement of the opening of a sales branch

Dear Sir or Madam

The steadily increasing popularity of our products in EU countries has made it necessary for us to open a sales branch in ... In this way we intend to make delivery to you even more rapid.

We are also pleased to place full access to our sales advice department and consignment stocks at your disposal, as well as our repair and maintenance service.

We trust that, as a result of this new branch and the expert personnel serving you there, our business links will become even closer.

Yours faithfully

Alteração de razão social e endereço

Prezados Senhores,

Em reunião dos sócios de nossa empresa, realizada em ..., decidiu-se pela alteração de nossa razão social para ... e a mudança da sede para ...

Agradeceríamos se os senhores informassem os departamentos de sua companhia a respeito dessas alterações.

Atenciosamente,

Change of company name and address

Dear Sir or Madam

At our shareholders' meeting on ... it was decided to change our company's name to ... and relocate the company in ...

We would be grateful if you would inform your company's departments as appropriate.

Yours faithfully

Saída de sócio

Prezados Senhores,

Desejamos informar-lhes que nosso(a) antigo(a) sócio(a), o sr.(a) ..., afastou-se de nossa empresa por motivos de saúde.

Suas cotas-partes foram divididas por igual entre os demais sócios.

Todavia, essa alteração não influi de maneira alguma na gestão de nossa empresa. Estamos convictos de que nossas relações comerciais continuarão sendo frutíferas em benefício mútuo.

Atenciosamente,

A partner withdraws from the firm

Dear Sir or Madam

We wish to inform you that our partner of many years standing, Mr (Ms) ..., is retiring from the firm for reasons of health.

His (her) shareholdings have been divided equally among the other partners.

The management of the firm is, however, in no way affected by this move and we trust that our existing business ties will continue to flourish to the mutual advantage of our two companies.

Yours faithfully

Nomeação de diretor

Prezados Senhores,

Temos a grata satisfação de informar-lhes que, a partir de ..., o(a) sr.(a) ..., nosso(a) colaborador(a) há vários anos, foi nomeado diretor de nossa empresa, tendo sob sua responsabilidade a direção das áreas de ... e ... (por exemplo, Compras, Vendas, Recursos Humanos etc.).

Temos a esperança de que o bom relacionamento entre nossas empresas se fortalecerá com essa medida.

Atenciosamente,

Appointment of a new director

Dear Sir or Madam

We are pleased to announce that, as from ..., our long-serving and able colleague, Mr ... (Ms ...) has been appointed as a director of our company. He (she) is now in charge of the ... and ... (e.g. Purchasing, Sales, Personnel etc.) Departments.

We very much hope that the good relationship our companies enjoy will be further strengthened by this move.

Yours faithfully

Notificação de visita

Prezados Senhores,

Queremos comunicar-lhes que o(a) sr.(a) ..., de nossa empresa, deverá visitá-los em ..., no período da manhã.

Essa visita tem a finalidade de discutir questões de interesse mútuo e de criar a oportunidade de estreitar ainda mais nossas relações comerciais. Para tanto, o(a) sr.(a) ... tem todo poder de agir em nome de nossa companhia.

Ficaríamos gratos se os senhores confirmassem essa data. Caso não seja de sua conveniência, agradeceríamos sua sugestão de outro dia para a visita.

Atenciosamente,

Announcement of a visit

Dear Sir or Madam

We wish to inform you that our Mr (Ms) ... will be visiting you at your company on ... in the course of the morning.

His (her) visit is intended to enable matters of mutual interest to be discussed and to provide an opportunity to strengthen our business ties still further. Mr (Ms) ... has full authority to act on our company's behalf.

We would appreciate it if you would confirm this appointment at the time suggested. Should it prove inconvenient to you, we would ask you to suggest another date.

Yours faithfully

Confirmação de visita

Prezados Senhores,

Agradecemos pela carta comunicando-nos a visita do(a) sr.(a) ..., membro da diretoria de sua empresa, em ... Teremos todo o prazer de recebê-lo(a) para discutirmos em detalhe quaisquer assuntos.

Atenciosamente,

Confirmation of visit

Dear Sir or Madam

Thank you for your letter in which you inform us that an executive of your company, Mr (Ms) ..., will be visiting us on ... We will be pleased to receive him (her) on that day and discuss at length all matters arising.

Yours faithfully

Convite para exposição

Prezados Senhores,

De ... a ..., será realizada a Feira ..., em ...

Queremos comunicar-lhes que estaremos expondo nessa feira e, assim, temos o prazer de convidá-los a visitar o nosso estande ..., no pavilhão ...

Para sua comodidade, anexamos a esta dois convites para o evento.

Esperamos poder contar com sua presença em nosso estande.

Atenciosamente,

Anexos
2 convites

Invitation to an exhibition

Dear Sir or Madam

The ... Fair is due to take place in ... from ... to ...

We are pleased to inform you that we are among the exhibitors and take pleasure in inviting you to visit our stand No. ... in hall ...

We enclose two complimentary tickets for your convenience.

We look forward to meeting you at our stand.

Yours faithfully

Enc
2 tickets

Aceitação de convite para exposição

Prezados Senhores,

Senti-me muito honrado em receber o convite para visitar seu estande ... no pavilhão ... da Feira ...

Como eu planejava visitar a feira de qualquer maneira, certamente aproveitarei a oportunidade para visitá-los.

Espero que os senhores possam fazer-me uma demonstração de sua nova máquina ..., cuja proposta já me foi enviada. Tenho especial interesse em conhecer o funcionamento do novo sistema ... dessa máquina.

Aguardo com grande interesse nosso encontro e agradeço o envio dos convites.

Atenciosamente,

Accepting an invitation to an exhibition

Dear Sir or Madam

I was most pleased to receive your kind invitation to visit your ... stand in Hall ... at the ... Fair.

As I shall be attending this fair in any event, I will most certainly take this opportunity to call on you.

I hope you will then be able to demonstrate your new ... machine to me, an offer for which I have already received. I would be particularly interested to know how this machine's new ... system works.

I look forward with great interest to meeting you and thank you for the admission tickets provided.

Yours faithfully

Comunicação da informatização da contabilidade

Prezados Senhores,

Gostaríamos de informar-lhes que a partir de ... nosso sistema de contabilidade está inteiramente informatizado.

Os senhores sem dúvida compreenderão que o perfeito funcionamento do sistema deverá demandar algumas semanas, de modo que pedimos encarecidamente sua compreensão para eventuais atrasos na remessa de faturas etc.

Caso venham a ter alguma dúvida a respeito, queiram por gentileza recorrer ao nosso especialista em informática, sr. ...

Nos demais assuntos, nossos funcionários estão à sua inteira disposição.

Confiamos em que tal mudança não afete nossas relações comerciais e lhes asseguramos que estamos fazendo o máximo possível para diminuir os transtornos.

Tão logo a reestruturação tenha sido concluída, nós certamente poderemos atendê-los com mais rapidez e eficiência.

Atenciosamente,

Notification that accounting system has now been computerized

Dear Sir or Madam

We are pleased to inform you that since ... we have been operating a new, fully computerized accounting system.

You will no doubt appreciate that it will take several weeks for the system to function perfectly and we would therefore respectfully ask you to excuse any delays in the sending of invoices etc.

Should you have any queries relating to the change, we would ask you to contact our computer expert, Mr ...

In all other matters our staff will be pleased to assist you.

We trust that this reorganization will in no way affect our business and assure you that we will be doing everything possible to keep inconvenience to a minimum.

As soon as the reorganization is completed we are sure that we will be able to provide you with a faster and smoother service.

Yours faithfully

Pedido de informação a entidade pública

Prezados Senhores,

Ficaríamos agradecidos se os senhores, na qualidade de Câmara de Comércio Teuto-Holandesa, pudessem fornecer-nos algumas informações.

Precisamos saber se a Feira ..., a realizar-se de ... a ..., é adequada para a exposição de nossos produtos.

Como não conhecemos os organizadores da feira e não dispomos de nenhum endereço para contato, agradeceríamos se os senhores pudessem informar-nos a quem devemos recorrer.

Enviamos anexo um folheto com nossa linha de produtos.

Atenciosamente,

Anexo

Request for information from an official body

Dear Sir or Madam

We would be grateful if, in your capacity as the Dutch-German Chamber of Commerce, you could provide us with some information.

The question has been raised here as to whether the ... Fair, due to take place in ... from ... to ..., is suitable for our products.

As the organizers are unknown to us and we have no contact addresses for the fair we would be most grateful if you would tell us whom we may approach.

Please find enclosed our brochure detailing our range of products.

Yours faithfully

Enc

Correspondência hoteleira
Hotel correspondence

Consulta

1 Prezados Senhores,

No início de ... realizaremos um congresso de nossos representantes de vendas. Portanto, de ... a ..., teremos necessidade de ... quartos simples e ... quartos duplos, todos com banheira ou chuveiro e de preferência com televisor e frigobar.

Desejamos acomodar todos os participantes em seu hotel.

Informem-nos, por favor, dos preços de suas diárias com café da manhã e demais taxas.

Em ... pretendemos oferecer um jantar em uma sala reservada para aproximadamente ... pessoas. Gostaríamos que nos apresentassem suas sugestões de cardápio (preço por pessoa de cerca de ... a ...).

Atenciosamente,

2 Prezados Senhores,

No dia ..., o(a) sr.(a) ..., diretor(a) de nossa empresa, estará visitando a Feira ... em sua cidade.

Assim, solicitamos que reservem para ele(a) um quarto simples, em local tranqüilo, com banheiro, banheira ou chuveiro no período de ... a ...

Seria possível também enviar-nos um mapa da localização de seu hotel e do percurso mais rápido até a feira industrial por transporte público?

Agradecemos antecipadamente.

Atenciosamente,

Enquiry

1 Dear Sir or Madam

At the beginning of ... we will be holding a congress for our sales representatives. From ... to ... we will thus require ... double and ... single rooms, all with bath or shower and preferably with TV and minibar.

We would like to accommodate all those taking part at your hotel.

Please let us have your rates for bed and breakfast together with any extra charges.

On ... we wish to give a dinner for approx. ... in a separate dining room and would be pleased to receive your suggestions as regards a suitable menu (prices from approx. ... to ... per person).

Yours faithfully

2 Dear Sir or Madam

Our Company Director, Mr ... (Ms ...) will be attending the ... Fair on ... in your city (town).

We would therefore request you to reserve him (her) a quiet single room with toilet, bath or shower from ... to ...

Would you also send us a map indicating both the location of your hotel and the fastest route to the fair using public transport.

Many thanks in advance.

Yours faithfully

Reserva individual

Prezados Senhores,

Solicitamos que reservem para nosso(a) cliente, sr.(a) ..., de ..., um quarto simples, de preferência com vista para o mar (lago), no período de ... a ...

O(A) sr.(a) ... deverá chegar de ... no vôo n.° ... da ... e estará no hotel aproximadamente às ... horas.

Solicitamos que nos enviem a fatura (quarto e taxas extras) para pagamento. (As despesas pessoais serão pagas pelo(a) próprio(a) hóspede.)

Aguardamos a confirmação da reserva.

Atenciosamente,

Individual reservation

Dear Sir or Madam

Kindly reserve a single room, preferably on the side of the hotel facing the sea (ocean, lake), for our customer Mr (Ms) ... coming from ... for the period ... to ...

Mr (Ms) ... will be on Flight No. ... from ... and will be arriving at the hotel at approx. ... o'clock.

Please forward the bill (accommodation and all extras) to us. (The guest will settle his (her) own bill.)

We look forward to receiving your confirmation.

Yours faithfully

Reserva para congresso

Ref.: Nosso congresso

Prezado Sr. ...,
(Prezada Sra. ...,)

Depois do nosso agradável encontro (nossa agradável conversa de ontem por telefone) e de termos consultado nossa gerência, podemos confirmar a seguinte reserva para o congresso mencionado acima:

Quartos:
... quartos simples
... quartos duplos, todos com banheira ou chuveiro, frigobar e TV,
no período de ... a ...

Salões de conferência:
de segunda-feira a sábado, K III
poltronas para conferência
mesa para conferência

Terça-feira, quarta-feira e sexta-feira, K I, para ... pessoas

Os salões de conferência devem estar reservados das 8h às 18h.

Solicitamos que os salões de conferência tenham os seguintes aparelhos: retroprojetor, projetor de transparências, videocassete, gravador de som.

Reservation for a congress

Dear Mr ...
(Dear Ms ...)

Our congress

After our recent pleasant meeting (yesterday's pleasant telephone conversation) and consultations with our management here, we are now able to confirm the following reservation for the above-mentioned congress:

Rooms:
... single rooms
... double rooms, all with bath or shower, minibar and TV,
from ... to ...

Conference rooms:
From Monday to Saturday K III
conference chairs
conference table

On Tuesday, Wednesday and Friday K I for ... persons

The conference rooms are required from 8 am to 6 pm.

In addition, we would request you to equip the rooms with the following facilities: overhead projector, flipchart, video recorder, tape recorder.

Agradeceríamos igualmente se o(a) senhor(a) pudesse colocar à nossa disposição um equipamento *multivision* (instalação telefônica para utilização em congresso, cabine para interpretação simultânea), cujo custo solicitamos discriminar separadamente.

Refeições em grupo:

café da manhã em bufê, a partir das 7h

intervalos para café, às 10h e às 16h, todos os dias

almoço de negócios no restaurante, às 13h

jantar no restaurante do hotel, às 20h

Por favor, enviem a fatura diretamente a nós.

Os hóspedes já foram informados de que deverão pagar os telefonemas feitos nos quartos e as bebidas do frigobar que consumirem.

Enviaremos ao(à) senhor(a) uma lista dos hóspedes até o final de ...

Gostaríamos que se fizesse uma confirmação rápida.

Atenciosamente,

We would also be grateful if you would make multi-vision facilities available (conference link telephone, simultaneous interpreter's booth) and list the expenses for this separately.

Group meal times:

Buffet breakfast as from 7 am

Coffee breaks at 10 am and 4 pm each day

Working lunch at 1 pm in the restaurant

Dinner at 8 pm in the hotel restaurant

Pleased forward the bill directly to us.

The guests have been notified that they themselves must pay for all telephone calls made from their hotel rooms and drinks from the minibar.

A guest list will be sent to you at the end of ...

We would appreciate your early confirmation.

Yours faithfully

Reserva para grupo

Prezados Senhores,

Com relação à sua solicitação por telefone, confirmamos hoje a seguinte reserva:

... quartos simples e ... quartos duplos, todos com banheira ou chuveiro, de ... a ...

Os hóspedes chegarão no decorrer do dia ..., alguns tarde da noite. Eles mesmos acertarão a conta. Pedimos que coloquem nos quartos as pastas anexas.

Atenciosamente,

Group reservation

Dear Sir or Madam

We refer to your telephone enquiry and are pleased to confirm your reservation as follows:

... single and ...double rooms, all with bath or shower, from ... to ...

Our guests will be arriving on ... in the course of the day, some of them at a late hour. They will settle their own bills. We would request you to put the folders enclosed in their rooms.

Yours sincerely

<u>Anexas</u>
Pastas

<u>Encs</u>
Folders

Resposta do hotel

Recusa

Prezados Senhores,

Agradecemos sua solicitação de ... Infelizmente, na época mencionada hospedaremos um grupo grande de pessoas para um congresso. Por essa razão não dispomos mais de acomodações nem salas de conferência para o seu congresso.

Todavia, podemos oferecer-lhes acomodações na semana seguinte, de ... a ..., com diária de ... por pessoa.

Nesse período, há também disponibilidade para um salão de conferências com capacidade para ... pessoas, ao preço de: ... por dia.

Teríamos o maior prazer de poder realizar seu congresso em nossas instalações. Aguardamos sua decisão.

Atenciosamente,

Resposta positiva

Prezados Senhores,

Agradecemos sua solicitação de ... Teremos o prazer de acolher seu grupo de ..., em ... quartos simples e ... quartos duplos, ao preço líquido diário de ... por pessoa, no período de ... a ... Nesse preço estão incluídos café da manhã, ...% de taxa de serviços, VAT e demais impostos. Para cada 20 hóspedes pagantes oferecemos uma hospedagem grátis.

Todos os nossos quartos têm banheiro com chuveiro, lavabo, telefone, rádio e TV, cofre e geladeira. A piscina coberta poderá ser utilizada gratuitamente.

Aguardamos sua confirmação para breve e asseguramos desde já que faremos de tudo para tornar sua estada e de seus convidados o mais agradável possível.

Atenciosamente,

Reply from hotel

Refusal

Dear Sir or Madam

Thank you very much for your enquiry of ... Unfortunately, at the time in question a large group will be holding a conference on our premises. We will therefore not have sufficient rooms and conference space available.

We are, however, able to make our facilities available a week later, – from ... to ..., at ... per person per day.

At this same time a conference room for up to ... persons will also be available, for which the price per day is ...

We would be most pleased to host your conference and look forward to receiving your reply to this letter.

Yours faithfully

Favourable response

Dear Sir or Madam

Many thanks for your enquiry of ... We will be pleased to accommodate your party of ..., in ... double and ... single rooms, net price ... per person per day, for the period ... to ... Breakfast, ...% service charge, VAT and taxes included. For every 20 paying guests one is free.

All our rooms are fully equipped with bath, shower, toilet, telephone, radio and TV, a lockable drawer for valuables as well as a refrigerator. The indoor swimming pool can be used free of charge.

We look forward to receiving your confirmation in the near future and assure you that every effort will be made to make your and your guests' stay as pleasant as possible.

Yours faithfully

Confirmação de congresso

Prezados Senhores,

Temos o prazer de confirmar-lhes a seguir os detalhes de nossa conversa de ... (nosso contato telefônico de ontem):

Reserva de quartos:
... quartos simples
... quartos duplos, conforme pedido, à diária de ... por pessoa.

Nossa diária de hospedagem é de ... por pessoa.

Salas de conferência:
K III, conforme pedido, à diária de ...
K I, conforme pedido, à diária de ...

Ambas as salas de conferência possuem a aparelhagem necessária.

Será cobrada uma taxa diária de ... pelo equipamento *multivision* (equipamento telefônico com ramais, cabine de interpretação simultânea).

Lembramos que os telefonemas feitos pelos hóspedes nos quartos e o consumo de produtos do frigobar serão por conta dos hóspedes.

Aguardamos com prazer sua visita e temos certeza de que nossos serviços corresponderão à sua expectativa.

Solicitamos ainda que nos informem em prazo hábil (o mais tardar até ...) o número exato dos participantes do congresso.

Atenciosamente,

Anexos

Confirmation of a conference

Dear Sir or Madam

We are pleased to confirm the details of our discussion on ... (our telephone conversation of yesterday) as follows:

Room reservations
... single rooms
... double rooms, as requested, at ... per person per day.

Our standard catering charge per person per day is ...

Conference rooms:
K III as requested, daily rate: ...
K I as requested, daily rate: ...

Both conference rooms are equipped with the necessary technical facilities.

An extra charge of ... per day would be made for the provision of multi-vision facilities (conference link telephone, simultaneous interpreter's booth).

We note that your guests must pay for telephone calls made from their rooms and the use of the mini-bar.

We look forward to your visit and trust that the service we offer will meet with your satisfaction.

Please let us have the exact number of conference participants in good time (by ... at the latest).

Yours faithfully

Encs

Correspondência bancária
Correspondence with banks

Abertura de conta

Solicitação

Prezados Senhores,

A fim de efetuar nossos negócios de exportação para seu país, pretendemos abrir uma conta corrente em seu banco. Ficaríamos muito gratos se os senhores pudessem informar-nos das condições de pagamento de juros, comissões, tarifas de conta corrente etc.

Solicitamos ainda que nos informem sobre as formalidades que devem ser atendidas para a abertura da conta.

Esperamos ter uma resposta rápida.

Atenciosamente,

Opening an account

Enquiry

Dear Sir or Madam

In order to handle our export business in your country, we wish to open a current account at your bank. We would therefore be most grateful if you would let us know your conditions as regards interest payment, commission, account charges etc.

In addition, we would also like to know what formalities must be fulfilled to open such an account.

We hope to hear from you soon.

Yours faithfully

Consulta sobre execução de ordem de cobrança

Prezados Senhores,

Há algum tempo temos negociado regularmente com empresas de seu país mediante cartas de crédito, e notamos que os senhores atuaram diversas vezes como banco emissor.

Os senhores teriam interesse, no futuro, em cuidar para nós de ordens de cobrança?

Enviamos junto a esta uma cópia do balanço anual de nossa empresa para que os senhores tenham idéia do nosso volume de negócios.

Atenciosamente,

Request regarding the handling of collection orders

Dear Sir or Madam

We have been doing regular business on a letter-of-credit basis with companies in your country for some time now and note that you have acted as the issuing bank on several occasions.

Would you also be interested in handling collection orders for us in future?

The enclosed copy of our company's annual report will enable you to gain an impression of the volume of our business.

Yours faithfully

Autorização

Prezados Senhores,

Em resposta à sua carta de ..., solicitamos a abertura de uma conta corrente em nome de nossa empresa, que é ...

Enviamos junto um cheque de ..., a título de primeiro depósito.

Estão autorizados a movimentar a conta o sr. ..., individualmente, ou os srs. ... e ..., em conjunto. Gostaríamos que arquivassem a assinatura desses senhores, colocadas no final desta carta.

Atenciosamente,

Assinatura do sr. ...: ...
Assinatura do sr. ...: ...
Assinatura do sr. ...: ...

Anexo
1 cheque

Encerramento de conta

Prezados Senhores,

Tendo em vista que nossos negócios de importação/exportação com seu país praticamente se encerraram, consideramos desnecessário manter uma conta em seu banco.

Transfiram, por favor, o saldo existente de nossa conta ao banco ..., c/c n° ...

Agradecemos os serviços prestados até agora pelos senhores.

Atenciosamente,

Instruction to bank

Dear Sir or Madam

We have received your letter dated ... and would now request you to open a current account in our company's name, entitled ...

We enclose a cheque for ... as the initial sum to be credited.

Those entitled to sign for this account are Mr ... alone or Messrs ... and ... jointly. We would request you to record the signatures of these gentlemen as shown at the end of this letter.

Yours faithfully

Signature of Mr ...: ...
Signature of Mr ...: ...
Signature of Mr ...: ...

Enclosure:
1 Cheque

Closing an account

Dear Sir or Madam

As our import/export business with your country has virtually ceased we no longer consider it necessary to maintain an account with your bank.

Please transfer the balance remaining in our account to a/c No. ... at (the) ... Bank.

Thank you for the service you have provided us with up to now.

Yours faithfully

Pedido de crédito

Carta de crédito para viagem

Prezados Senhores,

Nosso gerente de compras, sr. ..., viajará em breve a seu país para fazer compras em nosso nome.

A fim de permitir-lhe efetuar os pagamentos necessários, ficaríamos muito gratos se os senhores pudessem, como em ocasiões anteriores, emitir uma carta de crédito em favor dele, descontável em suas agências, e debitar os valores parciais de nossa conta corrente em seu banco.

Agradecemos antecipadamente sua colaboração.

Atenciosamente,

Application for credit

Traveller's letter of credit

Dear Sir or Madam

Our Head Buyer, Mr ..., will soon be travelling to your country to make some purchases.

In order to to enable him to make payments as necessary, we would be most grateful if, as on previous occasions, you would issue him with a letter of credit debitable to your branch offices, and debit our current account at your bank with the partial amounts.

We wish to thank you in advance for your assistance.

Yours faithfully

Cobertura de conta

Prezados Senhores,

A fim de aproveitarmos os preços favoráveis do mercado, gostaríamos, em certas ocasiões, de fazer um bom volume de compras, o que, quando surgir a oportunidade, não poderíamos realizar por falta de liquidez.

Assim, solicitamos informar-nos as condições para que os senhores nos concedam uma cobertura de até ... em nossa conta corrente.

Oferecemos como garantia dessa operação os títulos que temos depositados em seu banco.

Aguardamos com interesse sua resposta.

Atenciosamente,

Overdraft facility

Dear Sir or Madam

To enable us to take advantage of favourable market rates, we would, on occasion, like to purchase substantial amounts, which, when the situation arises, we would not normally be able to finance owing to a lack of liquidity.

We would therefore request you to let us know under what circumstances you would be prepared to grant us an overdraft facility of ... on our current account.

We are able to offer you the securities deposited at your bank by way of collateral.

We await your response with interest.

Yours faithfully

Conta especial

Prezados Senhores,

Devido às particularidades de nossos negócios, o saldo de nossa conta corrente está sujeito a grandes flutuações, ocasionando eventualmente saldo negativo.

Tendo em vista nossas boas relações, tomamos a liberdade de perguntar se os senhores estariam dispostos a nos conceder um crédito para saques descobertos. Em caso afirmativo, queiram por gentileza informar-nos o valor das tarifas cobradas nesse tipo de operação.

Aguardamos com interesse uma resposta rápida.

Atenciosamente,

Overdrawn account

Dear Sir or Madam

The particular nature of the business we conduct makes the balance of our account subject to substantial fluctuations, occasionally giving rise to debit balances.

In the light of our good business relationship we have taken it upon ourselves to ask whether you might be prepared to grant us an overdraft facility. Should this be the case, we would request you to let us know the rates charged for this.

We look forward to your early reply.

Yours faithfully

Crédito sem garantia

Prezados Senhores,

Tendo em vista nossa intenção de uma importação substancial de gêneros alimentícios de seu país, ficaríamos muito gratos se os senhores nos pudessem informar da possibilidade de nos conceder um crédito sem garantia no valor máximo de ..., até o final do corrente ano.

Sem dúvida os senhores devem recordar-se de nossa companhia ter utilizado seus serviços, há alguns anos, para negócios de importações de ... Todavia, se os senhores necessitarem de outras referências, solicitamos que entrem em contato com a Câmara de Comércio e Indústria em ...

Esperamos que os senhores possam atender ao nosso pedido e, nesse caso, pedimos que nos informem suas condições.

Atenciosamente,

Unsecured credit facility

Dear Sirs

As we are planning to import substantial quantities of foodstuffs from your country we would be most grateful if you would let us know whether you might be prepared to grant us an unsecured credit facility of up to ... until the end of the current year.

You will no doubt recall that our company availed itself of your bank's services for import business (to the value) of ... some years ago. Should you, however, require additional references, we would request you to contact the Chamber of Commerce and Industry in ...

We hope that you will be able to comply with our request and, if so, let us have details of your terms.

Yours faithfully

Remessa de documentos

Abertura de crédito documentário

Prezados Senhores,

O contrato de compra e venda firmado entre o fornecedor ... (nome da empresa) e nossa companhia, para o fornecimento de ... CIF ..., no valor de ..., prevê o pagamento por intermédio de crédito documentário irrevogável, pagável à vista.

Ficaríamos gratos se os senhores pudessem abrir uma carta de crédito irrevogável em favor de nosso fornecedor, com débito em nossa conta corrente, no valor mencionado, em moeda local. Deverá ser pago à apresentação dos seguintes documentos:

- fatura comercial original com mais três cópias

- jogo completo de conhecimentos marítimos sem restrições

- apólice ou certificado de seguro com cobertura dos riscos comuns de transporte

- certificado de origem.

O crédito será válido até ... Não poderão ser efetuados embarques parciais.

A pedido de nosso fornecedor, o banco ... de ... atuará como banco notificador.

Esperamos receber em breve sua resposta.

Atenciosamente,

Forwarding documents

Opening a documentary credit

Dear Sirs

The sales agreement concluded between our supplier, ... (firm) and our company for the delivery of ... CIF ... to the value of ... provides for payment by irrevocable documentary credit, payable at sight.

We would be most grateful if you would debit our account with the opening of an irrevocable letter of credit in favour of our supplier for the amount in question in local currency. It is to be payable subject to presentation of the following documents:

- original commercial invoice and three copies thereof

- complete set of clean, on-board bills of lading

- insurance policy or certificate covering the usual transport risks

- certificate of origin.

The credit to be valid until ... Part-shipments not permitted.

At our suppliers' request, (the) ... Bank in ... will act as the advising bank.

We trust we will be receiving your reply in the near future.

Yours faithfully

Apresentação de documentos para cobrança

Prezados Senhores,

Em relação ao fornecimento de ... com o barco (a motor) ..., CIF ..., enviamos anexos os seguintes documentos:

- conhecimento marítimo,
- apólice de seguro,
- duplicata de fatura,
- certificado de origem,
- manifesto de carga,
- certificado de análise.

Pedimos que os senhores entreguem os documentos citados ao consignatário contra pagamento à vista de nossa fatura n.º ..., de um valor total de ...

Solicitamos que esse valor seja creditado em nossa conta corrente em sua instituição, após dedução das tarifas.

Agradecemos antecipadamente sua colaboração.

Atenciosamente,

Anexos

Presentation of documents for collection

Dear Sirs

In connection with a consignment of ..., CIF ..., on board m.v. ..., we are forwarding the enclosed documents:

- bill of lading,
- insurance policy,
- duplicate invoice,
- certificate of origin,
- certificate of loading,
- certificate of analysis.

We would request you to release the documents listed to the consignee on payment in cash of our Invoice No. ... for a total amount of ...

Please credit this sum to our account with yourselves after deducting your charges.

We thank you in advance for your assistance.

Yours faithfully

Encs

Apresentação de documentos contra aceite

Prezados Senhores,

A fim de obtermos quitação de nossa fatura comercial n.º ..., de ..., anexamos à presente uma letra à vista de 30 dias, emitida contra ..., no valor de ..., para aceite. Anexamos também o conhecimento de embarque referente ao fornecimento realizado.

Ficaríamos gratos se os senhores entregassem o conhecimento de embarque e a fatura aos sacados após aceite de nossa letra à vista de 30 dias e mantivessem esta letra na carteira de ações até a data de cobrança.

Queiram por gentileza creditar o valor em nossa conta corrente nesse banco no tempo devido e avisar-nos.

Agradecemos antecipadamente sua cooperação.

Atenciosamente,

Anexos
1 letra de câmbio
1 fatura comercial
1 conhecimento de embarque

Retirada de letra

Prezados Senhores,

Ficaríamos gratos se os senhores pudessem recolher nossa letra de câmbio para ..., emitida contra ..., que seu banco descontou na data de ..., pois já recebemos do sacado os valores para cobertura dessa letra.

Agradecemos sua atenção.

Atenciosamente,

Presentation of documents against acceptance

Dear Sirs

In order to obtain settlement of our Commercial Invoice No. ... of ... we enclose a 30-day sight draft drawn on ... for the sum of ... for acceptance. We likewise enclose the consignment note relating to the goods delivered.

We would be grateful if you would surrender the consignment note and the invoice to the drawees after acceptance of our 30-day sight draft and retain this latter in our portfolio until the date of presentation for collection.

Please credit our account with yourselves with the sum in question at the appropriate time and notify us to this effect.

Thank you in advance for your co-operation in this matter.

Yours faithfully

Enc
1 Draft
commercial Invoice
consignment note

Withdrawal of a bill of exchange

Dear Sirs

We would be grateful if you would withdraw from circulation our bill of exchange for ... drawn upon ..., which your bank discounted on ..., since we have now received funds to cover this bill from the drawee.

Thank you for giving this matter your attention.

Yours faithfully

Ordem de pagamento

Prezados Senhores,

Ficaríamos gratos se os senhores pudessem instruir o mais breve possível sua agência de ... a creditar o montante de ... na conta n.º ..., mantida em sua instituição pela empresa ..., com a rubrica "em pagamento da fatura n.º ... de ...".

Pedimos que debitem de nossa conta o valor citado mais as taxas de transferência.

Agradecendo a rápida execução de nossas instruções, subscrevemo-nos,

Atenciosamente,

Payment order

Dear Sirs

We would be grateful if you would instruct your branch in ... as soon as possible to credit the sum of ... to a/c No. ... which ... (firm) have with yourselves, with the rubrik "In payment of Invoice No. ... of ..."

Please debit us with this sum plus transfer charges.

We trust our instructions will be followed at your earliest convenience and remain,

Yours faithfully

Extrato de conta
Solicitação de envio

Prezados Senhores,

Tendo em vista a auditoria que será feita em nossa contabilidade, solicitamos que nos enviem o mais breve possível um extrato de nossa conta especificando débitos e créditos no período de 1.º de janeiro a 30 de junho.

Agradecemos antecipadamente sua atenção.

Atenciosamente,

Statement of account
Request for a statement to be sent

Dear Sirs

As our accounts are shortly to be audited we would request you to send us as soon as possible a statement of account itemising debits and credits for the period 1st January – 30th June.

Thank you in advance for giving this matter your attention.

Yours faithfully

Concordância com o extrato

Prezados Senhores,

Agradecemos o envio do extrato de conta do período com fechamento em 31 de dezembro de ..., indicando um saldo a nosso favor de ...

Nós o verificamos e concluímos que está correto.

Atenciosamente,

Statement of account is correct

Dear Sirs

Thank you for sending us the statement of account for the period to 31st December ..., showing a balance in our favour of ...

Having examined it we have found it to be correct.

Yours faithfully

Discordância com o extrato

Prezados Senhores,

No extrato apresentado pelos senhores, referente à conta nº ..., datado de ..., é-nos debitado, entre outros, um valor de ...

Como não temos registrada em nossos livros nenhuma ordem de pagamento nesse valor, solicitamos que verifiquem esse débito. Caso esse lançamento seja incorreto, pedimos seu estorno.

Aguardamos seus comentários a respeito.

Atenciosamente,

State of account is incorrect

Dear Sirs

According to your statement of account No. ... of ... you have debited us, among other things, with the sum of ...

As we have no record of this payment order in our books, we would request you to check this debit. Should this entry prove to be incorrect we would ask you to cancel it.

We await your comments on this matter.

Yours faithfully

Operações com cheque

Apresentação de cheque

Prezados Senhores,

Anexamos à presente o cheque nº ..., do banco ..., no valor de ..., e solicitamos que o depositem em nossa conta corrente, nº ...

Atenciosamente,

Dealing with cheques

Presentation of a cheque

Dear Sirs

We enclose a cheque, drawn upon (the) ... Bank, for the sum of ... and would request you to credit our current account No... with the amount in question.

Yours faithfully

Devolução de cheque

Prezados Senhores,

Para nossa grande surpresa, o cheque anexo, nº ..., no valor de ..., foi-nos devolvido com a anotação "sem fundos".

Como temos certeza de que se trata de um engano, solicitamos que examinem o assunto e nos informem dos resultados.

Atenciosamente,

Returning a cheque

Dear Sirs

To our great surprise the enclosed cheque No. ... for the sum of ... was returned to us marked "Refer to Drawer".

As we feel sure this is the result of an error we would request you to look into this matter and let us have your comments by return.

Yours faithfully

Cancelamento de cheque

Prezados Senhores,

Visto que o cheque n.º ..., datado de ..., a favor de ..., obviamente se extraviou no correio, pedimos que seja sustado.

Aguardamos sua confirmação antes de emitirmos novo cheque, a fim de evitar duplicidade.

Atenciosamente,

Stopping a cheque

Dear Sirs

As cheque No. ... dated ... payable to ... has obviously got lost in the post we would request you to stop payment of it.

We await your confirmation before issuing a replacement to avoid duplication.

Yours faithfully

Perda de cartão de crédito

Prezados Senhores,

Confirmo pela presente o aviso de hoje por telefone ao sr. ..., no qual informei a perda de meu cartão de crédito n.º ... e solicitei que fosse imediatamente cancelado.

Espero receber em breve o novo cartão, conforme prometido pelos senhores.

Atenciosamente,

Loss of credit card

Dear Sirs

This is to confirm my telephone call of today with Mr ..., in which I informed you of the loss of my credit card No. ... and requested you to cancel it immediately.

I trust you will, as promised, soon send me a replacement.

Yours faithfully

Investimento de capital

1 Prezados Senhores,

Tendo em vista a situação favorável das taxas de juros em seu país, acreditamos que seja o momento certo para efetuar um investimento de capital de curto prazo.

Como ficamos muito satisfeitos, em ocasiões anteriores, com seu competente aconselhamento sobre investimento de capital, agradeceríamos se nos informassem qual é atualmente a melhor aplicação para o valor de aproximadamente ...

Aguardamos com interesse suas informações.

Atenciosamente,

Investing capital

1 Dear Sirs

In view of the favourable trend in interest rates in your country we feel that this is the right time for short-term capital investment.

As we have been most satisfied with your well substantiated advice regarding capital investment on previous occasions, we would be grateful if you would let us know how we can favourably invest the sum of approx. ... at the present time.

We await your comments with interest.

Yours faithfully

2 Prezados Senhores,

Como os senhores certamente perceberam, nossa conta corrente apresenta um saldo credor bastante expressivo. Por essa razão, acreditamos que seja adequado transferir parte desse montante a uma conta de depósito de prazo fixo.

Ficaríamos muito gratos se os senhores nos informassem sobre as taxas de juros que oferecem nos diversos prazos de aplicação.

Atenciosamente,

2 Dear Sirs

You will no doubt have noticed our current account now shows a substantial credit balance. We therefore think it appropriate to transfer some of these funds to a fixed deposit account.

We would thus appreciate it if you would let us know your interest rates for the the various notice periods for such accounts.

Yours faithfully

Operações na bolsa de valores

Compra de títulos

Prezados Senhores,

Ficaríamos gratos se pudessem adquirir na Bolsa de Valores de ..., a débito de nossa conta, os seguintes títulos, às melhores cotações possíveis (menor preço):

Ações: ...

Títulos da dívida pública: ...

Fundos de investimento: ...

Debêntures: ...

Solicitamos que mantenham esses títulos em nossa carteira, às nossas expensas.

Aguardamos sua confirmação sobre a realização das transações.

Atenciosamente,

Stock exchange business

Purchase of securities

Dear Sirs

We would be grateful if you would purchase the following securities at the best rates available (cheapest price) on the ... Stock Exchange, debiting our account accordingly.

Shares: ...

Government bonds: ...

Investment trusts: ...

Debentures: ...

Please keep these securities in our portfolio with you at our expense.

We await your confirmation that our instructions have been carried out.

Yours faithfully

Venda de títulos

Prezados Senhores,

Solicitamos que vendam pelo melhor preço possível as ações abaixo mencionadas, mantidas em nosso nome em carteira de ações:

...

Como o mercado apresenta uma tendência de alta nessas ações, contamos com que os senhores obtenham um bom preço.

Creditem, por favor, o total da venda em nossa conta.

Aguardamos confirmação do cumprimento de nosso pedido.

Atenciosamente,

Selling securities

Dear Sirs

Please sell the following shares, kept in our name in our portfolio with you, at the most favourable rate (best rate) available.

...

As the market for these securities has been bullish for the last few days we trust you will obtain a good rate.

Please credit our account with the proceeds of the sale.

We await your confirmation that our instructions have been carried out.

Yours faithfully

Correspondência de marketing e publicidade

Correspondence in marketing and advertising

Consulta sobre pesquisa de mercado

Prezados Senhores,

Sua empresa nos foi indicada por nossos parceiros de negócios da ..., de ..., a qual no ano passado encomendou aos senhores uma pesquisa de mercado e ficou plenamente satisfeita com o resultado.

Anexamos a esta uma descrição detalhada de nossa empresa e dos produtos que fabricamos.

Em decorrência da integração dos países da União Européia, pretendemos intensificar a distribuição de nossos produtos por toda a União Européia. Assim, gostaríamos de saber se os senhores poderiam, em princípio, realizar uma pesquisa de mercado completa para nossa empresa. Quais seriam suas condições?

Caso haja interesse de sua parte, apreciaríamos a visita de um especialista de seu instituto a nossa empresa.

Esperamos com interesse sua pronta resposta.

Atenciosamente,

Anexo

Market survey enquiry

Dear Sirs

We owe your address to our business associates, ..., in ..., who commissioned you to conduct a market survey last year and were most satisfied with the results.

We enclose a detailed description of our company and the products we manufacture.

In view of the process of integration that the countries of the European Union are currently undergoing, we intend to intensify our efforts to market our products throughout the EU and would ask you to let us know whether you would, in principle, be prepared to carry out a complete market survey for us. What would your terms be for this?

Should you be interested we would welcome a visit here by a market research specialist from your company.

We look forward to hearing from you soon.

Yours faithfully

Enc

Resposta à consulta sobre pesquisa de mercado

Prezados Senhores,

Agradecemos sua consulta de ... Ficamos satisfeitos em saber que fomos recomendados pela ...

Teríamos todo o prazer de conversar com os senhores a respeito da pesquisa de mercado que desejam realizar.

Como serão necessários entendimentos preliminares muito abrangentes, nossa sugestão é telefonar aos senhores no decorrer da próxima semana a fim de marcarmos uma reunião.

Nessa oportunidade os senhores poderão relatar em detalhe que tipo de produtos pretendem comercializar.

Telefonaremos aos senhores na próxima semana.

Atenciosamente,

Reply to a request for a market survey

Dear Sirs

Many thanks for your enquiry of ... We were very pleased to learn that we have been recommended by ...

We would be most interested in entering into discussions with you about the market survey you wish to have conducted.

As this will entail a great deal of preliminary discussion, we suggest that we call you in the course of next week to arrange an appointment.

You will then be able to tell us in detail what sort of products you wish to market.

We will be telephoning you next week.

Yours faithfully

Contratação de agência de publicidade

Prezados Senhores,

De acordo com sua solicitação, contratamos a agência de publicidade ... para divulgar seus produtos na nova área de representação.

Os anúncios publicitários deverão ser inseridos em todas as mídias dirigidas ao público, ou seja, tanto o rádio e a televisão quanto a imprensa.

Tão logo a agência nos informe sobre os detalhes, nós os transmitiremos imediatamente aos senhores.

Atenciosamente,

Enlisting the services of an advertising agency

Dear Sirs

As requested, we have commissioned the ... advertising agency to advertise your products in the new territory.

There is to be advertising on all the media to which the public are exposed, i.e. both radio and TV as well as the press.

As soon as we have received further details from the adverting agency we will forward them to you immediately.

Yours faithfully

Publicidade e relações públicas

Solicitação de elaboração de campanha publicitária

Prezados Senhores,

Para promover a imagem de nossa empresa, pretendemos lançar no final do ano uma campanha publicitária ampla na imprensa local.

Agradeceríamos se os senhores pudessem preparar uma proposta detalhada contendo o máximo de informações possível sobre todos os aspectos da campanha.

Os senhores terão total liberdade na escolha das idéias. Confiamos na sua experiência na área de propaganda. Os custos, todavia, não deverão ultrapassar a soma de ...

Na expectativa de recebermos sua oferta sem demora, firmamo-nos

Atenciosamente,

Advertising and public relations

Request for an advertising campaign to be devised

Dear Sirs

To cultivate our company's image we wish to launch a large-scale advertising campaign in the local press at the end of the year.

We would be most grateful if you would draw up a detailed offer containing as much information as possible on all the aspects of such a campaign.

You have complete freedom of choice as far as ideas are concerned. We will be relying on your specialist knowledge in advertising matters. Overall expenditure must, however, not exceed ...

We look forward to receiving your offer soon.

Yours faithfully

Envio de material publicitário

Informe da agência de publicidade

Prezados Senhores,

Enviamos anexo o programa (novo folheto publicitário) que elaboramos para promover as vendas dos produtos ..., de sua empresa.

Caso os senhores ainda tenham dúvidas ou queiram fazer alterações, por favor entrem em contato conosco imediatamente.

Agradecendo a confiança em nós depositada, permanecemos à sua inteira disposição.

Atenciosamente,

Anexo

Sending advertising material

Letter from advertising agency

Dear Sirs

We enclose the programme (new advertising brochure) we have now devised to promote sales of your company's products ...

Should you still have any queries or wish to change anything please let us know immediately.

We thank you for the confidence you have placed in our company and will be pleased to assist you again in the future.

Yours faithfully

Enc

Mala direta ao cliente

Prezados Senhores,

Temos a satisfação de enviar-lhes o folheto (o material de divulgação) de nosso novo produto, ...

Esperamos estar dessa forma despertando seu interesse e aguardamos seu pedido para termos o prazer de mandar-lhes uma amostra (um modelo, uma prova) para sua aprovação (sua avaliação).

Atenciosamente,

Anexo

Sales letter to a customer

Dear Sirs

We take great pleasure in sending you our brochure (advertising material) for our new product ...

We hope we have aroused your interest and look forward to hearing whether we can have the pleasure of sending you a sample (sample pattern, sample design) on approval (for inspection).

Yours faithfully

Enc

Cartas de recomendação, cartas de apresentação, solicitação de emprego
Letters of recommendation, letters of introduction, applications

Comunicação de visita

Prezados Senhores,

Como mencionei em nossa conversa telefônica, meu(minha) colega (amigo[a]), sr.(a) ..., estará em sua cidade de ... a ...

Eu lhe ficaria imensamente grato(a) se, em caso de problemas ou dúvidas, ele(a) pudesse contar com sua assistência. Por isso tomei a liberdade de informar-lhe seu endereço e número de telefone.

Agradeço antecipadamente sua cordial ajuda.

Atenciosamente,

Notification of a visit

Dear Sirs

As already mentioned in our telephone conversation, my colleague (friend) Mr (Ms) ... will be in your area from ... to ...

I would be most grateful if he (she) could turn to you for assistance in the event of problems or queries, and have thus taken the liberty of giving him (her) your address and telephone number.

Many thanks in advance for your kind help.

Yours faithfully

Resposta a uma carta de apresentação

Prezado Sr. ...,
(Prezada Sra....,)

Agradecemos sua carta de ... Seu(sua) colega, sr.(a) ..., contatou-me em ...

Tenho a satisfação de informar-lhe que me foi possível conseguir para o(a) sr.(a) ... uma colocação em empresa de meu conhecimento.

O(A) sr.(a) ... não deve hesitar em recorrer a mim também no futuro, sempre que lhe for necessário.

Atenciosamente,

Reply to a letter of introduction

Dear Mr ...
(Dear Ms ...)

Many thanks for your letter of ... Your colleague, Mr ... (Ms ...) contacted me on ...

I am pleased to inform you that I have been able to obtain a placement for Mr ... (Ms ...) at a company with which I am well acquainted.

Mr ... (Ms ...) should also not hesitate to contact me, should he (she) feel that this is necessary.

Yours sincerely

Referência favorável

Prezados Senhores,

O(A) sr.(a) ..., cujo currículo estou enviando anexo, solicitou-me que lhes apresentasse referências sobre ele(a).

O(A) sr.(a) ... trabalhou em minha empresa de ... a ... Durante esse período pude certificar-me de suas excepcionais qualidades. O(A) sr.(a) ... foi sempre pontual, conscencioso(a) e digno(a) de toda confiança, de modo que posso recomendá-lo(a) sem receio para o cargo em questão.

Atenciosamente,

Anexo

Favourable reference

Dear Sirs

Mr ... (Ms ...), whose CV is enclosed, has requested me to provide you with a reference for him (her).

Mr ... (Ms ...) worked for my company from ... to ... During this time I had ample proof of his (her) outstanding qualities. Mr ... 's (Ms ...'s) time-keeping was excellent and he (she) was conscientious and reliable. I have no hesitation in recommending him (her) for the post in question.

Yours faithfully

Enc

Referência vaga

Prezados Senhores,

Em sua carta de ..., os senhores nos solicitaram referências sobre o(a) sr.(a) ...

Infelizmente, posso apenas confirmar que o(a) sr.(a) ... trabalhou em nossa empresa por cerca de ... meses. Esse tempo foi insuficiente para que eu pudesse ter um conhecimento mais profundo do(a) sr.(a) ...

Sinto não poder dar-lhes nesta ocasião a informação desejada.

Atenciosamente,

Non-committal reference

Dear Sirs

I refer to your letter of ... in which you ask me to provide a reference for Mr ... (Ms ...).

I am unfortunately only able to confirm that Mr ... (Ms ...) worked for us for approx. ... months. This period of time was too short to enable me to gain any real impression of him (her).

I regret not being able to provide you with the information you request in this case.

Yours faithfully

Solicitação de emprego

Prezados Senhores,

Por seu anúncio de ... no ..., tomei conhecimento de que procuram um (uma) ...

Envio-lhes anexo meu currículo com certificados, detalhando minha formação e experiência profissional. Como os senhores poderão verificar pelos documentos, possuo muitos anos de experiência profissional na área de ...

Ficaria muito grato(a) se os senhores me concedessem a oportunidade de uma entrevista, para a qual me coloco à sua inteira disposição.

Atenciosamente,

Anexos

Letter of application

Dear Sirs

I note from your advertisement of ... in ... that you are looking for a ...

I enclose my CV together with certificates detailing the qualifications and experience I have gained at school and at work.

As you will gather from these documents, I already have several years' experience working in the field of ...

I would be grateful if you could offer me the opportunity of attending an interview, for which I would be available at any time.

Yours faithfully

Enc

Convite para entrevista

Prezado Sr. ...,
(Prezada Sra. ...,)

Agradecemos sua solicitação de emprego de ...

Temos interesse em conhecê-lo(a) pessoalmente, de modo que o(a) convidamos a visitar-nos no dia ... às ... horas.

Por favor, apresente-se no dia marcado ao(à) sr.(a) ..., no Departamento de ...

Se essa data não lhe for conveniente, solicitamos que marque outra com o(a) sr.(a) ...

Aguardamos com prazer sua visita.

Atenciosamente,

Invitation to attend an interview

Dear Mr ...
(Dear Ms...)

Thank you for your application dated ...

We are interested in getting to know you personally and would like you to come and see us on ... at ...

Please report on the appointed day to Mr ... (Ms ...) in the ... Department.

Should this date prove inappropriate, we would ask you to arrange another one with Mr ... (Ms ...).

We look forward to your visit.

Yours sincerely

Aprovação de candidato

Prezado Sr. ...,
(Prezada Sra. ...,)

Temos a satisfação de comunicar que podemos oferecer-lhe o cargo de ... a partir de ...

Enviamos junto a esta o contrato de trabalho em duas vias. Queira devolver-nos uma das vias assinada.

Não hesite em entrar em contato conosco caso haja alguma dúvida.

Seu primeiro dia de trabalho será em ... Desejamos-lhe sucesso e confiamos em que sua contratação seja proveitosa tanto para o(a) senhor(a) como para nós.

Atenciosamente,

Anexo

Taking on an employee

Dear Mr ...
(Dear Ms ...)

We are pleased to be able to offer you the post of ... as from ...

We enclose our contract of employment in duplicate. Please sign one copy and return it to us.

Please do not hesitate to contact us should you have any queries.

You are due to commence work on ... We wish you every success and trust that both you and we will benefit from your new position.

Yours sincerely

Enc

Recusa de solicitação de emprego

Prezado Sr. ...,
(Prezada Sra. ...,)

Lamentamos informar-lhe que rejeitamos sua candidatura ao cargo em questão.

Devolvemos com esta seus documentos.

Agradecemos sua resposta ao nosso anúncio.

Atenciosamente,

Anexos

Rejection of application

Dear Mr ...
(Dear Ms ...)

We regret to inform you that we have been unable to consider your application for the post in question.

We are returning your application papers with this letter.

Thank you for responding to our advertisement.

Yours sincerely

Enc

Demissão

Prezado Sr. ...
(Prezada Sra. ...)

Lamentamos ter de informar-lhe que, por motivo de ..., vemo-nos impossibilitados de prorrogar (manter) o contrato de trabalho firmado entre nós em ...

A atual situação do mercado de trabalho não nos dá no momento alternativa.

De acordo com o período legal de aviso prévio de ... semanas (... meses), seu vínculo empregatício cessará em ...

Agradecemos sua colaboração até agora e lhe desejamos os melhores votos para o futuro.

Atenciosamente,

Dismissal

Dear Mr ...
(Dear Ms ...)

We regret to inform you that, for ... reasons, we are unable to renew the contract of employment concluded between yourself and our company on ...

In view of the current situation in the employment market, we have no alternative at the present time.

You will cease to be in our employ upon expiry of the statutory notice period of ... weeks (... months).

We thank you for the work you have done and wish you all the best for the future.

Yours sincerely

Correspondência de transportes
Correspondence in freight forwarding

Frete aéreo

Consulta a transportadora (exportação)

Prezados Senhores,

De acordo com contrato de venda feito por nossa empresa em ..., devemos enviar por frete aéreo uma remessa de ... para ... na data de ...

Solicitamos que nos apresentem uma proposta condizente para transporte aéreo e que cuidem dos trâmites de desembaraço alfandegário em nosso país.

Esperamos receber até ... sua proposta a respeito do frete aéreo e dos trâmites alfandegários na Alemanha e no exterior.

Atenciosamente,

Consulta a transportadora (nacional)

Prezados Senhores,

Teremos em breve remessas aéreas urgentes de produtos farmacêuticos, que deverão chegar em 12 a 24 horas ao destinatário.

Gostaríamos de saber se os senhores teriam condições de garantir a entrega rápida por meio de mensageiro.

Nós os informaremos em tempo hábil sobre as remessas por fax ou por telefone.

Aguardamos o recebimento de sua proposta.

Atenciosamente,

Air freight

Enquiry to freight forwarder (Export)

Dear Sirs

The contract of sale concluded by our company on ... for a consignment of ... to ... stipulates that the goods be sent by air freight on ...

We would request you to make us an appropriate offer for air transport and also to take care of customs clearance formalities in our country.

We look forward to receiving your offer by ... (date) for both air transport and German and foreign customs clearance.

Yours faithfully

Enquiry to freight forwarder (Inland)

Dear Sirs

In future we will be handling urgent air freight consignments of pharmaceuticals which will have to reach their consignees within 12–24 hours.

Are you able to make the necessary arrangements to guarantee rapid delivery by special messenger?

You would be informed in advance by fax or telephone as early as possible.

We look forward to receiving your company's offer.

Yours faithfully

Pedido a transportadora (importação)

Prezados Senhores,

Estamos aguardando para ... a chegada de uma remessa de ..., com conhecimento aéreo n.º ..., proveniente de ..., no vôo n.º ... da companhia ...

Por se tratar de uma importação de país terceiro, enviamos anexa uma cópia da guia de importação em conformidade com o artigo 30, § 1.º da Regulamentação do Comércio Exterior [legislação alemã].

O valor da remessa é de ... As faturas originais estão junto com a mercadoria.

Solicitamos que os senhores tratem de todas as formalidades alfandegárias e providenciem o imediato envio da mercadoria ao nosso endereço.

Atenciosamente,

Anexo

Freight forwarding order (Import)

Dear Sirs

We are expecting a consignment of ... from ... to arrive on ..., on Airway Bill No. ... It will be on ... (airline) Flight No. ...

As goods are being imported from a third country in this case, we enclose a copy of the Import Licence in compliance with Article 30, Paragraph 1 of the Foreign Trade Regulations.

The value of the consignment is ... The original invoices are included with the consignment.

Please deal with all customs formalities and arrange for the goods to be forwarded on to us immediately.

Yours faithfully

Enc

Resposta da transportadora

Prezados Senhores,

Agradecemos seu pedido de ... Nós nos encarregaremos com prazer de todas as formalidades alfandegárias referentes ao conhecimento aéreo n.º ...

No devido momento nós os informaremos por fax da data exata de entrega.

Atenciosamente,

Freight forwarder's reply

Dear Sirs

Thank you for your enquiry of ... We will be pleased to deal with all customs formalities for Air Freight Consignment No. ...

As soon as we have done so we will notify you by fax and let you know the exact time of delivery.

Yours faithfully

Frete marítimo e frete fluvial nacional

Consulta à companhia de navegação

Prezados Senhores,

Estamos para enviar a Beirute uma remessa de aproximadamente 10 toneladas de peças de máquinas usadas. A mercadoria será embalada em 15 engradados, medindo ... por ... e com peso bruto de ... kg.

Por favor, queiram informar-nos os valores (de FOB a CFR) cobrados pelos senhores em tal embarque.

Pedimos também informar-nos as saídas de seus navios com escala em Beirute nos próximos 6 meses.

Somos representados pelo agente de embarque ..., que providenciará os documentos necessários.

Aguardamos sua resposta.

Atenciosamente,

Sea freight and inland waterway transport

Enquiry to shipping company

Dear Sirs

We are in the process of shipping a consignment of approx. 10 tonnes of used machine parts to Beirut. The goods will be packed in a total of 15 crates measuring ... by ...with a gross weight of ... kg.

Please let us know your rates (from FOB to CFR) for taking on this load.

In addition, please let us know the sailing times of ships due to dock in the port of Beirut over the next 6 months.

Our interests will be represented by our shipping agent, ..., who will procure the necessary documents.

We await your offer by return.

Yours faithfully

Consulta à companhia de navegação sobre afretamento

Prezados Senhores,

Como embarcamos regularmente grandes quantidades de mercadorias para a América Latina, gostaríamos que nos informassem de seu interesse em fazer afretamentos marítimos semestrais sob condições de preço favoráveis.

A rota do navio deveria ser de Rotterdam para um porto da América Central.

Solicitamos que nos informem as condições, os preços e a data em que os senhores poderiam fazer esse afretamento.

Aguardamos com interesse sua pronta resposta.

Atenciosamente,

Request to shipping line to arrange a voyage charter

Dear Sir or Madam

As we regularly ship substantial quantities of goods to Latin America, we wish to enquire whether you might be interested in arranging favourably priced voyage charters for us for six-monthly periods.

The vessel would have to ply between Rotterdam and a Central American port.

Please let us have details of your conditions and prices and indicate when you could arrange such a voyage charter.

We look forward to your early reply with interest.

Yours faithfully

Resposta da companhia de navegação

Prezados Senhores,

Agradecemos sua consulta e anexamos à presente nossa tabela de fretes marítimos e a lista de partidas de nossos navios durante o próximo ano.

Para o carregamento em questão, acreditamos ser necessário um contêiner de 10 pés.

Anexamos também um questionário de nossa empresa, o qual solicitamos nos seja entregue preenchido. De posse dos dados, poderemos calcular com exatidão o frete marítimo.

Por usarmos constantemente tanto navios próprios como fretados para Beirute, não haverá problema em encontrar uma embarcação adequada para o transporte de sua mercadoria.

Atenciosamente,

Shipping company's reply

Dear Sirs

We thank you for your enquiry and enclose our sea freight table together with a list of our ships' sailing times for the next year.

It would be worth using a 10 ft container for the consignment in question.

We enclose our shipping company's question sheet and would ask you to fill it in and return it to us. We will then be able to calculate the sea freight charges exactly.

As we constantly use both our own ships and chartered ones for consignments to Beirut, there should be no difficulty in finding an appropriate vessel to ship your goods there.

Yours faithfully

Contrato de frete com companhia de navegação fluvial

Prezados Senhores,

Solicitamos pela presente que recolham a mercadoria desembarcada pelo navio-tanque ..., temporariamente armazenada no porto fluvial de ..., e providenciem seu transporte para ...

Os senhores nos informaram por telefone que poderão dispor de um navio-tanque de aproximadamente 1.000 TRB para o transporte e confirmaram a chegada da mercadoria na data de ...

O valor do frete, de ..., que os senhores nos apresentaram por fax em ..., corresponde às nossas expectativas e o confirmamos pela presente.

Solicitamos que nos informem a tempo quando poderemos contar com a chegada da remessa.

Atenciosamente,

Placing an order with an inland waterway carrier

Dear Sirs

Please collect the consignment which has arrived by tanker ... in the inland port of ... and is being temporarily stored there and transport it to ...

We note from your telephone call that you will be able to make a tanker of approx. 1000 GRT available for this shipment and ensure that the merchandise will arrive in ...

The charter price of ... faxed to us on ... is acceptable and hereby confirmed.

Please let us know in good time exactly when we can expect the consignment to arrive.

Yours faithfully

Transporte rodoviário e ferroviário

Consulta a transportadora

Prezados Senhores,

A ampliação da rede de transportes da União Européia obrigou-nos a procurar um agente de carga experiente que transporte nossas mercadorias em segurança e com pontualidade por caminhão (trem) para todas as regiões da UE.

Disso faz parte, evidentemente, a obtenção ou retirada dos documentos que não tenham sido fornecidos pelo consignador.

Solicitamos, assim, que nos informem a que regiões os senhores prestam esse serviço e sob que condições poderiam efetuar transportes rodoviários (ferroviários) regulares.

Posteriormente poderá vir a ser necessária uma ampliação dos transportes para outros países europeus com os quais existam acordos provisórios.

Enviamos junto um folheto que lhe dará uma idéia geral da nossa linha de produtos.

Todos os demais detalhes poderão ser discutidos pessoalmente.

Teremos prazer em receber sua resposta.

Atenciosamente,

Anexo

Road transport and rail freight

Enquiry to freight forwarder

Dear Sirs

The expansion of our transport network in the European Union has made it necessary for us to find an experienced freight forwarder to transport our goods by lorry (rail) carefully and punctually to all parts of the EU.

Included in this service is, of course, the procurement or assembling of the necessary documents in so far as they have not already been supplied by the consignor.

Please let us know what areas you are able to offer such a service for and on what terms you would be prepared to transport goods regularly for us by road (rail).

It may also later prove necessary to expand into other European countries with which interim agreements have been reached.

We enclose a brochure to provide you with an overall picture of our company's range of products.

All further details could be discussed in a personal meeting.

We would be pleased to hear from you.

Yours faithfully

Enc

Proposta da transportadora

Prezado Sr. ...,
(Prezada Sra. ...,)

Agradecemos sua consulta de ..., na qual o(a) senhor(a) perguntava se poderíamos transportar mercadorias por caminhão (trem) aos países da UE e possivelmente a outros países da Europa.

Desde a expansão da UE instalamos em todas as grandes cidades do Mercado Comum agências ou escritórios de representação, de modo que poderemos ser contatados de imediato em toda a UE.

Nossos transportes rodoviários (ferroviários) são supervisionados pessoalmente por nós e a entrega é porta a porta (de ramal a ramal). Cuidamos de todas as formalidades para os senhores .

Anexamos um folheto de nossa empresa, apresentando-lhe a) nossos serviços de frete e b) os preços vigentes para fretes por caminhão (trem).

Estamos à sua inteira disposição para esclarecer quaisquer detalhes referentes ao transporte de suas mercadorias (por exemplo, manuseio, embalagem, transbordo etc.).

Nós lhe telefonaremos nos próximos dias a fim de marcar uma reunião. Como queremos estar bem preparados para essa ocasião, solicitamos que preencha e nos devolva o questionário anexo.

Atenciosamente,

Anexos

Offer from freight forwarder

Dear Mr ...
(Dear Ms ...)

Thank you for your enquiry of ... in which you ask whether we are able to transport goods by lorry (rail) to EU countries and, if need be, to other European destinations.

As the EU has expanded we have established agencies or liaison offices in all the major cities of the Single Market in order to be contactable immediately throughout the EU.

Transport by lorry (rail) is personally supervised by us and delivery is house-to-house (from railway link to railway link). We attend to all formalities on your behalf.

We enclose our company's brochure outlining a) our company's freight forwarding services and b) the currently valid lorry (rail) freight tariffs.

We would be pleased to discuss with you any further details concerning the transport of your goods in particular (e.g. handling, packing, reloading etc.), should you so wish.

We will be telephoning you in the next few days to arrange an appointment. As we wish to be well prepared for our discussion, we would ask you to fill in the enclosed question sheet and return it to us.

Yours sincerely

Enc

Pedido de frete a transportadora rodoviária

Prezados Senhores,

Com relação à sua proposta de ..., feita por telefone, pedimos por meio desta que façam o transporte de ..., de ... para ...

Como os senhores nos asseguraram, será colocado à nossa disposição um caminhão articulado com ... m lineares de carga.

Além do transporte, será de sua responsabilidade a execução de todas as formalidades, na medida em que sejam necessárias na UE.

Após o término do transporte, solicitamos que nos enviem a fatura em quatro vias para o endereço acima indicado.

Atenciosamente,

Freight contract for haulage company

Dear Sirs

We refer to your offer of ... made by telephone and hereby request you to take charge of transporting the consignment from ... to ... for ...

We note that you will be placing an articulated lorry of ... m loading length at our disposal.

In addition to transportation, you will also be responsible for dealing with all formalities, in so far as they are still necessary in the EU.

After you have transported the goods, please send us the invoice in quadruplicate to the address above.

Yours faithfully

Pedido de frete a transportadora ferroviária

Prezados Senhores,

Solicitamos pela presente que se encarreguem do transporte de carga a granel em vagão-contêiner de ... para ...

Pedimos que retirem a carga em ..., a partir das ... horas, no portão 3 de nossa fábrica. O encarregado do depósito, sr. ..., já foi informado a respeito.

O contêiner deverá ser entregue na estação ferroviária de destino à nossa cliente, ... (nome da empresa), que cuidará do transbordo da mercadoria e da devolução do contêiner, vazio e limpo, ao terminal de contêineres.

Solicitamos que nos informem por fax quando será efetuado o transporte, a fim de que possamos informar nosso cliente sobre a data exata de chegada da carga.

Queiram enviar a fatura ao nosso endereço.

Atenciosamente,

Freight contract for rail carrier

Dear Sirs

We hereby request you to take charge of a bulk load on a container wagon from ... to ...

Please take over the load at Gate 3 of our plant as from ... on ... Our Warehouse Manager, Mr ..., has already been informed.

The container is to be handed over to our customer, ... (name of firm) at the station of destination. They will also be responsible for reloading the goods, emptying and cleaning out the container and returning it to the container terminal.

Please let us know by fax when you will be transporting the goods so we can tell our customer exactly when to expect them.

Please send the invoice to our address.

Yours faithfully

Frases Intercambiáveis

Interchangeable Sentences

A consulta
Enquiries

Consulta genérica

1 Enviem-nos, por favor, uma proposta de seus produtos.
2 Fazemos pedidos habituais de ... e gostaríamos que os senhores nos apresentassem um orçamento para tais produtos.
3 Somos os maiores distribuidores de ... aqui em ... e gostaríamos de estabelecer relações comerciais com sua empresa.
4 Queiram por favor informar-nos que produtos os senhores podem oferecer-nos aqui em ...
5 Por estarmos no momento formando nossa linha de inverno, precisamos de sua proposta com urgência.
6 Informem-nos, por favor, se os senhores exportam seus produtos para ...
7 Acabamos de receber uma licença de importação de ... Queiram por gentileza apresentar-nos sua melhor oferta.
8 Gostaríamos de saber que produtos os senhores fabricam.
9 Gostaríamos de saber se os senhores podem fornecer-nos ...
10 Um de seus concorrentes enviou-nos uma proposta detalhada.
11 Gostaríamos de manter nossa longa e boa relação comercial com sua empresa e aguardamos, dessa forma, sua proposta.

General enquiry

1 Please send us an offer for your products.
2 We place regular orders for ... and would like you to submit us a quotation for these goods.
3 We are the largest distributors of ... here in ... and would like to do business with your company.
4 Please let us know what products you can offer us here in ...
5 We are currently putting together our product range for the coming winter season and thus need your offer straight away.
6 Please let us know whether you export your products to ...
7 We have just received an import licence for ... Please send us your most favourable quotation.
8 Please let us know what products you manufacture.
9 Please let us know whether you can supply us with ...
10 One of your competitors has sent us a comprehensive offer.
11 We would very much like to prolong our good business relationship of long standing and look forward to receiving your offer.

Solicitação de folhetos

1 Estamos muito interessados em seus produtos e gostaríamos de receber quanto antes seus folhetos (catálogos).
2 Os senhores poderiam enviar-nos um folheto?
3 Enviem-nos por favor ... folhetos. Temos necessidade deles em diversos departamentos de nossa empresa.
4 O material informativo sobre seus produtos chegou danificado. Queiram por gentileza enviar-nos novos folhetos.

Request for a brochure

1 We are interested in your products and would be pleased to receive your brochure by return.
2 Could you please send us a brochure?
3 Please send us ... brochures. We need them for several departments of our company.
4 The literature on your products arrived damaged. Please send us some new brochures.

5 Seria possível enviar-nos um folheto em ... (língua)?
6 Seus folhetos devem conter todos os detalhes importantes e as condições.

5 Could you please send us a brochure in ... (language)?
6 Your brochures should contain all the important details and the terms.

Solicitação de preços e lista de preços

1 Solicitamos que nos enviem uma lista de preços detalhada.
2 Por favor, informem-nos o preço que cobram.
3 Solicitamos que nos informem por fax seu menor preço.
4 Informem-nos, por favor, seu menor preço.
5 Solicitamos que orcem com base em um pedido mínimo anual de ...
6 Solicitamos que orcem seu preço em ... (moeda).
7 Por favor, calculem os preços CIF ...
8 Por favor, orcem por seu preço mínimo, pois aqui em ... há uma concorrência acirrada.
9 Solicitamos indicarem seus preços líquidos (brutos, FOB, CIF).
10 Gostaríamos que em sua cotação considerassem as altas taxas alfandegárias que somos obrigados a pagar.
11 Informem-nos, por favor, a validade de seus preços.

Request for prices and price lists

1 Please send us a comprehensive price list.
2 Please let us know your price.
3 Please fax us your lowest price.
4 Please state your lowest price.
5 Please quote us assuming a minimum order of ... per annum.
6 Please quote your prices in ... (currency).
7 Please quote prices CIF ...
8 Please quote us your lowest price because there is strong competition here in ...
9 Please state your net (gross, FOB, CIF) prices.
10 When quoting us please take the heavy customs duty which we have to pay into account.
11 Please let us know how long your prices are valid for.

Pedido de informações sobre qualidade e garantia

1 Solicitamos que nos enviem informações precisas sobre a qualidade de seus produtos.
2 Informem-nos, por favor, se os senhores ainda têm em estoque a mesma qualidade.
3 Estamos interessados apenas em mercadoria da melhor qualidade.
4 Informem-nos, por favor, se poderão fornecer a mesma qualidade em longo prazo.
5 Informem-nos, por favor, se seus produtos sofrem alterações de qualidade.
6 Nossos clientes fazem questão de qualidade de primeira.
7 Para nós, qualidade é mais importante que preço.
8 Pedimos que nos informem se dão garantia em seus produtos.

Requesting information on quality and guarantees

1 Please let us have precise information on the quality of your products.
2 Please let us know if you still have the same quality in stock.
3 We are only interested in goods of the best quality.
4 Please let us know if you will be able to supply the same quality on a long-term basis.
5 Please let us know whether your goods are liable to fluctuations in quality.
6 Our customers set great store by first-class quality.
7 Quality is more important than price for us.
8 Please tell us if you give a guarantee on your products.

9 Informem-nos, por favor, se é possível melhorar seus termos de garantia.
10 Seus produtos só poderão ser comercializados no mercado interno da UE se os senhores fornecerem termos de garantia adequados.
11 Só possuímos produtos de qualidade comprovada e com garantia de longo prazo.

9 Please let us know whether you can improve the terms of your guarantee.
10 Your products will only sell on the internal EU market if the terms of your guarantee are appropriate.
11 We only stock first-rate goods with long-term guarantees.

Pedido de informações sobre quantidade e tamanho

1 Informem-nos, por favor, que quantidade mantêm em estoque.
2 Vendemos uma grande quantidade desse produto. Seria possível atender a uma demanda mensal de ...?
3 Informem-nos, por favor, a quantidade mínima por pedido.
4 Que quantidade do artigo fornecido os senhores poderão entregar regularmente em curto prazo?
5 Logo precisaremos de uma grande quantidade de ... Os senhores podem fornecê-la?
6 Por favor, digam-nos quais são precisamente as medidas e o peso dos artigos.
7 Informem-nos, por favor, se podem modificar as medidas e o peso de seus produtos.

Requesting information on quantity and size

1 Please let us know what quantities you have in stock.
2 We sell large amounts of this article. Will you be able to supply us with our monthly requirement of ...?
3 Please state the minimum quantity per order.
4 What quantities of the article supplied can you regularly deliver at short notice?
5 We will soon be needing a large quantity of ... Are you able to deliver this?
6 Please give us exact details of the dimensions and weight of the articles.
7 Please let us know if you are able to change your dimensions and weights.

Pedido de amostras

1 Os senhores têm amostras de seus artigos?
2 Enviem-nos, por favor, algumas amostras de seus produtos.
3 Só fazemos encomendas com base em amostras.
4 Suas amostras devem dar-nos uma idéia da cor e da qualidade de seus produtos.
5 Solicitamos que enviem algumas amostras grátis de seus produtos.
6 Tenha o cuidado, por favor, de marcar corretamente as amostras.
7 Solicitamos que informem se as amostras que nos enviaram em ... ainda são válidas.
8 Recusaremos toda mercadoria que não corresponda exatamente à sua amostra.

Request for samples

1 Do you stock samples of your articles?
2 Please send us some samples of your products.
3 It is our policy not to order until we have seen samples.
4 Your samples should give us an impression of the colour and quality of your products.
5 Please send us some samples of your products, free of charge.
6 Please make sure that the samples are correctly marked.
7 Please tell us whether the samples sent to us ... ago are still valid today.
8 We will refuse delivery of any goods that do no correspond exactly to your sample.

Fornecimento para prova

1 Temos interesse em receber um fornecimento de seus artigos a título de prova.
2 Informem-nos, por favor, se os senhores podem enviar-nos um fornecimento a título de prova de ...
3 Informem-nos, por favor, de seus descontos para fornecimentos a título de prova.
4 Informem-nos, por favor, a quantidade mínima de fornecimentos para prova.
5 Caso seu fornecimento para prova corresponda à nossa expectativa, os senhores poderão contar com grandes pedidos.
6 Seu fornecimento a título de prova deverá mostrar-nos a qualidade de seus artigos e de que maneira os senhores processam os pedidos.

Compra a título de prova

1 Gostaríamos de saber se os senhores concordam com uma compra a título de prova.
2 Os senhores poderiam enviar-nos seu(sua) ... para compra a título de prova?
3 Informem-nos, por favor, suas condições em compras a título de prova.
4 Por quanto tempo os senhores poderão deixar conosco seu (sua) ... a título de prova?
5 Temos como norma encomendar máquinas só depois de submetê-las a rigoroso teste.

Consulta sobre oferta especial

1 Necessitamos de uma oferta especial atraente para abrir nosso negócio.
2 Informem-nos, por favor, que oferta especial os senhores podem apresentar-nos.
3 Necessitamos de uma partida suplementar de ... Os senhores têm condições de fornecê-la?
4 Se comprarmos ... (quantidade), os senhores teriam possibilidade de nos fazer uma oferta especial?
5 Informem-nos, por favor, se têm interesse em fornecer-nos regularmente ofertas especiais.
6 Os senhores poderiam fazer ofertas especiais para que possamos colocar seus artigos em nosso mercado?

Trial shipment

1 We are interested in receiving a trial shipment of your goods.
2 Please let us know whether you can send us a trial shipment of ...
3 Please let us know your discount rates for trial shipments.
4 Please let us know the minimum quantity for a trial shipment.
5 If your trial shipment is to our satisfaction, you may expect substantial orders.
6 Your trial shipment should give us an indication of the quality of your articles and also show us exactly how you process orders.

Sale on approval

1 Please tell us whether you are prepared to sell your goods on approval.
2 Could you send us your ... for sale on approval?
3 Please let us know your terms for sale on approval.
4 How long can we keep your ... on approval?
5 We make a point of only ordering machines after we have subjected them to rigorous testing.

Enquiry about a special offer

1 We need an attractive special offer to open our new business.
2 Please let us know what special offer you can make us.
3 We need some surplus ... Are you in a position to supply us with some?
4 Are you able to make us a special offer, assuming we purchase ... (quantity)?
5 Please let us know if you are interested in supplying us with special offers on a regular basis.
6 Are you able to make us special offers to help us introduce your articles to our market?

7 Os senhores poderiam fazer-nos uma oferta especial aqui em ..., como o fizeram em ...?

Consulta sobre condições de entrega e pagamento

1 Informem-nos, por favor, suas condições de fornecimento.
2 Digam-nos, por favor, qual o menor prazo de entrega.
3 Os senhores poderiam entregar imediatamente ... de seu estoque?
4 Digam-nos com precisão, por favor, quais são seus prazos de fornecimento.
5 A fim de evitar transtornos, o prazo de fornecimento deve ser cumprido à risca.
6 Para fornecimento imediato estamos dispostos a pagar um acréscimo de ...
7 Caso a entrega não ocorra dentro do prazo, reservamo-nos o direito de recusar a mercadoria.
8 Os senhores podem garantir a entrega até ...?
9 Só podemos aceitar um prazo de entrega de ... meses.
10 Caso os senhores não possam fazer a entrega dentro de ..., sua proposta será invalidada.
11 Informem-nos, por favor, para que locais os senhores fazem entregas.
12 Digam-nos, por favor, quais são suas condições de pagamento.
13 Informem-nos, por favor, se os senhores só aceitam pedidos pagos à vista.
14 Caso os senhores possam conceder-nos um prazo de pagamento de até nove meses, estamos dispostos a apresentar-lhes pedidos volumosos.
15 Seria possível conceder-nos um crédito de ...?
16 Os senhores estão dispostos a fazer o fornecimento contra letra de câmbio?
17 Os senhores têm condições de nos conceder um prazo de pagamento de até ..., como fazem seus concorrentes?
18 Os pagamentos deverão ser efetuados por intermédio de carta de crédito irrevogável?
19 Os fornecimentos podem também ser efetuados contra ordem bancária garantida?

7 Can you make us a special offer here in ... just like you did in ...?

Enquiry about terms of delivery and payment

1 Please let us have your terms of delivery.
2 Please state your shortest delivery period.
3 Are you able to deliver ... immediately from stock?
4 Please state your exact delivery periods.
5 In order to avoid serious repercussions, it is essential that the delivery period be kept to.
6 We are prepared to pay an additional charge of ... for immediate delivery.
7 We reserve the right to refuse delivery if the goods do not arrive on time.
8 Are you able to guarantee delivery by ...?
9 We are only able to accept a delivery period of ... months.
10 If you are not able to deliver within ... your offer is of no value to us.
11 Please state the locations you can deliver to.
12 Please state your terms of payment.
13 Please let us know whether you only accept orders on a cash basis.
14 If you are able to grant us up to nine months' credit, we will be prepared to place substantial orders with you.
15 Are you able to grant us ... credit?
16 Are you prepared to make delivery against bills of exchange?
17 Are you able to offer us credit terms of up to ... in the way your competitors do?
18 Are payments to be made by irrevocable letter of credit?
19 Can delivery also be made against orders guaranteed by the bank?

A proposta
Offers

Resposta a solicitação de proposta

1 Agradecemos sua consulta de ...
2 Agradecemos sua consulta de ... e informamos que temos muito interesse em negociar com os senhores.
3 Recebemos gratos sua consulta de ... e apresentamos com prazer a seguinte oferta:
4 Em resposta à sua consulta de ..., informamos que há bastante tempo estamos tentando entrar nesse mercado.

Reply to request for offer

1 Many thanks for your enquiry of ...
2 We thank you for your enquiry of ... and are pleased to tell you that we are very interested in doing business with you.
3 We have received your enquiry of ..., for which we thank you, and are pleased to make you the following offer:
4 In reply to your enquiry of ..., we wish to point out that we have been trying to gain a foothold on the market there for a long time now.

Proposta impossível

1 Sentimos informar-lhes de que não temos o artigo mencionado.
2 Por questões de mercado, suspendemos a produção dos artigos mencionados.
3 Não fabricamos mais o artigo mencionado.
4 Lamentamos ter de comunicar-lhes que, devido a problemas técnicos, paramos a produção do artigo solicitado.
5 Como a produção desse artigo está totalmente vendida pelos próximos ... meses, não podemos apresentar-lhes uma proposta.
6 No momento, nossos fornecedores não têm condições de fornecer-nos os materiais necessários, de modo que, infelizmente, não podemos apresentar-lhes uma proposta.
7 Voltaremos a atenção à sua solicitação assim que pudermos apresentar-lhes uma proposta adequada.
8 Infelizmente não temos condições de apresentar-lhes uma proposta, pois não negociamos no exterior.

Offer impossible

1 We regret to inform you that we do not stock the article in question.
2 As a result of market conditions, we have discontinued production of the articles in question.
3 We no longer manufacture the article in question.
4 We are unfortunately obliged to tell you that technical problems have made us discontinue production of the article requested.
5 As this article is entirely sold out for ... in advance we are unfortunately unable to make you an offer.
6 Our suppliers are currently unable to provide us with the materials we need, so we unfortunately cannot make you an offer at present.
7 We will come back to your enquiry as soon as we are able to make you a favourable offer.
8 We are unfortunately not in a position to make you an offer because we do not transact foreign business.

9 Toda a nossa produção é exportada pela ... (empresa).
10 Nosso acordo de setores de venda com a empresa ... não permite que lhes apresentemos uma proposta.
11 Infelizmente não podemos fazer-lhes uma proposta, pois a empresa ... detém a representação de nossos produtos em seu país.
12 No momento, não temos em estoque esse artigo, o que nos impede de apresentar-lhes uma proposta.
13 Pedimos sua compreensão para o fato de não podermos apresentar-lhes uma proposta.
14 Devido à greve em andamento, não temos condições de apresentar-lhes uma proposta para fornecimento imediato. Pedimos que nos consultem de novo em ... meses. Esperamos que nessa ocasião os fornecimentos estejam normalizados.
15 Voltaremos ao assunto em ... meses.

9 Our entire production is exported by ... (firm)
10 Our sales territory agreement with ... (firm) does not permit us to make you an offer.
11 We are unfortunately unable to make you a direct offer because ... (firm) are the General Agents for our products in your country.
12 We are at present out of stock of this article and thus cannot make you an offer.
13 We would ask you to understand that we are not in a position to make you an offer.
14 Owing to the strike at the moment we are unfortunately unable to make you an offer for immediate delivery. Please enquire again in ... months. We hope that deliveries will be back to normal by then.
15 We will come back to this matter in ... months' time.

Proposta condizente com a consulta

Frases introdutórias

1 Tomamos a liberdade de apresentar-lhes a seguinte proposta:
2 Agradecendo sua consulta, apresentamos com prazer a seguinte proposta:
3 Agradecemos sua consulta e temos o prazer de enviar-lhes a proposta solicitada.
4 Com a esperança de travar boas relações comerciais com os senhores em breve, estamos enviando nossa melhor proposta.
5 Gostaríamos de chamar sua atenção para o tópico ... de nossa proposta.
6 Esta é a melhor proposta que podemos fazer aos senhores.
7 No intuito de atendê-los, estamos dispostos a lhes apresentar uma oferta especial.

Offer as requested in enquiry

Introductory sentences

1 May we make you the following offer:
2 We thank you for your enquiry and take pleasure in making you the following offer: ...
3 We thank you for your enquiry and are pleased to send you the offer requested.
4 We look forward to good business relations with you in the near future and are sending you our most favourable offer.
5 May we draw your particular attention to point ... of our offer.
6 This is the best offer we can make you.
7 We are prepared to make you a special offer to accommodate you.

Cotação de preços

1 Nossos preços encontram-se na lista anexa.
2 Estamos enviando aos senhores em outra correspondência nossa mais recente lista de preços.
3 Em resposta à sua consulta de ..., nossos preços são os seguintes:

Price quotations

1 Our prices are as per the enclosed list.
2 We are sending you our latest price list under separate cover.
3 In reply to your enquiry of ... we are pleased to quote you the following prices:

4 Nosso preço é de ... (sem descontos).
5 Nossos preços são fixos.
6 Os preços estão muito baixos no momento.
7 Trata-se de preços de apresentação.
8 Nossos preços são escalonados de acordo com a quantidade pedida.
9 Podemos vender-lhes o artigo mencionado a um preço bastante reduzido.
10 Nossos preços estão marcados nas amostras.
11 Nossos preços incluem (não incluem) a embalagem.
12 Nossos preços incluem (não incluem) o seguro.
13 Nossos preços incluem a embalagem, o seguro e o frete.
14 Devido à excepcional qualidade dos produtos, nossos preços são mais altos que os dos concorrentes.
15 Nossos preços são bem menores que os dos concorrentes.
16 Apesar de termos melhorado a qualidade, nossos preços continuam os mesmos.
17 Nossos preços são extremamente baixos.
18 Nossos preços são tão baixos porque trabalhamos com a menor margem de lucro do ramo.
19 Estamos cobrando os menores preços de exportação.
20 Apesar dos crescentes custos de fabricação, nossos preços permaneceram estáveis.
21 Os preços serão aumentados (baixados) dentro em breve.
22 Apesar de nossa excelente qualidade, nossos preços são inferiores aos de outros fabricantes.
23 O(s) senhor(es) deve(m) comprometer-se a vender pelos preços acima mencionados.
24 Caso os senhores não se atenham aos preços determinados, seremos obrigados a suspender todas as remessas.
25 Não fazemos restrições à sua política de preços.
26 Nossos preços são os seguintes:
27 EXW (na fábrica; posto em fábrica)
28 EXW na fábrica, incluída a embalagem (contêiner, marítima etc.)
29 FAS entregue no cais (junto ao costado do navio) (porto de embarque mencionado)

4 Our price would be ... (without deductions)
5 The prices are quoted firm.
6 The prices are very low at the moment.
7 These are introductory prices.
8 Our prices are staggered according to quantity.
9 We are able to sell this article to you at a greatly reduced price.
10 Our prices are marked on the samples.
11 The prices quoted include (exclude) packing.
12 Our prices do not include (include) insurance.
13 The prices quoted include packing, insurance and freight.
14 Owing to our excellent quality our prices are higher than those of our competitors.
15 Our prices are considerably lower than those of our competitors.
16 Despite the fact that we have improved the quality, our prices have remained unchanged.
17 Our prices are rock-bottom.
18 Our prices are so low because we have the lowest profit margin in the business.
19 We are charging you the lowest export prices.
20 Despite constantly rising production costs our prices have remained stable.
21 The prices will rise (fall) in the near future.
22 Despite our outstanding quality, our prices are lower than those of other manufacturers.
23 You must commit yourself (yourselves) to selling at the prices stated above.
24 Should you not keep to our fixed prices we would be compelled to stop all deliveries to you.
25 There are no restrictions as regards the prices you choose to charge.
26 Our prices are quoted:
27 EXW ex works
28 EXW ex works including packing (container, seaworthy etc.)
29 FAS free alongside ship (named port of shipment)

30	FOB posto a bordo (porto de embarque mencionado)
31	CFR custo e frete (porto de destino mencionado)
32	CIF custo, seguro, frete (porto de destino mencionado)
33	posto na fronteira
34	posto em domicílio
35	posto na estação ferroviária ...
36	posto no porto ...
37	embalado
38	sem embalagem
39	entregue no armazém (depósito)

30	FOB free on board (named port of shipment)
31	CFR cost and freight (named port of destination)
32	CIF cost, insurance, freight (named port of destination)
33	free border
34	franco domicile/franco to your premises
35	free ... railway station
36	free port ...
37	packed
38	unpacked
39	free warehouse

Descontos e acréscimos

1. Concedemos um desconto à vista (uma redução) de ...%
2. Podemos conceder um desconto especial de ...%
3. Os preços estão discriminados sem descontos.
4. Concedemos ...% de desconto em pagamento à vista.
5. Estamos dispostos a dar-lhes um desconto de apresentação de ...%.
6. Nossos preços de exportação são ...%. inferiores aos preços do mercado interno.
7. Os senhores receberão um reembolso de exportação de ...%.
8. Na aquisição de ... (quantidade), o preço será reduzido em ...%.
9. Em prazos de pagamento superiores a ... meses, nossos preços sofrem um acréscimo de ...%.

Discounts and additional charges

1. We will grant you a ...% cash discount (reduction).
2. We can allow you a special discount of ...%
3. Our prices are quoted without deductions.
4. We allow ...% discount for cash payment.
5. We are prepared to grant you an introductory discount of ...%
6. Our export prices are ...% lower than our domestic prices.
7. You will receive an export refund of ...%
8. If ... (quantity) is (are) purchased the price is reduced by ...%
9. If a credit period of over ... is required, there is a price increase of ...%.

Validade da proposta

1. Nossos preços são fixos até ...
2. Nossa proposta com tal preço é constante (sem compromisso).
3. Nossos preços são válidos se recebermos seu pedido (sua resposta) imediatamente.
4. Os preços são válidos enquanto não houver aumento dos preços da matéria-prima.
5. Nossa cotação é válida por um prazo de ... semanas.
6. Faturaremos ao preço de mercado vigente no dia do despacho.

Validity of the offer

1. Our prices are quoted firm until ...
2. Our offer at the current price is firm (without engagement).
3. Our prices are only valid on condition that orders be placed by return of post (that we receive your answer by return).
4. The prices are only valid providing the current raw material prices remain the same.
5. We can quote you firm for ... weeks.
6. We invoice for the market price valid on the day of despatch.

Qualidade e garantia

1. Fornecemos apenas artigos da melhor qualidade.
2. Nós oferecemos total garantia de qualidade.
3. Nosso esforço em aumentar a qualidade de nossos produtos é constante.
4. Todos os nossos produtos são submetidos a um rigoroso controle de qualidade antes de sair da fábrica.
5. As amostras anexas comprovarão a qualidade de nossos produtos.
6. Nossas máquinas modernas permitem-nos fornecer a melhor qualidade a preços mínimos.
7. A utilização de novas matérias-primas e novos processos de fabricação permitem-nos fornecer mercadorias de tão excepcional qualidade.
8. Garantimos que faremos o possível para que a qualidade os satisfaça.
9. Estamos convictos de que a qualidade de nossos produtos atende às mais altas exigências.
10. Há uma grande demanda de nossos produtos tanto no mercado interno quanto no externo.
11. Devido à sua qualidade, nossos produtos têm grande demanda no exterior.
12. Somos a única empresa em condições de fornecer esse artigo.
13. Nosso equipamento é tecnicamente perfeito e fácil de operar.
14. Nosso equipamento lhe proporcionará economia de tempo e dinheiro.
15. Nossas máquinas têm 5 anos de garantia.
16. Todos os nossos produtos vêm com certificado de garantia.
17. A garantia não cobre ...
18. Garantimos que as cores não se alteram com luz ou umidade.
19. Garantimos a troca gratuita de peças defeituosas por ... meses a partir da data de entrega.
20. Nossa garantia cobre mudanças de temperatura entre –...° e +...°C.
21. Não se aceitarão reclamações em caso de uso indevido da máquina.

Quality and guarantee

1. We only supply goods of the best quality.
2. We are able to give you an absolute guarantee of quality.
3. We always take great pains to improve the quality of our goods.
4. All the goods leaving our factory have undergone careful quality control testing.
5. The samples enclosed will convince you of the quality of our goods.
6. Our modern machines enable us to supply the best quality at the lowest prices.
7. The use of new raw materials and production techniques enables us to supply goods of such excellent quality.
8. We assure you that we will do our best to satisfy you as regards quality.
9. We are convinced that the quality of our products will meet the highest demands.
10. There is great demand for our products both at home and abroad.
11. Thanks to their quality our products are in great demand abroad.
12. We are the only firm able to supply you with this article.
13. Our machine is technically perfect and surprisingly easy to operate.
14. Using our machine will save you time and money.
15. Our machines come with a 5-year warranty.
16. All our products come with a written guarantee.
17. The guarantee does not cover ...
18. We guarantee that the colours are not affected by light or moisture.
19. We guarantee to replace defective parts free of charge for a period of ... months after the date of delivery.
20. Our guarantee covers temperature changes between – ...° and + ...° Celsius.
21. No guarantee claim will be considered in the event of improper use of the machine.

22 Garantimos que a máquina terá longa duração se nossas instruções de uso forem seguidas à risca.
23 Devido à qualidade de nossos artigos, podemos conceder uma garantia de ...
24 Garantimos que os artigos serão despachados em perfeitas condições.

22 Strict observation of our instructions for use will ensure that the machine has a long working life.
23 Thanks to the quality of our articles we are in a position to give a guarantee of ...
24 We guarantee that the articles will be sent in perfect condition.

Quantidades e tamanhos

1 Temos ... em estoque.
2 O pedido mínimo é de ...
3 Não há limite de quantidade nos pedidos.
4 Dispomos de um grande estoque de todos os tamanhos.
5 Podemos executar seu pedido imediatamente.
6 Pedidos iguais podem ser executados regularmente.
7 No momento, nosso volume de produção é ilimitado.
8 Temos tido muita dificuldade em atender à grande procura desse artigo.
9 Nossa sugestão é que se abasteçam antes que o estoque se esgote.
10 Só aceitamos pedidos de no mínimo ...
11 O folheto anexo contém os pesos e os tamanhos.
12 As dimensões são indicadas em ... unidades.

Quantities and sizes

1 We have ... in stock.
2 The minimum order is ...
3 There is no limit to the amount that can be ordered.
4 We always keep a large stock of all sizes.
5 We could execute your order immediately.
6 Repeat orders can be executed regularly.
7 At the moment there is no limitation on the amounts we can produce.
8 We are having great difficulty keeping up with the lively demand for this article.
9 We advise you to stock up before stocks are sold out.
10 We only accept orders for at least ...
11 Please refer to the brochure enclosed for weights and dimensions.
12 The dimensions stated are in ... units.

Embalagem

1 Nossos produtos são embalados
2 em caixas
3 em contêineres
4 em barris
5 em caixas de papelão
6 em cestos
7 em fardos
8 em engradados sobre paletes.
9 A embalagem está incluída no preço.
10 A embalagem é por sua conta.
11 A embalagem está calculada em metade do preço.
12 As mercadorias estão embaladas em caixas com forro encerado.
13 Os pacotes estão marcados e numerados em seqüência.
14 A embalagem – engradados com cintas metálicas – é própria para transporte marítimo.

Packing

1 Our articles are packed
2 in crates
3 in containers
4 in barrels
5 in cardboard boxes
6 in baskets
7 in bales
8 in crates on pallets.
9 Packing is included in the price.
10 Packing will be charged to you.
11 Packing is charged at half price.
12 The goods are packed in crates with a waxed cloth lining.
13 The packages are marked and numbered consecutively.
14 The packing – metal-lined crates – is seaworthy.

15 As mercadorias são embaladas com muito cuidado.
16 Nossos artigos são embalados em caixas para presente.
17 A mercadoria é acondicionada em palha de madeira para evitar danos.
18 A embalagem não será cobrada desde que seja devolvida em perfeito estado em ... dias.
19 Não aceitamos a devolução de caixas.
20 Devolvemos metade da quantia cobrada mediante devolução do material de embalagem.
21 Seguiremos à risca suas instruções de embalagem.
22 Embalamos toda a mercadoria em uma única caixa.
23 Nossa embalagem é perfeitamente adequada para transporte de longa distância.
24 Nossa embalagem tem qualidade assegurada por muitos anos de uso no comércio exterior.

15 We make sure the goods are packed carefully.
16 Our articles are packed in presentation boxes.
17 The goods are packed in wood wool to prevent damage.
18 No charge is made for packaging materials if it is returned undamaged within ... days.
19 Crates are non-returnable.
20 A refund of half the amount charged is made on returned packaging material.
21 Your packing instructions will be strictly adhered to.
22 We pack all the merchandise in one crate.
23 Our packing is well suited for sending goods over long distances.
24 Our packing has stood the test of many years' use in the export trade.´

Prazo de entrega

1 As mercadorias podem ser entregues imediatamente.
2 O fornecimento poderá ser efetuado ao final da próxima semana.
3 A entrega só poderá ser feita em pelo menos um mês.
4 Confirmamos o prazo de entrega solicitado pelos senhores.
5 As mercadorias serão despachadas logo após o recebimento do pedido.
6 Não podemos garantir a entrega em data específica.
7 A produção dos artigos levará ... dias.
8 Asseguramos aos senhores que a entrega será feita o mais rápido possível.
9 Necessitamos de ... dias para processar pedidos maiores.
10 A entrega poderá ser feita em data à sua escolha.

Delivery time

1 The goods can be delivered immediately.
2 Delivery can be made at the end of next week.
3 Please allow at least one month for delivery.
4 We confirm the delivery period requested.
5 The goods will be despatched immediately upon receipt of your order.
6 We are unable to promise delivery on a specific date.
7 Production of the articles will take ... days.
8 We assure you delivery will be made as quickly as possible.
9 We require ... days to process larger orders.
10 Delivery can be made at any time desired.

Aviso de envio de folhetos

1 Estamos enviando nossos folhetos mais recentes.
2 Enviamos junto o catálogo solicitado.
3 Anexamos nosso folheto, que agora possui um grande volume de informações novas.
4 Note(m) que não dispomos no momento do artigo nº ... constante em nosso folheto.

Advice of despatch of brochures

1 We are sending you our latest brochures.
2 We enclose the catalogue requested.
3 We enclose our brochure, which now contains a large amount of new information.
4 We wish to point out that article No. ... in our brochure is currently not available.

5 Os folhetos para a próxima estação estão sendo impressos. Nós enviaremos as informações mais recentes em ... semanas.
6 Infelizmente não podemos atender a seu pedido de folhetos, pois não dispomos desse material.
7 Anexamos nossos folhetos contendo informações detalhadas sobre nossa linha de produtos.

Aviso de envio de lista de preços

1 Os senhores receberão nossa lista de preços mais recente em outra correspondência.
2 Nossas listas de preços são válidas até ...
3 Estamos enviando em outra correspondência nossa última lista de preços de exportação.
4 Oferecemos um reembolso de exportação de ...% sobre os preços fixados.

Aviso de envio de amostras

1 Os senhores receberão separadamente o mostruário solicitado.
2 As amostras que seguem nesta carta lhe darão uma idéia da excelente qualidade de nossos produtos.
3 Nossas amostras anexas estão devidamente marcadas e com seus preços de exportação.
4 Enviaremos amanhã as amostras requisitadas pelos senhores.
5 Os senhores receberão nosso mostruário da próxima estação em outra correspondência.
6 Infelizmente não podemos fornecer-lhes o mostruário solicitado.
7 Desejamos ressaltar que cobraremos pelas amostras caso não nos sejam devolvidas dentro de ... dias.
8 À apresentação de um pedido de ..., as amostras não serão cobradas.
9 Esperamos que os senhores compreendam que lhes enviamos apenas algumas amostras exemplificando nossa linha de produtos.
10 Pedimos que nos devolvam as amostras.

5 The brochures for the coming season are at present being printed. We will be sending you the latest information in ... weeks.
6 We are unfortunately unable to provide you with the brochures you request, as we do not have any literature of this sort.
7 We enclose our sales literature with detailed information on our entire range of products.

Advice of despatch of price lists

1 You will be receiving our latest price lists under separate cover.
2 Our price lists are valid until ...
3 We are sending you our latest export price lists by the same post.
4 We will grant an export refund of ... % on the prices listed.

Advice of despatch of samples

1 You will be receiving the collection of samples requested by separate post.
2 The samples enclosed with this letter will give you an impression of the exceptional quality of our goods.
3 The samples enclosed are marked correctly and our export prices are included.
4 We will be sending you the samples requested tomorrow.
5 You will be receiving our collection of samples for the coming season by separate post.
6 We are unfortunately unable to supply the collection of samples requested.
7 We wish to point out that a charge will be made for the samples if they are not returned within ... days.
8 If an order for ... is placed, no charge will be made for the samples.
9 We trust you will appreciate that we have only sent you several samples typifying our range.
10 Please return the samples.

Resposta a pedido de fornecimento de prova

1 Saibam que teremos o maior prazer em fazer um fornecimento a título de prova.
2 Gostaríamos de ressaltar que nossas condições gerais de vendas valem (não valem) para fornecimentos a título de prova.
3 Um fornecimento a título de prova os convencerá da qualidade de nossos artigos.
4 Para colocarmos nossos produtos em seu mercado, estamos dispostos a fazer-lhes um fornecimento a título de prova sob condições bastante favoráveis.
5 Infelizmente não podemos fazer fornecimentos a título de prova.

Reply to an enquiry for a trial shipment

1 Please note that we are quite willing to make a trial shipment.
2 We would like to point out that our General Conditions of Sale also (do not) apply for trial shipments.
3 A trial shipment will convince you of the quality of our articles.
4 In order to introduce our products to the market there, we are prepared to make a trial shipment on particularly favourable terms.
5 We are unfortunately not able to make trial shipments.

Proposta divergente

Diferença de qualidade

1 Informamos que infelizmente não fabricamos os produtos de qualidade inferior (superior) solicitados pelos senhores.
2 Enviamos junto uma amostra da qualidade e pedimos que nos informem se esse tipo os satisfaz.
3 A qualidade que os senhores solicitaram só pode ser produzida mediante pedido especial que atenda a suas especificações.
4 Recebemos a amostra enviada pelos senhores, mas infelizmente não produzimos esse artigo com a qualidade solicitada. Sugerimos que entrem em contato com ... (empresa), que produz as qualidades que os senhores procuram.
5 Lamentamos informar que não mantemos em estoque o artigo na qualidade solicitada pelos senhores.
6 Temos condições de fornecer-lhes imediatamente os artigos desejados com qualidade bem superior.
7 A diferença de qualidade é mínima.
8 A qualidade do artigo n.º ..., fabricado pela primeira vez em ..., teve um aprimoramento substancial.
9 Infelizmente poderemos fornecer apenas produtos de qualidade média.

Goods offered not as requested

Differences in quality

1 We must inform you that we unfortunately do not produce goods of the low (expensive) quality you require.
2 We enclose a sample of the quality and would ask you to let us know whether this version is to your liking.
3 The quality you have requested can only be produced as a special order to your specifications.
4 We have received the sample you sent us but unfortunately do not produce this article in the quality requested. We suggest you get in touch with ... (firm) as they produce the qualities you are looking for.
5 We regret to inform you that we have no stocks of this article in the quality you require.
6 We are able to supply you with the articles desired in a better quality immediately.
7 The difference in quality is marginal.
8 The quality of article No. ..., first produced in ..., has been considerably improved.
9 We are unfortunately only able to supply goods of average quality.

Diferença de quantidade e tamanho

1. Em resposta à sua consulta de …, lamentamos informar que não temos condições de fornecer-lhes a quantidade solicitada.
2. Temporariamente, não temos condições de produzir a quantidade solicitada, pois nossa produção está esgotada por vários meses.
3. As quantidades pedidas são muito pequenas.
4. Por utilizarmos uma embalagem-padrão, infelizmente não podemos aceitar seu pedido, que contém um número muito pequeno de artigos.
5. Seu pedido só poderá ser atendido caso contenha no mínimo … unidades do mesmo tipo e qualidade.
6. Pela amostra enviada pelos senhores, pudemos constatar que os tamanhos desejados não condizem com nossos artigos produzidos em série.
7. Devemos ressaltar que há diferenças significativas entre as medidas (tamanhos-padrão) de sua amostra e do nosso artigo.
8. Pedimos que nos informem se as diferenças de tamanho entre as várias unidades são relevantes para os senhores.
9. Caso os senhores ainda possam utilizar os artigos fabricados por nós, apesar das mudanças de tamanho, teremos o prazer de receber seu pedido e executá-lo no prazo estipulado.
10. Se os senhores apresentarem um pedido de no mínimo … unidades, teremos o maior prazer em fazer uma fabricação especial, de acordo com suas especificações, na quantidade estipulada.
11. Ficamos agradecidos de receber a amostra enviada pelos senhores. Contudo, notamos que o tamanho de sua amostra não corresponde mais às normas da UE, em vigor desde …
12. Infelizmente, só temos condições de fornecer-lhes … unidades do artigo n.° …
13. Como os artigos solicitados agora fazem parte do excedente de estoque, podemos oferecer-lhes … (quantidade) em vez das … unidades pedidas, a um preço especial de … (valor, moeda) cada uma.

Differences in quantity and size

1. In reply to your enquiry of …, we regret to inform you that we are unable to supply you with the quantities you request.
2. We are unable to produce the quantities you require for the time being as we are sold out for months ahead.
3. The quantities requested are too small.
4. As a result of our standardised packaging we are unfortunately not able to accept your order because it is for too few items.
5. Your order can only be executed if it is for at least … units of the same type and quality.
6. We note from your sample that the sizes you require are not those of our mass-produced articles.
7. We must point out that there is a significant difference between the dimensions (standardised sizes) of your sample and our article.
8. Please let us know whether the differences in size between the individual units are important to you.
9. If you are still able to make use of the goods manufactured by us despite the changes in size, we are willing to accept the order and execute it by the time agreed.
10. If you place an order for at least … units, we will be pleased to manufacture the goods required in the quantity stated as a special order to your specifications.
11. Thank you for the sample you sent us. We note, however, that the size of your sample unfortunately no longer conforms to EU norms, which have been in effect since …
12. We are unfortunately only able to supply you with … units of article No. …
13. As the goods you require are now surplus stock we can offer you … (quantity) instead of the … units ordered at a special price of (currency, amount) … each.

14 Infelizmente não fabricamos o artigo n.° ... no tamanho solicitado. Pedimos que verifiquem na lista anexa os tamanhos de que dispomos.

Diferenças de preço

1 Nossos preços são mais altos (mais baixos) que os mencionados pelos senhores.
2 Os preços citados pelos senhores baseiam-se na lista de preços n.° ..., que já expirou. Consultem, por favor, a lista de preços n.° ..., anexa.
3 Nossos preços são um pouco superiores aos indicados pelos senhores, mas nossos produtos têm qualidade significativamente melhor.
4 Se os senhores nos apresentarem um pedido de ... unidades, nós poderemos fornecer o artigo mencionado a um preço especial de ... (valor, moeda).
5 Caso os senhores insistam nos preços indicados, infelizmente não teremos condições de lhes apresentar uma proposta correspondente.
6 Estamos oferecendo produtos de melhor qualidade a um preço inferior.
7 A diferença de preço é de ...(valor, moeda) por unidade.
8 Infelizmente, fomos obrigados a aumentar os preços. Desde ..., o preço do artigo n.° ... é de ... (valor, moeda).

Diferenças de embalagem

1 Não embalamos nossa mercadoria em caixas de papelão, conforme solicitado, mas em recipientes de plástico.
2 Contrariamente a seu pedido, nossos artigos são embalados em caixas de papelão desmontáveis (contêineres, fardos, engradados).
3 Infelizmente não podemos atender a seu pedido de embalagem especial. Contudo, gostaríamos de ressaltar que embalamos nossos produtos com material resistente.
4 Quanto à embalagem, há apenas diferenças mínimas.
5 Enviamos junto uma amostra de nossa embalagem nova e aprimorada, que, além disso, corresponde às novas normas de defesa ambiental da UE.
6 Infelizmente só poderemos atender a seu pedido especial a respeito da embalagem mediante acréscimo.

14 We unfortunately do not make article No. ... in the size requested. Please refer to the list enclosed for the sizes we can supply.

Differences in price

1 Our prices are higher (lower) than the ones you quote.
2 The prices you quote are based on price list No. ... which is no longer valid. Please refer to price list No. ... enclosed.
3 Our prices are slightly higher than the ones you quote but our goods are of significantly better quality.
4 If you place an order for ... units we will be able to supply the article in question at a special price of (currency, amount) ...
5 Should you insist on the prices you quote we will unfortunately not be able to make you an appropriate offer.
6 We are offering you better quality goods at a lower price.
7 The difference in price is (currency, amount) ... per unit.
8 We have unfortunately been compelled to raise our prices. Since ... the price for article No. ... is now ... (currency, amount).

Differences in packing

1 Our goods are not packed in cardboard boxes as requested but in plastic containers.
2 Contrary to your order our good are packed in collapsible cardboard boxes (containers, bales, crates).
3 We are unfortunately unable to meet your request for special packing. We would, however, like to point out that our goods come in sturdy packaging material.
4 There are only slight differences as regards packing.
5 We enclose a sample of our new, improved packaging material, which, furthermore, conforms to the new, environmentally-friendly EU norms.
6 We are unfortunately only able to comply with your special requests as regards the packing of our goods on payment of a corresponding additional charge.

7 Não podemos fornecer com a embalagem solicitada porque ela não está em conformidade com as últimas regulamentações de proteção do meio ambiente.

7 The packing requested does not conform to the latest environmental protection regulations and therefore cannot be supplied by us.

Impossibilidade de envio de amostra

1 Infelizmente, não podemos fazer-lhes uma oferta de amostras de nossos produtos.
2 Infelizmente não remetemos amostras. Caso os senhores queiram ter uma idéia geral de nossa produção, linha, qualidade e embalagem de nossos produtos, recomendamos que entrem em contato com o sr. ..., em ..., que mantém um estoque completo de amostras.
3 Por motivo de custo (razões técnicas), infelizmente não temos condições de fabricar amostras.
4 Informamos que, infelizmente, não dispomos de amostras.
5 Infelizmente não podemos enviar-lhes amostras. Todavia, enviamos anexos alguns recortes da imprensa especializada a respeito da qualidade e da embalagem resistente de nossos produtos.
6 Infelizmente não temos possibilidade de enviar-lhes amostras. Todavia, garantimos que até hoje tivemos condições de satisfazer todos os pedidos especiais de nossos clientes.
7 Infelizmente não podemos enviar nosso mostruário (volumoso demais). Porém, sintam-se à vontade em conhecer as amostras em nossa filial de ...

Samples cannot be despatched

1 We are unfortunately unable to make you an offer including samples of our goods.
2 We unfortunately do not despatch samples. If you wish to gain an overall impression of the production, range, quality and packing of our goods, we recommend you get in touch with Mr ... in ..., who stocks samples of all our goods.
3 For reasons of cost-effectiveness (technical reasons) we are unfortunately not able to produce samples.
4 We regret to inform you that we do not stock samples.
5 We are unfortunately unable to let you have samples. However, we enclose several cuttings from trade journals with reports on the quality and sturdy packaging of our goods.
6 It is unfortunately impossible for us to let you have samples. You may, however, rest assured that we have been able to comply with all our customers' special requests up to now.
7 Our collection of samples unfortunately cannot be easily despatched (too large). You are, however, at liberty to view our stock of samples at our branch in ...

Impossibilidade de fornecimento para prova

1 Segundo sua consulta, os senhores desejam um fornecimento a título de prova. Pedimos sua compreensão para o fato de não podermos realizar tais entregas devido a razões internas da empresa.
2 Infelizmente não temos condições de fazer um fornecimento para prova. Anexamos a esta uma lista de referências com informações a respeito da qualidade de nossos produtos.
3 Os fornecimentos para prova retardariam nossos negócios. Podemos assegurar-lhes, contudo, que só fornecemos artigos de primeira qualidade.

No trial shipments

1 We note from your enquiry that you would like us to make a trial shipment. We would ask you to understand that for internal company reasons we are unable to make such deliveries.
2 It is unfortunately impossible for us to supply you with a trial shipment. We enclose a list of references to provide you with information on the quality of our products.
3 Trial shipments would slow down business for us, but we nevertheless assure you that we only supply goods of the best quality.

Impossibilidade de venda a título de prova

1 Infelizmente não temos possibilidade de ceder nossos equipamentos para prova. Já que oferecemos garantia de perfeito funcionamento de nosso equipamento, torna-se desnecessário um período de experimentação.
2 Por diversas razões, não podemos, infelizmente, concordar com um período de prova. Solicitamos que consultem um estabelecimento especializado nesses artigos a respeito da qualidade de nossos produtos.
3 Temos vários motivos para não permitir a utilização de nossos produtos de alta qualidade a título de prova. Com certeza, as referências e os recortes da imprensa especializada que enviamos junto vão convencê-los das possibilidades de utilização de nossos produtos.

Sale on approval not possible

1 We are unfortunately not able to let you have our equipment on approval. Our equipment comes with guarantees to show it is in perfect working order, thus obviating the need for a trial period.
2 We are unfortunately unable to agree to letting you have goods on approval for a number of reasons. Please refer to a dealer specialising in these articles for information on the quality of our products.
3 We have particular reasons for not consenting to the use of our high-quality goods on a trial basis. We feel sure the enclosed references and cuttings from trade journals will convince you of their field of application.

Diferenças nas condições de entrega

1 Nossas condições de fornecimento divergem em vários aspectos das solicitadas pelos senhores.
2 Com certeza os senhores entenderão que todas as vendas baseiam-se nas condições de fornecimento anexas. Solicitamos que confirmem sua concordância.
3 Infelizmente, não temos possibilidade de satisfazer suas condições de fornecimento.
4 Por motivos técnicos de produção, não temos condições de fornecer os artigos no prazo estipulado.
5 Nossas condições de fornecimento divergem das solicitadas em sua consulta. Queiram verificar os detalhes de nossas condições nas informações anexas.
6 Normalmente, fazemos fornecimentos em domicílio.
7 Infelizmente não podemos atender a sua solicitação de fornecimento posto em domicílio. Normalmente, nossos fornecimentos são postos em fábrica.
8 Somos flexíveis nas condições de fornecimento. Pedimos que nos informem suas preferências.
9 Ao contrário de seu pedido de fornecimento por (caminhão, navio, avião etc.), nossos fornecimentos são efetuados normalmente por (caminhão, navio, avião etc.)
10 Não podemos aceitar suas condições de fornecimento.

Differences in terms of delivery

1 Our terms of delivery are different from those requested by you in several respects.
2 You will, of course, appreciate that all sales are based on the terms of delivery enclosed. Please confirm that you accept them.
3 We are unfortunately not in a position to deliver on the terms requested.
4 For technical reasons to do with production, we are unable to supply the goods within the period stipulated.
5 Our terms of delivery differ from those requested in your enquiry. We would ask you to refer to the information enclosed for details of our terms.
6 We normally deliver franco domicile/franco to your premises.
7 We are unfortunately unable to comply with your request for delivery franco domicile/franco to your premises. Our deliveries are normally ex works.
8 We are flexible as regards the terms of delivery. Please let us know your preferences.
9 We note that you have requested delivery by (lorry, ship, plane etc.) but would point out that we normally deliver by (lorry, ship, plane etc.)
10 We cannot accept your terms of delivery.

Diferenças nas condições de pagamento

1. Informamos aos senhores que não podemos aceitar suas condições de pagamento.
2. Nós propomos um desconto de ...% em pagamento à vista ou o pagamento do total, sem desconto, em ... dias após o recebimento da mercadoria.
3. Pedimos que verifiquem nossas novas condições de pagamento, que anexamos a esta.
4. Não temos condições de conceder-lhes um prazo de pagamento de ...
5. Nossos preços são o mais baixos possível, o que não nos permite dar-lhes desconto.
6. Diferentemente de sua consulta de ..., sugerimos as seguintes condições de pagamento:
   – pagamento à vista com ...% de desconto
   – pagamento dentro de ... dias sem desconto
   – pagamento dentro de ... meses.
7. Caso os senhores insistam em suas condições de pagamento, nós infelizmente não poderemos aceitar seu pedido.
8. Em resposta a sua consulta de ..., estamos enviando nossas condições de pagamento e fornecimento, pelas quais os senhores poderão notar que não podemos conceder-lhes um prazo de crédito de 3 (6, 9 etc.) meses.
9. Informamos que só fazemos fornecimentos contra carta de crédito confirmada e irrevogável.
10. As condições de pagamento são as seguintes: 1/3 como sinal no pedido, 1/3 na fabricação dos artigos, 1/3 contra apresentação do conhecimento de embarque.
11. Aceitamos também pedidos garantidos pelo banco ...

Differences in terms of payment

1. We wish to inform you that we cannot agree to your terms of payment.
2. We suggest either ...% discount for cash payment or net payment without deductions ... within days after receipt of goods.
3. Please refer to the information enclosed for our new terms of payment.
4. We are unable to grant you a credit period of ...
5. Our prices are rock-bottom and so it is impossible for us to grant you a discount.
6. Contrary to your enquiry of ..., we suggest the following terms of payment:
   – ...% discount for cash payment
   – payment within ... days without deduction
   – payment within ... months.
7. Should you insist on your terms of payment, we would unfortunately be unable to accept an order from you.
8. In reply to you enquiry of ... we are sending you our General Terms of Delivery and Payment, from which it will be apparent that we are unfortunately unable to comply with your request for 3 (6, 9 etc.) months' credit.
9. We wish to inform you that we only deliver against a confirmed, irrevocable letter of credit.
10. The terms are as follows: 1/3 advance payment with order, 1/3 on production of goods, 1/3 on presentation of the consignment notes.
11. We also accept orders guaranteed by the ... Bank.

Proposta com restrições
Proposta com prazo limitado

1 Chamamos sua atenção para o fato de que nossa proposta de ... só poderá ser mantida, por razões técnicas, até ...
2 A oferta especial abaixo é válida por apenas ... semanas. Levem isso em conta ao tomar decisões.
3 Teremos condições de apresentar uma proposta tão favorável apenas em ... (mês, época do ano).
4 Infelizmente, só podemos manter a proposta acima por um mês.
5 Nossa proposta é válida por apenas um mês.
6 Os pedidos baseados nesta oferta e apresentados após ... infelizmente não serão aceitos.
7 Já que pretendemos suspender em breve a produção do artigo acima, não aceitaremos pedidos após ...
8 Como em anos anteriores, só podemos manter esta oferta especial por prazo limitado. Os pedidos recebidos após ... infelizmente não poderão ser atendidos. Por isso, pedimos que levem esse prazo em consideração.
9 O produto acima mencionado está saindo de produção. Assim, esta proposta é válida apenas até ...

Qualified offer
Offer for a limited time

1 May we draw you attention to the fact that, for technical reasons, we are only able to keep our offer of ... open until ...
2 The following offer is for ... weeks only. Please bear this in mind when making your arrangements.
3 We are only able to make you such a favourable offer in ... (month, season).
4 We are unfortunately only able to keep the above-mentioned offer open for a period of one month.
5 Our offer is firm for one month only.
6 After ... (time), orders placed on the basis of this offer can unfortunately no longer be accepted.
7 As we shortly intend to discontinue production of the article offered above we will no longer be able to accept orders for them after ...
8 As in previous years, we are once again only able to keep this special offer open for a limited period of time. Orders received after ... can therefore no longer be accepted. For this reason we would ask you to bear this date in mind.
9 The above-mentioned product is being phased out. This offer is therefore only valid until ...

Oferta com quantidades limitadas

1 A oferta acima é válida para o máximo de ... unidades.
2 Notem que a oferta acima limita-se a uma quantidade máxima de ... (unidades, quilos, toneladas, fardos).
3 Para poder manter o nível dos fornecimentos a nossos clientes (parceiros comerciais), esta oferta só é válida para uma quantidade limitada.
4 Por diversas razões, só temos condições de aceitar pedidos de no máximo ... unidades.
5 Esta oferta está sujeita a uma limitação de quantidade. O pedido máximo é de ... (unidades, quilos, toneladas, fardos).

Offer of a limited quantity

1 The above offer is for a maximum of ... units only.
2 Please note that the above offer has had to be limited to a maximum quantity of ... (units, kg, tonnes, bales).
3 In order to maintain deliveries to our customers (business partners) at an adequate level, this offer is for a limited amount only.
4 For a variety of reasons we are only able to accept orders for a maximum of ... units.
5 This offer is subject to a limitation in quantity. The maximum amount orderable is ... (units, kg, tonnes, bales).

6 Solicitamos que seu pedido se limite ao máximo de ... unidades, pois infelizmente não estamos em condições de fornecer uma quantidade maior.

Quantidades mínimas

1 Por motivos econômicos, precisamos insistir em um pedido mínimo de ... (unidades, quilos, toneladas, fardos) com relação à proposta acima.
2 O pedido mínimo para a oferta especial acima é de ... unidades. Pedimos que levem isso em conta ao fazer seu pedido.
3 Esperamos que os senhores compreendam que não podemos aceitar pedidos inferiores à quantidade mínima especificada.
4 Ao fazer seus pedidos, por favor, lembrem-se de que a quantidade mínima é de ... unidades.
5 Por causa da técnica de embalagem que utilizamos, somos obrigados a insistir em uma quantidade mínima. Para cada um dos artigos que oferecemos ela é de ... unidades.

6 Please limit your order to a maximum of ... units as we are unfortunately not in a position to supply larger quantities.

Minimum amount

1 We must, for economic reasons, insist that a minimum order of ... (units, kg, tonnes, bales) be placed in respect of the above offer.
2 The minimum order for the above special offer is ... units. Please take this into consideration when placing your order.
3 We trust you will appreciate that we are unable to execute orders for less than the minimum quantity.
4 We would request you, when placing your orders, to take into consideration that the minimum quantity is ... units.
5 The method we use to pack our goods means that we must insist on a minimum quantity. For each of the articles offered it is ... units.

Proposta não solicitada

1 Realizamos em sua região uma pesquisa de mercado e ficamos bastante satisfeitos com os resultados. Pretendemos, agora, distribuir nossos produtos por meio de um atacadista renomado. Caso os senhores estejam interessados, teríamos prazer em apresentar-lhes nossas sugestões.
2 Há muito tempo temos um representante próprio em seu país, que se aposentará dentro em breve. Caso haja interesse de sua parte em importar nossos produtos e fornecê-los a nossos clientes costumeiros, solicitamos que nos informe a respeito.
3 Temos recebido cada vez mais solicitações para fornecer nossos produtos ao seu país. Os senhores estariam dispostos a incluí-los em seu programa de vendas?
4 Nossos novos produtos estão se tornando rapidamente um sucesso de vendas. Como ainda não temos representação em seu país, gostaríamos de saber de seu interesse em distribuir nossos produtos com exclusividade.

Unsolicited offer

1 We have conducted a market survey in your territory and are most pleased with the results. We now intend to market our goods using a well-known wholesaler. Should you be interested we will be pleased to let you have our suggestions.
2 We have had our our own agent in your country for several years now but he will soon be retiring. Should you be interested in importing our goods and maintaining supplies to our regular customers, please let us know.
3 We have been receiving more and more enquiries requesting us to deliver our products to your country. Would you be prepared to include them in your range there?
4 Our new products are rapidly achieving record sales figures. As we as yet have no agent in your country, we wish to ask you whether you might be interested in acquiring the exclusive right of sale for our goods there.

5 Nossas mercadorias ampliariam consideravelmente seu programa de vendas. Solicitamos que os senhores nos informem tão logo possível se desejam representar-nos em ...
6 Se os senhores estivessem interessados em incluir nossos produtos em seu programa de vendas, concederíamos exclusividade de vendas em ... (região, país).
7 Nossas máquinas ocupam a primeira posição na indústria de processamento de ... Os senhores estariam interessados em incluir nossa linha de produtos em seu programa de vendas?
8 A fim de tornar nossos produtos conhecidos em ..., necessitamos da colaboração de um importador eficiente.
9 Queiram informar-nos, por favor, se podemos contar com sua ajuda.
10 A fim de facilitar-lhes a colocação de nossos produtos no mercado, podemos reduzir nossos preços de tabela em 10%.
11 Os senhores têm condições de adquirir os produtos por conta própria? Nossa expectativa é de um pedido mínimo de ...
12 Que faturamento os senhores nos podem garantir para que concedamos direitos exclusivos de venda?
13 Nossas mercadorias devem ser vendidas por um grande distribuidor independente que esteja bem estabelecido em seu ramo. Os senhores poderiam recomendar-nos uma firma desse porte com a qual possamos entrar em contato (que possa entrar em contato conosco)?
14 Qualquer empresa que nos represente deverá realizar as compras por conta própria. Podemos entrar em acordo sobre a quantidade mínima.
15 Produzimos artigos para o dia-a-dia que não apresentam problemas. Assim, são especialmente indicados para ofertas especiais e lojas de conveniência.
16 Na condição de nosso representante em ... (país, região), sua tarefa consistiria em apresentar nossos artigos a varejistas e atacadistas do ramo.
17 Pagamos uma comissão de ...% sobre suas vendas, com liquidação de contas ao final de cada trimestre.
18 Com referência à nossa oferta de ..., os detalhes são os seguintes:
19 Os senhores são nossos representantes exclusivos na região especificada.

5 Our goods would enlarge your sales programme considerably. Please let us know by return whether you would like to represent us in ...
6 Should you be willing to include our products in your range we would allow you the exclusive right of sale for ... (country or territory).
7 Our machines are state-of-the-art in the ...-processing industry. Could you include our range of products in your sales programme?
8 For our goods to become well-known in ... (country) we need the assistance of a capable importer.
9 Please let us know if we can count on your help.
10 To make it easier for you to introduce our products we would reduce our list prices by 10%.
11 Are you able to purchase the goods for your own account? We would expect you to place a minimum order of ...
12 What sales figures can you guarantee to enable us to grant you the exclusive right of sale?
13 Our goods must be sold through a major, independent distributor who is well established in his field. Are you able to recommend us a firm that we can get in touch with (that could get in touch with us)?
14 Any firm representing us would have to make purchases for its own account. Minimum quantities could be agreed.
15 We manufacture goods for everyday use. They are unproblematical and thus particularly suited as special offers and for self-service shops.
16 As our agent in ... (country, territory), your job would be to introduce our goods to suitable retailers and wholesalers.
17 We pay ... % commission on your sales. Settlement is at the end of each quarter.
18 We refer to our offer of ..., the details of which are as follows:
19 You are our sole agent in the territory stated.

20 Nós faremos fornecimentos diretos aos clientes com base em seus pedidos.
21 Será remetida mensalmente aos senhores uma comissão de ...% sobre suas vendas.
22 Não permitimos que os senhores façam acordos especiais com os clientes.
23 Os clientes devem receber sua visita pelo menos uma vez ao mês.
24 Informem-nos, por favor, se os senhores aceitam esta proposta. Estamos dispostos a examinar suas eventuais sugestões de alteração.
25 Fomos informados de que os senhores também possuem ... (nome do produto) em seu programa de vendas. Produzimos esses artigos em série. Pedimos que nos informem se os senhores poderiam incluir nossos produtos em seu programa de vendas.
26 Como atacadistas de ..., os senhores têm demanda regular de ... (nome do produto). Estamos agora oferecendo esse artigo a um preço especial de ... (valor, moeda). Pedimos que nos informem o mais rápido possível se os senhores têm interesse em fazer-nos um pedido.
27 Estamos realizando nesta semana uma campanha publicitária especial de nossos produtos. Assim, reduzimos os preços em ...%. Solicitamos que nos enviem seu pedido por fax.
28 Temos em estoque uma quantidade considerável de ... (nome dos produtos). Para um pedido de mais de ... unidades, concedemos um desconto de ...%. Solicitamos que nos informem o mais rápido possível se os senhores desejam aproveitar essa oferta.
29 Gostaríamos de chamar sua atenção para nossa oferta especial. Podemos fornecer ... (nome do produto) entregue em domicílio a um preço especial único de ... (valor, moeda).
30 Temos condições de oferecer-lhes imediatamente uma quantidade maior de ... (nome do produto). Como normalmente se deve levar em conta um prazo longo no fornecimento desses artigos, solicitamos que os senhores apresentem seu pedido o mais rápido possível.
31 Permitimo-nos mais uma vez chamar sua atenção sobre nossa oferta de ... Como esse artigo logo estará esgotado, não teremos condições de atender a pedidos apresentados tardiamente.

20 We will deliver to customers directly on the basis of your orders.
21 ...% commission on your sales will be transferred to you per month.
22 You are not allowed to come to special agreements with customers.
23 Customers should be visited at least once a month.
24 Please let us know whether you accept this offer. We will be pleased to consider any amendments you might suggest.
25 We have learned that you also have ... (name of product) in your range. We mass-produce this article. Please let us know whether you are also able to include our goods in your sales programme.
26 As wholesalers of ... you will regularly require ... (name of product). We are currently offering this article at the special price of ... (currency, amount). Please let us know by return whether you are interested placing an order with us.
27 We are running a special advertising campaign for our goods this week. We have therefore reduced the price by ...%. Please fax us your order.
28 We have a considerable amount of ... (name of goods) in stock. For an order of more than ... units we will grant you a discount of ...% Please let us know by return whether you wish to make use of this offer.
29 We would like to draw your attention to our special offer. We will deliver you ... (name of product) franco domicile/franco to your premises, at a one-time-only special price of ... (currency, amount).
30 We are able to supply you with a large amount of ... (name of product) immediately. As a long delivery period usually has to be allowed in the case of this article, we would ask you to place your order by return.
31 May we once again draw your attention to our offer of ... Since this article will soon be out of stock, we will not be able to process orders placed at a later date.

Resposta a proposta

Confirmação de recebimento

1 Confirmamos o recebimento de sua oferta especial de ...
2 Recebemos em ... sua proposta datada de ...
3 Agradecemos por nos terem informado também desta vez sobre sua oferta especial com preço reduzido.
4 Pedimos que nos informem também no futuro sobre suas ofertas especiais.

Resposta negativa

1 Infelizmente não poderemos fazer uso de sua proposta de ..., uma vez que não necessitamos desses artigos no momento.
2 Como seus preços são superiores aos do fornecedor que nos tem atendido, infelizmente não podemos considerar sua proposta de ...
3 Como a quantidade mínima de compra excede nossas atuais necessidades, não podemos, infelizmente, aceitar sua proposta.
4 Infelizmente não podemos fazer uso de sua oferta especial de ... Estamos comprometidos com outro fornecedor até o final do ano.
5 Lamentamos informar-lhes que sua proposta nos foi enviada tarde demais. Nós já nos abastecemos com outro fornecedor.

Resposta positiva

1 Com referência a sua proposta de ..., solicitamos que nos enviem sem demora ... peças de cada um dos artigos oferecidos.
2 Aceitamos e agradecemos sua proposta de ...
3 Pedimos que nos forneçam imediatamente a quantidade máxima possível por pedido.
4 Os artigos que os senhores nos ofereceram são inteiramente adequados ao nosso programa de vendas. Por favor, enviem-nos por entrega expressa ... unidades de cada um deles.
5 Sua oferta datada de ... atende às nossas necessidades. Assim, anexamos a esta nosso pedido.

Reply to offer

Acknowledgement of receipt

1 We acknowledge receipt of your special offer dated ...
2 We received your offer dated ... on ...
3 Thank you for letting us know about another favourably priced special offer of yours.
4 Please also let us know about your special offers in future.

Negative response

1 We are unfortunately unable to make use of your offer dated ... as we do not require these goods at present.
2 As your prices are higher than those of the company that has supplied us so far, we are unfortunately unable to accept your offer dated ...
3 As your minimum order quantity exceeds our current requirements your offer is unfortunately not acceptable to us.
4 We are unfortunately unable to make use of your special offer of ... We are committed to another supplier until the end of this year.
5 We regret to inform you that your offer was sent to us too late. We have now stocked up elsewhere.

Positive response

1 We refer to your offer of ... Please forward us ... (number) of each of the articles offered immediately.
2 We accept your offer of ... with thanks.
3 Please supply us immediately with the maximum quantity orderable.
4 The articles you are offering can easily be integrated in our sales programme. Please send us ... (number) of each by express.
5 Your offer of ... meets our requirements and our order is enclosed.

Pedido de alteração da proposta
Qualidade

1 Solicitamos que também nos apresentem uma proposta sobre seus produtos de primeira linha e de segunda linha.
2 Seria possível os senhores nos apresentarem uma proposta equivalente de produtos com a melhor qualidade?
3 Os senhores poderiam apresentar-nos uma nova proposta que especifique com exatidão a qualidade de cada artigo?
4 Em sua proposta de ... não há menção à qualidade. Solicitamos que nos informem também a esse respeito.
5 Em ..., os senhores nos ofereceram mercadorias de primeira qualidade. Os senhores teriam condições de também fornecer os mesmos artigos com qualidade mediana?
6 O preço estipulado em sua linha de primeira qualidade foge ao nosso interesse. Informem-nos, por favor, os preços da qualidade mediana.
7 Achamos sua proposta interessante. Os senhores têm condições de fornecer os mesmos produtos com qualidade mediana?
8 A qualidade dos artigos oferecidos em ... não corresponde às nossas expectativas. Os senhores teriam condições de fornecer-nos produtos de qualidade superior?

Quantidade e tamanho

1 Sua oferta de ... é bastante atraente. Infelizmente, a quantidade oferecida é insuficiente para nossas necessidades. Os senhores teriam condições de atender a pedido maior de ... unidades do artigo nº. ...?
2 Gostaríamos de aceitar sua oferta de ... No entanto, o lote mínimo de pedido é alto demais. Os senhores teriam condições de fornecer-nos inicialmente apenas ... unidades?
3 Nós geralmente necessitamos de grandes quantidades do artigo constante de sua proposta de ..., mas de tamanhos diferentes. Pedimos que nos informem o quanto antes sobre todos os tamanhos de que os senhores dispõem.
4 Sua proposta de ... não faz uma única menção às dimensões dos artigos oferecidos. Informem-nos, por favor, tão logo seja possível, sobre os tamanhos de que os senhores dispõem.

Request for amendment of offer
Quality

1 Please also make us an offer for products of both higher and lower quality.
2 Can you also make us a similar offer for top-quality goods?
3 Could you please make us a new offer stating the exact quality of each article?
4 No indication of quality is included in your offer of ... Please let us have details of this as well.
5 You offered us top-quality goods on ... Are you also able to supply the same articles in average quality?
6 The price you ask for your top quality is out of our range. Please let us have your prices for average quality.
7 We find your offer attractive. Are you also able to supply the goods offered in average quality?
8 The quality of the goods offered on ... does not meet our expectations. Are you able to suppply articles of better quality?

Quantity and size

1 Your offer of ... is very attractive. Unfortunately, the quantity you offer is too low for our requirements. Would you be able to process a large order for ... units of article No. ...?
2 We would very much like to accept your offer of ..., however, the minimum quantity you stipulate is too high. Would you initially be prepared to supply us with only ... units?
3 We regularly require large quantities of the article in your offer of ... but in a different size. Please let us have details of all the sizes you supply by return.
4 Your offer of ... contains no information on the dimensions of the articles offered. Please let us know as soon as possible what sizes you can supply.

5 O lote mínimo de pedido mencionado pelos senhores infelizmente é grande demais para nosso depósito. Informem-nos, por favor, da possibilidade de nos fornecerem quantidades de ... unidades do artigo oferecido em intervalos de ... (número de dias/semanas/meses etc.).
6 Compramos apenas grandes quantidades. Informem-nos, por favor, qual a quantidade máxima que os senhores podem fornecer-nos de imediato.
7 Os artigos que os senhores nos ofereceram ocupam muito espaço, por causa do volume da embalagem. Seria possível que os senhores nos apresentassem uma proposta com embalagens de menor volume?
8 Os senhores dispõem dos artigos mencionados em sua proposta de ... em tamanhos menores?

Preços

1 Os preços mencionados pelos senhores estão fora de cogitação para nós. Informem-nos, por favor, os menores preços possíveis.
2 Os preços mencionados em sua proposta de ... são muito altos para nós. Os senhores teriam condições de nos conceder um desconto de ...% em pedidos maiores?
3 Pedimos que nos informem também os preços dos artigos de qualidade mediana.
4 Se os senhores tivessem possibilidade de reduzir os preços dos artigos constantes de sua proposta de ... em ... (valor, moeda), estaríamos em condições de aceitar sua proposta.
5 Tendo em vista a situação geral do mercado, os preços de sua proposta de ... são altos demais. Pedimos que orcem sem demora os menores preços possíveis.
6 Já que se trata de artigos de qualidade mediana, seus preços estão muito altos. Se os senhores estiverem dispostos a fornecer artigos de qualidade superior aos mesmos preços, aceitaríamos com prazer sua oferta especial de ...
7 Pedimos que nos informem o mais rápido possível se nos preços de sua proposta de ... já estão incluídos os custos de embalagem e frete.

5 The minimum quantity you suggest is unfortunately too large for us to store. Please let us know whether it would be possible to supply us with smaller quantities of ... units of the articles offered every ... (number, days/weeks/months etc.)
6 We only purchase large quantities. Please let us know the largest quantity you are able to supply immediately.
7 Owing to their bulky packing the articles you offered us on ... take up too much space. Would it be possible for you to make us an offer with less bulky packing?
8 Do you stock the articles quoted in your offer of ... in a smaller size?

Prices

1 The prices you quote are out of the question. Please let us know the lowest prices possible.
2 The prices quoted in your offer of ... are too high for us. Would you be prepared to grant a ... % discount for a large order?
3 Please also let us know the prices for articles of average quality.
4 Should you be able to reduce the prices of the articles in your offer of ... by (currency, amount) ... we would be pleased to make use of your offer.
5 In view of the general market situation, the prices quoted in your offer of ... are too high. Please quote the lowest prices possible by return.
6 Your prices are too high for goods of average quality. Should you be prepared to supply better quality goods at these prices we would be pleased to accept your special offer dated ...
7 Please let us know as soon as possible whether the prices in your offer of ... already include packing and freight costs.

8 Temos regularmente necessidade de grande quantidade dos artigos oferecidos pelos senhores. Pedimos que nos informem seus preços para pedidos maiores.

Embalagem

1 A embalagem dos produtos oferecidos pelos senhores não corresponde às nossas exigências. Os senhores poderiam fazer a entrega com embalagem resistente?
2 Apresentem-nos, por favor, outro orçamento para as mercadorias embaladas em poliestireno (isopor).
3 Ao contrário do que consta em sua proposta de ..., insistimos que as mercadorias sejam colocadas em engradados (caixotes).
4 A fim de reduzir ao mínimo danos de transporte, pedimos que utilizem uma embalagem melhor.
5 A fim de reduzir os custos de transporte, insistimos que uma encomenda tão volumosa deva ser acomodada em fardos.
6 Entendemos que os preços de sua proposta de ... não incluem a embalagem. No caso de apresentarmos um pedido, gostaríamos que a mercadoria fosse embalada em engradados (caixotes), sem acréscimo.
7 O tipo de embalagem oferecido não corresponde às normas da UE em vigor sobre proteção ambiental. Informem-nos com urgência, por favor, se os senhores poderão atender a essas exigências.
8 Somente poderemos aceitar sua proposta se os senhores nos assegurarem uma embalagem melhor de suas mercadorias.
9 A embalagem de seus artigos em caixas de papelão desmontáveis deixa muito a desejar. Se apresentarmos um pedido, exigiremos embalagem de plástico, em conformidade com as normas da UE.

Entrega

1 Sua proposta de ... condiz com nossas exigências, mas devemos insistir em entrega imediata.
2 O prazo de entrega mencionado em sua proposta de ... é muito demorado para nós. Não haveria possibilidade de fazer a entrega antes?

8 We regularly require a large amount of the articles you offer. Please let us have your prices for large orders.

Packing

1 The packing of the goods you offer is not up to our requirements. Can you supply the goods in break-proof packing?
2 Please make us a new offer for goods packed in polystyrene.
3 Contrary to your offer of ... we must insist that the goods be packed in crates.
4 To reduce damage in transit to a minimum, we must ask you to provide better packing.
5 To reduce transport costs we must insist that packages be used for such a large order.
6 We take it that your offer of ... excludes packing charges. If we were to place an order with you we would require the goods to be packed in crates – at no extra charge.
7 The quality of the packing offered does not conform to currently valid EU environmental protection regulations. Please let us know by return whether you can comply with them.
8 We will only be able to make use of your special offer if you can promise us better packing.
9 The packing of your articles in collapsible cardboard boxes leaves a lot to be desired. Should we place an order we would have to insist on plastic packing in conformity with EU norms.

Delivery

1 Your offer of ... meets our requirements but we must insist on immediate delivery.
2 The delivery date stated in your offer of ... is too late for us. Can you not deliver earlier?

3 No momento não temos necessidade das mercadorias oferecidas pelos senhores. Informem-nos o mais rápido possível se haveria possibilidade de entregá-las em ... meses sob as mesmas condições.
4 Por comprarmos em grande quantidade o artigo mencionado em sua proposta de ..., uma entrega única está fora de cogitação. Informem-nos, por favor, o mais rápido possível se os senhores têm possibilidade de fornecer semanalmente (mensalmente) ... unidades do artigo n?. ..., de acordo com nossa necessidade.
5 Não podemos aceitar as condições de fornecimento estabelecidas em sua proposta de ...
6 Como dispomos de espaço limitado em nosso depósito, insistimos no fornecimento em três lotes. Os senhores manteriam sua proposta nessas condições?
7 Somente poderemos aceitar sua proposta de ... se os senhores concordarem com nossa solicitação especial quanto à entrega.
8 Insistimos em entrega expressa.
9 Por que suas mercadorias não estão sendo oferecidas sob as condições costumeiras de entrega?

Condições de pagamento

1 Somente poderemos levar em conta sua oferta especial de ... se os senhores nos concederem um desconto sobre quantidade de ...%.
2 No tocante ao preço, sua proposta de ... é bastante atrativa. Todavia, não concordamos com suas condições de pagamento.
3 Não podemos aceitar as condições de pagamento estipuladas em sua proposta de ...
4 Os senhores poderiam conceder-nos um prazo de pagamento de ... dias em caso de pedido de ... unidades?
5 Não podemos aceitar as condições de pagamento mencionadas em sua proposta de ... Caso façamos um pedido, insistiremos em um desconto de ...% sobre o total da fatura. Informem-nos, por favor, se aceitam a nossa proposta.
6 Sua oferta de ... é de nosso agrado. Todavia, as condições de pagamento exigidas não são prática comum no comércio.

3 We have no need of the goods you offer at present. Please let us know whether you can supply them in ... months' time on the same terms.
4 As we are bulk buyers of the article quoted in your offer of ..., a one-off delivery is out of the question. Please let us know as soon as possible whether you are in a position to supply us with our weekly (monthly) requirement of ... units of article No. ...
5 We are unable to accept the terms of delivery stated in your offer of ...
6 As we only have limited storage space we must insist on delivery in three instalments. Does your offer still apply on these terms?
7 We can only accept your offer of ... if you agree to our special requests as regards delivery.
8 We must insist on express delivery.
9 Why are your goods not being offered on the usual terms of delivery?

Terms of payment

1 We can only take you up on your special offer dated ... if you grant us a quantity discount of ... %
2 As far as the price is concerned your offer of ... is extremely attractive. However, we cannot agree to your terms of payment.
3 We are unable to accept the terms of payment suggested in your offer of ...
4 Would you grant us a credit period of ... days for an order of ... units?
5 We cannot accept the terms of payment stated in your offer of ... We would insist on discount of ... % of the invoice amount being granted if we placed an order. Please let us know whether you accept this suggestion.
6 Your offer of ... is to our liking. The terms of payment stated are, however, not customary in the trade.

7 Estamos dispostos a aceitar sua proposta de ... desde que nos facilitem as condições de pagamento.
8 Em resposta à sua proposta de ..., lamentamos informar que suas condições de pagamento não são prática comum no comércio.
9 Pedimos que revejam as condições de pagamento citadas em sua carta de ... e refaçam sua proposta.

Garantias

1 Só poderemos levar em consideração sua proposta de ... se os senhores estiverem dispostos a fornecer as garantias de sempre. Aguardamos sua rápida resposta.
2 Sua oferta especial de ... não faz menção à garantia.
3 As garantias mencionadas em sua proposta de ... não nos satisfazem. Assim, pedimos que as revejam.
4 Sua proposta de ... não contém termo de garantia.
5 Pedimos que nos enviem imediatamente os termos de garantia relativos à sua proposta de ...
6 De acordo com sua proposta de ..., a garantia tem validade de ... meses após a entrada em serviço das máquinas.
7 Estaremos dispostos a aceitar sua proposta se os senhores ampliarem o prazo de garantia para um ano.
8 Os termos de garantia não foram expostos claramente em sua última proposta. Pedimos que nos enviem rápido essas informações.
9 Sua proposta de ... não contém nenhuma referência aos termos de garantia. Pedimos que nos informem também a esse respeito.
10 Informem-nos, por favor, com rapidez, as condições de garantia relativas à sua proposta de ...

Tipo de despacho

1 Só poderemos aceitar sua oferta especial se os senhores garantirem efetuar uma entrega expressa por sua conta.
2 Os senhores poderiam modificar sua proposta de ... no tocante ao tipo de despacho?
3 As mercadorias deverão ser enviadas por caminhão em despacho consolidado.

7 We would very much like to accept your offer of ... but must ask you for more generous terms of payment.
8 In reply to your offer of ... we regret to inform you that your terms of payment are not customary in the trade.
9 Please review the terms of payment quoted in your letter of ... and make us a new offer.

Guarantees

1 We will only be able to make use of your special offer of ..., if you are prepared to offer the usual guarantees. We welcome your comments on this matter as soon as possible.
2 Your special offer of ... contains no details of the guarantees offered.
3 The guarantees in your offer of ... are unsatisfactory. We would therefore request you to review them.
4 Your offer of ... contains no guarantee clause.
5 Please let us have the terms of your guarantee for your offer of ... by return.
6 According to your offer of ..., your guarantee is valid for up to ... months after your machines have been commissioned.
7 We would be prepared to accept your offer if you extended your guarantee to one year.
8 The terms of your guarantee were not clearly formulated in your last offer. Please send us details by return.
9 Your offer of ... contains nothing about the terms of your guarantee. Please also let us have this information.
10 Please let us know by return what guarantees your offer of ... includes.

Mode of despatch

1 We can only accept your special offer if you guarantee express delivery at your expense.
2 Can you amend your offer of ... as regards the mode of despatch?
3 The goods would have to be despatched as a lorry groupage consignment.

135

4 Os senhores poderiam alterar sua proposta de ... para que o transporte seja por frete aéreo?
5 Como temos urgência das mercadorias oferecidas, insistimos em que seja feita entrega expressa.
6 Em nossa opinião, os produtos perecíveis que os senhores oferecem só poderão ser transportados em caminhões isotérmicos. Informem-nos, por favor, se isso é possível.
7 O percurso sugerido em sua carta de ... toma muito tempo. Só poderemos aceitar sua proposta se os senhores puderem concordar com nossas solicitações quanto ao percurso e ao tipo de transporte.
8 Contrariamente à sua proposta de ..., insistimos em entrega expressa.
9 Sua proposta de ... não menciona a questão do transporte. Pedimos que nos informem que tipo de despacho os senhores costumam utilizar.
10 Sua proposta não menciona o tipo de entrega. Aguardamos informações a esse respeito.

4 Could you amend your offer of ... to guarantee despatch by air freight?
5 As we are in urgent need of the goods you offer we must insist on express delivery.
6 In our opinion, the perishable goods you offer can only be transported in a refrigerated lorry. Please let us know if this is possible.
7 The route suggested in your letter of ... is too time-consuming. We can only make use of your offer if you are able to agree to our requests as regards the route and mode of transport.
8 Contrary to your offer of ..., we must insist on express delivery.
9 Your offer of ... does not mention the problem of transport. Please let us know what your usual mode of despatch is.
10 Your offer does not state the mode of despatch. Please supply us with the necessary information.

Recusa do pedido de alteração da proposta

1 Em vista dos preços mínimos de nossa oferta especial, infelizmente não podemos aceitar solicitações especiais.
2 Infelizmente, não nos é possível atender à sua solicitação referente à embalagem das mercadorias mencionadas em nossa proposta de ...
3 Infelizmente não podemos aceitar o tipo de transporte que os senhores pediram, pelo fato de encarecer demasiadamente nosso orçamento.
4 Os preços cotados em nossa proposta de ... são os mais baixos possível. Por essa razão não podemos atender a sua solicitação referente às condições de pagamento e à forma de entrega.
5 Infelizmente não podemos concordar com seu pedido de alteração de nossa proposta de ...
6 Infelizmente não temos condições de atender a suas solicitações especiais referentes à nossa proposta de ...

Refusal of request to change offer

1 In view of our rock-bottom prices for this special offer we unfortunately cannot agree to your special requests.
2 It is unfortunately not possible for us to comply with your special requests as regards the packing of the goods mentioned in our offer of ...
3 We unfortunately cannot agree to the mode of despatch you suggest, since it would greatly increase the price of our offer.
4 The prices quoted in our offer of ... are rock-bottom. We are therefore not in a position to agree to your requests as regards terms of payment and mode of despatch.
5 We unfortunately cannot comply with your request for us to amend our offer of ...
6 We are unfortunately not in a position to comply with your special requests as regards our offer of ...

7 Em resposta à sua consulta sobre as condições de nossa proposta de ..., lamentamos informar que não poderemos abrir uma exceção para os senhores.
8 Não podemos concordar com sua solicitação de entrega expressa por nossa conta. Somente temos condições de manter nossa proposta de ... nas condições mencionadas.
9 Lamentamos não poder atender a seu desejo de alteração de nossa proposta de ...
10 Em vista da atual situação do mercado de matérias-primas, infelizmente não temos possibilidade de alterar as condições de nossa proposta.

7 In reply to your enquiry as regards the terms of our offer of ..., we regret to inform you that we are not in a position to make an exception in your case.
8 We are unable to agree to your request for express delivery at our expense. We are only able to uphold our offer of ... on the terms stated.
9 We unfortunately cannot agree to your request for us to amend our offer of ...
10 In view of the current situation on the raw materials market we are unfortunately not able to amend the terms of our offer.

O pedido pode ser atendido

1 Aceitamos sua sugestão de alteração de nossa proposta de ...
2 Estamos dispostos a aceitar sua solicitação especial referente à embalagem e, assim, aguardamos seu pedido.
3 Estamos dispostos a alterar nossa proposta de ... de acordo com o seu desejo.
4 Em referência à sua carta de ..., informamos que concordamos em alterar nossa última proposta conforme os senhores solicitaram.
5 Em vista do pedido substancial que os senhores pretendem fazer, estamos dispostos a reduzir o preço, alterando, portanto, nossa última proposta.
6 Temos possibilidade de alterar nossa proposta de ..., de acordo com sua solicitação, e aguardamos seu pedido.
7 Informamos que nosso Departamento de Expedição pode atender à sua solicitação referente ao percurso de transporte da mercadoria.
8 Atenderemos com prazer à sua solicitação especial referente à qualidade.

Request can be complied with

1 We accept your suggestion for the amendment of our offer of ...
2 We are prepared to comply with your special requests as regards packing and now await your order.
3 We are prepared to amend our offer of ... in accordance with your wishes.
4 We refer to your letter of ... and are pleased to inform you that we agree to amending our latest offer as requested.
5 In view of the substantial order you have in mind we are prepared – thereby modifying our most recent offer – to grant a reduction in price.
6 We are prepared to amend our offer of ... in accordance with your wishes and now await your order.
7 This is to inform you that our Despatch Section is able to meet your special requests as regards the route taken to transport the goods.
8 We are pleased to comply with your special request as regards quality.

Recusa do pedido de alteração e nova proposta

1 Infelizmente não podemos aceitar seu pedido referente à embalagem, uma vez que o material que já utilizamos está de acordo com as normas da UE.
2 Estamos dispostos a lhes conceder um desconto se os senhores puderem fazer um pedido de no mínimo ... unidades do artigo oferecido.
3 Lamentamos informar que não poderemos atender a seu pedido especial. No entanto, anexamos a esta uma nova proposta, mais vantajosa.
4 Nossa gerência viu-se obrigada a recusar sua solicitação de condições de pagamento especiais. Permitimo-nos, contudo, apresentar-lhes uma nova proposta, mais vantajosa.
5 Infelizmente não podemos atender a sua solicitação de alteração de nossa última proposta. Todavia, temos condições de lhes apresentar outra proposta especial.
6 Infelizmente não podemos atender a sua solicitação referente à embalagem, já que isso não corresponde às normas de proteção ambiental em vigor.
7 Como infelizmente não podemos concordar com solicitações especiais, estamos apresentando aos senhores uma nova proposta.
8 Como não temos condições de alterar nossa proposta de ..., desejamos apresentar-lhes outra proposta.
9 Infelizmente não temos condições de atender a seu pedido de alteração de nossa proposta de ..., mas gostaríamos de chamar sua atenção para nossa mais recente oferta especial.

Refusal to comply with request for amendment and new offer

1 We are unfortunately unable to comply with your request as regards packing, since the packaging material we use is prescribed by EU regulations.
2 We will be pleased to grant you a reduction in price, if you are prepared to order at least ... units of the article offered.
3 We are unfortunately unable to comply with your special requests. We enclose, however, a new, more favourable offer.
4 Our management has had to decline your request for special terms of payment. Please nevertheless accept our new, more favourable offer.
5 We are unfortunately unable to agree to your request for the amendment of our most recent offer. We are, however, able to make you another special offer.
6 We are unfortunately not able to agree to your request for different packing, as this is not permitted by currently valid environmental protection regulations.
7 As we are unfortunately not able to comply with special requests we are making you a new offer.
8 As we are not in a position to amend our offer of ..., we wish to make you a new offer.
9 We are unfortunately not able to comply with your request for our offer of ... to be amended but would, nevertheless, like to draw your attention to our latest special offer.

Referências
References

Solicitação de referências

1. Soubemos que os senhores são fornecedores da ... (empresa).
2. Soubemos que os senhores são clientes da ... (firma).
3. Supomos que os senhores têm relações comerciais com a ... (empresa).
4. Os senhores realizam negócios com a ... (empresa) há bastante tempo. Os senhores poderiam recomendá-la para nós?
5. Estamos interessados em saber a respeito de sua experiência com a ... (empresa).
6. A ... (empresa) agiu de alguma forma irregular contra a sua firma?
7. Sem dúvida os senhores devem ter bom conhecimento da ... (empresa).
8. Como os senhores julgam a situação financeira/de crédito/de solvência da ... (empresa)?
9. A ... (empresa) (O sr. ...) deu o nome dos senhores como referência.
10. Constatamos em uma relação de referências que os senhores compraram da ... (empresa).
11. Pretendemos adquirir máquinas da ... (firma) e gostaríamos de perguntar-lhes se os senhores estão satisfeitos com o equipamento por ela instalado em sua empresa.
12. Gostaríamos de saber se os senhores estão satisfeitos com as mercadorias adquiridas da ... (firma).
13. Solicitamos aos senhores a gentileza de nos fornecer as seguintes informações:
14. Ficaríamos gratos se os senhores marcassem uma data para podermos examinar o(os, a, as) ... instalado(os, a, as) em sua empresa.
15. Quando e onde poderíamos ver em funcionamento as máquinas fornecidas pela ...?

Request for references

1. We have learned that you are suppliers of ... (firm).
2. We have learned that you are customers of ... (firm)
3. We assume you have business dealings with ... (firm).
4. You have been doing business with ... (firm) for quite some time now. Can you recommend this company to us?
5. We would be interested to know what your experience with ... (firm) has been.
6. Have ... (firm) acted irregularly in any way towards your company?
7. ... (firm) is/are no doubt well known to you by now.
8. What is your considered opinion of ... (firm) as regards capital/creditworthiness/solvency?
9. ... (firm) (Mr ...) have (has) named you as a reference.
10. We note from a list of references that you have made purchases from ... (firm).
11. We plan to purchase machines from ... (firm) and would ask you to let us know whether you are satisfied with the equipment they have installed for you.
12. We would ask you to let us know whether you are satisfied with the goods you have obtained from ... (firm).
13. Would you please give us the following information:
14. We would be pleased if you could give us a date for us to inspect the ... installed at your company.
15. When and where might we be able to see the machines supplied by ... (firm) in operation?

Parceiros de negócios

1 Forneçam-nos, por favor, suas referências bancárias e comerciais.
2 Pedimos que nos dêem as referências de praxe.
3 Antes de nossa primeira transação comercial, gostaríamos que os senhores nos fornecessem as referências bancárias e comerciais de praxe.
4 Como sua firma ainda é desconhecida para nós, pedimos que nos forneçam referências.
5 Gostaríamos que nos dessem informações sobre sua clientela.

Business partners

1 Please give us your bank and trade references.
2 Please let us have the usual references.
3 Before our first transaction we would ask you to provide the customary bank and trade references.
4 As your company is as yet unknown to us, we would request you to give us references.
5 Please let us have details of your clientele.

Garantia de discrição e frases finais

1 Garantimos aos senhores que as informações que nos fornecerem serão tratadas com toda discrição.
2 Os senhores podem estar certos de que as informações serão encaradas como estritamente confidenciais.
3 Ficaríamos satisfeitos se pudéssemos retribuir-lhes o favor.

Assurance of discretion and closing sentences

1 We assure you that the information you give will be treated with discretion.
2 Rest assured that this information will be treated as highly confidential.
3 We would be pleased to be able to reciprocate the favour.

Solicitação de referências a bancos

1 A ... (empresa) (O sr. ...) mencionou-os como referência.
2 Seu banco foi indicado como referência.
3 A ... (empresa) declarou que possui há muito tempo uma conta em seu estabelecimento.
4 Na qualidade de parceiros comerciais potenciais da ... (empresa), dirigimo-nos aos senhores para obter as seguintes informações:
5 Pedimos pela presente que os senhores nos prestem as informações pertinentes.
6 O gerente da ... (empresa) mencionou que os senhores lhes haviam concedido um crédito substancial.
7 Pedimos que os senhores confirmem a concessão de crédito à ... (empresa).
8 Pedimos que os senhores confirmem se tal crédito foi realmente concedido, pois nosso fornecimento de uma quantidade considerável de artigos à empresa ... dependerá de sua solvência.
9 Estamos particularmente interessados na solvência e na capacidade de crédito dessa empresa.

Request for bank references

1 ... (firm) (Mr ...) have (has) named you as a reference.
2 Your bank has been named as a reference.
3 ... (firm) tell us that they have had an account with you for some time now.
4 As potential business partners of ... (firm) we are turning to you for the following information:
5 We hereby request you to provide us with appropriate information.
6 The Manager of ... (firm) mentioned that you had granted them a substantial credit facility.
7 We would request you for confirmation of the credit facility you have granted to ... (firm).
8 We would request you to confirm that this credit facility has been granted since we must make supplying a substantial quantity of goods to the ... company dependent on its solvency.
9 We are particularly interested in the firm's solvency and creditworthiness.

10 Informem-nos, por favor, se a ... (empresa) honrou seus compromissos financeiros.
11 Por acreditarmos que os senhores têm plenas condições para avaliar a ... (empresa), damos muito valor à sua opinião.
12 Como nos faltam informações para podermos julgar a ... (empresa), gostaríamos de pedir-lhes as seguintes informações:
 – Qual é a reputação dessa empresa?
 – Quais são seus ativos?
 – Sua solvência é garantida?
13 Acreditamos que as informações solicitadas aos senhores serão vantajosas a ambas as partes.
14 Esperamos que as informações dadas pelos senhores nos possibilitem negociar com a ... (empresa) e agradecemos seu empenho.

10 Please let us know how reliably ... (firm) meet their financial obligations.
11 We believe that you are in the best position to judge ... (firm) and therefore set great store by your opinion.
12 As we ourselves lack sufficient information to enable us to judge ... (firm), we would ask you to supply us with the following information:
 – What reputation does the firm enjoy?
 – What assets does it have?
 – Is its solvency assured?
13 We believe the information we request from you will be of benefit to both parties.
14 We hope that the information you provide will make it possible for us to do business with ... (firm) and thank you for the trouble you have taken.

Solicitação de referências a serviços de proteção ao crédito

1 Recorremos aos senhores para obter informações sobre a ... (empresa).
2 Gostaríamos de pedir-lhes informações sobre a ... (empresa).
3 Temos intenção de iniciar relações comerciais com a ... (empresa), mas consideramos necessário termos primeiro as seguintes informações:
4 Como ainda não conhecemos a ... (empresa), gostaríamos de solicitar-lhes que obtenham informações sobre ela.
5 Gostaríamos que nos fornecessem as informações necessárias para iniciar negócios com a ... (empresa).
6 As referências dadas pela ... (empresa) não foram suficientes para dirimir nossas dúvidas completamente, de modo que desejamos incumbir os senhores da obtenção de informações mais detalhadas sobre a citada empresa.
7 Necessitamos urgentemente das seguintes informações:

Request for reference from a credit reference agency

1 We would like your help in obtaining information about ... (firm)
2 We wish to ask you for information on ... (firm)
3 We intend to enter into business relations with ... (firm) but feel it is first necessary to have the following information:
4 Since we do not yet know ... (firm) well we would like you to obtain some information on them.
5 We would like you to provide us with the information we need to start doing business with ... (firm)
6 The references given us by ... (firm) are not enough to dispel our doubts completely and so we wish to commission you to obtain more detailed information.
7 We are in urgent need of the following information: ...

8	Estamos particularmente interessados em informações sobre a solvência (hábitos de pagamento, capacidade de crédito, empréstimos, clientela, satisfação dos clientes, transigência em acordos, situação em seu ramo, participação no mercado, capacidade competitiva, perspectivas, participação societária, base de capital, grau de endividamento, satisfação dos empregados, situação do pessoal, giro, desenvolvimento do faturamento, responsabilidade dos sócios) da ... (empresa).	8	We are particularly interested in information on the solvency (payment practices, creditworthiness, borrowing, clientele, customer satisfaction, readiness to reach fair settlements, competitive situation, market share, competitiveness, future prospects, ownership structure, capital base, indebtedness, sense of job satisfaction amongst the staff, staffing situation, turnover, sales trends, partners' liability) of ... (firm).
9	Seria também muito importante para nós termos conhecimento da participação societária na ... (empresa).	9	It would also be important for us to know the ownership structure of ... (firm).
10	Precisamos com urgência de informações sobre a solvência dessa empresa.	10	We urgently require information on its solvency.
11	Pedimos que verifiquem qual é a participação no mercado dessa empresa.	11	We would ask you to find out how big its market share is.
12	Pedimos que os senhores nos informem sobre a clientela dessa empresa.	12	Please ascertain the exact nature of its clientele.
13	Pedimos que verifiquem com qual concorrente nosso a ... (empresa) costumava negociar.	13	Please find out which of our competitors ... (firm) used to do business with.
14	Dêem-nos, por favor, informações sobre o proprietário.	14	Please let us have some information on the proprietor.
15	É verdade que o proprietário da firma, sr. ..., já atuou em outras áreas de negócios e teve dificuldades freqüentes?	15	Is it true that the proprietor of the firm, Mr ..., has engaged in other fields of business and frequently experienced difficulties?
16	Parece que o senhor ... já faliu uma vez.	16	It would seem that Mr ... has already gone bankrupt once.
17	É necessário esclarecer se o sr. ... realmente passou por várias dificuldades nos negócios.	17	It would have to be established whether Mr ... really has repeatedly had to struggle with business difficutlies in the past.
18	Os senhores poderiam obter esclarecimentos sobre as supostas dificuldades da ... (empresa)?	18	Could you cast some light on ...'s (firm) alleged difficulties.
19	Consideramos estas informações necessárias para manter nosso eventual risco em um patamar mínimo.	19	We consider this information necessary to enable us to keep any risk we might incur to a minimum.
20	Necessitamos dessas informações para termos uma idéia geral da citada empresa.	20	We need this information to obtain an overall impression of this firm.

Resposta a pedido de referências

Referência favorável

1 Temos o prazer de fornecer-lhes as seguintes informações sobre a ... (empresa):

Reply to request for reference

Favourable reference

1 We are pleased to let you have the following information on ... (firm):

2 Temos a satisfação de transmitir-lhes as seguintes informações:
3 Temos possibilidade de fornecer-lhes os seguintes detalhes:
4 Só temos informações altamente positivas a respeito dessa empresa.
5 A ... (empresa) sempre se mostrou um parceiro comercial confiável e cordial.
6 A ... (empresa) é considerada por muitos como digna de crédito (estável, prestativa, solvente, confiável, dirigida com flexibilidade, com boas perspectivas, boa parceira de negócios).
7 Consideramos a ... (empresa) boa parceira de negócios e inteiramente digna de crédito.
8 Essa empresa goza de grande prestígio.

2 We are pleased to provide you with the following information:
3 We are able to provide you with the following details:
4 We have only received entirely positive reports on this company.
5 ... (firm) was always reliable and pleasant business partners for us.
6 ... (firm) are widely known to be creditworthy (stabel, fair, solvent, reliable, flexibly run, assured of a good future, good business partners).
7 We consider ... (firm) to be good business partners. They are absolutely creditworthy.
8 This firm is generally held in high esteem.

Referência vaga

1 Conhecemos a empresa mencionada pelos senhores mas nunca tivemos relações comerciais com ela.
2 As transações comerciais que fizemos com a ... (empresa) nunca ultrapassaram ... (valor, moeda), de modo que nada podemos declarar a respeito da concessão de crédito de ... (valor, moeda).
3 Infelizmente não temos condições de fornecer-lhes informações sobre o cadastro (solvência, capacidade creditícia, situação financeira) do senhor ..., pois não o conhecemos pessoalmente. Temos tido relações comerciais apenas com seu sócio.
4 Negociamos apenas uma vez com essa firma. Lamentamos que as informações de que dispomos não sejam suficientes para dar referências.
5 Como nossos negócios com a ... (empresa) são esporádicos, não temos condições de fornecer-lhes informações mais detalhadas (precisas).

Non-committal reference

1 The company you mention is known to us but we have had no business dealings with them.
2 The business transactions we have had with ... (firm) have never exceeded (currency, amount) ..., so we are unable to make any comment on granting a credit facility of (currency, amount) ...
3 We are unfortunately unable to provide information on the credit status (solvency, creditworthiness, financial situation) of Mr ..., as he is not known to us personally. We have only dealt with his business partner.
4 We have only once briefly negotiated with this firm and thus regret that the information available to us is not sufficient for a reference.
5 As we only have infrequent dealings with ... (firm), we are unfortunately unable to give you more detailed (precise) information.

Referência desfavorável

1 Lamentamos ter de informar-lhes o seguinte:
2 Para nosso pesar, temos de informar-lhes o seguinte:
3 Podemos informar os seguintes detalhes:
4 Nossos negócios com a ... (empresa) não corresponderam à expectativa.
5 O negócio que realizamos com a ... (empresa) foi uma decepção.

Unfavourable reference

1 We are unfortunately obliged to give you the following information:
2 We regret having to inform you as follows:
3 We are able to report the following in particular:
4 Our business dealings with ... (firm) have not come up to our expectations.
5 The business we did with ... (firm) was disappointing.

6 Fomos levados a concluir que essa empresa promete mais do que pode cumprir.
7 A conduta da ... (empresa) levou-nos a cortar relações comerciais com ela.
8 Não faremos mais negócios com essa empresa.
9 Fomos levados a buscar outros parceiros comerciais.
10 As queixas contra essa empresa têm aumentado nos últimos tempos.
11 Tornou-se claro que a ... (empresa) não é digna de crédito (estável, solvente, capaz de honrar pagamentos, confiável etc.).
12 Acreditamos que os senhores devam proceder com extrema cautela.
13 Qualquer negócio com a ... (empresa) é, de acordo com nossa experiência, arriscado demais.
14 Consideramos arriscado o negócio planejado pelos senhores.
15 Tivemos de fazer uma série de reclamações, só levadas em conta após várias advertências ou nem mesmo consideradas.
16 A ... (empresa) só deu atenção às falhas de seu equipamento depois de muita relutância.
17 Obviamente a ... (empresa) não tem interesse em satisfazer seus clientes.
18 A assistência pós-venda dessa empresa é tão insatisfatória que no futuro compraremos nossas máquinas de outras companhias.

6 We were forced to conclude that this firm made more promises than it could keep.
7 ...'s conduct led us to break off business relations.
8 We will not be doing any more business with this firm in future.
9 We were obliged to look for new business partners.
10 Complaints about this firm have been building up recently.
11 It has become apparent that ... (firm) is not creditworthy (stable, solvent, able to pay, reliable etc.).
12 We believe that you should proceed with extreme caution.
13 Any business with ... (firm) is too risky, judging by our own experience.
14 We consider the business you have in mind to be risky.
15 We had to make a number of complaints, which were only dealt with after repeated reminders, or not at all.
16 The defects in the equipment supplied by ... (firm) were only attended to with great reluctance.
17 ... (firm) is obviously not interested in satisfying its customers.
18 ...'s (firm) after-sales service is so bad that we will be purchasing our machines from other companies in future.

Recusa do pedido de referências

A firma não é conhecida

1 Contrariamente ao que os senhores presumiram, não conhecemos a ... (empresa).
2 Não conhecemos a ... (empresa), sobre a qual os senhores pedem informações.
3 Na verdade, não temos nenhum negócio com a ... (empresa).
4 Infelizmente não temos condições de lhes prestar as informações solicitadas, uma vez que a ... (empresa) não é nossa cliente (fornecedora).

Firm declines to give reference

Firm unknown

1 Contrary to your assumption ..., (firm) are unknown to us.
2 We are not acquainted with ... (firm), about which you enquire.
3 We do not, in fact, have any dealings with ... (firm).
4 We are unfortunately not able to assist you with the information you request as ... (firm) are not customers (suppliers) of ours.

Não costuma dar referências

1 Infelizmente não podemos prestar-lhes informações sobre a ... (empresa), uma vez que tal atitude é contrária à prática em nosso ramo de negócio.
2 Em nosso ramo não se dá o tipo de informação desejado pelos senhores.
3 Estamos autorizados a dar referências apenas em circunstâncias excepcionais.
4 Infelizmente não podemos prestar-lhes as informações desejadas.
5 Estaríamos violando o direito de sigilo bancário se lhes déssemos a informação desejada.
6 As informações que os senhores solicitaram são confidenciais.
7 Acreditamos que a ... (empresa) não concordaria com a revelação dessa informação.
8 Tais informações são confidenciais e, portanto, não podemos fornecê-las.

Not customary to provide references

1 We are unfortunately unable to assist you with information on ... (firm), since it would be contrary to established practices in our field of business to do so.
2 The information you request is not disclosed in our field of business.
3 We are only authorised to give references under exceptional circumstances.
4 We are unfortunately unable to give you the information you desire.
5 It would be a breach of the banker's duty of secrecy to provide you with the information you request.
6 The information you request is confidential.
7 We assume that ... (firm) would not agree to this information being disclosed.
8 This information is confidential and we are thus not in a position to disclose it.

Condições

Terms

Armazenamento

Condições genéricas

1 Obtivemos seu endereço em uma lista. Os senhores teriam condições de cuidar para nós da distribuição e do armazenamento de produtos? Tão logo tenhamos sua resposta, nós lhes daremos mais detalhes.
2 Seu representante aqui nos informou que os senhores teriam condições de viabilizar outro local de armazenagem e distribuição.
3 Os senhores estariam interessados na instalação de um depósito de distribuição?
4 Os senhores possuem os requisitos básicos para administrar adequadamente um depósito de distribuição?
5 Os senhores poderiam criar as condições para um depósito de distribuição?

Condições específicas

1 Necessitamos de um depósito ao ar livre de aproximadamente ... m^3.
2 O depósito ao ar livre (não) precisa ser coberto.
3 Após o expediente normal, o depósito ao ar livre deve ter vigias.
4 Como os produtos por estocar são explosivos, o depósito ao ar livre deve estar distante no mínimo ...m de qualquer edificação.
5 Como a mercadoria encontra-se em tambores metálicos, ela poderá ser estocada ao ar livre. Contudo, não deverá nunca estar exposta à luz direta do sol.
6 Nossa mercadoria poderá ser estocada ao ar livre no verão. No inverno, deverá ser armazenada em locais fechados.
7 Estamos procurando um depósito de aproximadamente ... m^2.

Storage

General

1 We have obtained your address from a directory. Are you in a position to provide us with distribution and storage facilities? As soon as we have received your response we will supply you with further details.
2 Your representative here has told us that you would be able to make further distribution and storage facilities available.
3 Would you be interested in setting up a distribution and storage depot?
4 Do you have the prerequisites for the proper running of a distribution and storage depot?
5 Would you be able to establish the basis for a distribution and storage depot?

Particulars

1 We require approx. ... m^3 of open air storage space.
2 The open air storage space would (not) have to be covered.
3 The open air storage space would need to be guarded after normal working hours.
4 As the goods to be stored are explosive materials, the open air storage space would need to be at least ... m away from buildings of any sort.
5 As the material to be stored is packed in iron drums, it can be kept outside. It should, however, not be exposed to direct sunlight for any length of time.
6 Our goods can be stored in the open during the summer. They must be stored indoors in winter.
7 We are looking for approx. ... m^2 of storage space.

8 O chão deve resistir a uma carga de ... kg/m².
9 A área de armazenamento deverá estar claramente delimitada em relação a outras cargas.
10 O depósito precisa ser à prova de fogo.
11 O depósito deve estar de acordo com todas as normas de segurança contra incêndio.
12 O depósito precisa ser seco.
13 O depósito precisa dispor, se possível, de um ramal ferroviário.
14 É (não é) necessária uma plataforma de carga com rampa.
15 O depósito deve possuir calefação, já que a mercadoria é sensível ao frio.
16 As mercadorias só poderão ser armazenadas por um período longo sob refrigeração.
17 O depósito deverá ter uma altura mínima de ... m.
18 Como nossa mercadoria é fornecida em paletes, seria recomendável instalar prateleiras para paletes, se já não houver.
19 Nossos produtos são paletizados. Por essa razão deverá haver disponibilidade de equipamento de descarga adequado, como empilhadeiras de forquilha.
20 Os seguintes produtos, com giro médio mensal de ... toneladas, devem ser armazenados.
Discriminação:
... t em embalagem de papelão
... t em engradados (caixotes)
... t em contêineres/barris
... t em tambores
... t em sacos plásticos.

Transporte para o depósito

1 O transporte de nossa fábrica em ... até seu estabelecimento deverá ser efetuado por trem (caminhão/navio).
2 Os senhores poderão transportar os produtos de nossa fábrica em ... até seu depósito em seus caminhões.
3 Pedimos que os senhores levem em conta que o carregamento poderá ser levado ao armazém em vagão de trem (caminhão, contêiner).
4 O depósito seria suprido por intermédio de veículos da companhia.
5 Como nossa fábrica de ... está em terreno de propriedade da ferrovia, todas as mercadorias devem ser transportadas por via férrea.

8 The floor must be able to withstand a weight of ... kg/m².
9 The storage area should be clearly delimited as regards other warehouse users.
10 The storage area must be fire-proof.
11 The storage area must conform entirely to the fire regulations.
12 The storage area must be dry.
13 The storage area should, if possible, have a railhead.
14 A (no) loading platform is required for storage.
15 It will be necessary for the storage area to be heated, owing to the sensitivity of the goods to the cold.
16 The goods can only be stored for a longer period if refrigerated.
17 The storage area must be at least ... m high.
18 As our goods are delivered on pallets, we recommend that pallet racks be installed, if not already available.
19 Our products are palletised. It will therefore be necessary for suitable unloading equipment, such as fork-lift trucks, to be available.
20 The following goods are to be stored, the monthly turnover being ... tonnes.
Break-down of goods:
... tonnes in cardboard boxes
... tonnes in crates
... tonnes in containers / barrels
... tonnes in drums
... tonnes in plastic sacks.

Transport to the warehouse

1 The goods are to be transported from our plant in ... to yourselves by rail (lorry/ship).
2 You could transport the goods between our manufacturing plant in ... and your warehouse in your own lorries.
3 Please ensure that stock can be taken to the warehouse by railway wagon (lorry, container).
4 The warehouse would be supplied using company vehicles.
5 As our ... (location) plant is on railway property, all goods must be transported by rail.

6 Por termos convênio de exclusividade com nosso agente de carga, ele será responsável por todos os fretes para o seu depósito.

Propostas genéricas

1 Certamente estamos em condições de atender a sua solicitação referente a um armazenamento adequado.
2 Tão logo os senhores nos informem os detalhes, apresentaremos uma proposta vantajosa.
3 Caso as instalações do nosso depósito não os satisfaçam, estaríamos dispostos a modificá-las.
4 Os senhores podem ter certeza de que teremos a satisfação de atendê-los com relação a dotar nosso depósito de mais equipamentos.

Recusas

1 Em resposta a sua consulta, lamentamos informar que não poderemos colocar à disposição a área de armazenamento pedida.
2 Nossa seção de armazenamento está no momento totalmente lotada, de modo que, infelizmente, não poderemos atendê-los.
3 Não dispomos mais de local de armazenamento.
4 Como só trabalhamos com produtos a granel, não estamos equipados para armazenar e distribuir cargas embaladas.

Proposta de local de armazenamento ao ar livre

1 Em resposta imediata a sua carta de ..., informamos que podemos alugar para os senhores muito em breve, uma área de armazenamento ao ar livre.
2 De acordo com sua solicitação, poderemos cercar a área com tela de arame.
3 Caso os senhores desejem que se cubra (parte do) o local, poderemos atendê-los, desde que os senhores nos reembolsem as despesas.
4 O depósito ao ar livre está afastado cerca de ... m de qualquer edificação.

6 We have an exclusive arrangement with our own forwarders whereby they will be responsible for all freight to your warehouse.

General offers

1 We are, of course, able to comply with your request for the provision of properly run storage facilities.
2 As soon as you have supplied us with details, we will send you a favourable offer.
3 Should our current storage facilities not meet your needs we would be willing to alter them.
4 Rest assured that we will be only too pleased to accommodate your requests regarding the provision of additional warehousing technology.

Refusals

1 In reply to your enquiry we regret to inform you that we are unable to provide the storage space requested.
2 Our Warehouse Section is currently working to capacity, therefore, much to our regret, we cannot accommodate you.
3 We no longer provide storage facilities.
4 As we only handle bulk loads we cannot provide facilities for the storage and distribution of package freight.

Offer of open air storage space

1 Our immediate reply to your letter of ... is that we are able to rent you open air storage space at short notice.
2 As requested, we are willing to enclose the area with a wire fence.
3 Should you require us to cover (part of) the area, we are willing to do so, provided the expenses thus incurred are refunded.
4 The open air storage space is approx. ... m from any buildings.

5 Como já temos experiência em estocar mercadorias similares ao ar livre, não haverá dificuldade em armazenar os seus produtos.

Proposta de local de armazenamento com equipamento especial

1 Com referência a sua carta de ..., temos a satisfação de informar que podemos dispor de local de armazenamento que corresponde inteiramente a suas necessidades.
2 A área de armazenamento que podemos oferecer mede ... m² e foi aprovada pelo corpo de bombeiros.
3 O piso pode suportar uma carga de ... kg/m≤. A área de armazenamento é (não é) delimitada.
4 A área de armazenamento é totalmente seca.
5 Há (não há) ramal ferroviário.
6 O armazém dispõe (não dispõe) de plataforma de carga com rampa.
7 O espaço de armazenagem que podemos oferecer (não) possui calefação.
8 O espaço de armazenagem tem uma altura de ... m.
9 Fazem parte do equipamento do depósito prateleiras para paletes.
10 Evidentemente, dispomos de equipamento para manuseio das mercadorias (empilhadeiras, equipamento de içamento etc.).
11 De acordo com a informação que possuímos a respeito de salários e preços, fazemos nossa cotação nas seguintes condições:
12 Preço mensal do metro, ...
13 Taxa de estoque em depósito para cada 100 kg, ...
14 Taxa de saída do depósito para cada 100 kg, ...
15 Taxa de armazenamento subseqüente para cada 100 kg, ..., segundo balanço de estoque no final do mês.
16 Cobramos uma taxa adicional de ... por 100 kg pelo manuseio de carga pesada com peso unitário de mais de ... kg.
17 Emissão de nota de fornecimento (conhecimento de frete etc.) por unidade, ...
18 Se desejarem, podemos fazer seguro da mercadoria armazenada.

5 As we already have experience of storing similar goods in the open, there will be no difficulty in storing yours.

Offer of storage space with special equipment

1 We refer to your letter of ... and are pleased to inform you that we are able to make storage space available which wholly corresponds to your requirements.
2 The storage area we can provide measures ... m². It has been approved by the the fire authorities.
3 The floor can withstand a weight of ... kg/m². The storage area is (not) delimited.
4 The storage area is completely dry.
5 It has (does not have) a railhead.
6 The storage area has a (no) loading platform.
7 The storage space we can provide can (cannot) be heated.
8 The storage area is ... m high.
9 The storage area is equipped, among other things, with pallet racks.
10 The equipment required for handling the goods (fork-lifts, lifting gear etc.) is, of course, available.
11 Using the information at our disposal on current wage/price levels, we are making our quotation to you on the basis of the following conditions:
12 Metre price per month ...
13 Charge for placing in storage per 100 kg ...
14 Charge for releasing from storage per 100 kg ...
15 Subsequent storage charge per 100 kg ... for stock levels as balanced at the end of the month.
16 For the handling of heavy loads comprising individual package weights of more than ... kg an additional charge of ... per 100 kg is made.
17 Issuing of delivery notes (consignment notes etc.) per document ...
18 Storage insurance can be taken out by us on request.

19 Informem-nos, por favor, se aprovam os valores mencionados.
20 Presumindo que nossa proposta seja de seu agrado, aguardamos seu pedido.
21 Aguardamos com interesse nossos entendimentos sobre os detalhes finais deste contrato.
22 Caso não recebamos sua resposta em breve, seremos obrigados a alugar o espaço de armazenamento a outro interessado.
23 Aguardamos sua resposta até ... A partir dessa data nossa proposta estará suspensa.
24 Como há outros interessados, pedimos que nos dêem uma resposta até ...
25 Mesmo que os senhores não estejam interessados em nossa proposta, receberíamos gratos sua resposta.
26 Caso esta proposta não tenha sua aprovação, pedimos que nos informem, apresentando em resumo suas razões.
27 Caso os senhores tenham mudado de idéia, solicitamos que nos informem.

19 If the rates quoted meet your approval, please let us know.
20 Assuming our offer meets your approval we look forward to receiving your order soon.
21 We look forward with interest to our negotiations on the final points of this contract.
22 If we do not receive your reply in the near future, we shall be obliged to rent the storage space to another interested party.
23 Please let us know by ..., after which date our offer ceases to be valid.
24 As other parties are also interested, we would request you to reply by ...
25 Should you not wish to make use of our offer, we would nevertheless welcome your reply.
26 Should this offer not meet your approval, we would request you to let us know, stating your reasons briefly.
27 If you have changed your mind please let us know.

Indicação de um parceiro de negócios

1 Como não dispomos de local de armazenamento próprio, pedimos aos senhores que recorram à nossa afiliada, a ...
2 Informamos hoje por fax à nossa matriz em ... que os senhores estão procurando um armazém em ...
3 A administração de nossos depósitos está centralizada em ... Assim, pedimos que contatem nosso escritório nesse local para informações sobre preços.

Referral to a business associate

1 As we ourselves have no storage facilities, we would ask you to approach our affiliated company ...
2 We have faxed our headquarters in ... today to tell them that you require storage space in ...
3 Our warehousing facilities are centrally administrated in ..., so please contact our office there as regards prices.

Apresentação de pedido

1 Agradecemos sua proposta de ... e gostaríamos que nos enviassem um contrato-padrão. Gostaríamos que o contrato vigorasse a partir de ...
2 Como sua proposta atende a nossas expectativas, desejamos fechar um contrato de armazenamento com os senhores.
3 Recebemos sua proposta e gostaríamos de dizer que, antes de fechar o contrato, desejamos conhecer o local de armazenamento.
4 Com relação a sua proposta de ..., temos a satisfação de informar que concordamos com suas condições.

Placing an order

1 We thank you for your offer of ... and would ask you to let us have a pre-prepared contract. We wish the contract to start on ...
2 As your offer meets our expectations, we now wish to conclude a storage contract with you.
3 We have received your offer and would inform you that before finally concluding a contract, we wish to inspect the storage facilities.
4 We refer to your offer of ... and are pleased to inform you that we agree to your conditions.

5 Com referência à sua proposta de ..., temos a satisfação de informar que desejamos utilizar pelo preço estipulado os locais de armazenamento que visitamos.
6 Concordamos em linhas gerais com sua proposta.

Recusa

1 Infelizmente, não temos condições de fazer uso de sua proposta porque:
2 os preços estipulados são muito altos,
3 o espaço de armazenamento oferecido não corresponde a nossas necessidades,
4 não há ramal ferroviário,
5 o local de armazenamento não tem plataforma de carga com rampa,
6 a área de armazenamento fica ao nível do chão,
7 o local de armazenamento é impróprio para transporte rodoviário,
8 não há acesso para caminhões pesados,
9 nosso Departamento de Planejamento alterou sua decisão,
10 recebemos uma proposta mais favorável,
11 nosso Departamento de Vendas considera o local inadequado.

Confirmação

1 Anexamos um contrato de armazenamento já assinado por nós, em três vias.
2 Solicitamos que examinem cuidadosamente o contrato de armazenamento anexo.
3 Caso os senhores concordem com o teor do contrato, solicitamos que nos devolvam uma via assinada.
4 Pedimos que nos devolvam uma cópia do contrato assinada, após seu devido exame.
5 Solicitamos que nos devolvam os contratos o mais rápido possível assim que assinados e, portanto, legalmente em vigor.
6 Os senhores podem estar certos de que honraremos a confiança em nós depositada.
7 Podemos garantir aos senhores que corresponderemos à confiança depositada em nossa empresa.
8 Estamos confiantes de que a cooperação de nossas empresas se fundará na confiança mútua.
9 Temos certeza de que nossa cooperação será vantajosa para ambas as empresas.

5 With reference to your offer of ..., we are pleased to inform you that we wish to make use of the storage facilities inspected at the rates quoted.
6 We basically agree to your offer.

Refusals

1 We regret to inform you that we are unable to make use of your offer because:
2 the rates quoted are too high,
3 the storage space offered does not correspond to our requirements,
4 there is no rail link,
5 the storage area has no loading platform,
6 the storage area is at ground level,
7 the storage site is inconvenient for road transport,
8 there is no access for heavy lorries,
9 our Planning Department has revised its decision,
10 we have received a more favourable offer,
11 our Sales Department considers the site to be inappropriate.

Confirmation

1 We enclose a ready-signed storage contract in triplicate.
2 We would ask you to check the storage contract enclosed carefully.
3 If you agree with the wording of the contract, we would ask you to sign one copy and return it.
4 We look forward to your returning one copy of the contract, duly checked and signed.
5 Please return the contracts to us as soon as possible once they are signed and thereby legally binding.
6 You may rest assured that we appreciate the trust you have placed in us.
7 You will most certainly be rewarded for the trust you have placed in our firm.
8 We are confident that our two companies will co-operate on a basis of mutual trust.
9 We feel sure that our co-operation will be of benefit to both our companies.

Fornecimento

Consultas

1 Solicitamos que calculem seu preço com base nos Incoterms
   a) EXW (posto em fábrica)
   b) FCA ...
   c) FOB ...
   d) CIF ...
2 Dadas as circunstâncias, não temos condições de retirar as mercadorias em seu estabelecimento. Assim sendo, solicitamos que o fornecimento seja FOB ... (porto de embarque).
3 Recebemos a última remessa CIF ... Seria possível calcular para a próxima remessa um preço posto em fábrica?
4 Informem-nos, por favor, quando poderemos retirar a mercadoria posta em fábrica.
5 O preço FOB ... estipulado baseia-se nos Incoterms de 1980 ou de 1990?

Proposta

1 Conforme solicitado, calculamos o preço de acordo com os Incoterms ...
2 O preço calculado por nós prevê fornecimento
   a) CFR ...
   b) CIP ...
   c) DES ...
   d) DDP ...
3 Como os senhores nos informaram que têm condições de retirar a mercadoria de nosso estabelecimento com veículo próprio, calculamos o preço posto em fábrica.
4 Normalmente fornecemos nossas mercadorias ... Caso desejem um fornecimento diferente, avisem-nos o mais rápido possível.
5 Os senhores solicitaram fornecimento FOB ... Uma vez que não conhecemos os procedimentos rotineiros desse porto, gostaríamos de encarregar um agente portuário dos trâmites da mercadoria. Todavia, o preço aumentaria em ... (valor, moeda).

Delivery

Enquiries

1 Please calculate your prices on the basis of the Incoterms
   a) EXW (ex works)
   b) FCA ...
   c) FOB ...
   d) CIF ...
2 Under the present circumstances we are unable to have the goods collected from your premises, so we would ask for the delivery terms to be FOB ... (port of shipment).
3 We received the last consignment CIF ... Would it be possible to have the new consignment charged to us ex works?
4 Please let us know when the goods can be collected ex works.
5 Is the FOB ... price stated based on the 1980 or 1990 Incoterms?

Offer

1 As requested, our price has been calculated on the basis of the ... Incoterm.
2 The price we have calculated provides for delivery
   a) CFR ...
   b) CIP ...
   c) DES ...
   d) DDP ...
3 Since you have told us that you are able to collect the goods from our premises using your own lorry, we have charged the ex-works price.
4 Our goods are normally delivered ... Should you wish to have delivery made differently, we would ask you to let us know by return.
5 You have requested delivery FOB ... As we are unacquainted with the customary procedures at this port, we would like to entrust the handling of this load to a port agent. For this, however, an additional charge of (currency, amount) ... would be incurred.

Despacho

1 Nossas mercadorias são enviadas por caminhão (trem, navio, avião) como expedição normal (expressa).
2 Remetemos nossas mercadorias por caminhão (trem etc.)
3 Nossas mercadorias são despachadas por rodovia (ferrovia etc.).
4 Despachamos nossas mercadorias como expedição normal (expressa).
5 Caso o cliente queira outro meio de transporte que não caminhão (trem etc.), deverá arcar com as despesas adicionais.
6 Atenderemos ao seu desejo quanto à forma de entrega.
7 Devido às características das mercadorias, a expedição só poderá ser feita por ... (forma de transporte adequada).
8 Despachamos nossas mercadorias apenas em veículos isotérmicos.
9 Como o porto de ... dispõe de apenas um terminal de contêineres, as mercadorias devem ser transportadas como carga unitizada em contêineres.

Despatch

1 Our goods are despatched by lorry (rail, ship, plane) as normal freight (by express).
2 We despatch our goods by lorry (rail etc.).
3 Our goods are delivered by motor vehicle (rail etc.).
4 We despatch our goods as normal freight (by express).
5 Should the customer require transport by any means other than lorry (rail etc.), he must bear the additional costs himself.
6 We will be pleased to deliver using any mode of despatch you wish to choose.
7 The nature of the goods means it is only possible to transport them by ... (appropriate mode of transport).
8 We only despatch our goods by refrigerated means of transport.
9 Since the port of ... only has a container terminal the goods must be transported as container groupage consignments.

Prazos

1 A presente proposta é válida por um prazo de ... dias (semanas, meses).
2 Decorridos ... dias, nós nos consideraremos desobrigados desta proposta.
3 Esta oferta é válida somente até ...
4 Esta oferta é válida enquanto durarem nossos estoques.
5 A presente oferta é sem compromisso e não tem limite de tempo.
6 Gostaríamos de oferecer-lhes o seguinte, com validade até ...
7 A presente proposta é válida até ..., caso não a cancelemos anteriormente por escrito.
8 Podemos suspender a presente oferta a qualquer tempo, oralmente ou por escrito.
9 O presente pedido deverá ser executado dentro de ... dias.
10 Decorridos ... dias, não teremos mais interesse em executar este pedido.
11 Poderemos apresentar este pedido aos senhores apenas se sua empresa puder executá-lo até ... (data).

Time limit

1 We will consider this offer to be binding on us for ... days (weeks, months).
2 We will consider ourselves no longer bound by this offer after a period of ... days.
3 This offer only applies until ... (date)
4 This offer only applies as long as stocks last.
5 This offer is without engagement and is not subject to any time restriction.
6 We wish to make you the following offer, binding on us until ...
7 We will be bound by this offer until ..., unless we revoke it in writing before this date.
8 This offer may be revoked by us at any time, either in writing or verbally.
9 This order is to be executed within ... days.
10 This order will cease to be of interest to us if executed after a period of ... days.
11 We can only place this order with you if it is dealt with by ... (date).

12 Estaremos comprometidos com este pedido apenas se for executado até ... (data).
13 Comprometemo-nos com este pedido apenas até ... (data).

12 We are only bound by this order if it is executed by ... (date).
13 This order will only remain binding for us until ... (date).

Quantidade

Quantidade mínima

1 A quantidade mínima por pedido é de ... unidades (quilos, toneladas etc.).
2 O cálculo do preço baseia-se em uma aquisição mínima de ... unidades.
3 Infelizmente não podemos aceitar pedidos inferiores a ... unidades.
4 Não nos é possível fornecer menos de ... unidades.
5 A quantidade encomendada pelos senhores é pequena demais em vista de um preço tão baixo. Precisaríamos receber um pedido de no mínimo ... unidades (quilos, toneladas, fardos).

Quantity

Minimum order quantities

1 The minimum quantity orderable is ... units (kg, tonnes etc.).
2 Our price has been calculated on the assumption that at least ... units are purchased.
3 Orders for less than ... units unfortunately cannot be executed.
4 It is not possible for us to supply less than ... units.
5 The quantity you have ordered is too small in view of our rock-bottom prices. We would need to receive an order for at least ... units (kg, tonnes, bales).

Mercadoria não pode ser fornecida em quantidade suficiente

1 Os senhores perguntam em sua carta se poderemos fornecer ... unidades (quilos, toneladas, fardos etc.) do nosso ... (produto). No momento, dispomos de apenas ... unidades (etc.) em estoque.
2 Lamentamos ter de informar-lhes que dispomos de apenas ... unidades (quilos, toneladas, fardos etc.) do produto solicitado para entrega imediata. Para o restante, os senhores deverão contar com um prazo de fornecimento de ...
3 Agradecemos sua consulta de ... Infelizmente, não dispomos de nenhum estoque do material solicitado, uma vez que quase não se fizeram pedidos dele recentemente. Caso os senhores tenham intenção de pedir uma quantidade maior, estamos dispostos a fornecê-la dentro de ... dias (semanas, meses).
4 Agradecemos sua consulta de ... Infelizmente, dispomos apenas de uma quantidade muito pequena desses produtos em estoque. Poderíamos fornecer-lhes de imediato um produto similar, ou então os senhores deverão contar com um prazo de fornecimento de ...

Goods not available in sufficient quantity

1 You enquire in your letter whether we can supply you with ... units (kg, tonnes, bales etc.) of our ... goods. At present we only have ... units (etc.) in stock.
2 We regret to inform you that we are only able to supply ... units (kg, tonnes, bales etc.) of the goods requested immediately. Please allow a delivery period of ... for the balance.
3 Thank you for your enquiry of ... We unfortunately have no stocks of this material because there has been virtually no demand for it recently. Should you, however, have an order for a substantial quantity in mind we would be pleased to supply it in ... days (weeks, months).
4 Many thanks for your enquiry of ... We unfortunately only have a very small amount of these goods in stock. We could offer you a substitute immediately or ask you to allow a delivery period of ...

5 Nosso produto ... tem tido uma saída tão grande que mal conseguimos atender à demanda. Portanto, somos obrigados a pedir-lhes um prazo de fornecimento de ...

5 Our ... product has been selling at such a rate recently that we are hardly able to keep pace with demand. We must therefore ask you to allow ... (time) for delivery.

Embalagem

Consultas genéricas

1 Como as mercadorias deverão ser embaladas?
2 Em vista da alta qualidade dos produtos solicitados, deveremos seguir instruções especiais de embalagem?
3 De acordo com as novas regulamentações da UE, a embalagem não pode ser prejudicial ao meio ambiente. Por essa razão pedimos que nos informem se deveremos seguir instruções especiais de embalagem na remessa.
4 Os senhores exigem um método especial de embalagem?
5 A embalagem das mercadorias será feita em sua fábrica?

Consultas específicas

1 Soubemos por um parceiro de negócios que os senhores trabalham principalmente com embalagem para despachos marítimos.
2 Como temos necessidade de fazer pedidos regulares de embalagem, pedimos que os senhores entrem em contato conosco caso tenham interesse nesse negócio.
3 Os senhores conquistaram reputação mundial como firma especializada em embalagens.
4 Devido à instalação de equipamento automatizado de paletização, temos enfrentado dificuldades no processo de embalagem de caixas de papelão. Portanto, gostaríamos que os senhores marcassem uma data para inspecionar nossa fábrica.
5 Os constantes aumentos de frete levaram-nos a dar mais atenção à embalagem. Os senhores poderiam recomendar-nos embalagens que sejam mais econômicas no peso?

Packing

General enquiries

1 How should the goods be packed?
2 In view of the high quality of the products requested, should any particular packing instructions be adhered to?
3 According to the new EU legislation, packaging material must not be environmentally harmful. We would therefore
ask you to let us know whether we must adhere to any special packing regulations when despatching the goods.
4 Do you require us to keep to particular packing procedures?
5 Will the goods be packed at your plant?

Specific enquiries

1 We have learned from a business associate that you mainly deal with packing for overseas shipments.
2 As we wish to place regular packing orders, we would like you to contact us if you are interested in doing some more business.
3 You have gained a worldwide reputation as a packing specialist.
4 As a result of the installation of automated palletizing equipment we are currently experiencing difficulties with our cardboard box packing process. We would therefore like you to arrange a date with us to view our plant.
5 Constant freight rate increases are now making us take a closer look at packing. Can you recommend more economical packaging for our products in terms of weight?

6 Soubemos que os senhores desenvolveram um novo processo de embalagem, pelo qual as mercadorias frágeis são protegidas contra danos por uma espuma sintética colocada dentro das embalagens. Gostaríamos que os senhores nos enviassem informações mais detalhadas a esse respeito.

7 Parece haver normas especiais para a utilização de embalagens de madeira em despacho marítimo intercontinental para determinados países. Os senhores poderiam dar-nos alguma informação a esse respeito?

8 Desejamos substituir nossas embalagens de papelão por lâminas metálicas. Pedimos que nos apresentem uma proposta correspondente.

9 As nossas embalagens atualmente em uso precisam ser repostas. Gostaríamos de saber se os senhores têm condições de fabricar em curto prazo as seguintes unidades e que preços cobrariam por elas: ... engradados (caixotes), ... tambores, ... barris, ... contêineres, ... paletes. Verifiquem, por favor, nos esboços anexos os detalhes técnicos de medidas, pesos etc.

10 Pretendemos despachar futuramente nossas mercadorias em embalagens sem retorno. Os senhores poderiam dar-nos algumas sugestões a respeito disso?

11 Os senhores poderiam recomendar-nos um material de embalagem que não seja nocivo ao meio ambiente e corresponda às normas vigentes da UE?

6 We hear that you have developed a new packing process whereby fragile goods are protected against external hazards by a chemical foam inside the packaging. Can you provide us with more detailed information on this?

7 It would seem that there are special regulations for the use of wooden packing for overseas shipments to certain countries. Can you let us have any information on this?

8 We wish to change over from cardboard packaging to foil wrapping. Please make us an appropriate offer.

9 The packaging units we currently have in use now need to be replenished. Are you able to manufacture the following units at short notice and if so at what price? ... crates, ... drums, ... barrels, ... containers, ... pallets. Please refer to the enclosed drawings for technical details such as dimensions, weights etc.

10 We wish to despatch our goods in non-returnable packing in future. Could you let us have some suggestions for this?

11 Can you suggest a packaging material that is environmentally friendly and also complies with currently valid EU norms?

Propostas genéricas

1 Agradecendo sua consulta, temos a satisfação de enviar-lhes nosso material informativo. Estamos certos de que ele os convencerá da capacidade de nossa empresa. A lista de preços anexa é válida até ...

2 Em resposta à sua consulta, temos a satisfação de informar-lhes de que não só fabricamos embalagens-padrão, mas também fornecemos embalagens avulsas e especiais.

3 Somos especializados particularmente na criação de material plástico para embalagens.

4 Em casos especiais, poderemos fazer a embalagem do produto em nossa fábrica.

General offers

1 We thank you for your enquiry and are pleased to send you some informative literature which, we trust, will convince you of our company's capabilities. The enclosed price list is valid until ...

2 In reply to your enquiry we are pleased to inform you that we not only manufacture standard packaging material but also provide individual and special packing units.

3 Our particular strength lies in the development of plastic packaging materials.

4 In special cases we will pack the product at our plant.

Propostas específicas

1 Seu parceiro de negócios informou-os corretamente de que somos especializados em embalagens para despachos marítimos intercontinentais.
2 Anexamos a esta uma proposta detalhada de embalagem contendo todas as informações necessárias. Nosso orçamento perfaz um total de ...
3 Ficaremos satisfeitos se nossa proposta tiver sua aprovação.
4 Aguardamos com grande interesse o seu pedido.
5 Teremos imensa satisfação de inspecionar seu equipamento de paletização e, depois de um exame completo, apresentaremos aos senhores nossas sugestões.
6 Antes de recomendar-lhes uma nova unidade de embalagem, gostaríamos de submetê-la a um teste mais prolongado. Só poderemos informar-lhes o preço por unidade quando tivermos concluído com sucesso esses testes.
7 O revestimento com espuma sintética é uma nova conquista na área de embalagens. Anexamos a esta um folheto com informações sobre suas aplicações. O preço por kg é de ... Na aquisição de ... kg, poderemos conceder-lhes um desconto de ...%.
8 Os seguintes países possuem normas especiais para embalagem de madeira:
9 Podemos fornecer material de impermeabilização a um preço de ... por kg.
10 Com base nos esboços enviados, calculamos um preço unitário de ... para um pedido mínimo de ... unidades.
11 Podemos fabricar os materiais de embalagem citados em sua consulta de ... pelos seguintes preços:
12 Temos condições de fabricar embalagens sem retorno para seus produtos sempre que necessário. Consultem a lista anexa dos mais recentes preços de fábrica.

Specific offers

1 Your business associate informed you correctly that we specialize in packing overseas shipments.
2 We enclose a detailed packing offer containing all the necessary information. Our estimate comes to a total of ...
3 We would be pleased to learn that our offer meets your approval.
4 We look forward with great interest to receiving your order.
5 We will be pleased to view your palletizing equipment and, having studied it thoroughly, we will let you have our suggestions.
6 Before we recommend a new packaging unit, we wish to test it for a prolonged period of time and will thus not be able to quote you a unit price until such tests have been successfully completed.
7 Chemical foam lining is a new development in the field of packaging. We are pleased to enclose a brochure detailing its applications. The price per kg is ...
A quantity discount of ...% is granted for orders of ... kg.
8 The following countries have special regulations for the use of wooden packing:
9 We will be pleased to provide waterproofing at a charge of ... per kg.
10 On the basis of the drawings provided, we have calculated a unit price of ... assuming a minimum order of ... units.
11 We are able to manufacture the packaging material described in your enquiry of ... at the following prices:
12 We will be pleased to manufacture non-returnable packing for your products whenever required. Please refer to the price list enclosed for our latest ex-works prices.

Apresentação de pedidos genéricos

1 Os preços mencionados correspondem às nossas expectativas. Assim sendo, apresentamos o seguinte pedido de embalagens:
2 Como os preços unitários estão muito altos, infelizmente não temos condições de lhes apresentar um pedido.
3 Seu concorrente está oferecendo embalagens por um preço bem menor.
4 As amostras de embalagens que recebemos infelizmente não correspondem a nossas exigências.
5 Infelizmente, a embalagem oferecida pelos senhores não está de acordo com as normas vigentes da UE. Assim sendo, não podemos apresentar um pedido.

Apresentação de pedidos específicos

1 Com referência a sua proposta de ..., nós os contratamos pela presente para embalar a maquinaria de forma adequada, a um custo de ...
2 Com referência à sua proposta de ..., encomendamos pela presente as seguintes unidades de embalagem, para entrega imediata:
3 ... caixas (desenho nº ...)
... paletes de carga descartáveis (desenho nº ...)
... tambores de ferro (desenho nº ...)
4 Os senhores conseguiram convencer-nos da versatilidade de suas embalagens com espuma sintética. Desejamos pedir ... kg ao preço de ... por kg.
5 Referimo-nos outra vez a sua proposta de ... e pedimos que nos forneçam ... kg do produto para impermeabilização de madeira ..., ao preço de ... por kg, frete pago (estação ferroviária ...).
6 De acordo com sua proposta de ..., damos autorização aos senhores para fabricar para nós as seguintes embalagens especiais:
7 Pela presente, nós os contratamos para examinar as unidades de embalagem que utilizamos e fazer-nos sugestões sobre aprimoramento. Custo máximo: ...
8 Pedimos que embalem os produtos de forma a evitar poluição ambiental.
9 Como nós, fornecedores, somos responsáveis pelo descarte das embalagens após a utilização, solicitamos que mantenham custos referentes a isso o mais baixos possível.

Placing orders (general)

1 The prices quoted are acceptable. We therefore wish to order the following packaging units:
2 As the unit prices are higher than expected we are unfortunately unable to place an order with you.
3 A significantly cheaper packaging unit is being offered by your competitor.
4 The sample packaging units received unfortunately do not meet our demands.
5 The packaging you offer unfortunately does not conform to currently valid EU norms. We are therefore not in a position to place an order.

Placing specific orders

1 As per your offer dated ..., we hereby commission you to pack the machinery in the appropriate manner at a charge of ...
2 We refer to your offer of ... and wish to order the following packaging units for immediate delivery:
3 ... crates (drawing No. ...)
... non-returnable pallets (drawing No. ...)
... iron drums (drawing No. ...)
4 You have convinced us of the versatility of your foam packing. We wish to order ... kg at ... (price) per kg.
5 We refer once more to your offer of ... and would ask you to supply us with ... kg of your ... waterproofing agent at ... per kg, carriage paid (... Railway Station).
6 As per your offer of ... we wish you to produce the following special packing for us:
7 We hereby commission you to examine the packaging units we are currently using and make suggestions as regards their improvement. Maximum expense: ...
8 Please pack the goods in such a way as to prevent environmental pollution.
9 As we, the suppliers, are responsible for the disposal of the packaging after use we would ask you to keep the costs for this as low as possible.

Confirmação de pedido e aviso de despacho

1. Agradecemos seu pedido e confirmamos que forneceremos as embalagens pontualmente em ...
2. As embalagens encomendadas pelos senhores em ... deverão ser entregues em ...
3. Confirmamos gratos o recebimento de seu pedido e já instruímos nosso Departamento de Expedição a enviar imediatamente aos senhores a mercadoria por trem de carga.
4. O material de embalagem encomendado em ... pelos senhores será despachado hoje por caminhão de transporte consolidado.
5. O material de embalagem encomendado no pedido n? ..., de ..., será fornecido aos senhores em ... por caminhão de nossa empresa.
6. Faremos aos senhores uma entrega expressa antecipada de ... unidades em ...
7. Em referência a seu pedido de ..., a embalagem de sua maquinaria está prevista para ... (data).
8. Providenciaremos em tempo hábil o pessoal necessário para embalar as máquinas em sua fábrica.
9. De acordo com seu pedido, já tomamos todas as providências para que a mercadoria seja embalada de forma a evitar ao máximo danos ao meio ambiente.
10. O material da embalagem poderá ser eliminado sem problemas e a um preço extremamente baixo.

Acknowledgement of order and advice of despatch

1. We thank you for placing your order with us and confirm that the packaging units ordered will be delivered punctually on ...
2. The packaging units you ordered on ... will most probably be delivered on ...
3. We confirm with thanks the receipt of your order and have now instructed our Despatch Department to have your merchandise sent to you by goods train immediately.
4. The packaging material ordered on ... will be sent to you today by lorry groupage service.
5. The packaging material as per your order No. ... of ... will be delivered to you by company lorry on ...
6. We will be making an advance express delivery of ... units to you on ...
7. With reference to your order of ..., the machinery is scheduled to be packed on ...
8. Staff will be provided in good time to pack the machinery at your plant.
9. In accordance with your wishes, we have already taken appropriate steps to have the goods packed in as environmentally-friendly a way as possible.
10. The packaging material can be disposed of easily and extremely cheaply.

Condições gerais de embalagem

1. Embalamos as mercadorias em engradados (cestos, fardos, barris, contêineres, paletes).
2. Escolhemos os engradados (caixotes) como embalagem.
3. Fornecemos esses aparelhos em paletes (engradados, caixotes etc.)
4. Fornecemos os aparelhos montados acondicionados em engradados (caixotes).
5. Os senhores poderão escolher entre aparelhos montados, embalados em paletes, ou desmontados, embalados em engradados (caixotes).
6. Caso sua encomenda seja em quantidade satisfatória, poderemos fornecer os produtos também em contêineres.

General packing terms

1. We pack the goods in crates (baskets, bales, barrels, containers, on pallets).
2. Our chosen form of packing is crates.
3. We supply these machines on pallets (in crates etc.)
4. We supply the machines ready-assembled and packed in crates.
5. You have the choice of ready-assembled machines on pallets or dismantled machines in crates.
6. If you order an appropriate amount we also supply the goods in containers.

7 Fornecemos as máquinas desmontadas, embaladas em engradados (caixotes).	7 We supply the machines dismantled and packed in crates.
8 Fornecemos líquidos em tambores de alumínio ou em caminhões-pipa.	8 We supply the liquids in aluminium barrels or tanker lorries.
9 Nossos paletes são construídos de tal forma que facilitam o transporte em contêineres.	9 Our pallets are designed in such a way as to be easily transportable in containers.
10 Cada engradado (caixote) contém ... unidades embaladas em caixas de papelão.	10 Batches of ... units in cardboard boxes are crated.
11 O transporte em paletes não apresentará dificuldade alguma, já que os paletes são colocados sobre grade de aço para proteger máquinas de tal valor.	11 Transport on pallets will present no difficulties as the pallets are placed on steel-framed grids for the protection of the valuable machinery.
12 Dependendo da quantidade encomendada, fornecemos as mercadorias em caixas de papelão, engradados (caixotes) de madeira ou contêineres.	12 Depending on the size of the order, we supply the goods in cardboard boxes, wooden crates or containers.
13 Os senhores poderão escolher entre as seguintes embalagens:	13 You may choose from the following forms of packing:
14 A fim de evitar danos de transporte, fornecemos esses aparelhos valiosos exclusivamente em engradados (caixotes) de madeira feitos sob medida.	14 To avoid damage in transit, we only supply this valuable machinery in made-to-measure wooden crates.
15 Nossas caixas são totalmente revestidas com espuma de borracha para proteger as mercadorias contra choques e abalos.	15 To protect the goods against knocks and jolts our crates are lined with foam rubber throughout.
16 Os custos de embalagem estão incluídos no preço.	16 Packing costs are included in the price.
17 Não há despesas adicionais de embalagem.	17 There will be no further charges for packing.
18 O custo da embalagem em caixas de papelão está incluído no preço.	18 The price of packing in cardboard boxes is included in the price.
19 Caso seja escolhida outra embalagem, os custos adicionais serão de responsabilidade do cliente.	19 Any additional costs for a different form of packing will be charged to the customer.
20 Pedidos de embalagens especiais serão faturados separadamente.	20 Any special packing requested will be invoiced separately.

Seguro

Consulta

1 Desejamos contratar um seguro de acordo com as Institute Cargo Clauses A (B ou C). Queiram por favor apresentar-nos sua melhor proposta.
2 Ficaríamos gratos se os senhores pudessem informar-nos o mais rápido possível sob que condições os senhores poderiam oferecer a seguinte cobertura de seguro:
3 Queiram informar-nos seu prêmio mais vantajoso para a cobertura de todos os riscos no transporte de ...

Insurance

Enquiry

1 We wish to take out insurance in accordance with Institute Cargo Clauses A (B or C). Please submit us your most favourable offer.
2 We would be grateful if you would let us know immediately on what terms you can offer us the following insurance cover:
3 Please quote us your most favourable premium to cover all risks for the shipment of ...

4 Pedimos que nos informem sua menor taxa de apólice aberta de ... (valor) para cobrir todos os riscos de ...
5 Como embarcamos regularmente mercadorias para ..., estamos interessados em adquirir uma apólice aberta por ... (prazo). Queiram apresentar-nos sua melhor proposta.

Solicitação de contrato de seguro

1 Agradecemos sua proposta de ... Necessitamos de cobertura para as seguintes quantidades:
2 Pedimos que contratem um seguro com cobertura total para as mercadorias de acordo com as Institute Cargo Clauses A.
3 Pedimos que façam seguro das mercadorias contra todos os riscos, incluindo avaria específica e de força maior.
4 Solicitamos que os senhores emitam uma apólice de seguro contra todos os riscos de porta a porta.
5 As mercadorias devem ser seguradas como segue:
a) porta a porta
b) estocadas no armazém (depósito)
c) em trânsito
d) contra todos os riscos
e) com avaria geral, excluindo específica
f) de acordo com as Institute Cargo Clauses C (B, A)
6 Pedimos que providenciem o seguro adequado e enviem-nos quanto antes um certificado de seguro, que deveremos apresentar para pagamento de carta de crédito.
7 Pedimos que nos enviem a confirmação de cobertura para o seguro das mercadorias.
8 Necessitamos do seguro:
a) a partir de ...
b) de ... até ...
c) pelo período de ... (dias, semanas, meses).
9 Como nossa apólice aberta expira em ..., pedimos que emitam outra com os mesmos termos.
10 Pedimos que devolvam os formulários de seguro preenchidos.

4 Please state your lowest rate for a floating policy for ... (amount) to cover all risks for ...
5 As we regularly ship goods to ..., we are interested in taking out a floating policy for ... (length of time). Please make us your most favourable offer.

Request for insurance to be taken out

1 Thank you for your offer of ... The quantities for which we require insurance cover are as follows:
2 Please take out insurance to provide us with full cover for the goods in accordance with Institute Cargo Clauses A.
3 Please insure the goods against all risks, including particular average and force majeure.
4 We wish you to issue an all-risk, warehouse-to-warehouse insurance policy.
5 The goods are to be insured as follows:
a) from house to house.
b) stored in the warehouse.
c) in transit.
d) against all risks.
e) with general but excluding particular average.
f) in accordance with Institute Clauses C (B, A).
6 Please arrange for the necessary insurance to be taken out and send us an insurance certificate as soon as possible, which can then be presented to enable the letter of credit to be paid.
7 Please send us your confirmation that you have undertaken to insure the goods.
8 Insurance cover is required:
a) as from ...
b) from ... to ...
c) for a period of ... (days, weeks, months).
9 As our floating policy expires on ..., we wish you to issue a new one on the same terms.
10 Please fill in the insurance forms and return them to us.

Condições de pagamento

Pagamento à vista sem desconto no recebimento da mercadoria

1 Os preços indicados são líquidos, sem dedução, pagáveis no recebimento da mercadoria.
2 O valor total da fatura vence no recebimento da mercadoria.
3 Nossos preços já incluem os descontos à vista.
4 Nosso preço de oferta é tão baixo que devemos insistir em pagamento à vista contra entrega, sem mais descontos.
5 Os pagamentos devem ser efetuados por carta de crédito irrevogável, em vigor na confirmação do pedido e com vencimento na entrega.
6 Os pagamentos devem ser efetuados por cartas de crédito irrevogáveis, que nos devem ser enviadas após o recebimento da confirmação do pedido.
7 Um terço do valor da fatura deve ser pago na apresentação do pedido, outro terço na metade da produção e o restante na entrega da mercadoria.

No recebimento da fatura

1 No recebimento da fatura, o total deve ser pago sem descontos.
2 Nossos preços são líquidos. A fatura deverá ser paga em dinheiro (com cheque) quando for recebida.
3 Solicitamos pagamento em dinheiro (com cheque) no recebimento da fatura. O preço já inclui descontos.

Desconto (pagamento à vista/antecipado)

1 Em caso de pagamento à vista em ... dias após o recebimento da mercadoria (da fatura), concederemos desconto de ...% sobre o valor da fatura.
2 Poderão ser descontados ...% do valor da fatura se o pagamento for efetuado em ... dias após a entrega da mercadoria (o recebimento da fatura).
3 Concedemos ...% de desconto para pagamento em ... dias e ...% para pagamento em ... dias após o recebimento da mercadoria (da fatura).

Terms of payment

Cash payment without discount on receipt of goods

1 Our prices are quoted net with no deductions and are payable on receipt of the goods.
2 The total invoice amount is due on receipt of the goods.
3 Our prices already contain cash discounts.
4 Our asking price is so low that we must insist on cash payment on delivery with no further discounts.
5 All payments must be made by irrevocable letter of credit, in place on confirmation of order and due on delivery.
6 Payments are to be made by irrevocable letters of credit, which must be sent to us on receipt of confirmation of order.
7 One third of the invoice amount to be payable with order, a further third when production is half completed and the balance on delivery of the goods.

On receipt of invoice

1 On receipt of invoice, the invoice amount is due without deduction of discounts.
2 Our prices are net prices. The invoice is to be paid in cash (by cheque) on receipt.
3 We require payment in cash (by cheque) on receipt of invoice. The price already includes discounts.

(Cash/early payment) Discount

1 For cash payment within ... days after receipt of goods (invoice), ...% discount is deductible from the invoice amount.
2 ...% discount can be deducted from the invoice amount, if payment is made within ... days after delivery of the goods (receipt of invoice).
3 ...% discount is granted for payment within ... days and ...% for payment within ... days after receipt of goods (invoice).

4 Oferecemos um desconto escalonado de ...% para pagamento à vista em ... dias ou de ...% para pagamento à vista em ... dias após o recebimento da mercadoria (fatura).

4 We offer you staggered discount rates of ...% for cash payment within ... days or ...% for cash payment within ... days after receipt of goods (invoice).

Prazo de pagamento

1 O prazo de pagamento termina em ...
2 O saldo deve ser pago dentro de ... dias.
3 Concedemos um prazo de pagamento de ... dias (semanas, meses), mas gostaríamos de chamar sua atenção para a vantagem de pagar com desconto em pagamento imediato.

Credit period

1 The credit period ends on ...
2 Settlement is to be made within ... days.
3 We will allow you ... days' (weeks', months') credit but wish to draw your attention to the favourable discount granted for immediate settlement.

Concessão de crédito

1 Podemos oferecer-lhes um financiamento com prazo de pagamento de médio (longo) prazo.
2 Podemos conceder-lhes um crédito com prazo de ... meses (anos).
3 Se desejarem, estamos dispostos a auxiliá-los no financiamento com a concessão de um crédito de médio (longo) prazo, por um período de ... meses (anos).
4 Sob determinadas circunstâncias, poderemos conceder o financiamento por meio de um crédito de médio (longo) prazo, por um período de ...
5 Podemos conceder-lhes um crédito por ... meses (anos) sob as seguintes condições:
6 Consultem no anexo os detalhes das condições sob as quais podemos conceder-lhes um crédito.
7 Concederemos o financiamento por meio de uma linha de crédito de médio (longo) prazo conforme as condições bancárias correntes.
8 Caso utilizem nossa linha de crédito, os senhores pagarão apenas as tarifas bancárias vigentes.
9 Estamos dispostos a abrir-lhes uma linha de crédito caso os senhores possam apresentar um fiador (avalista incondicional).
10 Podemos conceder-lhes uma conta de crédito com compensação mensal (trimestral) das parcelas.

Granting credit

1 We are able to offer financial assistance by granting you medium-term (long-term) credit facilities.
2 We are able to grant you credit facilities for a period of ... months (years).
3 If requested, we are willing to assist you by granting medium-term (long-term) credit facilities for a period of up to ... months (years).
4 Under appropriate circumstances we will also be able to provide financial assistance in the form of medium-term (long-term) credit facilities for a period of ...
5 We are able to grant you credit for ... months (years) on the following terms:
6 Please refer to the enclosure for details of the terms on which we are able to grant you credit.
7 Finance will be provided by us in the form of medium-term (long-term) credit facilities on the usual bank terms.
8 If you make use of our credit facilities you will only incur the usual bank charges.
9 We will be pleased to grant you credit if you provide a (an absolute) guarantor.
10 We will grant you open account terms with monthly (quarterly) settlement.

Pagamento à vista

1 O pagamento deve ser à vista.
2 Pedimos pagamento à vista no recebimento da fatura.
3 A fatura deverá ser paga à vista.
4 De acordo com os termos do contrato de venda, o pagamento deve ser à vista.

Cash payment

1 Payment is to be made in cash.
2 Payment is requested on receipt of invoice.
3 The invoice is to be settled in cash.
4 According to the terms of our Sales Agreement, payment is to be made in cash.

Transferência bancária

1 Por favor depositem o valor da fatura em nossa conta, n? ..., no banco ...
2 Solicitamos o pagamento de nossa fatura por meio de transferência para nossa conta bancária.
3 Pedimos que liquidem nossa fatura até o dia ... por meio de transferência bancária.
4 Gostaríamos que os senhores pagassem nossa fatura até ... por meio de depósito em nossa conta n? ... no banco ...
5 O número de nossa conta no banco ... é ...
6 Pedimos que remetam o valor da fatura a esta conta antes de ...

Bank transfer

1 Please transfer the invoice amount to our account No. ... at (the) ... Bank.
2 We request settlement of our invoice by transfer to our bank account.
3 Please settle the invoice by bank transfer by ...
4 We would ask you to settle our invoice by ... by transfer to our account No. ... at (the) ... Bank.
5 Our account No. at (the) ... Bank is ...
6 Please transfer the invoice amount to this account before ...

Cheque

1 Aceitamos cheques para pagamento de faturas.
2 Aceitamos cheques para pagamento de faturas com total de até ... (valor, moeda).
3 O pagamento pode ser feito com cheque.
4 Em caso de pagamento com cheque, a mercadoria só será considerada quitada quando o valor for creditado em nossa conta.
5 Aceitamos cheques como forma de pagamento, mas mantemos a propriedade das mercadorias até que eles sejam compensados.
6 Aceitamos cheques sob a condição de termos a propriedade das mercadorias até que eles sejam compensados.

Cheque

1 Cheques are accepted in settlement of invoices.
2 We accept cheques for invoice amounts of up to ... (currency, amount).
3 Payment can be made by cheque.
4 When payment is made by cheque we retain title to the goods until the sum owed has been credited to our account.
5 We accept cheques by way of payment but retain title to the merchandise until they have been cleared.
6 Cheques are accepted on condition that we retain title to the merchandise until they have been cleared.

Cessão de crédito

1 Pela presente cedemos nosso crédito contra os senhores ao nosso banco, ...

Assignment of accounts receivable

1 We hereby assign our claim against you to our bank, (the) ... Bank.

2 Informamos que cedemos nosso crédito contra os senhores, referente ao fornecimento de mercadorias de ..., ao banco (à empresa) ...
3 Informamos pela presente que nosso crédito contra os senhores foi cedido ao banco ...
4 Concordamos que os senhores nos cedam seus créditos contra seus clientes para liquidação de nossas faturas.
5 Sua conta conosco foi saldada, uma vez que cedemos nosso crédito à empresa ...
6 Para saldar sua conta, os senhores podem também ceder-nos créditos contra a ... (empresa) e a ... (empresa).
7 Teremos satisfação em receber seus créditos contra a ... (empresa) como forma de pagamento.

Letra de câmbio

1 Em pagamento de nossa fatura vamos
a) sacar uma letra de câmbio contra os senhores de ... (valor) com 30 dias à vista.
b) sacar uma letra de câmbio contra os senhores em 2 meses a partir da data de embarque de seu pedido.
c) sacar uma letra de câmbio contra os senhores, com vencimento em ..., ao câmbio de ... (valor)
2 De acordo com nossas condições de pagamento, vamos sacar contra os senhores uma letra de câmbio com prazo de vencimento de ..., que solicitamos nos devolvam após o aceite.
3 O pagamento deve ser feito por meio de letra de câmbio com prazo de pagamento de ...

Entrega contra carta de crédito

1 Só fornecemos mercadorias contra carta de crédito irrevogável.
2 Só podemos efetuar o fornecimento de mercadorias contra carta de crédito.
3 Gostaríamos de pedir-lhes a abertura de uma carta de crédito irrevogável (confirmada).
4 Pedimos que providenciem em seu banco a abertura de uma carta de crédito em nosso favor.
5 Só podemos fazer negócios com o exterior mediante carta de crédito emitida por um banco renomado.

2 This is to inform you that we have assigned our claim against you in respect of the consignment delivered on ... to (the) ... Bank (firm).
3 We hereby inform you that our claim against you has been assigned to (the) ... Bank.
4 We agree to your settling our invoices by assigning your claims against clients to us.
5 Your account with us is balanced, since we have now assigned our claim against you to ... (firm).
6 In settlement of your account you may also assign your claims against ... (firm) and ... (firm) to us.
7 We will be pleased to accept your claims against ... (firm) by way of payment.

Bill of exchange

1 In payment of our invoice we will
a) draw a bill of exchange on you for ... (amount) at 30 days' sight.
b) draw a bill of exchange on you at 2 months after the date of shipment of your order.
c) draw a bill of exchange on you, due on ..., at a rate of exchange of ...
2 In accordance with our terms of payment, we will draw a bill of exchange on you for the term of ..., which we request you to return to ourselves, duly accepted.
3 Payment to be made by bill of exchange with a term of ...

Goods supplied against letter of credit

1 We only supply goods against an irrevocable letter of credit.
2 We can only supply goods against a letter of credit.
3 We would request you to open an irrevocable (confirmed) letter of credit.
4 Please have your bank open a letter of credit in our favour.
5 We are only able to do foreign business against a letter of credit issued by a well-known bank.

Entrega com reserva de domínio

1 Mantemos a reserva de domínio até total pagamento da mercadoria.
2 A transferência de propriedade só se dará após pagamento total.
3 Os senhores somente obterão a propriedade da mercadoria após o pagamento do valor total da fatura.

Local de execução

1 O local de execução é a nossa fábrica-matriz em ...
2 O local de execução é ...
3 Concordou-se que o local de execução será ...

Foro competente

1 O foro competente é ...
2 O foro competente eleito para todas as pendências legais oriundas deste contrato é ...
3 O foro competente para todas as pendências legais é ...
4 O foro competente é o da sede da filial responsável pela conclusão da transação.

Cobrança

1 Informamos por meio desta que o(a) sr.(a) ... (não) está autorizado(a) a realizar cobranças.
2 Gostaríamos de informar-lhes que o(a) sr.(a) ... somente está autorizado(a) a realizar cobrança mediante autorização expressa.
3 Nenhum de nossos empregados está autorizado a realizar cobranças.
4 O(A) sr.(a) ... está autorizado(a) a realizar cobranças até o máximo de ... (valor).
5 Pedimos que nos informem se seu representante, o sr. ..., está autorizado a realizar cobranças.

Goods supplied with retention of title

1 We retain title to the goods pending payment in full.
2 Title is not transferred until payment has been made in full.
3 You will not acquire title to the goods until payment of the invoice amount has been made.

Place of performance

1 The place of performance is the address of our parent plant in ...
2 The place of performance is ...
3 ... has been agreed upon as the place of performance.

Place of jurisdiction

1 The place of jurisdiction is ...
2 The exclusive place of jurisdiction for all legal disputes arising out of this contract is ...
3 The place of jurisdiction for all legal disputes is ...
4 The place of jurisdiction is the address of the branch responsible for concluding the transaction.

Collection

1 This is to inform you that Mr (Ms) ... is (not) entitled to collect.
2 We wish to inform you that Mr (Ms) ... is only entitled to collect when duly authorised.
3 None of our employees is entitled to collect.
4 Mr (Ms) ... is entitled to collect for up to ... (amount).
5 Please let us know whether your agent/representative, Mr ..., is entitled to collect.

Pedido

Order

Apresentação de pedido

Frases introdutórias

1 Com relação ao prospecto que nos enviaram, gostaríamos de apresentar o seguinte pedido:
2 O pedido a seguir refere-se aos folhetos que nos foram enviados em ...
3 As mercadorias oferecidas em seus folhetos correspondem às nossas exigências.
4 Um anúncio em publicação especializada chamou nossa atenção para seus produtos.
5 Os artigos oferecidos em seus folhetos parecem-nos ser da melhor qualidade. Para examiná-los de perto, pedimos que primeiro nos enviem os seguintes artigos: ...
6 Agradecemos a remessa de sua nova lista de preços. Apresentamos pela presente o seguinte pedido:
7 Suas listas de preço convenceram-nos dos preços vantajosos de seus produtos.
8 Agradecemos o envio de suas novas listas de preços.
9 Embora seu preço seja um pouco mais alto que o de seus concorrentes, a qualidade de seus produtos nos impressionou bastante, de maneira que desejamos apresentar o seguinte pedido: ...
10 De acordo com suas listas de preços, seus produtos custam menos que os do nosso atual fornecedor. A fim de verificar a qualidade de suas mercadorias, queremos apresentar o seguinte pedido de prova: ...
11 Nosso representante (delegado) visitou seu estande na feira (exposição) de ... e ficou satisfeito com a qualidade de suas mercadorias e da assistência técnica. Assim sendo, queremos apresentar-lhes o seguinte pedido: ...

Placing an order

Introductory sentences

1 We refer to the brochure sent to us and wish to place the following order: ...
2 The following order is with reference to the brochures sent to us on ...
3 The goods offered in your brochures meet our requirements.
4 Our attention was drawn to your products by an advertisement in a trade journal.
5 The goods offered in your brochures would seem to be of the best quality. To enable us to test them for ourselves, please first send us the following articles: ...
6 Thank you for sending us your latest price list. We now wish to place the following order: ...
7 Your price lists have convinced us of the favourable prices of your products.
8 Many thanks for sending us your new price lists.
9 Although your prices are somewhat higher than those quoted by your competitors, the quality of your products has impressed us and we now wish to place the following order with you: ...
10 Judging by your price lists, your goods are cheaper than those of the company which has supplied us up to now. We wish to place the following trial order with you to test the quality of your goods: ...
11 Our representative (delegate) visited your stand at the exhibition in ... and was satisfied with the quality of both your goods and after-sales service. We would therefore now like to place the following order with you: ...

12 Agradecemos a entrevista e as informações detalhadas que os senhores concederam ao sr. ..., de nossa empresa, durante a exposição (feira) de ... Gostaríamos de apresentar aos senhores, por meio desta, o seguinte pedido: ...
13 Nosso representante, sr. ..., visitou seu estande na feira (exposição) de ... Devido às boas recomendações dele, decidimos apresentar-lhes o seguinte pedido:
14 A conversa muito satisfatória com seu representante, sr. ..., fez com que decidíssemos apresentar-lhes o seguinte pedido: ...
15 Seu representante, sr. ..., convenceu-nos da qualidade de seus produtos.
16 Estamos muito satisfeitos com a qualidade de seus produtos fornecidos a título de prova. Assim, apresentamos o seguinte pedido: ...
17 Depois de examinarmos em detalhe cada um dos artigos de sua remessa para prova, queremos fazer-lhes o seguinte pedido:
18 Agradecemos sua remessa para prova, efetuada em ..., e esperamos que os senhores nos forneçam produtos de qualidade idêntica em nosso pedido, como segue:
19 As amostras apresentadas por seu representante, sr. ..., convenceram-nos da qualidade de seus produtos.

12 We thank you for the detailed and informative discussion you found time to have with our Mr ... during the exhibition in ... We now wish to place the following order with you: ..
13 The agent acting on our behalf, Mr ..., has visited your stand at the exhibition in ... On the strength of his report we wish to place the following order with you: ...
14 An informative discussion with your agent/representative, Mr ..., has led us to place the following order with you: ...
15 Your agent/representative, Mr ..., has convinced us of the quality of your articles.
16 We are very pleased with the quality of your trial shipment and now therefore wish to place the following order: ...
17 Having carefully examined each of the articles in your trial shipment, we now wish to place the following order with you:
18 We thank you for the trial shipment sent to us on ... and trust you will be able to supply goods of the same quality for our order, which is as follows:
19 The samples submitted by your agent/representative, Mr ..., have convinced us of the quality of your goods.

Quantidade

1 Gostaríamos de fazer um pedido de ... unidades de cada um dos seguintes artigos: ...
2 Pedimos que nos remetam imediatamente ... unidades de seu artigo nº ...
3 Necessitamos urgentemente ... unidades de cada um dos seguintes artigos: ...
4 Sua remessa para prova nos satisfez. Portanto, gostaríamos de fazer um pedido de ... unidades do artigo nº ...
5 Gostaríamos de aumentar para ... unidades a quantidade de nosso pedido datado de ...
6 Nesta, gostaríamos de apresentar-lhes o seguinte pedido:

Quantities

1 We wish to order ... units of each of the following articles: ...
2 Please send us ... units of your article No. ... by return:
3 We are in urgent need of ... units of each of the following articles: ...
4 Your trial shipment is to our liking. We therefore wish to place an order with you for ... units of article No. ...
5 We wish to increase the quantity ordered on ... (date) to ... units.
6 We wish to place the following order with you: ...

Qualidade

1 Exigimos mercadorias apenas da melhor qualidade.
2 Pedimos que nos enviem as mercadorias encomendadas na melhor qualidade possível.

Quality

1 We require goods of nothing less than the finest quality.
2 Please send us the goods ordered in the best quality you have available.

3 O pedido acima refere-se a mercadorias de primeira qualidade.
4 Estamos dispostos a aceitar um ligeiro aumento no preço se em contrapartida os senhores puderem fornecer mercadorias de primeira qualidade.
5 Só utilizamos materiais da melhor qualidade em nossos produtos.

Embalagem

1 A fim de evitar danos durante o transporte, insistimos na embalagem em engradados (caixotes) de madeira resistente.
2 A embalagem de sua última remessa deixou a desejar.
3 Pedimos que remetam as mercadorias encomendadas em pacotes revestidos com espuma sintética.
4 A fim de manter os custos de carregamento e de transporte o mais baixos possível, pedimos que nos enviem os artigos acima em contêineres.
5 Fazemos questão de embalagem adequada.
6 Pedimos que as mercadorias acima encomendadas sejam embaladas de modo a evitar qualquer tipo de dano durante o transporte.
7 Por favor, embalem as mercadorias encomendadas em caixas de papelão resistentes.
8 Não fazemos questão de embalagem especial.
9 Esperamos que os artigos acima sejam enviados em embalagens adequadas.
10 Pedimos que nos enviem os ... encomendados em engradados (caixotes) de madeira revestidos com poliestireno (isopor).

Preços

1 Insistimos em que as mercadorias constantes de nosso pedido de ... sejam fornecidas aos preços antigos.
2 Consideramos definitivos os preços constantes de suas listas enviadas em ...
3 Baseamos nossa encomenda acima em sua última lista de preços.
4 Gostaríamos de pedir-lhes que considerem um desconto por quantidade e para pagamento à vista ao fixarem o preço do pedido acima.

3 The above order is for top-quality goods.
4 We are prepared to accept a slight increase in price if this enables you to supply us with top-quality goods.
5 There can be no question of anything other than materials of the finest quality for our goods.

Packing

1 To prevent damage in transit we must insist on packing in sturdy wooden crates.
2 Your last consignment was poorly packed.
3 Please despatch the goods ordered above in foam-lined packages.
4 To keep the loading and transport costs as low as possible, we would ask you to send the above articles in containers.
5 We set great store by proper packing.
6 Please pack the goods ordered above in such a way as to eliminate any chance of damage in transit.
7 Please pack the goods ordered in sturdy cardboard boxes.
8 We have no special requests as regards packing.
9 We trust the above articles will be sent properly packed.
10 Please send us the ... ordered in wooden crates lined with polystyrene.

Prices

1 We must insist that the goods, as per our order of ..., still be supplied at the old prices.
2 We regard the price lists you sent to us on ... as binding.
3 The above order is based on your latest price list.
4 We would request you to take quantity and cash discounts into account when determining the price for the above order.

5 Pedimos que nos informem com precisão acerca do escalonamento de seus preços.
6 Presumimos que os preços estipulados incluam despesas de embalagem e remessa.
7 Pedimos que, ao calcular o preço, levem em conta um desconto razoável por quantidade.

5 Please let us have precise details as regards the staggering of your prices.
6 We take it that the prices quoted include charges for packing and despatch.
7 We would ask you to allow an appropriate quantity discount when calculating the price.

Tipo de expedição

1 Pedimos que façam entrega expressa da mercadoria acima.
2 Como precisamos urgentemente da mercadoria acima encomendada, insistimos na entrega expressa.
3 Pedimos que entreguem a encomenda acima por expresso.
4 A fim de garantir a entrega rápida do pedido acima, pedimos que os senhores a façam por frete aéreo.
5 A transportadora ..., por nós contratada, retirará nos próximos dias em sua fábrica a mercadoria encomendada.
6 A transportadora ... tem-nos prestado ótimos serviços.
7 Pedimos que nos enviem as máquinas que encomendamos pela transportadora mencionada acima.
8 Pedimos que forneçam o pedido acima por frete ferroviário.
9 Preferimos transporte por caminhão.
10 Pedimos que nos enviem a mercadoria por navio.

Mode of despatch

1 Please deliver the goods ordered above by express.
2 As we are in urgent need of the goods ordered above, we must insist on express delivery.
3 Please deliver the above order by express.
4 To ensure that delivery is as fast as possible, please send the above order by air freight.
5 ..., the freight forwarders we have entrusted with this order, will be collecting the goods from your premises in the next few days.
6 We have had excellent service from ..., our freight forwarders.
7 Please have the above-mentioned freight forwarders transport the machines we have ordered.
8 We would request you to have the above order sent by rail freight.
9 We prefer lorry transport.
10 Please send us the goods by ship.

Prazo de entrega

1 Insistimos que a entrega dos artigos acima encomendados seja feita até ...
2 Pedimos que providenciem o despacho do pedido acima assim que as mercadorias estejam prontas.
3 Solicitamos entrega imediata.
4 Necessitamos urgentemente das mercadorias pedidas acima. Assim sendo, insistimos na entrega mais rápida possível.
5 Aguardamos sua remessa dentro de ... meses.
6 Podemos conceder-lhes um prazo de fornecimento de ... meses.
7 Pedimos que a mercadoria não seja entregue antes de ...

Delivery time

1 We must insist on delivery of the articles as ordered above by ... at the latest.
2 Please despatch the goods ordered above immediately upon completion.
3 Please deliver the goods immediately.
4 We are in urgent need of the goods ordered above. We must therefore insist upon delivery as quickly as possible.
5 We expect delivery within ... months.
6 We can allow you ... months for delivery.
7 Please do not deliver the goods before ... (date).

8 Pedimos que nos enviem imediatamente o primeiro item do pedido acima. Podemos conceder-lhes um prazo de ... meses para a remessa dos itens restantes.
9 Esperamos que os senhores possam completar o pedido acima dentro de ...
10 Como precisamos urgentemente das mercadorias encomendadas, pedimos que elas nos sejam enviadas o mais rápido possível.
11 A fim de evitar atrasos em nossa fabricação, a encomenda deverá chegar aqui até ...
12 Solicitamos que nosso pedido esteja pronto para fornecimento a partir de ...
13 Aguardamos a entrega em ...

8 Please despatch item 1 of the above order by return. We can allow you ... months for delivery of the other items.
9 We trust you will be able to complete the above order within ...
10 We are in urgent need of the goods ordered and would therefore ask you to deliver them as quickly as possible.
11 To avoid delays in our manufacturing process the goods must arrive here by ... (date).
12 Please have our order on call ready for despatch as from ...
13 We expect delivery on ...

Local de entrega

1 Pedimos que enviem a encomenda acima para nossa fábrica principal em ...
2 O endereço de entrega é o mesmo indicado no timbre de nossa carta.
3 Pedimos que enviem as mercadorias à nossa filial em ...
4 O local de destino das mercadorias é a estação ferroviária de ...
5 Pedimos que encaminhem a mercadoria diretamente para o endereço acima.
6 Pedimos que entreguem a encomenda acima à nossa filial, cujo endereço é: ...
7 O pedido acima deverá ser enviado para o seguinte endereço:

Place of delivery

1 Please despatch the above order to our main plant in ...
2 Please refer to our letterhead for the destination of the goods.
3 Please send the goods to our branch in ...
4 The destination of the goods is ... Railway Station.
5 Please send the goods to the above address directly.
6 We would ask you to despatch the above order to our branch office. Its address is as follows:
7 The above order is to be despatched to the following address:

Condições de pagamento

1 Pagamos à vista contra entrega.
2 Sugerimos as seguintes condições de pagamento para o pedido acima: $1/3$ na confirmação do pedido, $1/3$ durante a produção e $1/3$ contra entrega.
3 Temos de pedir-lhes que nos concedam um prazo de pagamento de ... meses.
4 Pedimos que nos concedam também desta vez um prazo de pagamento de ... meses.
5 Depois de recebermos e examinarmos as mercadorias, saldaremos o valor da fatura em 14 dias, com um desconto de 3% em pagamento antecipado.
6 Pedimos que nos remetam as mercadorias para pagamento no ato da entrega.
7 Seria possível conceder-nos um crédito de médio (longo) prazo de ... meses?

Terms of payment

1 We will pay cash on delivery.
2 We suggest the following terms of payment for the above order: 1/3 on confirmation of order, 1/3 on production of the goods and 1/3 on delivery.
3 We must request you to allow us ... months' credit.
4 Please also grant us ... months' credit this time.
5 After the goods have been delivered and examined, we will settle your invoice within 14 days, taking 3% early payment discount.
6 Please send us the goods C.O.D. (cash on delivery).
7 Can you grant us medium-term (long-term) credit facilities for ... months?

8 Depois de recebermos a mercadoria, solicitaremos a nosso banco que lhes remeta o valor da fatura.
9 Pedimos que saquem uma letra de câmbio contra nós de ... meses.
10 O pagamento da fatura será efetuado por cheque cruzado.
11 Estamos prontos a abrir uma carta de crédito irrevogável em seu favor.
12 O acerto do valor de sua fatura será efetuado mediante compensação de nosso crédito com os senhores.

8 On receipt of the goods we will instruct our bank to transfer the invoice amount to you.
9 Please draw a trade bill for ... on us.
10 The invoice will be paid by crossed cheque.
11 We are prepared to open an irrevocable letter of credit for you.
12 Your invoice will be settled with due account taken of our claim against you.

Execução do pedido

1 Pedimos que acompanhem atentamente a execução deste pedido.
2 Solicitamos que procedam a um controle de qualidade constante durante a execução do pedido acima.
3 Parece-nos imprescindível a supervisão constante da execução do pedido acima.
4 Esperamos que na execução do pedido acima os senhores correspondam à confiança que depositamos nos senhores.
5 Esperamos que a execução de nosso pedido ocorra sem problemas.
6 Solicitamos que nosso pedido seja executado com rapidez.
7 Esperamos que o fornecimento seja feito no prazo.

Execution of order

1 Please ensure that this order is executed carefully.
2 We must request you to carry out frequent quality checks whilst the above order is being executed.
3 We feel it is imperative that the execution of the above order be continually supervised.
4 We trust you will confirm the trust we have placed in you when executing the above order.
5 We trust that our order will be executed smoothly.
6 We would request you to process our order speedily.
7 We trust that delivery will be made on schedule.

Referência a pedidos subseqüentes

1 Gostaríamos de salientar que, no futuro, qualquer pedido nosso à sua empresa dependerá do modo como o pedido acima for executado.
2 Caso os senhores executem o pedido acima conforme nosso desejo, os senhores poderão contar com novos pedidos.
3 Caso fiquemos satisfeitos com a qualidade de seus produtos, estamos dispostos a fechar com os senhores um contrato de fornecimento de longo prazo.
4 Necessitamos anualmente de grande volume das mercadorias acima encomendadas.
5 A maneira de os senhores executarem nosso pedido acima determinará nossa permanência como seus clientes.
6 Se seus produtos corresponderem às nossas exigências, os senhores poderão contar com outros pedidos.

Reference to future orders

1 We wish to point out that any future orders your company might expect from us will be dependent on the way in which the above order is executed.
2 Should you execute the above order to our satisfaction, you may expect further orders.
3 If we are satisfied with the quality of your products we are prepared to come to a long-term sales agreement with you.
4 Every year we require large quantities of the goods ordered above.
5 The way in which you execute the above order will determine whether we can still be included among your customers.
6 If your products meet our requirements you can expect further orders.

7 Uma execução sem erros de nosso pedido é condição básica para substanciais pedidos futuros.

Solicitação de confirmação de pedido

1 Pedimos que confirmem o pedido acima por fax.
2 Assim que receberem nosso pedido, enviem-nos, por favor, sua confirmação.
3 Pedimos que confirmem o pedido acima, indicando a data exata da entrega.
4 Esperamos, naturalmente, uma confirmação por escrito de nosso pedido.
5 Pedimos que confirmem o pedido e nos informem em detalhe sobre o escalonamento de preços e a data de entrega.
6 Solicitamos a confirmação do pedido acima por telex.
7 Solicitamos a confirmação do recebimento do pedido acima.

Confirmação de pedido

1 Confirmamos e agradecemos o recebimento de seu pedido de ...
2 Seu pedido n° ..., de ..., foi recebido em ... Iniciamos imediatamente a produção.
3 Agradecemos seu pedido, que recebemos na data de ontem.
4 Garantimos uma execução cuidadosa de seu pedido.
5 Temos certeza de que a execução cuidadosa de seu pedido de ... dará início a uma relação de negócios vantajosa para ambas as empresas.
6 Agradecemos seu pedido n° ..., de ... Estará pronto para entrega em ...

Aceitação de pedido

Aceitação com a observação "conforme encomenda"

1 Pela presente confirmamos seu pedido conforme encomenda.
2 Seu pedido de ... será executado de acordo com suas instruções.

7 Substantial further orders may be expected if this one is executed without errors.

Request for confirmation of order

1 Please confirm the above order by fax.
2 On receipt of this order, please send us your confirmation.
3 Please confirm the above order, stating the precise delivery date.
4 We, of course, expect to receive written confirmation of our order.
5 Please send us your confirmation of order with precise details of how your prices are staggered and when delivery can be expected.
6 Please confirm the above order by telex.
7 Please confirm receipt of the above order.

Confirmation of order

1 We confirm with thanks the receipt of your oder dated ...
2 Your order No. ... of ... arrived here on ... whereafter production of the goods was started immediately.
3 Thank you for your order, which we received yesterday.
4 We assure you that your order will be executed carefully.
5 We are sure that our precise execution of your order of ... will mark the beginning of a mutually beneficial business relationship between our companies.
6 We thank you for your order No. ... of ... It will be ready for delivery on ...

Acceptance of order

Acceptance with the annotation "As per your instructions"

1 We hereby accept your order as per your instructions.
2 Your order of ... will be executed by us as per your instructions.

3 Ao mesmo tempo, gostaríamos de confirmar-lhes a aceitação de seu pedido conforme encomenda.

Aceitação reproduzindo o pedido

1 Aceitamos gratos seu pedido de ..., referente a ... unidades do artigo nº ...
2 Confirmamos e agradecemos seu pedido de ..., referente a ... unidades de cada um dos artigos de números ..., ... e ...
3 Executaremos o mais rápido possível seu pedido de ... unidades de nosso artigo nº ...
4 Agradecemos seu pedido de ... (quantidade e descrição da mercadoria) e temos certeza de que os senhores ficarão satisfeitos com nossos produtos.

Aceitação com modificações

1 Agradecemos e aceitamos com prazer seu pedido de ... Infelizmente, não poderemos fornecer-lhes o item ... de seu pedido até ... (data), como solicitado. Não teremos condições de fornecê-lo antes do dia ... Pedimos que nos informem se os senhores concordam com esse atraso no fornecimento.
2 Um dos artigos pedidos – o de nº ... – está em falta atualmente. Estamos dispostos a fornecer-lhes um modelo de qualidade superior pelo mesmo preço. Esperamos que aprovem essa modificação.
3 Infelizmente não podemos aceitar as condições de fornecimento e pagamento indicadas em seu pedido de ... Porém, estamos dispostos a aceitar seu pedido nas condições usuais em nosso ramo.
4 Aceitamos seu pedido de ..., porém com ligeira alteração quanto ao item ...

3 At the same time, we wish to let you know that we accept your order as per your instructions.

Acceptance whereby order is repeated

1 We accept your order of ... for ... units of article No. ... with thanks.
2 We confirm with thanks your order of ... for ... units of each of articles Nos. ..., ... and ...
3 We will execute your order for ... units of our article No. ... as quickly as possible.
4 We thank you for your order for ... (quantity and description of goods) and are sure that you will be satisfied with our products.

Acceptance of order with alterations

1 Thank you for your order of ..., which we are pleased to accept. We are, however, unfortunately unable to supply item ... of your order by ... (date) as requested. We will not be able to despatch this article until ... at the earliest. Please let us know whether you agree to this delay in delivery.
2 One of the articles ordered – No. ... – is currently out of stock. We are prepared to replace it by a better quality version at the same price.
We hope this alteration meets with your approval.
3 We are unfortunately unable to accept the terms of delivery and payment suggested in your order of ... We are, however, quite willing to accept your order on the usual trade terms.
4 We are pleased to accept your order of ... but are, however, obliged to make a slight alteration in the case of item ...

Recusa de pedido

Recusa de pedido sem justificativa

1 Infelizmente não temos possibilidade de aceitar seu pedido de ... nas condições desejadas.
2 Lamentamos não poder aceitar o pedido de ..., que recebemos em ...
3 Não temos condição de fabricar os artigos solicitados pelos senhores e, portanto, devolvemos seu pedido.

Recusa de pedido com justificativa

1 Como de momento estamos com nossa capacidade de produção comprometida, infelizmente não podemos aceitar seu pedido.
2 Devido à falta de mão-de-obra qualificada, não temos possibilidade de aceitar seu pedido de ...
3 Como nossos estoques de matéria-prima já estão comprometidos por meses, infelizmente não podemos aceitar seu pedido.
4 Devido a uma greve, nossa produção está atrasada.
5 Devido a uma greve de algumas semanas de duração, lamentamos informar que não temos possibilidade de atender a seu pedido dentro do prazo solicitado.
6 Em conseqüência de uma greve, infelizmente somos obrigados a recusar seu pedido.
7 Como temos enfrentado dificuldades com nossos fornecedores, não podemos aceitar seu pedido.
8 O abastecimento irregular de matérias-primas infelizmente impossibilita a aceitação de seu pedido de ...
9 A greve em um de nossos fornecedores obriga-nos a não aceitar seu pedido.
10 Como suas referências são insuficientes, infelizmente não nos vemos em condições de atender a seu pedido.

Refusal of order

Refusal of order without reasons

1 We are unfortunately not in a position to accept your order of ... on the conditions requested.
2 We regret that we are unable to accept the order for ..., which we received from you on ...
3 We are unfortunately unable to manufacture the article you request and are therefore returning your order enclosed.

Refusal of order stating reasons

1 As we are currently operating at full capacity we are unfortunately unable to accept your order.
2 Owing to a shortage of qualified staff it is not possible for us to accept your order of ...
3 As our supplies of raw materials are allocated for months ahead we regret that we are unable to accept your order.
4 A strike has put back production.
5 Owing to a strike lasting several weeks, we regret that we are not in a position to process your order by the time specified.
6 As a result of a strike we are unfortunately compelled to refuse your order.
7 As we are having difficulties with our suppliers, we are unfortunately unable to accept your order.
8 Hold-ups in our supplies of raw materials unfortunately make it impossible for us to accept your order of ...
9 A strike by one of our suppliers has unfortunately made it impossible for us to accept your order.
10 As your references are inadequate, we unfortunately cannot see our way clear to executing your order.

Processamento rotineiro do pedido
Routine processing of ordes

Aviso de início de produção

1 Gostaríamos de informar-lhes que foi iniciada a produção de sua encomenda com data de ...
2 A produção de seu pedido deverá iniciar-se antes do final desta semana, após conversão das máquinas.
3 A produção de seu último pedido está em pleno andamento.
4 Iniciamos em ... a produção dos artigos encomendados pelos senhores, cujo término lhes será comunicado no momento oportuno.

Advice that production has begun

1 We wish to inform you that production has now started of your order dated ...
2 Production of your order will begin before the end of this week after retooling has been completed.
3 Production of your latest order is now well under way.
4 Production of the goods ordered on ... has now started and we will notify you in good time as soon as they are ready.

Aviso de término de produção e disponibilidade da mercadoria

1 Informamos por meio desta que foi concluída a produção de seu pedido de ...
2 A produção de seu pedido foi concluída dentro do prazo e aguardamos agora suas instruções a respeito do despacho (da retirada).
3 As mercadorias encontram-se atualmente em inspeção no nosso Departamento de Controle de Qualidade.
4 Temos o prazer de comunicar que está concluída a fabricação dos produtos de seu pedido de ... e que as mercadorias já podem ser retiradas.
5 As mercadorias referentes a seu pedido de ... encontram-se à disposição em nosso depósito desde ...
6 Pedimos que providenciem dentro dos próximos dias a retirada em nossa fábrica das mercadorias referentes ao pedido de ...

Advice that production is completed with goods ready for despatch

1 This is to inform you that production of your order dated ... has now been completed.
2 Production of your order has been completed on schedule and we now await your instructions as regards despatch (collection).
3 The goods are currently undergoing checks in our Quality Control Department.
4 Work is now finished on your order of ... and we are pleased to inform you that the goods are ready for collection.
5 Your order of ... has now been ready for despatch in our depot since ...
6 Please arrange for the goods ordered to be collected at our plant in the next few days.

7 As mercadorias de seu último pedido encontram-se devidamente embaladas e prontas para retirada.
8 Seu pedido está pronto e aguardamos suas instruções.
9 A produção de seu pedido foi concluída. As mercadorias encontram-se em nosso depósito de produção, prontas para envio. Pedimos que nos informem o mais breve possível o endereço para o qual devem ser enviadas.
10 As mercadorias de seu pedido de ... estão prontas para despacho e podem ser retiradas imediatamente.

7 The goods as per your last order have been packed in the prescribed way and are now ready for collection.
8 Your order is ready and we await your instructions.
9 Production of your order has been completed. The goods are now being stored, ready for despatch, in our production warehouse. Please let us know the address to which they are to be sent.
10 The goods, as per your order of ..., are ready for despatch and can be collected immediately.

Aviso de despacho

1 As mercadorias encomendadas em ... deixaram nossa fábrica hoje (ontem, em ...) por expresso (por caminhão, por trem de carga, como transporte urgente).
2 A transportadora contratada pelos senhores retirou hoje as mercadorias.
3 Suas mercadorias deixaram nossa fábrica hoje por frete ferroviário.
4 As mercadorias pedidas em ... estão sendo embarcadas hoje.
5 Informamos que as mercadorias pedidas em ... foram retiradas hoje de nossa fábrica pela empresa de transportes ...
6 Nossa transportadora, a ..., informou-nos de que as mercadorias foram devidamente colocadas a bordo da embarcação ...
7 A transportadora ... foi contratada em ... para embarcar as mercadorias e cuidará de todas as formalidades alfandegárias.
8 Nós os informaremos por fax (telefone, telex) tão logo tenhamos recebido do transportador os documentos de embarque e os apresentemos ao nosso banco.
9 Instruímos nossa transportadora, a ... (empresa), a entrar em contato com os senhores tão logo as formalidades alfandegárias tenham sido cumpridas e a mercadoria se encontre a bordo da embarcação ...

Advice of despatch

1 The goods ordered on ... left our plant for despatch by express (by lorry, by goods train, as fast freight) today (yesterday, on ...).
2 Your freight forwarders , ..., collected the goods here today.
3 Your goods were despatched from our plant as rail freight today.
4 The goods ordered on ... are being shipped today.
5 This is to inform you that the goods ordered on ... were collected at our plant by (the) ... freight forwarding company today.
6 Our freight forwarders, ..., inform us that the goods have been duly shipped on board MS ...
7 (The) ... freight forwarders were commissioned on ... to ship the goods and will attend to all customs formalities.
8 As soon as we have received the shipping documents from the freight forwarding agency and presented them to our bank, we will inform you by fax (telephone, telex).
9 We have instructed our freight forwarders, ... (firm) in ..., to get in touch with you immediately as soon as the customs formalities have been attended to and the goods have been safely stowed on board MS ...

Faturamento

1 Anexamos a esta a fatura das mercadorias fornecidas em ...
2 Em ..., enviamos aos senhores ... unidades de nosso artigo nº ..., ao preço unitário de ... O valor total – menos o desconto por quantidade de ... % – é de ...
3 O valor da fatura a ser pago referente à nossa remessa de ... é de ...
4 O valor da fatura da nossa última remessa é de ... O desconto especial solicitado já está incluído nesse montante.
5 O total da fatura da nossa remessa de ... é de ... O desconto normal para pagamento à vista já consta desse preço.
6 A fatura emitida por nós refere-se à carta de crédito irrevogável aberta pelos senhores em ...

Invoicing

1 We enclose our invoice for the goods supplied on ...
2 We despatched ... units of our article No. ..., unit price ... to you on ... The total amount – less ...% quantity discount – comes to ...
3 The amount due for our consignment dated ... is ...
4 The invoice amount for our last consignment is ... The special discount requested is included in this figure.
5 The amount due for our consignment dated ... is ... The usual discount for cash payment is already included.
6 The invoice issued refers to the irrevocable letter of credit opened by yourselves on ...

Frases costumeiras na apresentação de fatura

1 Anexamos a fatura das mercadorias encomendadas.
2 Nossa fatura inclui um desconto por quantidade (em pagamento à vista).
3 Não incluímos os custos de expedição.
4 A fatura anexa refere-se a nossos preços em fábrica.
5 Nós nos encarregaremos dos custos de despacho da transportadora.
6 Nossa fatura baseia-se nos preços de nossa lista de ...
7 No cálculo de nossa fatura levamos em conta boa parte de sua solicitação a respeito das condições de pagamento.
8 Pedimos que transfiram o valor da fatura para nossa conta nº ... no banco ...
9 Gostaríamos de, mais uma vez, chamar sua atenção para nossas condições de pagamento.
10 Pedimos que nos enviem uma letra de câmbio no valor da fatura.

Expressions used when invoicing

1 We enclose our invoice for the goods ordered.
2 Our invoice has been made up to include a quantity discount (cash discount).
3 You have not been charged for despatch.
4 The enclosed invoice is for our ex-works price.
5 We will attend to the freight forwarders' delivery charges ourselves.
6 Our invoice is based on the prices in our price list of ...
7 Our invoice largely takes your requests concerning terms of payment into account.
8 Please transfer the invoice amount to our account No. ... at (the) ... Bank in ...
9 May we once again draw your attention to our terms of payment.
10 Please send us a trade bill for the invoice amount.

11 A carta de crédito aberta pelos senhores em ... será utilizada para pagamento de nossa fatura datada de ...
12 Além da quantia colocada à nossa disposição mediante abertura de carta de crédito para liquidação de nossa fatura, devem ser pagos mais ... Pedimos que liquidem o total imediatamente.

11 The letter of credit opened by you on ... will be used for payment of our invoice dated ...
12 In addition to the sum made available to us in settlement of the invoice by the opening of your letter of credit, a further ... is due for payment. We would request you to settle this immediately.

Confirmação de recebimento da mercadoria

1 Confirmamos gratos o recebimento de sua remessa com data de ...
2 Sua remessa com data de ... chegou ontem.
3 Confirmamos gratos o recebimento de sua remessa de ...
4 As mercadorias que encomendamos aos senhores em ... chegaram dentro do prazo fixado.
5 Pela presente também confirmamos o recebimento das mercadorias despachadas pelos senhores em ...
6 As mercadorias solicitadas em nosso último pedido chegaram dentro do prazo e em bom estado.
7 Agradecemos por terem entregue dentro do prazo as mercadorias solicitadas.
8 A remessa chegou aqui hoje em perfeitas condições.

Confirmation of receipt of goods

1 We confirm with thanks that we have taken delivery of your consignment dated ...
2 Your consignment dated ... arrived here yesterday.
3 We confirm with thanks the receipt of your consignment of ...
4 The goods we ordered from you on ... have arrived here on schedule.
5 This letter also serves to confirm the receipt of the goods despatched by you on ...
6 The goods requested as per our last order have reached us here safely and on schedule.
7 Thank you for delivering the goods ordered on schedule.
8 The consignment reached us here today in perfect condition.

Confirmação de recebimento do pagamento

1 Confirmamos gratos o recebimento de sua transferência de ...
2 Recebemos o valor total da fatura em ...
3 Em ..., nosso banco nos informou do recebimento de sua ordem de pagamento.
4 Agradecemos a pronta liquidação de nossa fatura de ...
5 Recebemos hoje sua letra de câmbio datada de ...
6 Confirmamos agradecidos o recebimento de sua transferência de ...

Confirmation of receipt of payment

1 We confirm with thanks the receipt of your remittance of ...
2 We received the invoice amount on ...
3 We were advised by our bankers on ... that your remittance had arrived.
4 Thank you for settling our invoice of ... promptly.
5 Your acceptance dated ... arrived here today.
6 We confirm with thanks the receipt of your remittance of ...

7 Sua conta conosco está quitada.
8 Após a sua remessa datada de ...,
o saldo de sua conta é de ... (valor, moeda).
9 Com a remessa de hoje, sua conta conosco está saldada.
10 Agradecemos o cheque que os senhores enviaram para saldar nossa fatura de ...
11 Recebemos seu cheque.
12 A quantia de ... (valor, moeda), para pagamento de nossa fatura com data de ..., foi creditada em sua conta conosco. O atual saldo credor (devedor) é de ... (valor, moeda).

7 Your account with us is now balanced.
8 With your remittance dated ... the balance of your account is now (currency, amount) ...
9 After today's remittance your account with us is now balanced.
10 Thank you for the cheque you sent to us in settlement of our invoice of ...
11 We have received your cheque.
12 The sum of (currency, amount) ... in settlement of our invoice dated ... has been credited to your account with us. The resulting credit (debit) balance is (currency, amount) ...

Discrepâncias e irregularidades
Discrepancies and delays

Notificação de atraso da encomenda

1 Infelizmente, só poderemos manter nossa proposta de ... até ... (data).
2 Contamos receber seu pedido imediatamente.
3 Infelizmente, não é possível aceitarmos seu pedido em data posterior.
4 Pedimos que levem em conta essa data em suas decisões.
5 Esperamos receber seu pedido imediatamente.
6 Até a presente data não recebemos nenhum pedido dos senhores em resposta à nossa proposta de ... Gostaríamos de salientar que só manteremos essa proposta até ... (data).
7 Como até agora os senhores não se manifestaram sobre nossa proposta, ressaltamos que, por motivos internos, só poderemos fornecer as mercadorias nas condições estipuladas até o dia ...
8 Como o prazo de nossa proposta de ... vence em ..., gostaríamos de pedir-lhes que apresentem seu pedido o mais rápido possível.
9 Uma vez que nossa proposta de ... é válida somente até ..., pedimos que nos enviem imediatamente seu pedido.

Reminder that order is late

1 We are unfortunately only able to keep our offer of ... open until ... (day) ... (date).
2 We trust we will receive your order immediately.
3 It is unfortunately impossible for us to accept your order any later.
4 We would request you to bear this date in mind when making your arrangements.
5 We look forward to receiving your order immediately.
6 To date, we have received no orders from you in response to our offer of ... We wish to point out that we will only consider ourselves still bound by this offer until ... (date).
7 As, to date, you have not taken us up on our offer of ..., may we point out that, for organisational reasons, we will only be able to supply the goods on the terms stated until ... (date).
8 As our offer of ... expires on ... we would ask you to place your order, if possible, by return.
9 As our offer of ... is only valid until ..., we would ask you to let us have your order immediately.

Cancelamento da proposta

1 Notamos, lamentavelmente, que ainda não recebemos seu pedido em resposta à nossa proposta de ...
2 Infelizmente não temos mais condições de manter nossa proposta.
3 Consideramo-nos desobrigados dessa proposta.

Withdrawal of offer

1 We very much regret to note that we have not yet received an order from you in response to our offer of ...
2 We are unfortunately no longer in a position to uphold our current offer.
3 We no longer consider ourselves to be bound by this offer.

4 Infelizmente, vemo-nos obrigados a cancelar nossa proposta.
5 Já que esse produto está saindo de linha, não podemos mais aceitar pedidos.
6 Não temos mais condições de fornecer os produtos pelos preços mencionados. Anexamos a esta nossa nova lista de preços.
7 Como até hoje não obtivemos resposta à nossa proposta de ..., concluímos que não há interesse de sua parte nessas mercadorias. Assim sendo, cancelamos nossa proposta pela presente.
8 Até hoje estivemos esperando por sua encomenda. Como temos vários outros interessados nessa mercadoria, não poderemos mais aceitar uma eventual encomenda de sua parte.
9 Gostaríamos de chamar sua atenção para o fato de que a validade de nossa proposta de ... termina na data de hoje. Não temos mais condições de aceitar pedido algum.
10 Por motivos técnicos de fabricação, não podemos mais manter nossa proposta de ...
11 Sentimos ter de cancelar nossa proposta de ..., uma vez que as mercadorias se esgotaram.
12 Devido a contratempos com nossos fornecedores, vemo-nos obrigados, infelizmente, a cancelar nossa proposta.

4 We must unfortunately withdraw our offer.
5 As this product is being discontinued, we are no longer able to accept orders for it.
6 It is no longer possible for us to supply the goods at the prices quoted. We are sending you our new price list enclosed.
7 As, to date, we have received no reply from you in response to our offer of ..., we assume that you are not interested in the goods. We hereby withdraw our offer.
8 We have waited up to today to receive your order but without success. As other customers are now interested, we will no longer be able to accept any order you might still wish to place.
9 We wish to point out that the period of time for which our offer of ... was valid has expired as of today. We are no longer in a position to accept further orders.
10 For technical reasons to do with production, we are no longer able to maintain our offer of ...
11 We regret that we must withdraw our offer of ..., as the goods are now no longer available.
12 As we are having difficulties with our suppliers we must unfortunately withdraw our offer.

Atraso na entrega

1 As mercadorias encomendadas aos senhores ainda não chegaram.
2 Há ... dias estamos aguardando as mercadorias encomendadas em ...
3 Para nosso grande pesar, percebemos que os senhores ainda não executaram nosso pedido de ...
4 Com relação ao nosso pedido de ..., não recebemos nem as mercadorias nem nenhuma notícia de sua parte.
5 Como precisamos urgentemente das mercadorias encomendadas em ..., pedimos aos senhores que as despachem o mais rápido possível.
6 Queremos chamar sua atenção para o fato de que a entrega está atrasada em ... dias.

Delay in delivery

1 The goods ordered from you have still not arrived here yet.
2 We have now been waiting for the goods ordered on ... for ... days.
3 Much to our regret, we note that you have not yet executed our order of ...
4 In response to our order of ... we have neither received the goods nor heard anything from you.
5 As we need the goods ordered on ... urgently we would ask you to despatch them to us as quickly as possible.
6 We wish to point out that you are already ... days in arrears with delivery.

7 Caso os senhores não tenham condições de fornecer as mercadorias encomendadas dentro do prazo, solicitamos que nos avisem imediatamente para que tomemos outras providências.

7 Should you not be able to deliver the goods on time, please let us know immediately to enable us to make alternative arrangements.

Prorrogação do prazo de entrega

1 As mercadorias encomendadas aos senhores em ... não chegaram até hoje.
2 Caso os senhores não cumpram seu compromisso de entrega até o dia ..., seremos obrigados a cancelar nosso pedido.
3 Solicitamos que cumpram nosso pedido o mais rápido possível. Não poderemos aceitar a entrega após ... (data).
4 Como temos urgência da mercadoria, insistimos que a entrega seja feita em ... dias.
5 Solicitamos que enviem a mercadoria ainda nesta semana.
6 Insistimos na entrega até ...
7 Visto que nossos clientes estão impacientes, necessitamos da mercadoria em ... semanas.
8 Até a presente data os senhores não cumpriram seu compromisso de fornecimento. Podemos conceder-lhes só mais uma prorrogação, até o dia ...
9 O prazo de entrega de nosso pedido de ... esgotou-se há ... semanas. Assim sendo, exigimos que a mercadoria seja despachada o mais rápido possível (por expresso, por serviço especial a seu encargo).

Extension of delivery deadline

1 The goods ordered from you on ... have still not arrived.
2 Should you not fulfil your obligation to deliver by ..., we will be forced to cancel our order.
3 We ask you to attend to our order as quickly as possible. It will no longer be possible for us to accept delivery after ...
4 As we need the goods urgently, we must insist on delivery within ... days.
5 Please forward the goods before the end of this week.
6 We insist on delivery by ... (date).
7 As our customers are now losing patience, we need the goods within ... weeks.
8 You still have not fulfilled your obligation to deliver the goods. We are allowing you one more extension of the deadline until ... (date).
9 The delivery period for our order ... expired ... weeks ago. We must therefore insist that the goods be forwarded as quickly as possible (by express, by special messenger at your expense).

Ameaça de ressarcimento

1 Chamamos sua atenção para o fato de que os senhores se encontram atrasados ... dias na entrega.
2 Reservamo-nos o direito de reclamar por perdas e danos.
3 Caso as mercadorias não sejam entregues dentro de ... dias, nós os responsabilizaremos por lucros cessantes e despesas adicionais.
4 Aceitaremos a mercadoria com reserva de nossos direitos.

Threat to claim damages

1 We wish to point out that you are already ... days in arrears with delivery.
2 We reserve the right to claim damages.
3 Should the goods not be delivered within ... days, we will hold you liable for loss of profit and additional expenses.
4 Our acceptance of the goods will only be provisional.

5 Devido ao seu enorme atraso de fornecimento, a mercadoria praticamente perdeu o valor para nós. Nós os responsabilizaremos por eventuais perdas e danos.
6 Sua remessa está atrasada. Reservamo-nos o direito de exigir ressarcimento dos senhores.
7 Caso venhamos a sofrer quaisquer perdas devido ao atraso de fornecimento, os senhores serão responsabilizados.
8 Em vista de seu atraso no fornecimento, lembramos que temos o direito de reclamar por perdas e danos.
9 Caso o fornecimento não seja feito dentro de uma semana, reservamo-nos o direito de tomar as providências necessárias.

5 As a result of your long delay in delivery, the goods have lost almost all their value for us. We will hold you liable for any losses.
6 You are in arrears with delivery. We reserve the right to claim damages from you.
7 Should your delay in delivery prove detrimental to us in any way, we will hold you liable.
8 In view of the delay in delivery, we must point out that we are entitled to claim damages from you.
9 Should the goods not arrive here within a week we reserve the right to take proceedings against you.

Cancelamento de pedido

1 Devido a seu atraso no fornecimento, não temos condições de aceitar a mercadoria.
2 Pela presente, cancelamos nosso pedido.
3 Infelizmente, vemo-nos obrigados a rescindir o contrato.
4 A mercadoria não nos serve mais. Portanto, vamos devolvê-la.
5 Diante de seu considerável atraso no fornecimento, rescindimos o contrato pela presente.
6 A mercadoria chegou aqui com um atraso de ... semanas. Já tomamos providências para devolvê-la.
7 Não nos sentimos mais obrigados ao nosso pedido de ..., pois a entrega da mercadoria está atrasada em ...
8 Sua negligência com nosso pedido de ... leva-nos a cancelá-lo.
9 Seu grande atraso no fornecimento impediu-nos de atender a nossos clientes a tempo. Assim, cancelamos por esta nosso pedido de ... Informamos também que não faremos mais nenhum pedido aos senhores.

Withdrawal from contract

1 In view of the long delay, we now no longer see ourselves in a position to accept delivery.
2 We hereby cancel our order.
3 We are unfortunately compelled to withdraw from the contract.
4 The goods are no longer of any value to us. We will therefore be returning them.
5 As a result of your considerable delay in delivery we hereby withdraw from the contract.
6 The goods arrived here ... weeks late. Arrangements have now been made to have them returned.
7 We no longer feel bound by our order dated ... since delivery of the goods is now already ... overdue.
8 You have dealt with our order of ... so negligently that we are cancelling it.
9 Your long delay in delivery has made it impossible for us to supply our customers on time. We hereby cancel our order of ... We also wish to inform you that we will no longer be placing orders with you in future.

Compra alternativa e indenização por perdas

1 Esperamos um mês (... meses) pelo fornecimento e nos vimos obrigados a suprir nossos estoques com outro fornecedor. Nós os responsabilizaremos pela diferença de preço.
2 Seu atraso no fornecimento levou-nos a adquirir a mercadoria na ... (empresa). Estamos devolvendo a mercadoria às suas expensas e os responsabilizamos pela diferença de preço.
3 Seu atraso no fornecimento causou-nos grandes prejuízos. Tomaremos contra os senhores as medidas legais cabíveis por descumprimento do contrato.
4 Seu atraso no fornecimento obrigou-nos a adquirir a mercadoria em outro fornecedor. Se mesmo assim as mercadorias forem fornecidas, vamos devolvê-las a seu encargo.
5 Como o fornecimento de sua mercadoria está com atraso de ... semanas, tivemos de adquiri-la em outro lugar. Responsabilizaremos os senhores por perdas e danos.
6 O fato de os senhores não terem cumprido a entrega fez-nos sofrer prejuízos consideráveis. Debitaremos ... (valor) de sua conta.
7 Como sua mercadoria não chegou no prazo, tivemos de suprir nosso cliente com produtos mais caros. Responsabilizamos os senhores pelas perdas ocasionadas.
8 Conforme estipulado em nosso contrato (indenização monetária em caso de atraso no fornecimento), deduziremos parte do valor da fatura.

Covering purchases and claims for damages

1 We have been waiting for delivery for a month (for ... months) and must now stock up elsewhere. We will hold you liable for the difference in price.
2 Your delay in delivery has made us purchase the goods from ... (firm). We are returning the goods, carriage forward, and will hold you liable for the additional expense.
3 Your delay in delivery has been of great detriment to us. We will be taking legal action for non-fulfilment of contract.
4 Your delay in delivery has made it necessary for us to obtain the goods elsewhere. Should they nevertheless still be delivered, we will return them to you, carriage forward.
5 As delivery of the goods has now been overdue for ... weeks, we have had to obtain them elsewhere. We will hold you liable for loss of profit.
6 We have incurred a considerable loss as a result of your non-delivery. We will debit your account with the sum of ...
7 As your goods did not arrive in time, we have had to supply our customers with more expensive products at the original price. We will hold you liable for the loss incurred.
8 As specified in our contract (liquidated damages in the event of delay in delivery), part of the invoice amount will be deducted.

Atraso no pagamento

Primeira advertência

1 Gostaríamos de ressaltar que sua conta ainda apresenta uma dívida de ...
2 Sem dúvida, os senhores não se deram conta de que nossa fatura de ... ainda não foi paga.
3 Infelizmente, constatamos que os senhores estão em atraso com o pagamento.
4 Estamos esperando há ... meses pela liquidação de nossa fatura de ...

Delay in payment

First reminder

1 We wish to point out that your account still shows an outstanding balance of ...
2 It has no doubt escaped your notice that our invoice of ... has not yet been settled.
3 We are sorry to note that you are in arrears with payment.
4 We have now been waiting for ... months for settlement of our invoice dated ...

5 Infelizmente, temos de chamar sua atenção para o fato de que sua conta apresenta um saldo em atraso de ...
6 Sua conta apresenta um saldo devedor de ...
7 Infelizmente, constatamos que desta vez os senhores não cumpriram suas obrigações de pagamento.
8 Pedimos que os senhores saldem em breve a quantia pendente de ...
9 Aproveitamos esta oportunidade para ressaltar que os senhores ainda nos devem a quantia de ...
10 Nossa fatura de ..., no valor de ... (moeda), ainda não foi paga. Acreditamos que se trate de um descuido de sua parte e anexamos uma cópia da fatura (do extrato de conta).

5 Unfortunately, we must draw your attention to the fact that your account shows an overdue balance of ...
6 Your account shows a debit balance of ...
7 We are sorry to note that this time you have not met your financial obligations.
8 We would ask you to remit the outstanding amount of ... in the near future.
9 We wish to take this opportunity to point out that the sum of ... is still owing to us.
10 Our invoice of ... for (currency, amount) ... is still unpaid. We believe that this is due to an error on your part and include a copy of the invoice (statement of account).

Segunda advertência

1 Esperamos que os senhores quitem até o final deste mês as faturas ainda pendentes.
2 Nossa fatura n.° ..., de ..., ainda está pendente. Aguardamos o pagamento em ... semanas.
3 Fazemos referência a seu pedido n.° ..., de ..., para o qual fora combinado pagamento à vista. Em vista do atraso no pagamento, lançaremos mensalmente em sua conta uma taxa adicional de ...% sobre a quantia pendente.
4 Os senhores ultrapassaram consideravelmente seu prazo de pagamento de ... meses (trimestral). Vemo-nos obrigados, por essa razão, a exigir no futuro pagamento imediato.
5 Nossa fatura de ..., no valor de ..., não foi paga até a presente data, e não obtivemos resposta de sua parte à nossa primeira advertência. Pedimos que remetam imediatamente o valor pendente.
6 Nossa advertência de ... continua sem resposta. Caso os senhores tenham alguma razão que os leve a reter o pagamento, pedimos que nos informem imediatamente.
7 Como até a presente data os senhores sempre foram pontuais na liquidação das parcelas, não entendemos seu atraso no pagamento. Caso os senhores se encontrem em dificuldades financeiras momentâneas, estamos à sua disposição para discutir o assunto.

Second reminder

1 We trust you will be settling the outstanding invoice amounts by the end of this month.
2 Our invoice No. ... of ... is still outstanding. We expect payment within ... weeks.
3 We refer to your order No. ... of ..., for which immediate cash payment was agreed. As a result of your delay in payment, an extra charge of ...% of the outstanding amount will be charged to your account monthly.
4 You have now considerably exceeded your credit period of ... month (your quarterly credit period). We therefore now have no choice but to insist on immediate payment in future.
5 Our invoice of ... for ... has not been paid to date and we have received no response to our first reminder. We now ask you to remit the outstanding amount immediately.
6 Our reminder of ... has still not been replied to. Should you have any particular reason for withholding payment, please let us know immediately.
7 As you have hitherto always settled all outstanding payments punctually, we are at a loss to understand your delay in payment. Should you be experiencing temporary financial difficulties we would be pleased to discuss the matter with you.

8 Como a quantia de ... até o momento não foi creditada em nossa conta, concedemos aos senhores a última prorrogação do prazo, até ...

Terceira advertência e fixação de prazo

1 Seu atraso no pagamento contradiz os termos de nosso negócio. Reservamo-nos o direito de tomar medidas contra os senhores.
2 Sua falta de pagamento representa um rompimento de contrato. Estamos pensando em cortar relações comerciais com os senhores.
3 Caso os senhores não cumpram seus compromissos financeiros em breve, seremos obrigados a procurar outros parceiros comerciais.
4 Desejamos chamar sua atenção para as possíveis conseqüências da falta de pagamento de sua parte.
5 Concedemos aos senhores um prazo improrrogável de ... dias para liquidação de suas faturas pendentes.
6 O cheque que os senhores nos prometeram por telefone em ... não chegou até a data de hoje. Concedemos aos senhores um prazo final de uma semana.
7 Há ... meses aguardamos a quitação de nossas faturas de nº ... e nº ... Pedimos que enviem ao nosso banco, ainda nesta semana, a quantia pendente de ...
8 Pedimos que quitem seus compromissos de pagamento em ... semanas.
9 Os senhores não responderam a nenhuma de nossas advertências. Assim, damos-lhes um prazo final de ... dias.

Advertência final e ameaça de medidas judiciais

Recurso jurídico

1 Caso o pagamento não seja efetuado até o final desta semana, acionaremos nosso departamento jurídico (nosso advogado) para solucionar esta pendência.
2 Caso os senhores persistam no atraso dos pagamentos, seremos infelizmente obrigados a entregar esse assunto ao nosso departamento jurídico (advogado).

8 As the sum of ... has still not been credited to our account we are allowing you a final extension of the deadline until ...

Third reminder with deadline

1 Your delay in payment is contrary to our terms of business. We reserve the right to take proceedings against you.
2 Your arrears in payment constitute a breach of contract. We are considering breaking off business relations with you.
3 Should you not meet your financial obligations in the near future, we shall have to look for new business partners.
4 We wish to point out the possible consequences of your delay in payment.
5 We are allowing you a final extension of ... days to settle the outstanding invoices.
6 The cheque promised to us in our telephone conversation of ... still has not reached us. We are allowing you a final extension of one week.
7 We have been waiting for settlement of our invoices Nos. ... and ... for ... months now. Please remit the outstanding amount of ... to our bank before the end of this week.
8 We would ask you to meet your financial obligations within ... weeks.
9 You have not responded to either of our reminders. We are allowing you a final extension of the deadline of ... days.

Final demand and threat of legal action

Calling in solicitors

1 Should we not receive payment by the end of this week, we will instruct our legal department (our solicitors) to deal with the matter.
2 Should you remain in arrears with payment, we will unfortunately be obliged to pass this matter on to our legal department (solicitors).

3 Seu atraso no pagamento representa uma grave quebra das condições de nossos negócios. Caso os senhores não se manifestem até ... (data), tomaremos medidas judiciais contra os senhores.
4 Como não recebemos resposta a nossas advertências, não temos outra escolha senão tomar medidas judiciais contra os senhores.
5 Comunicamos aos senhores que entregamos suas faturas em aberto ao nosso departamento jurídico (nosso advogado).
6 Como os senhores não responderam a nossas duas (três) advertências, tivemos de acionar, infelizmente, nosso advogado.
7 Sua falta de pagamento obriga-nos a defender nossos direitos por via judicial.
8 Acionamos nosso advogado para defender nossos interesses. Anexamos a esta uma cópia da carta que enviamos a ele.
9 Nossas consultas a seu banco revelaram que seu cheque tinha insuficiência de fundos. Apesar de várias advertências, não tivemos resposta dos senhores. Caso o pagamento não seja feito até ..., tomaremos medidas legais contra os senhores.

3 Your delay in payment constitutes a serious breach of our terms of business. Should we have heard nothing from you by ... (date) we will institute legal proceedings against you.
4 As we have received no reply in response to our reminders, we have no alternative but to institute legal proceedings against you.
5 This is to inform you that your unpaid invoices have now been passed on to our legal department (solicitors).
6 As you have not responded to our two (three) reminders, we have unfortunately had to call in our solicitors.
7 Your arrears in payment leave us no alternative but to recover our claim by legal means.
8 We have now instructed our solicitors to represent our interests. We enclose a copy of our letter to this effect.
9 Our enquiries at your bank have revealed that your account has insufficient funds to cover your cheque. You have also not responded to several reminders. Should no payment have been made by ... (date), we will institute legal proceedings against you.

Reclamações

Diferença de quantidade

1 Com referência a sua remessa de ..., constatamos que infelizmente os senhores não se ativeram às quantidades especificadas. Só podemos aceitar os artigos não encomendados se nos for concedido um abatimento de 25%.
2 Em vez das ... unidades encomendadas, os senhores nos enviaram e faturaram ... unidades. Só aceitamos ficar com os artigos a mais se os senhores nos concederem uma redução de preço razoável.
3 Em sua remessa de ..., os senhores ultrapassaram nosso pedido em mais de ...%. Não estamos dispostos a ficar com esse fornecimento a mais pelo preço original.

Complaints

Difference in quantity

1 In connection with your consignment dated ..., we note that you have unfortunately not kept to the quantities we specified. We are only prepared to accept the unordered items if a 25% price reduction is granted on them.
2 Instead of the ... ordered you have supplied and charged us for ... units. We are only willing to accept the extra amount at a suitable discount.
3 The goods supplied to us on ... exceed the quantity ordered by more than ... % We are not prepared to accept the additional amount at the original price.

4 Os artigos enviados a mais não têm utilidade para nós. Vamos devolvê-los imediatamente.
5 As ... unidades fornecidas a mais não têm serventia para nós. Portanto, nós as colocamos à sua disposição.
6 Lamentamos constatar que os senhores forneceram uma quantidade consideravelmente menor que a solicitada em nosso pedido n? ... Assim sendo, pedimos que nos enviem o mais rápido possível as ... unidades que faltam.
7 Temos de exigir a remessa urgente da mercadoria não enviada.
8 Pedimos que nos enviem as unidades que faltaram por expresso (frete rápido, serviço especial de entrega).
9 Faltaram alguns itens na execução de nosso pedido de ... Esperamos a remessa com urgência das unidades que faltaram.
10 Em sua remessa de ..., faltou o artigo ... Aguardamos informações sobre o ocorrido.
11 Os senhores infelizmente cometeram um engano ao preparar sua última remessa: esqueceram-se de fornecer ... caixas de papelão com o artigo n? ...
12 Esperamos que nos enviem imediatamente os artigos que faltam.
13 Nosso último pedido não foi executado corretamente. Infelizmente faltam ... unidades do artigo n? ..., do qual temos urgência.
14 Pedimos que nos enviem imediatamente as ... caixas esquecidas em sua última remessa.
15 Embora os senhores tenham computado ... unidades do artigo n? ..., elas não foram entregues. Aguardamos seu comentário a respeito.

4 The additional goods supplied are of no use to us. We are returning the unwanted products immediately.
5 The extra ... units supplied are of no use to us and we are now placing them at your disposal.
6 We very much regret that you have supplied considerably less than the quantity ordered, as per our order No. ... We would therefore ask you to forward the ... missing items as quickly as possible.
7 We must insist that the missing goods be sent to us as soon as possible.
8 Please send us the missing items by express (by fast freight, by special messenger).
9 Some items were omitted when our order dated ... was made up. We await delivery of these urgently needed missing goods.
10 Item No. ... was missing among the articles delivered on ... We look forward to hearing what has become of it.
11 You unfortunately made a mistake when putting together your last consignment to us. You forgot to supply ... cardboard boxes of article No. ...
12 We trust you will be forwarding the missing items to us immediately.
13 Our last order has not been properly executed. ... (quantity) urgently needed units of article No. ... are unfortunately missing.
14 Please send us the ... cardboard boxes left out of your last consignment immediately.
15 Although we have been invoiced for the ... units of article No. ..., they are not among those delivered. We await your comments on this.

Diferença de qualidade em relação à amostra

1 A qualidade dos artigos de sua remessa de ... difere bastante da qualidade da amostra.
2 As amostras que nos foram apresentadas em ... por seu representante, sr. ..., tinham qualidade bem superior à das mercadorias fornecidas.
3 Os artigos de n^{os} ... e ... de sua remessa de ... são de qualidade inferior aos das amostras apresentadas.

Quality supplied different from sample

1 The quality of the goods delivered on ... is considerably different from that of the samples.
2 The samples shown to us on ... by your agent/representative, Mr ..., were of considerably better quality than the goods last delivered.
3 Articles Nos. ... and ... delivered on ... are of worse quality than the samples submitted.

4 Não estamos dispostos a aceitar mercadorias diferentes das amostras.
5 Devemos insistir em que os senhores nos entreguem artigos da mesma qualidade que as amostras fornecidas em ...
6 Providenciamos a devolução de sua remessa de ..., uma vez que a qualidade é bem inferior à das amostras.
7 Estamos devolvendo aos senhores os artigos n^{os} ... e ..., às suas expensas, uma vez que sua qualidade diverge muito da das amostras.

4 We are not willing to accept goods that differ from your samples.
5 We must insist that you supply us with the same quality as the samples submitted on ...
6 We have arranged to have the goods delivered on ... returned, since the quality is considerably below sample.
7 We are returning articles Nos ... and ..., carriage forward, as the quality is below sample.

Diferença de qualidade em relação à remessa para prova

1 Os artigos de seu fornecimento para prova de ... eram de qualidade bem superior aos artigos de sua última remessa.
2 Não temos condições de aceitar seu último fornecimento, pois é de qualidade bem inferior à de sua remessa a título de prova.
3 Providenciamos a devolução de sua remessa de ..., pois, ao contrário de seu fornecimento a título de prova, não nos satisfizeram.
4 Já providenciamos a devolução dos artigos.

Quality different from trial shipment

1 The articles in your trial shipment of ... were of far better quality than those in your last consignment.
2 We do not see ourselves in a position to accept your last consignment as it is of poorer quality than your trial shipment.
3 We have arranged to have the goods supplied on ... returned, because – in contrast to your trial shipment – they are unsatisfactory.
4 We have already arranged to have the goods returned.

Qualidade diferente da pedida

1 Temos que informá-los que, infelizmente, sua remessa de ... não corresponde em qualidade à nossa encomenda.
2 Encomendamos produtos de qualidade média, mas recebemos apenas mercadorias de terceira linha.
3 Encomendamos artigos de qualidade superior e, portanto, não podemos aceitar artigos de baixa qualidade.
4 Os artigos entregues em ... não correspondem às nossas expectativas de qualidade.

Quality not as ordered

1 We must unfortunately point out that the goods delivered on ... are not of the quality ordered.
2 We ordered average-quality items but only received these third-rate goods.
3 We ordered top quality and are thus unable to accept your low-quality goods.
4 The goods supplied on ... fall short of the quality we expected.

Qualidade diferente da indicada

1 As mercadorias não são da qualidade oferecida.
2 Em seu folheto, os senhores oferecem mercadorias de qualidade bem superior.

Quality not as stated

1 The goods are not of the quality offered.
2 In your brochure you offer goods of far superior quality.

3 Gostaríamos que os senhores explicassem a razão da diferença de qualidade entre os artigos de sua proposta e os fornecidos.
4 Em seu folheto, os senhores oferecem mercadorias da melhor qualidade. Caso os senhores não nos concedam um desconto substancial, teremos de devolver os artigos de qualidade inferior.
5 Ao examinar sua remessa de ..., verificamos que os senhores não mantiveram a qualidade que prometeram.
6 Os artigos não correspondem aos de sua proposta. Recusamo-nos a aceitar mercadorias de tão baixa qualidade.
7 Nos próximos dias, os senhores receberão a devolução de sua remessa com data de ... Pedimos que nos enviem produtos com a qualidade oferecida em seu prospecto.

Embalagem insatisfatória

1 Sua última remessa foi muito mal embalada. Boa parte da mercadoria chegou danificada.
2 Infelizmente temos de reclamar que o artigo de n.º ... de sua última remessa chegou danificado.
3 As mercadorias de seu último fornecimento estavam embaladas de forma negligente. Estamos devolvendo aos senhores os artigos danificados.
4 Parte das mercadorias chegou danificada. Não conseguimos compreender por que artigos tão valiosos são embalados tão descuidadamente.
5 Devido à embalagem mal feita, parte de sua remessa de ... estava úmida.
6 A embalagem era tão inadequada que a maior parte de sua remessa de ... estava danificada.
7 Não temos como utilizar os produtos danificados. Temos certeza de que os senhores embalarão as mercadorias com mais cuidado em nosso próximo pedido.
8 Não conseguimos encontrar motivos para uma embalagem tão insatisfatória. Os artigos danificados serão devolvidos aos senhores, às suas expensas.
9 Devido à embalagem inadequada, ... artigos de seu fornecimento de ... foram danificados e são invendáveis. Pedimos que levem isso em consideração quando nos apresentarem a fatura.

3 Please explain why there is a difference in quality between your offer and the goods supplied.
4 Your brochure refers to top-quality goods. Unless you are able to grant us a considerable discount, we will have to return the poorer-quality items.
5 Having examined your consignment dated ..., we are forced to conclude that you have not kept your promise as regards quality.
6 The goods do not correspond to your offer. We refuse to accept goods of such poor quality.
7 In the course of the next few days you will be getting back your consignment dated ..... Please send us goods of the quality offered in your brochure.

Poor packing

1 Your last consignment was poorly packed. A large number of the goods were damaged.
2 We unfortunately have to complain about damage to article No. ... of your last consignment.
3 The goods in your latest consignments were packed carelessly. We are returning the damaged goods.
4 Some of the goods arrived here damaged. Quite simply, we fail to understand how you can pack such valuable goods so carelessly.
5 As a result of poor packing part of your consignment dated ... arrived damp.
6 The packing was so inadequate that most of your consignment dated ... was damaged.
7 The damaged items are of no use to us. We trust that you will pack the goods more carefully for our next order.
8 We cannot understand how the goods can come to be so badly packed. We are sending the damaged items back to you at your expense.
9 As a result of inadequate packing ... articles of the consignment dated ... are damaged and thus unsaleable. Please take this into account when invoicing us.

10 Infelizmente sentimo-nos obrigados a exigir a reposição de ... unidades do artigo ..., pois chegaram danificados devido a uma embalagem mal feita.
11 Os artigos que nos foram enviados em ... chegaram sem condições de uso. Pedimos que embalem as mercadorias com mais cuidado no futuro.

Entrega errada

1 Sentimos informar-lhes que a mercadoria fornecida em ... não corresponde à nossa encomenda.
2 Infelizmente os senhores não nos forneceram as mercadorias encomendadas.
3 Comunicamos que, em vez do artigo encomendado, de n.º ..., os senhores entregaram o artigo n.º ...
4 Nos próximos dias os senhores receberão a devolução dos artigos fornecidos por engano. Pedimos que nos enviem imediatamente os artigos encomendados em ...
5 Os artigos que nos foram entregues são bastante diferentes dos que encomendamos em ...
6 Seu setor de expedição cometeu um engano. Foram-nos enviadas mercadorias que, de acordo com a fatura, destinavam-se a outra empresa.
7 Infelizmente não podemos aceitar a remessa n.º ..., pois os produtos entregues não correspondem de forma alguma aos pedidos em ...
8 Os artigos entregues aqui por engano em ... não nos servem. Por favor, verifiquem nosso pedido de novo.
9 Informem-nos, por favor, que desconto os senhores nos concederão nos artigos n.ºˢ ... e ..., entregues aqui por engano. Só estaremos dispostos a ficar com essa mercadoria se houver uma considerável redução no preço.
10 Nosso último pedido foi tratado com negligência. Nós não encomendamos os artigos ... e ...

Faturamento incorreto

1 Ao faturar seu último fornecimento, os senhores cometeram um engano de ... a seu favor.

10 We are unfortunately obliged to insist on replacements for ... units of article ..., as they arrived here damaged owing to poor packing.
11 The goods sent to us on ... arrived here in an unusable condition. Please pack the goods more carefully in future.

Delivery of wrong goods

1 We regret to inform you that the goods delivered on ... do not correspond to those ordered.
2 You have unfortunately not supplied us with the goods ordered.
3 We must point out that instead of article No. ... you have supplied article No. ...
4 In the course of the next few days you will be getting back the items supplied by mistake. Please send us the articles ordered on ... by return.
5 The goods delivered are significantly different from the ones we ordered on ...
6 Your despatch department has made a mistake. Goods which, according to the invoice, were intended for another firm have been sent to us by mistake.
7 We unfortunately cannot accept consignment No. ... The goods supplied bear no relation to those ordered on ...
8 The goods delivered here by mistake on ... are of no use to us. Please check our order again.
9 Please tell us how much discount you will allow on articles Nos ... and ..., delivered here by mistake. We will only be prepared to accept these goods if there is a considerable reduction in price.
10 Our last order was dealt with negligently. We did not order articles ... and ...

Incorrect invoicing

1 When invoicing your last consignment you made an error of ...in your favour.

2 Para nossa surpresa, constatamos que na fatura n° ..., de ..., os senhores colocaram preços mais altos do que os de sua proposta.
3 Os senhores cometeram um erro na última fatura. Nós a devolvemos anexa a esta para a devida correção.
4 O cálculo dos preços não corresponde às condições estipuladas em nosso contrato de ...
5 Os senhores estão cobrando preços mais altos do que os mencionados em seu prospecto.
6 Sua nota n° ..., de ..., foi faturada em dólares americanos. Pedimos que nos enviem uma cópia em marcos alemães.
7 Gostaríamos que das próximas vezes os senhores nos mandassem ... cópias das faturas.
8 Em sua fatura n° ..., de ..., o preço do artigo ... não está claro. Gostaríamos que nos enviassem o mais rápido possível uma fatura com discriminação clara dos artigos.
9 Em sua fatura n° ..., de ..., o valor do VAT não está discriminado à parte. Pedimos que emitam outra fatura.

2 We note with surprise that your invoice No. ... of ... quotes higher prices than those stated in your offer.
3 You have made a mistake in your last invoice. We are sending it back enclosed for amendment.
4 The prices charged do not correspond to the terms agreed as per our contract of ...
5 You have charged higher prices than those quoted in your brochure.
6 Your invoice No. ... of ... is made out in US$. Please send us a copy in Deutschmarks.
7 We would like you to send us ... copies of your invoices in future.
8 Your invoice of ... does not clearly show the price of article ... We wish you to send us a clearly itemised invoice by return.
9 VAT is not shown separately on your invoice No. ... of ... Please issue a new invoice.

Omissão de descontos prometidos

1 Seu representante prometeu-nos um desconto por quantidade de ...%. Pedimos que nos enviem uma fatura corrigida.
2 Em sua proposta, os senhores nos prometeram um desconto de ...% no preço do artigo.
3 Aos nos apresentarem a fatura de nosso pedido de ..., infelizmente os senhores esqueceram de deduzir o desconto prometido. Enviem-nos, por favor, outra fatura.
4 Segundo seu prospecto, os preços são escalonados de acordo com a quantidade. Infelizmente, os senhores não consideraram esse fato ao emitir sua última fatura.
5 Em carta de ..., os senhores prometeram um desconto para clientes preferenciais de ...% sobre o total da fatura. Pedimos que nos enviem nova fatura com a devida correção.
6 No faturamento de nosso pedido de ..., os senhores se esqueceram de considerar o desconto de cortesia nos novos artigos n^{os} ... e ... Tomaremos a liberdade de

Omission of deductions promised

1 Your agent promised us a quantity discount of ...% Please send us a new amended invoice.
2 In your offer you promised us a price reduction of ...% per article.
3 When invoicing us for our order of ... you unfortunately forgot to include the price reduction promised. Please send us a new invoice.
4 In your brochure the prices are staggered according to quantity. This was unfortunately overlooked when your last invoice was made out.
5 In your letter of ... you promised us a customer loyalty discount of ...% of the invoice amount. Please send us an invoice amended to this effect.
6 When invoicing our order of ... you forgot to deduct the introductory discount on the new articles Nos. ... and ... We

deduzir esse valor de nossa ordem de pagamento.
7 Os senhores haviam prometido um desconto de ...% em pagamento à vista. Assim, não entendemos por que os senhores agora se opõem a tal desconto.
8 Infelizmente, os senhores não levaram em conta os descontos mencionados em sua proposta de ... Portanto, estamos devolvendo sua fatura n°. ..., de ..., para a devida correção.
9 Ao faturar nosso pedido de ..., os senhores se esqueceram de deduzir o desconto por quantidade prometido. Pedimos que abatam essa quantia em nosso próximo pedido.

are taking the liberty of deducting this amount from our remittance.
7 We were promised a ...% discount for cash. We therefore cannot understand why you should take issue with us about this deduction.
8 You have unfortunately not included the price reductions quoted in your offer of ... We are therefore returning your invoice No. ... of ... to you for amendment.
9 When invoicing our order of ... you forgot to include the quantity discount promised. We would ask you to take this into account when invoicing us for our next order.

Equívocos e ambigüidades

1 Temos em estoque dois tipos do artigo ... Pedimos que nos informem o mais breve possível que tipo devemos entregar-lhes.
2 Os itens ... e ... de seu pedido não estão claros. Pedimos que nos informem por telefone as cores desejadas.
3 Em seu último pedido, os senhores não especificaram os tamanhos desejados.
4 Em nosso pedido de ..., infelizmente cometemos um equívoco. Façam o favor de nos enviar o artigo ... em lugar do artigo ... que pedimos.
5 Informem-nos, por favor, se sua proposta de ... ainda tem validade.
6 Solicitamos que faturem nosso pedido de ... em ... (moeda). Havíamos omitido essa informação.
7 Em nosso último pedido há um erro. Pedimos não enviarem as mercadorias antes do dia ... do próximo mês.
8 Não sabemos a que endereço enviar seu último pedido. Informem-nos, por favor, o endereço correto de entrega.
9 Em seu pedido de ..., os senhores não mencionam que tipo de remessa preferem. Precisamos dessa informação o mais rápido possível.
10 Gostaríamos que nos informassem a razão do cancelamento de seu último pedido.
11 Recebemos seu pedido enviado por fax. Infelizmente, há uma parte ilegível. Pedimos que o transmitam novamente.
12 Infelizmente, temos de insistir na devolução da quantia de ..., deduzida por engano.

Misunderstandings and ambiguities

1 We have two types of article ... in stock. Please let us know immediately which type we should supply.
2 It is not clear what is meant in the case of items ... and ... of your order. Please let us know by telephone which colours you require.
3 In your last order you do not state the sizes you require.
4 We unfortunately made a mistake when placing our order of ... Please send us article ... instead of article ... originally ordered.
5 Please let us know if your offer of ... is still valid.
6 Please make out the invoice for our order of ... in ... (currency). We omitted to state this at the time.
7 We made a mistake when placing our last order. Please do not send the goods before ... of next month.
8 We are not sure what address to send the goods last ordered to. Please let us know where they are to go.
9 It is unclear what mode of despatch is required for your order of ... Please let us know by return.
10 Please let us know why you have cancelled your last order.
11 We have received the order transmitted to us by fax. Unfortunately, it is partly illegible so we would ask you to fax it again.
12 We must unfortunately insist that the erroneously deducted sum of ... be refunded.

13 Gostaríamos de ressaltar que encomendamos a melhor qualidade. Não podemos aceitar tal diferença de qualidade.
14 Suas mercadorias não correspondem ao nosso pedido.
15 Pedimos que nos enviem as mercadorias na qualidade encomendada.
16 Solicitamos que na próxima remessa nos enviem exatamente a qualidade pedida.
17 Os artigos ... e ... não são da qualidade encomendada.

Extravio de mercadorias

1 Informamos que sua última remessa aparentemente se extraviou.
2 Lamentamos informar que o artigo n.º ... de seu fornecimento de ... extraviou-se durante o transporte.
3 Sua remessa de ... extraviou-se no transporte entre ... e ... Pedimos que providenciem a investigação necessária e nos informem sobre o paradeiro da mercadoria.
4 Apesar de termos realizado uma investigação ampla, infelizmente ainda não conseguimos localizar sua (nossa) remessa de ...
5 Não recebemos até a presente data sua remessa de ... Supomos que se tenha extraviado durante o transporte. Pedimos que apurem o ocorrido.

Respostas a notificações de irregularidades

Cancelamento da proposta

1 Lamentamos que os senhores tenham cancelado sua proposta de ...
2 Lamentamos o cancelamento de sua última proposta, mas solicitamos que continuem nos enviando suas ofertas especiais no futuro.
3 Lamentamos que os senhores tenham cancelado sua proposta. Esperamos que os senhores ainda possam executar nosso pedido apresentado na data de ontem.

13 We wish to point out that we ordered the best quality. We cannot accept such a difference in quality.
14 The goods supplied do not correspond to those ordered.
15 Please send goods of the quality ordered.
16 We would ask you to keep strictly to the quality ordered when making up our next consignment.
17 Items ... and ... are not of the quality ordered.

Missing consignments

1 This is to inform you that your last consignment would seem to have become lost.
2 We very much regret to inform you that article No. ... of the consignment dated ... was lost in transit.
3 Your consignment dated ... has been lost in transit between ... and ... Please have the matter investigated and let us know what has become of the goods.
4 Despite extensive investigations, we have still not been able to determine the whereabouts of your (our) consignment dated ...
5 Your consignment dated ... still has not reached us. We assume it has been lost in transit. Please have the matter investigated.

Replies when transaction is no longer straightforward

Offer withdrawn

1 We very much regret that you have withdrawn your offer of ...
2 We note with regret that you have withdrawn your last offer but would ask you, nevertheless, to provide us with information on your special offers in the future.
3 We note with regret that you have withdrawn your offer. We hope it is still possible for you to execute the order we placed yesterday.

4 Apenas hoje fomos informados do cancelamento de sua proposta. Mesmo assim, devemos insistir no atendimento do pedido apresentado aos senhores há dois dias.

Cancelamento do pedido

1 Não podemos aceitar o cancelamento de seu pedido de ... A mercadoria foi despachada na data de ontem.
2 Seu pedido não pode mais ser cancelado, pois a produção das mercadorias já foi iniciada.
3 Nosso atraso no fornecimento deveu-se a dificuldades técnicas de produção. Em vista desse fato, pedimos que não cancelem seu pedido.
4 Como a entrega não tinha prazo específico, não podemos aceitar o cancelamento do pedido.
5 Nosso atraso no fornecimento deve-se a uma série de contratempos fora de nosso controle. Garantimos que seu próximo pedido será executado com pontualidade.
6 O atraso no fornecimento não se deveu a erro de nossa parte. Transmitimos sua reclamação à transportadora. Infelizmente não podemos mais cancelar seu pedido.
7 Lamentamos o cancelamento de seu pedido, mas esperamos continuar mantendo no futuro um bom relacionamento comercial.

Justificativa de atraso

Atraso de fornecimento

1 O atraso no fornecimento ocorreu devido a um lamentável erro de planejamento de nosso departamento de vendas. Asseguramos que no futuro seus pedidos receberão tratamento preferencial.
2 Nosso departamento de exportação encontra-se tão sobrecarregado que infelizmente não nos foi possível atender a seu pedido de ... dentro do prazo.
3 Pedimos que nos desculpem pelo atraso na remessa, provocado por falha de um de nossos fornecedores.

4 We only discovered today that your offer has been withdrawn. We must nevertheless insist that the order we placed with you two days ago still be executed.

Cancellation of order

1 We cannot accept the cancellation of your order dated ... The goods left our plant yesterday.
2 Your order can now no longer be cancelled because production of the goods is already under way.
3 The delay in delivery was brought about by technical problems in production. In view of this, we would ask you to not to cancel your order.
4 As delivery was not scheduled for a particular date we are unable to accept your cancellation of order.
5 The delay in delivery on our part is the consequence of a series of unfortunate events beyond our control. We are sure that we will be able to execute your next order punctually.
6 The delay in delivery is due to no fault of our own. Your complaint has been passed on to our transport firm. We are no longer able to have your order cancelled.
7 We are sorry that you have cancelled your order but nevertheless hope that our business relations will be good in the future.

Justification of delay

Delay in delivery

1 The delay in delivery on our part has unfortunately come about as a result of a regrettable error in planning by our sales department. We assure you that we will be giving your orders preferential treatment in future.
2 Our export department is currently so overworked that it has unfortunately not been possible for us to deal with your order of ... on schedule.
3 We would ask you to excuse the delay in delivery. We were let down by one of our suppliers.

4 As mercadorias de seu pedido de ... exigiram uma produção especial. Assim, pedimos que nosso atraso de fornecimento seja desculpado.
5 O artigo n? ... está sendo produzido em equipamento novo. Pedimos que desculpem o atraso no fornecimento, resultado de problemas técnicos.
6 Salientamos que nosso atraso no fornecimento deve-se a ambigüidades em seu pedido.
7 Seu pedido tinha tantos pontos ambíguos que somente pudemos iniciar sua execução depois de vários esclarecimentos. Assim, não podemos ser responsabilizados pelo atraso na entrega.
8 Em nossa carta de ..., informamos que somente poderíamos executar seu pedido de ... após pagamento de seu pedido anterior. Assim sendo, a responsabilidade pelo atraso no fornecimento é exclusivamente dos senhores.
9 O grande atraso no fornecimento deveu-se a negligência da transportadora, à qual encaminhamos sua carta de ...
10 Uma greve causou consideráveis prejuízos à produção. Assim, infelizmente não pudemos executar seu pedido pontualmente.

Atraso de pagamento

1 Como havíamos combinado um prazo de pagamento de ..., não entendemos por que os senhores nos enviaram uma advertência em ...
2 Sua advertência nos causou surpresa, uma vez que instruímos nosso banco na semana passada para remeter aos senhores a quantia em questão.
3 Nosso atraso no pagamento deve-se a uma dificuldade momentânea de liquidez. Enviaremos a quantia de ... no princípio da próxima semana.
4 De acordo com nossos registros, nossa conta encontra-se saldada, de modo que não compreendemos o envio de sua advertência. Pedimos que verifiquem esse assunto.
5 Em vista de elevadas somas por receber, ficamos em atraso com nossos pagamentos. Pedimos que desculpem esse atraso. Estamos providenciando pagamento imediato da quantia devida aos senhores.

4 We have had to manufacture the goods ordered on ... separately to your specifications. We would therefore ask you to excuse the delay in delivery.
5 Article No. ... is being produced with new machinery. We would ask you to excuse the delay, which is a result of technical problems.
6 We wish to point out that our delay in delivery is due to an ambiguity in your order.
7 Your order was expressed so unclearly that we were not able to start work on it until we had sought clarification on several occasions. We are therefore in no way to blame for the delay in delivery.
8 In our letter of ... we state that we will not be able to execute your order of ... until the previous one has been paid for. The delay in delivery is, for this reason, of your own making.
9 The long delay in delivery is due to negligence on the part of our freight forwarders. We have passed your letter of ... on to them.
10 A strike here caused a considerable loss of production. It was therefore unfortunately impossible for us to execute your order punctually.

Delay in payment

1 As a credit period of ... was agreed we cannot understand why you sent us a reminder on ...
2 Your reminder came as a surprise to us, since our bank was instructed last week to remit the sum in question to you.
3 Our delay in payment is the result of a temporary shortage of liquidity on our part. We will be remitting the sum of ... to you at the beginning of next week.
4 As, according to our records, our account with you is balanced, we cannot understand why we have received a reminder. Please look into this matter.
5 As we are still owed considerable sums of money, our own payments are also behind schedule. We would ask you to excuse this delay and undertake to remit the amount due to you immediately.

6 Como sua mercadoria chegou a nós em péssimo estado, tivemos muita dificuldade em vendê-la em quantidade. Saldaremos nossa dívida com os senhores tão logo tenhamos vendido uma quantidade maior.
7 Tão logo os senhores nos informem o desconto concedido no artigo danificado, instruiremos nosso banco a remeter-lhes a quantia devida.
8 Uma vez que os senhores forneceram a mercadoria com um atraso de ... meses, sem nos avisar a respeito, não conseguimos entender sua advertência em tom nada amigável. Como combinado, saldaremos o valor da fatura ... dias após o recebimento da mercadoria.
9 Como temos créditos substanciais com sua filial de ..., permitimo-nos saldar com eles a quantia que lhes devemos.

6 As the merchandise arrived here in poor condition, we have not been able to sell it in large quantities. We will meet our financial obligations towards you as soon as we have sold a larger quantity of it.
7 As soon as you let us know how much discount you are allowing for the damaged article, we will instruct our bank to remit the appropriate amount.
8 Since the goods were delivered to us after a delay of ... months, with no prior notification on your part, we have great difficulty in understanding the very unfriendly reminder sent to us. We will be remitting the invoice amount, as arranged, ... days after receipt of the goods.
9 As we are owed a substantial sum by your branch in ..., we are taking the liberty of offsetting this against the sum we owe you.

Desculpas por atraso de fornecimento

1 O atraso no fornecimento deve-se a um erro de planejamento de nossa parte. Queiram aceitar nossas desculpas.
2 Pedimos desculparem nosso atraso no fornecimento.
3 Seu pedido de ... infelizmente foi encaminhado de forma errônea dentro de nossa empresa. Pedimos desculpas pelo atraso no fornecimento e asseguramos que doravante seus pedidos terão tratamento diferenciado.
4 Nosso funcionário encarregado de cuidar de seu pedido cometeu um erro. Pedimos desculparem a demora no despacho.
5 Devido a um erro de planejamento de nosso departamento de produção, infelizmente não pudemos processar seu pedido dentro do prazo.
6 Em virtude de vários problemas de saúde em nossa empresa, nossa produção sofreu um atraso. Esperamos ter condições de fornecer-lhes as mercadorias de seu pedido de ... dentro de ... dias.
7 Pedimos que desculpem nosso atraso no fornecimento. Por causa de problemas na produção, ficamos impossibilitados de executar seu pedido mais cedo.
8 Lamentamos muito o atraso de ... dias no fornecimento. Por esse motivo, estamos dispostos a conceder um desconto na mercadoria.

Apology for delay in delivery

1 The delay in delivery is due to a mistake in scheduling on our part. Please accept our apologies.
2 Please excuse our delay in delivery.
3 Your order of ... unfortunately went astray here. We apologise for the delay in delivery and assure you that your orders will be given preferential treatment in future.
4 The member of our staff dealing with your order made a mistake. We would ask you to excuse the delay in despatch.
5 As a result of a mistake in planning on the part of our production department, we have unfortunately been unable to process your order on schedule.
6 As a result of a high incidence of illness at our firm, we are behind schedule with production. We hope to be able to supply you with the goods, as per your order of ..., in ... days.
7 Please excuse the delay in delivery. Production problems have made it impossible for us to execute your order earlier.
8 We are extremely sorry that delivery has been delayed by ... Under the circumstances, we are willing to let you have the goods at a reduced price.

9 Infelizmente não nos foi possível entregar-lhes a tempo as mercadorias encomendadas.
10 Por causa de um pedido muito grande, nossa programação está atrasada. Pedimos desculpas por não termos mantido o prazo de fornecimento combinado.

9 It was unfortunately impossible for us to supply you with the goods in good time.
10 As a result of a large-scale order we are behind schedule. We apologise for not keeping to the delivery date agreed.

Desculpas por atraso de pagamento

1 Em decorrência de excesso de trabalho em nossa contabilidade, nossos pagamentos estão em atraso. Enviaremos imediatamente a quantia devida e pedimos desculpas pelo atraso.
2 Sua fatura de ... foi arquivada de forma errônea em nossa empresa, razão pela qual não foi paga. Pedimos desculpas pelo ocorrido.
3 Sua última fatura ainda não foi paga em conseqüência de um erro.
4 Nosso funcionário responsável por sua fatura cometeu um erro de contabilidade. Pedimos que aceitem nossas desculpas pelo atraso de pagamento decorrente.
5 A informatização de nosso sistema contábil causou inicialmente algumas dificuldades. Aceitem nossas desculpas por quaisquer atrasos no pagamento.
6 De acordo com nossos entendimentos telefônicos, buscamos informações com nosso banco. Este nos informou que uma falha técnica no sistema de computadores ocasionou o atraso em sua transação SWIFT, mas a transferência já está em andamento.
7 Devido a um erro, sua fatura de ... não foi paga.
8 Devido à mudança de nosso departamento de contabilidade para um novo prédio, nossa programação de pagamentos sofreu atraso. Pedimos que aceitem nossas desculpas.
9 Infelizmente, descuidamos do pagamento de sua última fatura.
10 Agradecemos que nos tenham lembrado da fatura pendente. Por engano, foi arquivada no computador errado. Corrigimos a falha e já ordenamos o pagamento imediato do valor em questão.

Apology for delay in payment

1 Due to the fact that our accounts department is overworked, we are behind schedule with payments. We will be remitting the sum in question to you immediately and would ask you to excuse the delay.
2 Your invoice dated ... was wrongly filed here and therefore not settled. We would ask you to accept our apologies.
3 As a result of an error, your last invoice has not yet been settled.
4 The member of staff dealing with your invoice made a book-keeping error. We would ask you to accept our apologies for the delay thus caused.
5 The computerisation of our accounting system has led to some initial difficulties. Please accept our apologies for any delays in payment.
6 As agreed in our telephone conversation, we have now made enquiries at our bank. They have told us that a technical fault in their computer network caused your SWIFT transaction to be delayed. Transfer has now been initiated.
7 As a result of an error, your invoice of ... has not been settled.
8 Due to the fact that our accounts section has now been transferred to a new office building, we are behind schedule with our payments. Please accept our apologies.
9 Your last invoice was unfortunately overlooked by us.
10 Thank you for drawing our attention to the as yet unsettled invoice. It was unfortunately read into the wrong computer. This error has been corrected and the sum in question will be remitted immediately.

Resposta rejeitando reclamações

Recusa de fornecimento a mais

1 O artigo n? ... está embalado em caixas de papelão com ... unidades cada uma. Como não temos utilidade para caixas de papelão abertas, pedimos que aceitem a devolução da quantidade fornecida a mais.
2 Seu pedido de ... deu margem a vários mal-entendidos. Assim, não podemos ser responsabilizados pelo excedente do artigo ...
3 Executamos corretamente seu pedido n? ...
4 Não consta de nosso controle um fornecimento de ...% além da quantidade encomendada pelos senhores. Pedimos que examinem novamente seu pedido.
5 Não compreendemos sua reclamação sobre fornecimentos a mais. Em nossa última conversa por telefone, os senhores concordaram com um fornecimento a mais de ... unidades.
6 Sua reclamação sobre fornecimento a mais referente a seu último pedido é improcedente, uma vez que em sua carta de ... os senhores nos solicitaram um fornecimento adicional de ... unidades do artigo ...
7 Não compreendemos sua reclamação pelo fornecimento a mais de ... unidades do artigo ... Gostaria de lembrá-los de nossa correspondência sobre esse assunto.
8 Em seu fax datado de ..., os senhores solicitaram-nos um fornecimento adicional de ... unidades, realizado dentro do prazo e nas condições combinadas. Por essa razão não podemos aceitar sua reclamação de terem recebido mercadorias não solicitadas.

Fornecimento a menos

1 Os senhores encomendaram ... unidades, que foram devidamente fornecidas. Por essa razão, não entendemos sua reclamação sobre fornecimento a menos.
2 De acordo com nossa documentação, sua reclamação sobre fornecimento a menos é infundada.
3 As peças faltantes podem ter-se perdido durante o transporte.

Negative response to complaints

Non-acceptance of unwanted goods

1 Article No. ... is packed in cardboard boxes in batches of ... (number). As we have no use for opened cardboard boxes we would ask you to keep the excess quantity delivered.
2 Your order of ... gave rise to several misunderstandings. We are therefore in no way to blame for the excess amount of article ...
3 Your order No. ... was properly dealt with by us.
4 We have no record of ... % more goods than ordered being supplied to you last time. Please re-examine your order.
5 We cannot understand your complaint about too many deliveries. In our last telephone conversation you agreed to our supplying you with an additional quantity of ... units.
6 Your complaint as regards the delivery of unwanted goods in respect of your last order is unfounded, since in your letter of ... you request us to supply you with ... additional units of article ...
7 We can see no reason for your complaint about our supplying you with ... unwanted units of article ... May we draw your attention to our correspondence on this matter?
8 In your fax dated ... you requested us to supply you with an extra ... units. This was duly done, on schedule and on the terms agreed. For this reason we cannot accept your complaint that you have received unwanted goods.

Short delivery/shipment

1 Your order was for ... units, which were duly delivered to you. We are therefore unable to understand your complaint regarding short delivery.
2 According to our records there can be no grounds for a complaint about short delivery.
3 The missing units may have been lost in transit.

4 Como seu último pedido foi fornecido corretamente, pedimos que examinem cuidadosamente os artigos entegues.
5 A fim de verificar sua reclamação sobre fornecimento a menos, deverá visitá-los nos próximos dias o sr. ..., de nossa empresa.
6 Não conseguimos encontrar erro algum em nossos livros (nosso sistema de computador). Pedimos que examinem novamente nosso último pedido.
7 Designamos nosso representante, sr. ..., para apurar sua reclamação.
8 Só poderemos aceitar sua reclamação de fornecimento a menos após exame cuidadoso do assunto.
9 Por sua carta de ..., os senhores reduziram seu último pedido em ... unidades. Assim, não vemos razão para sua queixa.
10 Em seu telefonema (fax), os senhores nos solicitaram fornecer apenas a metade da partida do item ... de seu último pedido.

4 As your last order was properly despatched we would ask you to re-examine the goods delivered carefully.
5 Our Mr ... will be calling on you in the next few days to look into your complaint regarding short shipment.
6 We have been unable to find any error in our (computer) records. Please check our last order again.
7 Our agent, Mr ..., has been entrusted with the task of looking into your complaint.
8 We will only be in a position to accept your complaint regarding short shipment after the matter has been looked into carefully.
9 In your letter of ... you reduced the quantity ordered by ... units. We therefore see no grounds for complaint.
10 You asked us in your phone call (fax) to supply only half of item ... in your last order.

Reclamações sobre qualidade

1 Fornecemos aos senhores a qualidade encomendada.
2 As mercadorias correspondem à qualidade encomendada pelos senhores.
3 Por carta de ..., os senhores alteraram seu pedido referente à qualidade do artigo ...
4 As mercadorias enviadas aos senhores correspondem, em termos de qualidade, exatamente às amostras enviadas em ... do corrente ano.
5 Sua repentina queixa sobre a "má qualidade" de nossa mercadoria é incompreensível, uma vez que há anos lhes fornecemos essa mesma qualidade, sem que jamais houvesse qualquer reclamação.
6 As mercadorias saíram de nossa fábrica em perfeitas condições.
7 Não conseguimos entender sua queixa, uma vez que temos em estoque apenas mercadoria da qualidade fornecida.
8 Os senhores esqueceram-se de especificar a qualidade em seu pedido de ... Assim sendo, sua queixa é infundada.

Quality complaints

1 We have supplied you with the quality ordered.
2 The goods correspond to the quality ordered.
3 In your letter of ... you changed your order as regards the quality of article ...
4 As far as quality is concerned, the goods sent to you correspond exactly to the samples supplied on ... of this year.
5 Your sudden complaint as regards the "poor quality" of our goods is hard for us to understand, as we have been supplying you with this same quality for many years with no complaint on your part up to now.
6 The goods left our plant in perfect condition.
7 We cannot understand your complaint as we only stock goods of the quality supplied.
8 You omitted to specify the quality in your order dated ... Your complaint is therefore unfounded.

9 Uma vez que os senhores não fizeram uma solicitação específica, enviamos mercadorias de qualidade média.
10 Não fabricamos mais a qualidade média solicitada pelos senhores. Pedimos que levem isso em consideração em seus pedidos futuros.

Embalagem insatisfatória

1 Somente poderemos satisfazer seu desejo de embalagem de melhor qualidade se o preço for reajustado. A embalagem usada em nossas mercadorias tem-se mostrado adequada há anos, de modo que nos surpreendemos com sua queixa.
2 A mercadoria enviada aos senhores foi embalada de forma adequada. Não podemos responsabilizar-nos por danos durante o transporte.
3 A mercadoria deixou nossa fábrica em ... embalada em perfeitas condições.
4 Sua empresa é a primeira a se queixar de nossas embalagens.
5 O tamanho da mercadoria não permitiu outro tipo de embalagem.
6 Como os senhores insistiram em fornecimento rápido, infelizmente não pudemos utilizar nossa embalagem especial.
7 Somos obrigados a rejeitar sua reclamação de ressarcimento.
8 A embalagem de nossas mercadorias tem tido aprovação em todo o mundo e está em conformidade com as últimas normas da UE. Por essa razão, não conseguimos entender sua reclamação.
9 Não podemos aceitar sua reclamação de ressarcimento por danos ocasionados por embalagem deficiente.
10 As mercadorias não foram embaladas por nós, mas por uma empresa especializada, para a qual encaminhamos sua queixa.

Reconhecimento de erro

Quantidade fornecida

1 Como seu pedido ultrapassava a quantidade em estoque, infelizmente não pudemos executá-lo apropriadamente.

9 As you made no specific requests we sent you goods of average quality.
10 We no longer produce the average quality you request. Please bear this in mind when placing further orders.

Poor packing

1 We can only comply with your wishes as regards better packing if an extra charge is made. As the packing used for our goods has proven its worth over the years your complaint comes to us as a surprise.
2 The consignment sent to you was packed in the prescribed way. We cannot accept any liability for damage in transit.
3 When the goods left our plant on ... the packing was in perfect condition.
4 Yours is the first company to complain about our packing.
5 The goods are so bulky that no other form of packing was feasible.
6 As you put pressure on us to deliver quickly, we were unfortunately unable to use our special packing.
7 We must reject your claim for damages.
8 The packing for our goods has proved its worth all over the world and conforms to the latest EU regulations. We therefore cannot understand your complaint.
9 We cannot grant your claim for damages as a result of poor packing.
10 The goods were not packed by us but by a specialist firm. We have passed your complaint on to them.

Acknowledging mistakes

Quantity supplied

1 As your order was for more than we had in stock, we were unfortunately unable to process it as requested.

2 Não fabricamos mais o artigo ... Assim, solicitamos sua compreensão para o fato de não termos executado seu último pedido do modo costumeiro.
3 Devido a um engano, fornecemos aos senhores ... unidades a mais. Caso os senhores aceitem estas peças fornecidas a mais, poderemos conceder-lhes um desconto de ...
4 Seu último pedido foi entregue com quantidade menor devido a um erro em nosso departamento de pedidos.
5 Pedimos que desculpem o fornecimento a menos em seu último pedido.
6 Já providenciamos a remessa dos artigos que faltaram. Pedimos que desculpem nosso erro.
7 As mercadorias que faltam lhes serão enviadas a nosso encargo por expresso (por caminhão, frete aéreo).
8 Estamos certos de que esse erro não ocorrerá de novo.
9 Caso os senhores não tenham utilidade para as mercadorias fornecidas a mais, pedimos que as remetam de volta, às nossas expensas.
10 Sentimos muito o fornecimento de ...% a menos em seu último pedido, causado por uma falha em uma de nossas esteiras transportadoras.

Qualidade

1 Devido a um engano, enviamos aos senhores mercadorias de qualidade inferior. Pedimos que nos devolvam esses artigos.
2 Não tínhamos mais em estoque a qualidade solicitada pelos senhores. Por essa razão, enviamos artigos de melhor qualidade, sem custo adicional.
3 Pedimos que nos desculpem pelo mau acabamento do artigo ... Levaremos esse fato em consideração na emissão da fatura.
4 As peças de qualidade inferior serão trocadas por nossa conta.
5 Na execução de seu pedido de ..., infelizmente cometemos um erro.
6 Aceitamos sua reivindicação de ressarcimento pelos artigos de qualidade inferior e pedimos desculpas pelo erro.
7 Pedimos que nos desculpem pelo erro referente à qualidade das mercadorias de seu último pedido.

2 We no longer produce article ... and thus trust you will understand why we were unable to execute your last order in the normal way.
3 As a result of an error we have over-supplied you by ... units. Should you nevertheless wish to purchase the surplus articles, we will grant you a reduction in price of ...
4 Your last order was shortshipped as a result of an error in our order section.
5 Please excuse the short delivery in the case of your last order.
6 We have now arranged to have the missing articles despatched. Please excuse this error.
7 The missing articles will be sent to you by express (by lorry, air freight) at our expense.
8 This sort of error will certainly not happen again.
9 Should you have no use for the surplus goods supplied, please send them back at our expense.
10 We very much regret having shortshipped your last order by more than ... %. The reason for this was the failure of one of our conveyor belts.

Quality

1 You have been mistakenly supplied with goods of inferior quality. Please return these articles to us.
2 We have no more stocks of the quality requested. We have therefore sent you better-quality goods – at no extra charge.
3 Please excuse the poor finish of article ... This will be taken into account when you are invoiced.
4 We will exchange the articles of inferior quality at our expense.
5 When dealing with your order of ... we unfortunately made a mistake.
6 We acknowledge your claim for compensation as regards the items of inferior quality and would ask you to excuse this error.
7 Please excuse our error as regards the quality of the goods supplied in respect of your last order.

8 Estamos dispostos a lhes conceder um desconto de ...% nos artigos de qualidade inferior.
9 Pedimos que nos devolvam os artigos de que se queixaram. Forneceremos imediatamente a qualidade desejada.

Embalagem

1 Solicitamos que nos desculpem pela embalagem inadequada.
2 Como o material para embalagem especial havia se esgotado, infelizmente não tivemos condições de embalar melhor os artigos de seu pedido.
3 Aceitamos seu pedido de ressarcimento e nos desculpamos pela embalagem.
4 Reconhecemos sua reclamação sobre embalagem inadequada. Pedimos que nos remetam de volta as peças danificadas.
5 A embalagem deficiente do artigo n.º ... deve-se a uma falha em nossa máquina de embalar.
6 Devido a falta de pessoal e dificuldades com prazos, infelizmente não pudemos providenciar uma embalagem melhor das mercadorias.
7 Os senhores são a primeira empresa insatisfeita com nossa embalagem. Mandaremos apurar sua reclamação.
8 Em vista da embalagem falha, de que os senhores se queixaram com toda razão, estamos dispostos a conceder-lhes um desconto de ...%.
9 Lamentamos muito que as mercadorias tenham chegado danificadas devido a um erro de embalagem. Pedimos que nos informem o montante dos danos.

Fornecimento incorreto

1 Por um engano, foram-lhes enviadas mercadorias erradas. Pedimos que nos desculpem por esse erro.
2 Caso os senhores tenham utilidade para as mercadorias fornecidas por engano, estaríamos dispostos a lhes conceder um desconto de ...%.
3 Pedimos que nos devolvam as mercadorias enviadas por engano. Já estamos reexecutando seu último pedido.
4 Por engano, enviamos aos senhores o artigo ... em vez do artigo ... pedido.

8 We are prepared to grant a reduction in price of ... % on the low-quality items.
9 Please return the items you complain of to us. We will supply you with the quality desired by return.

Packing

1 Please excuse the improper packing.
2 As we had no further supplies of our special packaging material we were unfortunately unable to pack your order any better.
3 We acknowledge your claim for compensation and ask you to accept our apologies for the packing.
4 We acknowledge your complaint as regards improper packing. Please return the damaged items to us.
5 The poor packing of article No. ... is due to a fault with our packing machine.
6 As a result of staffing shortages and scheduling problems we were unfortunately unable to have the goods packed more carefully.
7 Yours is the first company to be dissatisfied with our special packing. We will have your complaint looked into.
8 In view of the poor packing, to which you justifiably took exception, we are prepared to grant you a discount of ... %.
9 We very much regret that the goods arrived damaged as a result of an error in packing. Please let us know the extent of the damage.

Wrong goods supplied

1 You were mistakenly sent the wrong goods. We would ask you to excuse this error.
2 If you can make use of the articles mistakenly supplied to you, we are prepared to grant a reduction in price of ... %.
3 Please return the articles you have been mistakenly supplied with. Your last order is already being re-processed.
4 Instead of article ... ordered, you were mistakenly sent article ...

Justificativas sobre o faturamento

1 Não compreendemos sua reclamação sobre nossa fatura de ..., já que cobramos exatamente os preços combinados.
2 Não podemos aceitar sua reclamação referente à nossa fatura n°. ...
3 Não podemos conceder a redução de preço solicitada, uma vez que não escalonamos preços em pedidos pequenos.
4 Não conseguimos encontrar nenhum erro de contas em nossa última fatura.
5 Não estamos obrigados a assumir os custos da remessa.
6 A redução de preço combinada foi considerada em nossa fatura de ... Os preços faturados constam de nossa lista de preços em vigor.
7 Nossos preços são o mais baixos possível. Assim, não podemos atender a seu pedido de desconto por quantidade.
8 Não conseguimos encontrar um erro sequer em nossa fatura de ... Pedimos que a examinem de novo.

Justification of particulars of invoice

1 As we have charged the prices agreed, we fail to understand your complaint as regards our invoice of ...
2 We cannot accept your complaint with reference to our invoice No. ...
3 We cannot grant your claim for a reduction in price, as our staggered price scale does not apply to such small quantities.
4 We are unable to find any arithmetical error in our last invoice.
5 We are not obliged to bear despatch costs.
6 The reduction in price agreed was already taken into account in our invoice of ... The prices charged are those in our currently valid price list.
7 Our prices are rock-bottom. We are thus unable to meet your additional request for a quantity discount.
8 We have not been able to find any error in our invoice of ... Please look into this matter again.

Resposta sobre descontos incorretos

1 Estaremos enviando imediatamente uma fatura corrigida.
2 Pedimos que nos desculpem o erro de contas em nossa última fatura.
3 O valor erroneamente faturado a mais de ... será creditado em sua conta.
4 Enviamos junto a esta a fatura corrigida em três vias. Solicitamos que nos desculpem pelo erro.
5 A fatura de que reclamaram será corrigida e imediatamente devolvida aos senhores.
6 De acordo com sua solicitação, corrigimos o valor da fatura para ... (moeda).
7 O valor de ..., referente aos custos de frete faturados por engano, foi depositado em sua conta bancária n° ...

Response to incorrect deductions

1 We are sending you an amended invoice immediately.
2 Please excuse the arithmetical error in our last invoice.
3 The extra amount of ... charged by mistake has been credited to your account.
4 Please find enclosed three copies of the amended invoice. We would ask you to excuse this error.
5 The invoice you complain about will be rectified and returned to you immediately.
6 As requested, we have made out the amended invoice in ... (currency).
7 The sum of ... mistakenly charged for freight costs has been transferred to your bank account No. ...

8 Descontaremos da próxima fatura o valor de ..., cobrado aos senhores por engano.
9 Pedimos que nos desculpem por não termos abatido em nossa fatura de ... os descontos por quantidade prometidos.
10 É inteiramente justificada sua queixa de que não concedemos a redução de preço prometida. Pedimos que nos desculpem pelo erro. O valor cobrado a mais será creditado em sua conta.
11 Como combinado por telefone (fax) em ..., as despesas de remessa correrão por nossa conta. Pedimos que nos desculpem por essa falha.
12 Os senhores receberão imediatamente outra fatura com o desconto por quantidade prometido.
13 A redução no preço combinada será incluída em nossa próxima fatura.
14 Agradecemos por terem apontado nosso erro. O valor que, por engano, não descontamos já foi creditado em sua conta.
15 Pedimos que nos desculpem por nossa reclamação. Por um engano, o valor foi equivocadamente inserido em nosso sistema computadorizado (sem considerar o desconto por quantidade).
16 O desconto a que não tínhamos direito será transferido imediatamente para sua conta nº ... no banco ..., de ...
17 Pedimos que cobrem em nossa próxima fatura o desconto por quantidade deduzido por engano.
18 Creditaremos o valor descontado de ... em sua conta conosco.
19 Enviamos anexo a esta um documento de crédito relativo à gratificação de ..., deduzida por engano.
20 Sua reclamação referente ao valor deduzido por engano é procedente.
21 Gostaríamos que em suas próximas faturas os senhores discriminassem os descontos referentes a deduções por quantidade.
22 Anexamos um cheque cruzado referente à quantia excedente deduzida.
23 Pedimos que debitem de nossa conta o valor do desconto deduzido por engano.

8 The sum of ... mistakenly charged to you will be taken into account in our next invoice.
9 Please excuse us for not having taken into account the quantity discount promised in our order of ...
10 Your complaint that we omitted to grant the price reduction promised is justified. Please excuse this error. The extra sum charged will be credited to your account.
11 As agreed by telephone (fax) on ..., the despatch costs will be borne by us. Please excuse this error.
12 You will be receiving a new invoice by return in which the quantity discount promised is included.
13 The price reduction agreed will be taken into account in our next invoice.
14 Thank you for drawing our attention to our error. The mistakenly not deducted amount has already been credited to your account.
15 Please excuse our complaint. The amount in question was wrongly entered into our computer program (entered with no deduction for quantity discount).
16 The discount to which we were not entitled will be transferred immediately to your bank account No. ... at (the) ... Bank in ...
17 Please charge us for the mistakenly deducted quantity discount when making up our next invoice.
18 We will credit the amount of ... deducted to your account with us.
19 We enclose a credit note for the mistakenly deducted bonus of ...
20 Your complaint regarding the erroneously deducted amount is justified.
21 We would ask you to show quantity discount deductions clearly on your invoices in future.
22 We enclose a crossed cheque for the extra amount deducted.
23 Please debit the erroneously deducted discount to our account.

Aviso de crédito em conta

1 Creditamos em sua conta o valor de ... na data de ...
2 Avisamos hoje nossa contabilidade para creditar-lhes ...
3 Estamos concedendo aos senhores um desconto de ...% no valor da fatura referente à reclamação sobre os artigos n? ... e n? ... O valor já foi creditado em sua conta.

Advice that account has been credited

1 The sum of ... was credited by us to your account on ...
2 Our accounts department was instructed today to credit ... to your account.
3 We are granting you a discount of ... % of the invoice amount on the articles complained about – Nos. ... and ... Your account has now been credited accordingly.

Respostas a equívocos e ambigüidades

1 Estamos surpresos em saber que os senhores consideram nossos formulários de pedido (impressos de computador) pouco claros.
2 Analisaremos suas sugestões referentes ao nosso mostruário.
3 Não compreendemos sua nova consulta. A qualidade está indicada em todas as amostras.
4 Sentimos muito que nosso pedido de ... tenha conduzido a mal-entendidos, ocasionando atrasos.
5 Doravante seus formulários de pedido serão preenchidos legivelmente.
6 Queiram desculpar-nos pela fatura pouco clara. O preço mencionado já inclui o desconto por quantidade.
7 O fornecimento errado foi causado por um equívoco de transcrição de dados. Queiram aceitar nossas desculpas.

Responses to misunderstandings and ambiguities

1 We are surprised to discover that you do not find our order forms (computer sheets) clear enough.
2 We will look into your suggestions as regards our folder of samples.
3 We are not quite sure why you have enquired again. The quality is indicated on all the samples.
4 We are sorry that our order of ... gave rise to misunderstandings leading to delays.
5 We will make sure your order forms are filled in legibly in future.
6 Please excuse our unclear invoice. The price stated already includes the quantity discount.
7 The wrong goods were supplied because of an error in transcription. Please accept our apologies.

Medidas preventivas

Fornecimento

1 Talvez doravante lhes seja possível atender a nossos pedidos tão logo dêem entrada em sua empresa.
2 Solicitamos que os fornecimentos destinados a nós sejam a partir de agora enviados por expresso (por frete rápido, por frete aéreo).

Preventative measures

Delivery

1 Perhaps in future you will be able to attend to our orders as soon as you have received them.
2 We would ask you to despatch our consignments by express (by fast freight, by air freight) in future.

3 A fim de evitar tais atrasos no fornecimento, pedimos que passem a despachar as mercadorias por caminhão, em transporte agrupado.
4 Pedimos que no futuro aceitem apenas os pedidos que possam executar.
5 A razão de seus atrasos praticamente crônicos no fornecimento talvez se encontre na falta de organização de seu departamento competente.
6 Pedimos que tenham mais cuidado com seus prazos de produção no futuro.
7 Estamos certos de que seus atrasos no fornecimento poderiam ser evitados com um melhor planejamento dos prazos.

3 To avoid such delays please despatch the goods by lorry groupage transport in future.
4 We would ask you only to accept orders you are able to despatch in future.
5 The reason for what is now your almost chronic delay in delivery would seem to be poor organisation in your order department.
6 Please keep more closely to production dates in future.
7 We are sure that your delays in delivery could be avoided by better scheduling.

Pagamento

1 A fim de evitar atrasos de pagamento semelhantes, pedimos que no futuro seja efetuado pagamento à vista (pagamento em cheque) no recebimento das mercadorias.
2 Os senhores já pensaram em conseguir um crédito de curto prazo?
3 Por que os senhores não tomam um empréstimo bancário já que têm dificuldades de liquidez?
4 Os senhores poderiam ter-nos solicitado um prazo de pagamento de ...
5 Pedimos que instruam seu departamento de contabilidade para passar a enviar os valores devidos pontualmente.

Payment

1 To avoid similar delays in payment in the future we must ask you for immediate cash payment (payment by cheque) on receipt of goods.
2 Have you considered applying for short-term credit?
3 Have you considered applying for an overdraft facility if you are having liquidity problems?
4 You could have requested a credit period of ...
5 Please instruct your accounts department to remit monies owing punctually in future.

Quantidades

1 A fim de evitar erros nos fornecimentos, pedimos que doravante as quantidades encomendadas sejam bem conferidas no momento da embalagem.
2 Talvez os senhores consigam evitar fornecimentos incompletos se supervisionarem melhor a embalagem das mercadorias.
3 Os senhores poderiam delegar a um funcionário de confiança a tarefa de conferir os pedidos depois de executados.
4 Se usassem um sistema informatizado de controle, os senhores com certeza teriam mais eficiência na execução dos pedidos.

Quantities

1 To avoid mistakes in delivery we would ask you in future to double-check the quantities ordered when packing our goods.
2 Short deliveries could perhaps be avoided if the packing of the goods were more carefully supervised.
3 Once the orders have been processed you could have them checked by a reliable employee.
4 You could most certainly process your orders more precisely if you made use of a suitable computerised monitoring system.

Qualidade

1. Um controle habitual da produção com certeza preveniria esse tipo de oscilação de qualidade.
2. Os senhores não possuem um departamento de controle de qualidade para inspecionar as mercadorias?
3. Esses enganos poderiam ser evitados se seu depósito fosse dividido em áreas de qualidades diferentes.
4. Esses enganos poderiam ser evitados se suas mercadorias fossem rotuladas.
5. Pedimos que examinem cuidadosamente a qualidade das mercadorias durante a embalagem.
6. Não seria possível instalar em suas máquinas um controle de qualidade automático (informatizado)?
7. Os senhores poderiam certificar-se da qualidade de seus produtos por meio de um controle por amostragem.
8. O que obviamente lhes falta é um controle de qualidade eficaz.
9. As alterações na qualidade de seus produtos poderiam ser evitadas com uma máquina nova.
10. A estocagem em armazéns climatizados certamente evitaria as quedas de qualidade.

Embalagem

1. A maior parte de danos durante o transporte poderia ser evitada por meio de um acondicionamento melhor.
2. Por que os senhores não fornecem as mercadorias em engradados (caixotes)?
3. O transporte em contêiner certamente seria mais apropriado para pedidos tão volumosos.
4. Engradados (caixotes) seriam uma forma de acondicionamento bem melhor do que as frágeis caixas de papelão dobráveis.
5. A embalagem que os senhores fazem, que às vezes deixa a desejar, melhoraria bastante com a utilização de uma máquina empacotadora automática.
6. Os senhores evitariam boa parte das reclamações se embalassem seus produtos frágeis em caixas de poliestireno (isopor).
7. Com certeza deve existir um material de embalagem dobrável bem melhor, que também seja mais resistente e mais leve.
8. Uma embalagem de espuma sintética não seria mais adequada para seus artigos?

Quality

1. Regular production checks would most certainly prevent this sort of variation in quality.
2. Have you no quality control department to check your goods?
3. Such mistakes could be avoided if your warehouse had separate storage areas for different qualities.
4. Such mistakes could certainly be prevented if your goods were differently labelled.
5. Please have the quality of the goods checked carefully while they are being packed.
6. Is it not possible to attach automatic (computer-controlled) quality monitoring devices to your machines?
7. Spot-checks would convince you of the quality of your production.
8. What is obviously lacking is clear quality control.
9. Fluctuations in quality could be avoided by using a new machine.
10. Temperature-controlled warehousing would most certainly prevent the deterioration in quality.

Packing

1. Most of the damage in transit could be prevented by better packing.
2. Why are your goods not supplied in crates?
3. Container transport would certainly be appropriate for orders as large as these.
4. Crates would certainly be a far more suitable form of packing than these flimsy collapsible cardboard boxes.
5. Your sometimes very poor packing could certainly be improved by using an automatic packing machine.
6. If your sensitive equipment were packed in polystyrene most of the complaints could be avoided.
7. There must be a more easily foldable packaging material which is much more resilient and yet light at the same time.
8. Would foam rubber packing not be more suitable for your articles?

Diversos

1 Os senhores certamente evitariam os freqüentes equívocos com artigos se eles fossem armazenados organizadamente.
2 Solicitamos que no futuro os senhores providenciem uma verificação final do pedido.
3 Solicitamos que os pedidos sejam submetidos a uma verificação mais rigorosa depois de executados.
4 Pedimos que retirem o endereço antigo de seus engradados (caixotes), que talvez tenha sido a causa da entrega em local errado.
5 Insistimos em que os senhores verifiquem a execução dos pedidos com mais atenção.

Miscellaneous

1 If your goods were more clearly stored, you would most certainly be able to avoid the relatively frequent mix-ups of articles.
2 Please arrange for the order to be given a final check in future.
3 Please check the orders more thoroughly after they have been processed in future.
4 Please have the old addresses removed from your crates. This is probably the reason for their being misdirected.
5 We must insist that you supervise the processing of orders more carefully.

Resposta sobre extravio de mercadoria

1 Depois de recebermos sua reclamação de ..., investigamos o paradeiro da remessa extraviada, mas infelizmente ainda não conseguimos localizá-la.
2 Conseguimos localizar a mercadoria extraviada. A transportadora a entregara por engano em outro endereço.
3 Até esta data, a transportadora não encaminhou as mercadorias aos senhores, apesar de termos recebido dela um aviso de despacho.
4 Por engano, as mercadorias foram estocadas em um armazém em ...
5 A remessa em questão foi devolvida em razão de sérios danos sofridos durante o transporte. Enviamos aos senhores, na data de hoje, outra remessa.
6 Garantimos que faremos de tudo para enviar-lhes outra remessa o mais rápido possível.
7 Pedimos que os senhores nos concedam mais alguns dias. Faremos o possível para localizar a mercadoria e enviá-la aos senhores em seguida.

Response to missing consignment

1 On receipt of your complaint dated ... we made investigations into the whereabouts of the missing consignment but without success.
2 We have been able to locate the missing consignment. It was mistakenly taken to the wrong destination by our freight forwarders.
3 Our freight forwarders have still not yet forwarded the goods to you – although we, ourselves, have been sent a notice of despatch.
4 The goods were mistakenly stored in a warehouse in ...
5 The consignment in question was returned owing to serious damage in transit. We have had a new consignment sent to you today.
6 We assure you that we will do our best to have a new consignment sent to you as quickly as possible.
7 Please let us have a few more days for this. We will be doing everything possible to locate the consignment and forward it on to you immediately.

8 Para que os senhores recebam a mercadoria a tempo para a época de Natal, enviamos hoje, por precaução, outra remessa de todos os artigos por expresso (por frete rápido, por frete aéreo, por serviço especial de entrega). Caso a remessa extraviada chegue a sua empresa, pedimos que nos informem se os senhores pretendem ficar com ela ou se desejam devolvê-la.

8 To ensure that you receive the goods in good time for the Christmas season, we have taken the precautionary measure of sending you all the items again by express (by fast freight, by air freight, by special messenger). Should the missing consignment have arrived in the meantime, we would ask you to let us know whether you wish to keep or return it.

Questões jurídicas
Legal matters

Consultas

1 Necessitamos dos serviços de um advogado (notário) em ... Os senhores teriam uma recomendação?
2 Sua empresa foi recomendada por ... Ficaríamos gratos se os senhores pudessem representar-nos em ...
3 O caso em questão é uma queixa nossa contra a ... (firma). Gostaríamos que os senhores se encarregassem do caso. Que medidas os senhores podem sugerir?
4 Infelizmente, sentimo-nos obrigados a entrar com uma ação judicial contra ..., de ... Gostaríamos que os senhores nos representassem e nos informassem os gastos que teríamos.
5 Os senhores poderiam recomendar-nos um escritório de cobranças em ...?
6 Qual o valor dos seus honorários?
7 Caso os senhores não possam assumir esse caso, agradeceríamos a indicação de outro escritório de advocacia com que pudéssemos entrar em contato.
8 No nosso processo contra ..., os senhores têm total liberdade de ação.
9 Temos ainda o direito de propriedade sobre as mercadorias, adquiridas de nossa empresa pela ... (firma). Como poderemos manter nossos direitos?

Enquiries

1 We require the services of a solicitor (notary) in ... Can you recommend us one?
2 We have obtained your address from ... and would be grateful if you would represent us in ...
3 The case in question is our claim against ... (firm). We wish you to collect our claim. What measures do you recommend?
4 We are unfortunately obliged to take legal action against ... in ... We wish you to represent us in this matter and let us know how high the costs will be.
5 Can you recommend us a collection agency in ...?
6 What are your charges?
7 Should you not be able to take on this case we would ask you to be kind enough to recommend another firm of solicitors that we could contact.
8 In the matter of our claim against ... we are leaving it entirely up to you how to proceed. What do you recommend?
9 We still have title to the goods, which were purchased from us by ...(firm), and are still not completely paid for. How can we assert our rights?

Respostas

1 Gostaríamos de recomendar-lhes o escritório de advocacia ..., de ... (local). Com certeza os senhores ficarão muito satisfeitos com o serviço deles.
2 Terei todo o prazer de representá-los em ... Peço que me comuniquem como poderei lhes ser útil.

Replies

1 We wish to recommend the firm of solicitors .... in ... You will most certainly be satisfied with their services.
2 I would be most pleased to represent you in ... Please let me know what I can do for you.

3 Escrevi hoje uma carta à ... (empresa) (veja cópia anexa), pedindo que façam o pagamento de sua fatura. Se não houver uma solução satisfatória, entrarei com uma ação judicial em seu nome. Manterei os senhores informados do andamento do caso.
4 Terei prazer em representá-los no processo contra ... Seus gastos serão de cerca de ... Encerrado o processo, enviarei a conta aos senhores.
5 Se as custas serão por conta dos senhores ou da ré (do réu) dependerá do resultado do processo. Em todo caso, os senhores são, em princípio, responsáveis pelo pagamento de meus honorários.
6 No momento não tenho condições de informar-lhes com precisão as despesas com que os senhores arcarão, que dependerão em grande parte do volume do trabalho.
7 Sinto muito não poder assumir esse caso. Todavia, gostaria de recomendar-lhes uma firma de advocacia, a ..., que muito provavelmente poderá atendê-los.
8 Grato pela confiança em mim depositada, aceito representá-los.
9 Em caso similar, o Tribunal Federal de Justiça decidiu a favor do queixoso. Aconselho-os, portanto, a impetrar uma ação contra a empresa ...
10 Com base na legislação vigente da UE, é nosso parecer que os senhores não terão sucesso na ação judicial. Aconselhamos os senhores a não impetrarem tal ação nesse caso.
11 A diretriz da UE aplicável nesse caso ainda não foi ratificada. Assim, aconselhamos a não entrar com ação judicial.
12 Como as medidas legais nesse assunto ainda são diferentes entre os países da União Européia, nós os aconselhamos a não se envolver em um litígio até que a legislação seja única.

3 I have written to ... (firm) today (see copy of letter enclosed) requesting them to pay your invoice. Should the matter not be brought to a satisfactory conclusion I will institute proceedings on your behalf. I will keep you advised of all developments.
4 I will be pleased to represent you in your claim against ... The costs will amount to approx. ... You will receive a bill on completion.
5 Whether the costs are borne by yourself or the defendant is dependent upon the result of the action. In any event, I must initially hold you liable for the costs for my services.
6 I am, at present, unable to specify the costs you will incur. To a great extent, this will depend upon the amount of work involved.
7 I regret not being able to take on this case. I would, however, like to recommend a firm of solicitors by the name of ..., who will most probably be able to represent you.
8 I thank you for your trust and am pleased to represent your interests.
9 The Federal Court of Justice found in favour of the plaintiff in a similar case. I therefore advise you to bring an action against ... (firm).
10 Our judgement is that, under current EU law, legal action would probably be unsuccessful. We must advise you not to institute proceedings in the case in question.
11 The EU directive relating to this case has not yet gone through. We therefore advise you not to take legal action.
12 As the legal attitude to this matter still differs throughout the countries of the European Union, we would advise you not to become involved in litigation until there is a standard ruling.

As empresas e seus representantes
Companies and their agents

Proposta de representação

Anúncio em jornal

1 Procura-se representante para programa de vendas especiais. Comissões altas.
2 Oferecemos uma representação geral. Os senhores estariam interessados nela?
3 Como nosso vendedor externo na região de ..., o senhor poderia ganhar até ... por mês.
4 A empresa ... procura um representante responsável para a região de ...
5 Esta representação abrange a região de ... e, se necessário, poderia ser exclusiva.
6 Procuramos para nossos produtos um(a) representante com experiência para início em ...
7 Procuramos um(a) vendedor(a) externo(a) para nossa filial de ...
8 Nossos produtos têm excelente potencial de venda. Procuramos ainda representantes para a região de ...
9 Procuramos homens e mulheres jovens e independentes para início imediato. Garantimos a nossos representantes uma remuneração mensal de ...
10 Somos fabricantes de artigos de consumo de marca e procuramos representantes jovens e comunicativos.
11 Procuram-se jovens do sexo masculino e feminino com veículo próprio para atuar como representantes.

Cartas pessoais

1 Dirigimo-nos ao(à) senhor(a) porque soubemos que estaria interessado(a) em aceitar a representação na região de ...
2 Gostaríamos de informar-lhe que procuramos uma pessoa interessada em nos representar em ...

Offer of agency

Newspaper advertisements

1 Agent sought for select sales items. Generous commission.
2 We are offering a general agency. Are you interested?
3 As our field worker for the ... area you could earn up to ... per month.
4 The ... company is looking for a reliable agent for the ... area.
5 This agency covers the ... area and could, if necessary, be granted on an exclusive basis.
6 We are looking for an experienced agent for our products as from ...
7 We are looking for a field worker for our branch in ...
8 Our products have every chance of selling well. We are still looking for agents for the ... area.
9 We are looking for young, independent men and women able to start immediately. As our representative/agent we can guarantee you a monthly income of ...
10 We are manufacturers of branded consumer goods and are looking for young representatives/agents with communication skills.
11 We are looking for young men and women with their own car to act as our representatives/agents.

Personal letters

1 We are writing to you because we have heard that you would be willing to represent us in the ... area.
2 We wish to inform you that we are looking for someone to take over our agency in ...

3 Gostaríamos de perguntar-lhe se o(a) senhor(a) estaria disposto(a) a encarregar-se das vendas de nossos produtos em seu país.
4 A Câmara de Comércio e Indústria de ... deu-nos seu nome como possível interessado(a) na representação de nossos produtos em ...
5 Obtivemos seu endereço no novo libreto da UE ... sobre venda e distribuição de ...
6 A ... (firma) forneceu-nos seu nome e endereço e nos informou que o(a) senhor(a) estaria interessado(a) na representação do ... (produto), na região de ...

3 We wish to enquire whether you would be prepared to take responsibility for selling our goods in your country.
4 ·The Chamber of Commerce and Industry in ... has given us your name as a potential agent for our products in ....
5 We obtained your address from the new EU brochure ... on the sale and distribution of ...
6 ... (firm) gave us your name and address and indicated that you are interested in acting as an agent for ... (product) in the ... area.

Descrição de atividades

1 O senhor fará as visitas aos restaurantes em ...
2 Sua atividade se restringirá à região de ...
3 Seu trabalho consistirá apenas em dar nossos catálogos e amostras aos clientes.
4 Na qualidade de nosso representante-geral, o senhor cuidaria pessoalmente de nossos clientes.
5 A responsabilidade que lhe será dada requer boas maneiras e habilidade de negociação.
6 Devido à ampliação do Mercado Comum, serão imprescindíveis em seu trabalho um bom domínio do inglês e do francês.
7 A representação exclusiva requer uma visita semanal (mensal) a todos os clientes.
8 Sua tarefa consistirá em apresentar aos clientes nossos mostruários e catálogos, além de receber pedidos.
9 O senhor terá um carro à sua disposição. Para desempenhar o trabalho, o senhor receberá treinamento intensivo, com salário integral.
10 Para atuar como representante, o senhor certamente precisará de um carro. Concederemos um reembolso por quilômetro rodado (milha rodada) de ...

Work specification

1 You will be responsible for visiting the restaurants in ...
2 Your activities would be limited to the ... area.
3 You would merely be responsible for giving the customers our catalogues and samples.
4 As our General Agent you would be responsible for looking after our customers personally.
5 The responsibility you will be entrusted with requires a polished manner and negotiating skills.
6 As a result of the expansion of the Internal Market, a good command of English and French is essential for your work.
7 A sole agency agreement would make it necessary for you to call on all customers once a week (month).
8 You would be responsible for showing customers our collections of samples and catalogues and also for taking orders.
9 You will be provided with a car. You will be given intensive training on full pay for the duties you will be undertaking.
10 As our agent/representative you will most certainly require a car. Your mileage allowance (allowance per kilometre) is ...

Descrição dos produtos

1 Nossos produtos são da melhor qualidade e têm alto nível de vendas.
2 Vendemos mercadorias de uso diário, o que garante alto índice de vendas.

Description of products

1 We have top-quality products and excellent sales figures.
2 We market articles for everday use, which guarantee high sales figures.

3 Para que o senhor possa ter uma idéia melhor de seu trabalho, apresentamos a seguir alguns de nossos artigos: ...
4 Nossas máquinas gozam de excelente reputação.
5 Por ter experiência na venda de ..., o senhor logo se familiarizará com nossos produtos.
6 O produto que o senhor venderá é muito bem-sucedido no mercado de ...
7 Nossa companhia vende ... (gêneros alimentícios, têxteis, ferramentas, motores, utensílios domésticos, móveis etc.).
8 Produzimos ... (indicação do produto).
9 Somos uma empresa de ... (ramo).
10 O senhor venderá mercadorias de uso diário, que não apresentam problema e são fáceis de vender.

Descrição do mercado

1 O mercado tem condições de absorver nosso produto.
2 A venda de nossos produtos de uso diário não está sujeita a flutuações de mercado.
3 A artigo que o senhor representará tem boas chances de venda.
4 Nossos produtos ainda não são muito conhecidos em sua região. Sua tarefa será inseri-los no mercado.
5 Nossa meta é conquistar o mercado pela qualidade.
6 O artigo já é bastante conhecido no mercado local. Sua responsabilidade se restringirá a manter nossos clientes abastecidos de mercadorias.
7 As condições de mercado são bastante satisfatórias.
8 Como praticamente não há concorrência para esse artigo, a perspectiva de venda é particularmente favorável.
9 Nosso produto é novo no mercado. A perspectiva de venda é boa.
10 Prevemos um alto índice de vendas de nossos novos produtos, principalmente nas cidades grandes.
11 Existe uma competição acirrada no mercado de nossos produtos. Todavia, como gozam de excelente imagem, a perspectiva de venda é boa.
12 O resultado de uma pesquisa de mercado de longo prazo convenceu-nos de que nossos produtos têm boa perspectiva de venda.

3 To give you a better idea of your work, here are some of our products: ...
4 Our machines have an excellent reputation.
5 As you already have experience in selling ... you will soon get to know our products.
6 The product you would be selling is a great success on the ... market.
7 Our company markets ... (foodstuffs, textiles, tools, engines, household goods, furniture etc.).
8 We produce ... (name of product).
9 We are a ... company.
10 You would be marketing goods for everyday use, which are uncomplicated and easy to sell.

Description of market

1 The market will be able to absorb our product.
2 The sales of our articles for everyday use are not subject to market fluctuations.
3 The article you will be marketing has every chance of selling well.
4 Our products are not yet well enough known in your area. Your job would be to open up the market for them.
5 Our goal is to conquer the market through quality.
6 The article is already sufficiently known in the market there. You would simply be responsible for keeping our customers supplied with goods.
7 Market conditions are most satisfactory.
8 As there is hardly any competition for this article, it is likely to sell especially well.
9 Our product is new on the market. The sales chances are good.
10 We anticipate excellent sales figures for our new products, above all in the big cities.
11 There is fierce competition in the market for our products. However, since they have an excellent image, they have every chance of selling well.
12 The results of long-term market research have convinced us that our goods have every chance of selling well.

Descrição de campanha publicitária

1. Lançamos uma grande campanha publicitária do artigo que o senhor representará.
2. Nossos produtos são muito conhecidos devido a anúncios em cinema, rádio e TV.
3. O senhor pode partir do princípio de que a publicidade tornou nosso artigo muito conhecido.
4. Sua atividade não se restringirá apenas à venda de nossos artigos, mas também uma intensa campanha publicitária.
5. Sua tarefa será basicamente divulgar os produtos aos nossos clientes.
6. Acima de tudo, o senhor deverá exaltar a excelente qualidade de nossos produtos.
7. Na qualidade de nosso representante-geral, o senhor terá também de supervisionar a publicidade em sua região.
8. Na região sob sua responsabilidade, o senhor deverá concentrar-se sobretudo na publicidade.
9. Encarregamos uma conhecida agência de publicidade da divulgação do produto que o senhor representará.
10. Gastamos anualmente em publicidade uma média de ...
11. Dispomos de excelente material publicitário. Anexamos a esta uma pequena seleção.

Description of advertising campaign

1. We have launched a large-scale advertising campaign for the article you will be marketing.
2. Our products are well known through cinema, radio and TV advertising.
3. You may assume that the article you will be marketing is well known to everybody through advertising.
4. You will not only be distributing our products. Your activities will also include your own intensive advertising.
5. You would only have the job of advertising our products to our customers.
6. Above all, you would have to praise the excellent quality of our goods.
7. As our General Agent, you would also have to supervise advertising in your area.
8. In the area you would take responsibility for, you would, above all, have to concentrate on advertising.
9. A well-known advertising agency has been given the job of advertising the products you would be selling.
10. We spend an average of ... a year on advertising.
11. We have excellent advertising material. We enclose a small selection with this letter.

Descrição da área de representação

1. Sua área abrangeria a região de ...
2. O senhor assumiria a representação exclusiva em seu país.
3. Poderemos conceder-lhe o direito de exclusividade de vendas em ... (país).
4. O senhor teria de percorrer a região de ...
5. O senhor seria nosso representante na região de ...
6. Nossa empresa estaria disposta a lhe conceder a região em torno de ...
7. No que diz respeito à área de representação, estamos dispostos a respeitar seus desejos tanto quanto possível.
8. O senhor poderá escolher entre as seguintes regiões de representação: ...

Description of the sales territory

1. Your territory would cover the ... area.
2. You would be granted the sole agency in your country.
3. We can grant you the exclusive right of sale in ... (country).
4. You would have to travel around in the ... area.
5. You would be our agent/representative for the ... area.
6. Our company would be prepared to give you the area around ...
7. As far as the sales territory is concerned, we would be prepared to respect your wishes as far as possible.
8. You can choose from the following sales territories: ...

9 Nossa empresa está disposta a conceder-lhe a área de representação solicitada. Assim, o senhor será nosso único representante na região de ...
10 Depois que o senhor atingir um faturamento de ..., estaremos dispostos a ampliar a sua área de atuação.

Exigências

Personalidade

1 Nossa empresa goza de excelente imagem, razão pela qual esperamos de nossos colaboradores uma conduta que corresponda inteiramente a nossa reputação.
2 Esse posto exige dedicação pessoal e capacidade de trabalhar com independência.
3 Essa posição pressupõe experiência no trato com as pessoas.
4 Consideramos como pré-requisitos percepção e senso de responsabilidade.
5 Este ramo de atividade requer boas maneiras e certo grau de sociabilidade.
6 Com tais clientes, é imprescindível ter refinamento e excelente formação.
7 Como o senhor lidará com uma clientela selecionada, consideramos um requisito básico roupas adequadas e boas maneiras.
8 Para essa atividade, procuramos um(a) senhor(a) seguro(a) de si e habilidoso(a).
9 Sensibilidade e conhecimento do ramo são pré-requisitos.

Qualificação profissional

1 Além de conhecimento do ramo, exigimos domínio de idiomas e ótimos conhecimentos de informática.
2 A experiência no ramo é imprescindível.
3 Gostaríamos de ressaltar que sua experiência no ramo é muito importante para nós.
4 Experiência nesse ramo é desejável.
5 Não há necessidade de experiência no ramo.

9 Our company is willing to give you the sales territory requested. You will then be our only agent/representative in the ... area.
10 When you have achieved a turnover of ... we will be prepared to expand your territory.

Requirements

Personality

1 Our company has an excellent image. We therefore expect our employees to act in such a manner as to do justice to our reputation in every way.
2 This post requires personal dedication and the ability to work independently.
3 This position pre-supposes experience in dealing with people.
4 Conscientiousness and a sense of responsibility are a pre-requisite.
5 This field of activity pre-supposes good manners and a certain amount of sociability.
6 For this clientele it is vital to have excellent manners and be well-educated.
7 As you will be dealing with a very select clientele, appropriate dress and good manners are a basic requirement.
8 We are looking for a self-assured and resourceful lady (gentleman) for this field of activity.
9 Sensitivity and expert knowledge are a pre-requisite.

Expert knowledge

1 In addition to expert knowledge, you will require foreign language skills and a high degree of computer-literacy.
2 Previous knowledge of this field is imperative.
3 We wish to point out that your professional background is of great importance to us.
4 Previous knowledge of this field is desirable.
5 No special knowledge of this field is necessary.

6 O senhor deve ter considerável experiência na área de representação de vendas.
7 É necessário que o senhor esteja familiarizado com a área de ...
8 Estamos interessados somente em pessoas com formação em comércio.
9 O trabalho exige experiência no ramo de ...
10 Sem conhecimentos suficientes de ..., infelizmente não teríamos condições de oferecer-lhe o cargo.
11 Domínio de ... (idioma) é imperativo (absolutamente necessário) para que lhe ofereçamos nossa representação na região de ...
12 Esta atividade exige, acima de tudo, conhecimentos técnicos.
13 Não há necessidade de conhecimentos especiais. O senhor será treinado(a) por nós.

Currículo (*curriculum vitae*)

1 Pedimos que inclua um currículo (de próprio punho).
2 Gostaríamos que anexasse à sua carta de solicitação de emprego um currículo de próprio punho.
3 Pedimos que anexe a seu pedido os documentos e certificados de praxe, bem como um currículo em forma de tópicos.

Diplomas e certificados

1 Antes que marquemos uma entrevista, deverão ser enviados um currículo em forma de tópicos, certificados de estudo, detalhes de suas atividades profissionais e referências.
2 Pedimos que anexe seus certificados de estudo.
3 Pedimos que envie seus certificados ou cópias autenticadas.
4 Pedimos que traga seus certificados à entrevista.
5 Damos mais importância à entrevista que a sua qualificação.
6 Pedimos que nos apresente diplomas e certificados comprovando sua formação e experiência profissional.
7 Não é necessário apresentar certificados.

6 You would need to have considerable experience of acting as a sales representative.
7 You would need to be acquainted with the field of ...
8 We are only interested in people with commercial training.
9 This work requires knowledge of the field of ...
10 Without sufficient knowledge of ... it would unfortunately be impossible to offer you the post.
11 A command of ... (language) is imperative (absolutely necessary) for you to be offered our agency in the ... area.
12 Above all, technical knowledge is required for this field of activity.
13 No particular knowledge is necessary. You will be trained by us.

Curriculum vitae (résumé)

1 Please include your (handwritten) CV.
2 We would request you to include a handwritten curriculum vitae with your application.
3 Please include the usual documents and certificates with your application, including a CV in tabular form.

(Educational/Professional) Qualifications/Certificates

1 A CV in tabular form, certificates showing your qualifications, details of your previous employment and references must be supplied before an appointment can be made.
2 Please include certificates showing your qualifications.
3 Please send us your certificates or authenticated copies thereof.
4 Please bring your certificates to the interview.
5 We attach more importance to your interview than to your qualifications.
6 Please let us have certificates indicating your educational and professional background.
7 Certificates are not necessary.

8 Pedimos que nos apresente uma comprovação por escrito de seus conhecimentos em ... (idioma).

Referências

1 Pedimos que também apresente referências.
2 O cargo é de responsabilidade considerável e exige excelentes referências.
3 Pedimos que inclua referências de seus empregadores anteriores em sua solicitação de emprego.
4 Pedimos que apresente referências junto com os documentos que acompanham sua solicitação de emprego.
5 Referências não são (definitivamente) imprescindíveis.

Remuneração

Salário

1 Oferecemos um salário fixo de ...
2 Seu salário seria de ...
3 Seu salário fixo inicial seria de ...
4 Estamos oferecendo ao senhor uma remuneração fixa anual de ...
5 O salário previsto é de ...
6 Seu salário mensal fixo seria de ..., quantia que aumentaria consideravelmente com as comissões.
7 Pagamos uma remuneração fixa mensal de ... mais comissões, de acordo com a tabela de comissões anexa.
8 Sugerimos uma entrevista para discutir sua pretensão salarial.
9 Podemos informar-lhe o valor aproximado de seu salário básico, de ... Precisamos conversar pessoalmente com o senhor a respeito da quantia exata.

Comissões

1 Além da remuneração fixa, pagaremos uma comissão de ...%.
2 Sua comissão seria de ...%.
3 Além disso, concederemos uma comissão de garantia ("del credere") de ...%.

8 Please provide us with written evidence of your knowledge of ... (language).

References

1 Please also supply references.
2 This post is one of considerable responsibility for which excellent references are absolutely essential.
3 We would ask you to include references from your previous employers with your application.
4 Please include references when submitting the usual documents accompanying your application.
5 References are not (absolutely) essential.

Remuneration

Salary

1 We would offer you a fixed salary of ...
2 Your salary would amount to ...
3 Your initial fixed salary is ...
4 We are offering you a basic annual fee of ...
5 We would expect to pay you a salary of ...
6 Your basic monthly salary would amount to ... This figure can, of course, be increased considerably with commission.
7 We pay you a basic monthly fee of ... plus commission, according to the commission list enclosed.
8 We suggest meeting personally to discuss the salary expected.
9 We are able to tell you the approximate level of your basic fee i.e. ... We would need to discuss the exact figure with you personally.

Commission

1 In addition to your basic fee, we will pay you a commission of ...%.
2 Your commission would be ...%.
3 In addition, we will grant you a del credere commission of ...%.

4 Sua taxa de comissão é de ...% de suas vendas.
5 Sua comissão de vendas é de ...%.
6 Além disso, pelas mercadorias mantidas em estoque por sua conta, o senhor receberá uma comissão de ...% sobre a quantidade em estoque (médio, mensal).
7 Além da comissão normal de ...%, pagaremos mais ...% em faturamento mensal de ...
8 Sua comissão de ...% será paga quando do recebimento do valor da fatura.
9 As comissões lhe serão pagas mensalmente (trimestralmente, semestralmente, anualmente).

4 Your commission rate is ...% of your sales.
5 Your sales commission is ...%
6 In addition, for goods held in storage by you for your own account, you will receive ...% commission on the (average) amount stocked (per month).
7 In addition to the normal commission of ...%, we will pay a further ...% for a monthly turnover of ...
8 Your commission of ...% will be due on receipt of the invoice amount.
9 The commission will be paid to you monthly (quarterly, half-yearly, annually).

Despesas

1 As despesas serão inteiramente reembolsadas.
2 Cobriremos suas despesas.
3 O senhor receberá uma diária para despesas de cerca de ...
4 Reembolsaremos suas despesas mediante a apresentação dos recibos.
5 Pedimos que nos apresente o relatório de despesas no final de cada mês.
6 Estamos dispostos a pagar suas despesas.
7 Só reembolsamos as despesas mediante a apresentação de todos os recibos.
8 Despesas de contatos com clientes também são reembolsadas.
9 Não reembolsamos determinadas despesas extraordinárias (como bebidas em bares, almoços e jantares etc.).
10 Reembolsaremos suas despesas; mas esperamos que o senhor gaste o mínimo possível.
11 Reembolsaremos despesas de até ... (valor).
12 O senhor receberá uma cota mensal de ... para cobrir despesas.
13 As despesas correm por sua conta. O senhor não poderá cobrá-las de nós.
14 Não reembolsamos as despesas.
15 As despesas estão incluídas nas taxas de comissão e não poderão ser cobradas à parte.

Expenses

1 All expenses will be refunded in full.
2 We will cover your expenses.
3 You will be granted an average daily expense allowance of ...
4 On presentation of the necessary receipts we will refund your expenses.
5 Please send us your expense sheet at the end of each month.
6 We are willing to cover your expenses.
7 Expenses can only be refunded if all receipts are submitted.
8 Expenses for customer entertainment are also refunded.
9 We are not in a position to refund certain extra expenses (such as drinks at the bar, lunches and evening meals etc.).
10 We will refund your expenses but you are expected to keep them as low as possible.
11 We will refund expenses up to ... (amount).
12 You will receive a monthly allowance of ... to cover your expenses.
13 You must pay your own expenses. You will not be able to charge us for expenses.
14 We do not refund expenses.
15 Expenses are included in our commission rates and cannot be claimed for separately.

Período de emprego

Início

1 A representação estará vaga a partir de ...
2 Sua admissão será a partir de ...
3 O(A) senhor(a) será admitido(a) a partir de ...
4 O(A) senhor(a) poderá assumir a representação a partir de ...
5 O(A) senhor(a) poderá assumir a representação logo após seu período de aviso prévio.
6 O(A) senhor(a) poderá assumir a representação a qualquer momento.
7 O aviso prévio de nosso(a) atual representante termina em ... Pedimos que assuma seu novo cargo a partir dessa data.
8 A representação se reiniciaria a partir de ...
9 Pedimos que assuma a representação a partir de ...
10 Pedimos que nos informe quando pretende assumir nossa representação.

Duração

1 O contrato tem a duração (inicial) de ... anos.
2 O contrato é válido por ... anos.
3 Após um período de ... anos, o contrato poderá ser revogado a qualquer momento, sem aviso prévio.
4 Inicialmente o(a) senhor(a) passará por um período de experiência.
5 Após seis meses estaremos dispostos a assinar um contrato por ... anos.
6 Após um período de experiência satisfatório de ... meses, poderemos aumentar seu salário para ... e fechar um contrato de ... anos com o(a) senhor(a).
7 Reservamo-nos o direito de determinar a duração do contrato.
8 Gostaríamos de discutir a duração do contrato durante a entrevista com o(a) senhor(a).
9 O contrato inicialmente terá a validade de 3 anos e poderá ser rescindido por qualquer das partes 6 semanas antes do término do trimestre.

Period of employment

Beginning

1 The agency is vacant as from ...
2 You will be employed as from ...
3 We will employ you as from ...
4 You can take over our agency on ...
5 You can act as our agent/representative as soon as your period of notice has expired.
6 You can take over our agency at any time.
7 Our current agent's/representative's notice period expires on ... Please take up your new position as from this date.
8 The agency would be available as from ...
9 We would ask you to take over this agency as from ...
10 Please let us know as from when you would like to start as our agent/representative.

Length of time

1 The agreement is (initially) for ... years.
2 The agreement is valid for ... years.
3 After a period of ... years the agreement can be terminated at any time without notice.
4 You will initially be employed on a trial basis.
5 After six months we would be prepared to sign an agreement for ... years.
6 Upon successful completion of a probationary period of ..., we would be willing to increase your salary to ... and conclude a ...-year contract with you.
7 We reserve the right to determine the length of the contract.
8 We would like to discuss the length of the contract at your interview.
9 The contract will initially be valid for a period of 3 years and can be terminated by either party 6 weeks before the end of a quarter.

Entrevista

1 Pedimos que se apresente para entrevista em ...
2 Se possível, gostaríamos que viesse para uma entrevista no dia ..., às ... horas, em nossa empresa.
3 Se o(a) senhor(a) vier em ... em nosso escritório, poderemos conversar sobre alguns pontos específicos do contrato.
4 O(A) senhor(a) poderia vir para uma entrevista em ...?
5 Reembolsaremos suas despesas de viagem. Pedimos que o(a) senhor(a) nos traga os comprovantes.

Interview

1 Please attend for interview on ...
2 If possible, we would like you to come for interview on ... at ... at our company.
3 If you would like to come to our office on ... we could then discuss some particular points of the contract.
4 Would it be convenient for you to come for interview on ...?
5 We will refund your travel expenses. Please let us have appropriate receipts.

Candidatura em resposta a proposta de representação

Frases introdutórias

1 Gostaria de candidatar-me ao cargo de seu anúncio de ... (data) no ... (publicação).
2 Fui informado de que sua empresa busca um representante para a região de ... Estou atualmente empregado, mas gostaria de candidatar-me para começar a partir de ...
3 Em referência à sua proposta por escrito, gostaria de candidatar-me a sua representação geral.
4 Gostaria de candidatar-me ao cargo anunciado pelos senhores, que eu poderia assumir a partir de ...
5 Gostaria de candidatar-me ao cargo anunciado pelos senhores. Ficaria grato se pudessem fornecer mais informações a respeito.

Application in response to offer of agency

Introductory sentences

1 I wish to apply for the post you advertise in the ... (newspaper) of ... (date).
2 I have been informed that your company is looking for an agent/representative for the ... area. Despite having a permanent post at present, I nevertheless wish to apply as from ...
3 I refer to your written offer and wish to apply for your General Agency.
4 I wish to apply for the post you advertise, which I could take up as from ...
5 I wish to apply for the post you advertise. I would be grateful if you would send me further details.

Dados pessoais

1 Tenho ... anos, sou casado(a) (solteiro[a]) e tenho ... (não tenho) filhos.
2 Tenho ... anos e atuo nessa área há ... anos.
3 Meus dados pessoais: nome: ...; data de nascimento: ...; local de nascimento: ...; estado civil: ...
4 Anexo a esta meu currículo em tópicos. Data de nascimento: ...; local de nascimento: ...; ensino fundamental: ... (local), de ... a ...; curso de formação em ..., término em ...; ... anos de experiência como representante.

Particulars

1 I am ... years old, married (single) and have ... (no, 1, 2, 3) child(ren).
2 I am ... years old and already have ... years' experience in this field.
3 Particulars: Name: ..., Date of birth: ..., Place of birth: ...,
Marital status: ...
4 I enclose my CV in tabular form.
Date of birth: ..., Place of birth: ...,
Schooling in ... (place) from ... to ...,
Training to become a(n) ...
(profession/trade) completed on ... (date),
... years' experience as an agent/representative.

Data da entrevista

1 Caso o(a) senhor(a) concorde, sugiro o dia ... para a entrevista.
2 Eu me apresentarei aos senhores na data combinada.
3 Peço que me informem a data de minha entrevista.
4 Agradeceria se pudessem mudar a data da entrevista para o dia ...
5 Seria possível os senhores marcarem a entrevista para o período da manhã (tarde)?
6 Poderíamos conversar pessoalmente no dia ...?
7 Gostaria muito de ter uma conversa pessoal com os senhores.
8 Antes de assinar o contrato, gostaria de conversar a respeito de seus termos em detalhe.
9 Gostaria de marcar um encontro com os senhores para esclarecer várias questões.

Date of interview

1 I would suggest ... as the date of the interview, if you are in agreement.
2 I will be pleased to attend for interview on the date agreed.
3 Please let me know the date of the interview.
4 I would very much appreciate it if you could change the interview date to ...
5 Could you please arrange for the interview to be in the morning (afternoon)?
6 Could we have a personal discussion on ...?
7 I would very much like to have a personal discussion with you.
8 Before the contract is signed I would very much like to discuss the terms with you in detail.
9 I would like to arrange an appointment with you to clarify several matters.

Resposta a proposta de representação

Recusa

1 Agradeço sua proposta, mas sinto ter de recusá-la.
2 Agradeço sua amável proposta, que infelizmente devo recusar por motivos pessoais.
3 Infelizmente não posso aceitar sua proposta, pois estou comprometido por contrato pelos próximos ... anos.
4 Sinto-me honrado com sua proposta. Contudo, sinto ter de recusá-la devido a outros compromissos.
5 Infelizmente, não posso aceitar sua proposta por motivos familiares.
6 Sinto ter de recusar sua proposta, cujas condições não condizem com minhas expectativas.
7 Sinto ter de recusar sua oferta, pois a área de representação é extremamente desfavorável para mim.

Reply to offer of agency

Refusal

1 Thank you for your offer, which I regret I must decline.
2 Many thanks for your generous offer, which I am unfortunately unable to accept for personal reasons.
3 It is unfortunately impossible for me to take up your offer as I am bound by contract for the next ... years.
4 I am honoured by your offer. However, I regret that I must decline it owing to other business commitments.
5 Regrettably, I am unable to accept your offer for family reasons.
6 I regret that I must decline your offer because your terms do not appeal to me.
7 I am sorry to have to decline your offer owing to the fact that the location of the territory is particularly unfavourable for me.

Aceitação

1. Agradeço-lhes a confiança em mim depositada. Aceito com prazer a representação da região de ...
2. Aceito a representação que os senhores me ofereceram, em ... (local).
3. Sinto-me honrado com sua proposta de representação. Terei prazer em representá-los.
4. Não vejo razão para recusar sua proposta de representação. Peço que me informem quando poderemos discutir o assunto pessoalmente.
5. Embora me encontre ainda empregado, aceito desde já sua proposta de representação.
6. Sua proposta de assumir sua representação em ... agrada-me bastante. Quando poderei apresentar-me aos senhores?

Acceptance

1. Thank you for placing your trust in me. I will be pleased to take over your agency in ...
2. I hereby accept the agency you have offered me in ...
3. I am honoured by your offer of an agency. I will be please to act on your behalf.
4. I see no reason to refuse your offer of agency. Please let me know when we can discuss the matter personally.
5. Despite having a permanent post at present, I wish to accept your offer of an agency straight away.
6. Your offer of an agency in ... is most attractive. When can I come and introduce myself to you?

Procura de representação

Anúncios em jornal

1. Busco uma representação comercial na região de ...
2. Representante procura mudanças. Propostas sob o código n?... aos cuidados deste jornal.
3. Representante ainda empregado deseja mudança. Propostas para ...
4. Que firma renomada ainda precisa de um representante? Propostas para ...
5. Representante da indústria ... procura mudança.
6. Representante busca melhoras. Não tenho preferência de ramo. Propostas para ...
7. Tenho vários anos de experiência como representante da indústria ... em ... Propostas para ...

Seeking an agency/ position as a representative

Newspaper advertisements

1. Agency/position as representative sought in or around ...
2. Agent/representative seeks change. Offers to Box No. ... in ... (newspaper)
3. Agent/representative, still permanently employed, seeks change. Offers to ...
4. What well-known firm still has an agency vacant (is still looking for a representative)? Offers to ...
5. Agent/representative in the ... industry seeks change.
6. Agent/representative wishes to improve his position. No special preferences as regards field. Offers to ...
7. Have had many years' experience representing the ... industry in ... Offers to ...

Dados pessoais

1. Tenho formação profissional em ...
2. Após o segundo grau, fiz um curso profissionalizante de comércio.
3. Fiz um curso profissionalizante de comércio e tenho trabalhado como representante.
4. Minha escolaridade e minha formação profissional são: segundo grau, curso profissionalizante de comércio e cargo de representante de vendas.
5. Tendo trabalhado durante vários anos como ... na ... (empresa), onde recebi formação em comércio, tenho agora um conhecimento profundo desse ramo.

Personal details

1. I am a trained ...
2. After obtaining university entrance qualifications I completed a commercial training course.
3. I did a commercial training course and then became an agent/representative.
4. My educational background and commercial training are: secondary school-leaving certificate (aged 16), recognised commercial training and position as a sales representative
5. Having worked for many years as a(n) ... for ... (firm), where I also did my commercial training, I now have a thorough knowledge of this field.

Referências

1. Dou como referência as empresas para as quais trabalhei como representante até agora.
2. Declaro, como referência, que atualmente represento empresas bem conhecidas como ... e ...
3. Peço-lhes que obtenham referências a meu respeito na empresa que representei até agora. O endereço é: ...
4. Peço que contatem o sr. ..., diretor da ... (empresa), para obterem informações sobre mim.
5. Anexo a esta minhas referências.

References

1. I am naming as references the firms which I have represented up to now.
2. May I point out, by way of a reference, that I currently represent such well-known firms as ... and ...
3. I invite you to make enquiries about me at the firm I have represented up to now. Its address is: ...
4. Please contact Mr ..., the director of ... (firm), to make enquiries about me.
5. I enclose my references.

Ramo

1. Eu daria preferência a uma representação no ramo de ...
2. Como já tenho experiência no ramo de ..., gostaria de assumir de novo uma representação nessa área.
3. Tenho formação técnica e, por essa razão, gostaria de assumir uma representação na indústria de ...
4. Minha experiência poderá ser de bom proveito na indústria de ...
5. Se possível, gostaria de trabalhar como representante na indústria de ...

Field

1. I would prefer an agency (to act as a representive) in the ... industry.
2. As I already have experience in the ... industry, I would like an agency (to act as a representative) in this field once again.
3. I have a more technically oriented training and would therefore like to take on an agency (act as a representatiive) in the ... industry.
4. I would be able to make good use of my experience in the ... industry.
5. If possible, I would like to work as an agent/representative in the ... industry.

Remuneração (do ponto de vista do representante)

1 Estou disposto a trabalhar para os senhores à base de uma comissão de ...%.
2 Com remuneração para minha atividade de representante, pretendo um salário fixo mais comissões.
3 Todavia, devo insistir em uma comissão de ...% sobre minhas vendas.
4 Peço que minha comissão seja paga mensalmente.
5 Além da comissão comum no ramo, espero um reembolso de quilometragem para a utilização de meu carro particular em atividade profissional.
6 Além da comissão comum de ...%, deverá também ser considerada uma comissão de garantia de ...%.
7 Como os senhores me asseguraram, receberei um fixo mensal de ..., uma comissão de ...% sobre o faturamento, bem como o ressarcimento de 50% de minhas despesas de publicidade.

Remuneration (from the agent's/representative's point of view)

1 I am prepared to act on your behalf on a ...% commission basis.
2 I would expect a basic fee plus commission when acting as your agent/representative.
3 I must, however, insist I be granted ...% sales commission.
4 I would require my commission to be paid to me monthly.
5 In addition to the usual commission, I would expect a mileage (kilometre) allowance for the commercial use of my private car.
6 In addition to the usual commission of ...%, there would also be the del credere commission of ...%
7 I note I am assured of a basic monthly fee of ..., together with ...% commission on my sales, as well as a 50% refund of my advertising expenses.

Duração do contrato (do ponto de vista do representante)

1 Sugiro que o contrato de representação tenha inicialmente um período de experiência de ...
2 Sugiro que o contrato tenha duração de ... anos.
3 O contrato deverá inicialmente ser fechado para um período de ... meses (anos).
4 Peço que redijam um contrato para um período de ... Posteriormente, deverá ser renovado automaticamente pelo prazo de um ano, caso não venha a ser rescindido por uma das partes ... (prazo) antes do fim do trimestre.
5 Do contrato de representação deve constar um aviso prévio de rescisão de meio ano.
6 O prazo do contrato deverá ser indeterminado e sua rescisão poderá ser feita por carta registrada com aviso prévio de ... meses.
7 Eu gostaria que a duração do contrato fosse discutida em conversa pessoal.

Length of contract (from the agent/representative's point of view)

1 I would suggest that the agency agreement initially be for a trial period of ...
2 I suggest that the agreement last ...
3 The agreement should initially be concluded for a period of ... months (years).
4 Please draw up a contract for a period of ... Thereafter, it should be automatically renewed for another year unless notice for it to be terminated be given by either party ... (time) before the end of a quarter.
5 The agreement should provide for a notice period of six months.
6 The agreement should be unlimited and terminable by registered post at ... months' notice.
7 I would request that the length of the contract be agreed in a personal discussion.

Área de representação (do ponto de vista do representante)

1 Estou bastante interessado em uma representação exclusiva na região de ...
2 Como resido em ..., estou muito interessado em uma representação exclusiva na região de ...
3 A única área de representação de meu interesse é a de ...
4 O conhecimento que tenho da região de ... e meus relacionamentos lá poderiam ser de grande valia para os senhores.
5 Como estou descompromissado, não tenho preferência quanto à área de representação.
6 Até a presente data atuei na região de ...
7 Representei com exclusividade o produto ... da ... (empresa).

Territory (from the agent/representative's point of view)

1 I am most interested in a sole agency in the ... area.
2 As I am resident in ... I would be particularly interested in a sole agency in the ... area.
3 The only territory I could consider an agency in would be ...
4 In the ... area my knowledge of the territory and contacts there would be of great advantage to you.
5 As I have no other commitments, I have no particular requests as regards the territory I would be taking over.
6 Up to now my territory has been the ... area.
7 I had the sole agency for ... (product) for ... (firm).

Recusa de solicitação

1 Lamentamos informar-lhe que a representação já foi preenchida.
2 Infelizmente não podemos conceder-lhe a representação.
3 Todas as nossas áreas de representação estão preenchidas.
4 Pedimos que entre em contato conosco dentro de ... meses.
5 Infelizmente, não dispomos de vagas para representantes.
6 Neste meio-tempo, a vaga para representante foi preenchida.
7 A vaga de representante-geral para a praça de ... já foi preenchida.
8 Infelizmente, não podemos conceder-lhe uma representação, porque atualmente só pracistas fixos vendem nossos produtos.
9 Em face de suas pretensões (condições), lamentamos ter de recusar sua solicitação.

Refusal of application

1 We regret to inform you that the vacancy for an agent/representative has been filled in the meantime.
2 We are unfortunately unable to grant you an agency.
3 Our territories are at present all occupied.
4 Please enquire again in ... months.
5 We regret to inform you that we have no vacancies for an agent/representative.
6 The vacancy for an agent/representative has now been re-filled.
7 The vacancy for a General Agent for the ... area has already been filled.
8 As it is now our policy to market our goods using permanently employed field workers, we are unfortunately unable to offer you an agency.
9 We regret that, in the light of your demands (terms), we must refuse your request.

Aceitação de solicitação

1 Estamos dispostos a conceder-lhe uma de nossas representações.
2 Pedimos que nos contate em ... para acertar os detalhes.
3 O senhor pode assumir já nossa representação.
4 Estamos dispostos a conceder-lhe nossa representação exclusiva na região de ... Pedimos que nos visite em ... para concluir todas as formalidades.
5 Uma de nossas representações na praça de ... ficou vaga há pouco tempo. Poderíamos concedê-la ao senhor.
6 Temos a satisfação de conceder-lhe uma de nossas representações e esperamos que nossa colaboração seja mutuamente vantajosa.
7 Temos a satisfação de dar-lhe as boas-vindas a nosso quadro de pessoal.

Acceptance of application

1 We will be pleased to entrust you with one of our agencies.
2 Please call on us on ... to settle all the details.
3 You can start work as our agent/representative immediately.
4 We are willing to grant you the sole agency for the ... area. We would ask you to pay us a visit on ... to complete all the necessary formalities.
5 One of our agencies in the ... area has recently become vacant and could be made available to you.
6 We are pleased to grant you one of our agencies and trust that our work together will be of mutual benefit.
7 We are pleased to welcome you as our new member of staff.

Setor de atividade

1 Concederemos ao senhor a representação de ... (produto).
2 Desejamos confiar-lhe a representação de nossos artigos de marca do setor de gêneros alimentícios.
3 A experiência comprova que os ganhos no setor de ... são especialmente bons.
4 Como produtores de bens de capital valiosos, exigimos de nossos representantes bons conhecimentos técnicos.
5 Como deve ser de seu conhecimento, atuamos no setor de ...
6 Como o senhor já tem experiência como representante no setor de ..., certamente não terá dificuldade em vender nosso novo ...
7 Sua representação abrange todos os artigos da indústria de transformação de ... e de artesanato.

Field of activity

1 We will grant you our agency for ... (product).
2 We wish to entrust you with our agency for our branded articles in the food trade.
3 In our experience, the potential earnings in the ... industry are particularly good.
4 As producers of high-value capital goods we require our agents/representatives to be technically well versed.
5 As you will certainly know, we operate in the ... industry.
6 As you already have experience as an agent/representative in the ... industry, it would certainly not be very difficult for you to market our new ...
7 Your agency covers all the products of the ... -processing industry and craft trades.

Área de representação

1 Sua área de representação se limitará à região de ...
2 Sua representação restringe-se às cidades de ... e ...
3 Sua área de representação fica em ...
4 Temos ainda uma vaga para representante em ...

Territory

1 Your territory will be limited to the ... area.
2 Your agency will be restricted to the towns of ... and ...
3 Your territory is in ...
4 We still have a vacancy for an agent/representative in ...

5 Pedimos que nos informem imediatamente se essa praça o satisfaz.
6 O senhor pode escolher entre a região de ... e de ...
7 Pedimos que nos informe qual região lhe interessa mais.
8 A criação do Mercado Comum propiciou perspectivas totalmente novas quanto à distribuição das regiões. Poderemos oferecer-lhe a região de ... ou de ... como ampliação de sua praça.

5 Please let us know immediately if this territory meets your expectations.
6 We are able to offer you the choice of either ... or ...
7 Please let us know which territory appeals to you.
8 The creation of the Internal Market has put an entirely new complexion on the way territories are drawn up. We could offer you the ... or ... area as an expansion of your territory.

Remuneração (do ponto de vista da firma representada)

1 Sua remuneração será uma comissão de ...% sobre as vendas.
2 Infelizmente não podemos atender a suas pretensões no que se refere a comissões.
3 Assim como nossos demais representantes, o senhor receberá uma comissão de ...%.
4 Como remuneração, o senhor receberá uma comissão de ...% e uma participação de ...% nos lucros ao final de cada ano fiscal.
5 A comissão máxima que podemos oferecer-lhe é de ...%.
6 Além da comissão comum de ...%, pagamos uma comissão de garantia de ...%.
7 Para tratarmos da taxa de sua comissão, pedimos que nos visite nos próximos dias.
8 O senhor receberá uma remuneração básica mensal de ... e uma comissão de ...% sobre suas vendas.
9 O senhor receberá uma comissão de vendas de ...% e uma verba mensal para despesas de ...
10 Concederemos uma comissão de vendas de ...%. As despesas correm por sua conta.
11 Uma vez que nossa comissão de vendas já perfaz ...%, infelizmente não temos condições de contribuir nos custos de armazenamento e publicidade.

Remuneration (from the point of view of the represented firm)

1 Your remuneration will be a ...% commission on sales.
2 We are unfortunately unable to meet your demands as regards commission.
3 Like our other representatives/agents, you would receive a commission of ...%.
4 By way of remuneration you will receive a commission of ...% and a ...% share of the profits at the end of each financial year.
5 The highest possible commission that we can offer you is ...%.
6 In addition to the usual commission of ...%, we pay a del credere commission of ...%.
7 Please call on us in the course of the next few days to negotiate your commission rate.
8 You will receive a basic monthly fee of ... and ...% commission on your sales.
9 You will receive ...% sales commission and a monthly expense allowance of ...
10 We will grant you a ...% commission on sales. You will be required to pay your own expenses.
11 As our sales commission is already ...% we are unfortunately unable to make a contribution towards storage or advertising costs.

Duração do contrato (do ponto de vista da firma representada)

1 Após um período de experiência de seis meses, estaremos dispostos a fechar um contrato de representação por tempo indeterminado, com aviso prévio de rescisão de ... meses.
2 Sugerimos que o contrato tenha inicialmente duração de ... anos.
3 Estamos dispostos a fechar com o senhor um contrato de representação com duração de ... anos.
4 Após um período de seis meses para o senhor se familiarizar com o trabalho, poderemos conversar sobre a duração de seu contrato de representação.
5 Seu contrato de representação será por prazo indeterminado. Poderá ser rescindido por qualquer uma das partes por meio de carta registrada com antecedência de ... meses.
6 Teremos o prazer de levar em consideração seu desejo acerca da duração do contrato.
7 Infelizmente, com relação ao contrato, não podemos atender a pedidos tão especiais.
8 O contrato só poderá ser rescindido por escrito.
9 Gostaríamos de determinar a duração do contrato em conversa pessoal.

Data da entrevista

1 Gostaríamos que o(a) senhor(a) se apresentasse à nossa empresa em ...
2 Informe-nos, por favor, se a data de ... lhe é conveniente para uma entrevista.
3 A única data possível para uma entrevista é ...
4 Como data para sua entrevista em nosso escritório, sugerimos ... ou ..., às ... horas.
5 Concordamos com a data que o(a) senhor(a) sugeriu para a entrevista.
6 Reembolsaremos, mediante apresentação dos recibos, as despesas que o(a) senhor(a) tiver ao vir para a entrevista.

Length of agreement (from the principal's point of view)

1 After a trial period of six months, we will be prepared to conclude an unlimited agency agreement with a notice period of ... months.
2 We suggest that the agreement be for ... years initially.
3 We are willing to conclude an agency agreement with you for a period of ... years.
4 After you have had six months to familiarize yourself with the work, we can then talk about the length of the agency agreement.
5 Your agency agreement is for an indefinite period. It is terminable by either party by registered post at ... months' notice.
6 We will be pleased to take your wishes as regards the length of the agreement into consideration.
7 We are unfortunately not able to meet such special requests as regards your contract.
8 The agreement can only be terminated in writing.
9 We wish to determine the length of the agreement in a personal discussion.

Date of interview

1 We would like you to come to our office for interview on ...
2 Please let us know whether it would be convenient for you to come for interview on ...
3 The only possible interview date is ...
4 We suggest you come to our office for interview on ... or ... at ... (time).
5 We are pleased to comply with your wishes as regards the interview date suggested.
6 We will refund the expenses incurred when coming to us for interview on presentation of receipts.

Contrato de representação

As partes

1 Entre o(a) senhor(a) ... e a empresa ..., é firmado o seguinte contrato de representação:
2 Contrato entre o(a) senhor(a) ..., como representante, e a ... (empresa), como representada.
3 A ... (empresa) e o(a) senhor(a) ... firmam o seguinte contrato de representação: ...
4 As partes constantes do presente contrato de representação são o(a) senhor(a) ..., como representante, e a ... (empresa), como representada.
5 O seguinte contrato de representação é firmado entre o signatário da ... (empresa) e o(a) senhor(a) ...: ...
6 Regime contratual definindo a função do(a) senhor(a) ..., como representante da ... (empresa).

Obrigações

1 As obrigações do(a) senhor(a) ... como representante restringem-se à visita a clientes e ao recebimento de pedidos.
2 O(A) senhor(a) ... se encarregará da representação de nossos artigos de marca no ramo de ...
3 Além do recebimento de pedidos, as obrigações do(a) senhor(a) ... também incluirão o assessoramento de nossos clientes.
4 O(A) senhor(a) ... deverá exercer sua função de tal forma que os interesses de nossa empresa estejam sempre resguardados.
5 O representante deve comunicar imediatamente ao departamento competente da empresa todos os negócios em que tenha intervindo ou que tenham sido por ele concluídos.
6 As obrigações do representante incluem tanto as atividades costumeiras no comércio quanto a assistência técnica pós-venda de nossos artigos pertinentes.
7 Será firmado um adendo ao contrato definindo com precisão as obrigações do(a) senhor(a) ... como nosso(a) representante.
8 Como as obrigações de nosso representante incluem viagens, a empresa colocará um carro à sua disposição.

Agency agreement

Parties

1 The following agency agreement is concluded between Mr (Ms) ... and ... (firm):
2 Agreement between Mr (Ms) ... as agent and ... (firm) as principal.
3 ... (firm) and Mr (Ms) ... conclude the following agency agreement: ...
4 The parties to the following agency agreement are Mr (Ms) ... as agent/representative and ... (firm) as representee.
5 The following agency agreement is concluded between the signatory of ... (firm) and Mr (Ms) ...: ...
6 Contractual agreement defining the duties of Mr (Ms) ... as agent/representative of ... (firm).

Duties

1 Mr (Ms) ... 's duties as an agent/representative are restricted to visiting customers and taking orders.
2 Mr (Ms) ... will take on our agency for our branded articles in the ... industry.
3 In addition to taking orders, Mr (Ms) ... 's duties will also include giving advice to our customers.
4 Mr (Ms) ... must perform his (her) duties in such a way as always to represent the best interests of our company.
5 All business procured and transacted is to be passed on to the respective department of the company immediately.
6 The agent's/representative's duties include both those customary in the trade and also after-sales service for our technical articles.
7 A supplementary contract will be concluded defining precisely the duties of Mr (Ms) ... as our agent/representative.
8 As the duties of our agent include travelling, a company car will be made available to him (her).

9 Exigem-se do(a) representante visitas constantes a nossos clientes na praça representada.
10 O(A) representante deverá trabalhar com exclusividade para nossa empresa.
11 Se o(a) representante quiser trabalhar para outras empresas, precisará antes de nosso consentimento.
12 As consultas de clientes à nossa empresa serão repassadas ao(à) representante.
13 As consultas dirigidas à empresa serão repassadas ao(à) representante.
14 Garantimos ao(à) representante total apoio em sua área.
15 Em pedidos de clientes feitos diretamente à empresa, a comissão paga ao(à) representante será reduzida em ...%.
16 Os pedidos diretos serão tratados da mesma maneira que os pedidos enviados pelo(a) representante.

9 The agent/representative is required to visit our customers in his (her) territory regularly.
10 The agent/representative is only allowed to work for our company and no other.
11 Should the agent/representative wish to act on behalf of another company, our consent must first be obtained.
12 Enquiries made to our company by customers will be passed on to the agent/representative.
13 Direct enquiries will be passed on to the agent/representative.
14 The agent/representative will be afforded territory protection.
15 The agent/representative will be paid ...% less commission on orders which customers place with us directly.
16 Direct orders will be treated in the same way as orders submitted by the agent/representative.

Área de representação

1 Será designada ao(à) representante uma área com limites bem definidos. Sua atividade deverá restringir-se a essa área.
2 A área de representação abrange toda a região de ...
3 O(A) representante assumirá a praça de representação de ...
4 O(A) representante só poderá visitar clientes da praça de ...
5 O contrato de representação abrange as seguintes áreas: ...
6 O(A) sr.(a) ... é representante exclusivo(a) de nossos produtos em ...
7 O(A) representante não poderá fechar negócios fora dos limites de sua área de representação.
8 O(A) representante deverá restringir-se à sua área de representação.
9 Garante-se salvaguarda ao(à) representante dentro de sua área.
10 Na qualidade de nosso(a) representante exclusivo(a) na região de ..., o(a) senhor(a) terá total apoio em sua área.

Territory

1 The agent/representative will be allotted a clearly defined territory. He must limit his activities to this area.
2 The territory covers the entire ... area.
3 The agent/representative will take over the regional territory of ...
4 The agent/representative may only call on customers in the ... area.
5 The agency agreement covers the following territories: ...
6 Mr (Ms) ... is the sole agent for our products in ...
7 The agent/representative is not allowed to do business outside the boundaries of his (her) territory.
8 The agent/representative must keep strictly to his (her) territory.
9 The agent/representative is guaranteed territory protection within his (her) territory.
10 As our sole agent in the ... area, you are guaranteed total territory protection.

Remuneração

Salário

1 Por sua atividade, o(a) representante receberá um salário de ..., acrescido da comissão costumeira no comércio.
2 Será pago ao(à) representante um salário fixo de ...
3 Por sua função como nosso(a) representante, o(a) sr.(a) ... receberá um salário fixo mensal de ..., pago antecipadamente.
4 Garantimos ao(à) nosso(a) representante um salário fixo mensal de ...
5 Além da comissão e das despesas costumeiras, o(a) sr.(a) ... receberá um salário de ...
6 O ganho mínimo mensal, em forma de salário fixo, é de ...
7 O(A) sr.(a) ... receberá um salário de ...
8 Independentemente do montante de vendas, o(a) sr.(a) ... recebe um salário fixo mensal de ...

Comissões

1 Pagamos uma comissão de vendas de ...%.
2 Os valores de comissão auferidos serão pagos mensalmente ao(à) representante.
3 O(A) representante receberá uma comissão de ...% sobre as vendas.
4 Continuaremos a pagar 1% de comissão sobre as mercadorias estocadas pelo(a) representante.
5 As comissões pagas referentes a pedidos cancelados serão debitadas de sua conta.
6 Pagaremos ao(à) nosso(a) representante uma comissão de ...% sobre as vendas que realizar e ...% de comissão sobre os pedidos diretos provenientes de sua área.
7 As comissões perfazem ...% sobre as vendas e ...% sobre as mercadorias em estoque.
8 Só se abonarão as comissões sobre mercadorias já pagas pelo cliente.

Remuneration

Salary

1 For his (her) activities the agent/representative will receive a basic fee/salary of ... plus the commission customary in the trade.
2 The agent/representative will be paid a basic fee/salary of ...
3 For his (her) activities as our agent/representative Mr (Ms) ... will receive a basic fee/salary of ... per month, payable in advance.
4 We guarantee our agent/representative a basic monthly fee/salary of ...
5 In addition to commission and the usual expenses, Mr (Ms) ... is guaranteed a salary of ...
6 The guaranteed monthly income, in the form of a basic fee/salary, is ...
7 Mr (Ms) ... will receive a salary of ...
8 Regardless of his (her) monthly sales figures, Mr (Ms) ... will receive a basic monthly fee/salary of ...

Commission

1 The commission rate paid is ... % of sales.
2 Commission earned is remitted to the agent/representative monthly.
3 The agent/representative will receive ... % commission on his (her) sales.
4 We will continue to pay 1% commission on the goods stocked by the agent/representative.
5 Commission on orders which are cancelled will be redebited to your account.
6 We will pay our agent/representative ... % commission on his (her) sales and ... % commission on orders received directly from his (her) territory.
7 Our commissions are ... % on sales and ... % on goods stocked.
8 Commission is only granted on goods already paid for by the customer.

Despesas

1 Serão consideradas despesas apenas os gastos inevitáveis de pernoite.
2 Serão reembolsadas ao(à) representante despesas de viagem compreensíveis.
3 Só reembolsaremos as despesas do(a) representante até o valor máximo (mensal) de ...
4 O representante tem direito a efetuar as despesas comuns no ramo.
5 Mediante apresentação dos devidos comprovantes, o(a) representante receberá o reembolso das despesas costumeiras no ramo.
6 Para cobrir suas despesas, o(a) representante receberá a quantia mensal de ...
7 A empresa reserva-se o direito de analisar o relatório de despesas.
8 Serão aceitas despesas de até ... mensais.
9 O reembolso com despesas será pago mensalmente ao(à) representante, junto com a comissão.
10 Não se abonam despesas.
11 O(A) representante deve arcar com todas as despesas.
12 Todos os direitos e reivindicações do(a) representante cessarão com o pagamento da comissão.

Expenses

1 Only unavoidable expenses for overnight accommodation will be accepted.
2 Reasonable travelling expenses will be refunded to the agent/representative.
3 A maximum of ... towards the agent's/representative's expenses will be refunded (per month).
4 The agent/representative is entitled to the expenses customary in the trade.
5 On presentation of the necessary receipts, the usual expenses will be refunded to the agent/representative.
6 To cover his expenses the agent/representative will receive a monthly allowance of ...
7 The company reserves the right to examine his (her) expense account.
8 Expenses of up to ... per month will be accepted.
9 Expenses will be remitted to the agent/representative each month together with commission.
10 Expenses are not refunded.
11 All expenses must be borne by the agent/representative.
12 All claims and entitlements on the part of the agent/representative are discharged on payment of the commission.

Liquidação de contas

1 As contas de salário e de comissão são saldadas mensalmente.
2 A comissão devida é paga mensalmente ao(à) representante.
3 A comissão e as despesas serão remetidas ao(à) senhor(a) mensalmente.
4 Mediante pedido, poderá ser feito um adiantamento da comissão. A liquidação ocorre a cada trimestre.
5 O extrato da conta lhe será enviado por carta registrada.
6 Qualquer reclamação referente ao lançamento de comissões deverá ser apresentada dentro de ... dias.
7 O salário estipulado contratualmente será transferido mensalmente para a conta do(a) representante. A liquidação ocorre trimestralmente.

Making up accounts

1 Salary and commission statements are made up monthly.
2 Commission earned is remitted to the agent/representative monthly.
3 Commissions and expenses will be remitted to you monthly.
4 If requested, an advance can be made on your commission. The account will be made up quarterly.
5 The statement of account will be sent to you by registered post.
6 Any objection to the commission statement must be lodged within ... days.
7 The salary specified in the agreement will be transferred to the agent's/representative's account monthly. The account will then be made up quarterly.

Publicidade

Apoio da firma

1 A empresa apoiará as iniciativas do(a) representante em divulgação.
2 O(A) representante receberá uma verba anual de ... para publicidade.
3 Os gastos com publicidade dos produtos vendidos pelo(a) representante serão repartidos igualmente pelas partes contratantes.
4 Os gastos do(a) representante com publicidade serão por nós reembolsados.
5 Nós nos encarregaremos da divulgação dos artigos de marca vendidos por nosso(a) representante, sr.(a) ...
6 Contratamos a agência de publicidade ... para divulgar os produtos representados pelo(a) sr.(a) ...
7 Pagaremos até ... das despesas anuais do representante com publicidade.
8 Nossa divulgação será com o que há de mais moderno no ramo.
9 O fabricante compromete-se a fazer a divulgação de suas marcas.
10 A verba anual para publicidade é de (no mínimo) ...

Publicidade a cargo do representante

1 O(A) representante deverá encarregar-se da divulgação de seus produtos.
2 A empresa está disposta a arcar com metade dos gastos do(a) representante em publicidade.
3 O(A) representante deverá responsabilizar-se pela divulgação dos produtos.
4 O material de publicidade será fornecido por nós gratuitamente ao(à) representante.
5 O(A) representante deverá arcar com as despesas de material de publicidade fornecido pela empresa.

Proibição de concorrência

1 Ao término deste contrato, o(a) representante compromete-se a não trabalhar para empresas da concorrência pelos próximos ... anos.
2 A proibição de concorrência estende-se por ... anos.

Advertising

Company support

1 The company will support the agent's/representative's advertising efforts.
2 The yearly sum of ... will be made available to the agent/representative for advertising purposes.
3 Advertising expenditure on the products marketed by the agent/representative will be shared equally between both parties to the agreement.
4 The agent's/representative's expenditure for advertising purposes will be refunded by us.
5 We will arrange for advertising of the branded goods marketed by our agent/representative Mr (Ms) ...
6 We have commissioned the ... advertising agency to advertise the products marketed by Mr (Ms) ...
7 We will bear up to ... of the agent's/representative's advertising costs per annum.
8 Our advertising will be state-of-the-art.
9 The manufacturer undertakes to advertise his brand names himself.
10 The annual advertising budget is (at least) ...

Advertising only by agent/representative

1 The agent/representative will arrange to have his (her) products advertised himself (herself).
2 The company is prepared to bear half of the advertising costs incurred by the agent/representative.
3 The agent must finance advertising himself (herself).
4 Advertising material will be made available to the agent/representative by us free of charge.
5 The agent/representative will be charged for the advertising material made available to him by the company.

Ban on competition

1 On termination of this agreement the agent/representative undertakes not to work for rival companies for ... years.
2 The ban on competition is for ... years.

3 O(A) representante compromete-se a trabalhar exclusivamente para nossa empresa.
4 O(A) representante não poderá trabalhar para empresas concorrentes por ... anos após o término deste contrato.
5 Faz parte deste contrato a proibição de trabalhar para concorrentes durante os ... meses subseqüentes ao seu término.

Duração do contrato

1 Este contrato de representação é válido por um prazo de ... anos.
2 O contrato de representação é firmado por tempo indeterminado
3 O contrato terá um prazo inicial de ... anos. Se não for rescindido nesse prazo, será prorrogado automaticamente por mais um ano.
4 O contrato tem validade de ... anos.
5 O contrato de representação firmado entre o(a) sr.(a) ... e ... (empresa) só poderá ser rescindido a partir de ...
6 Ao término do período experimental de 6 meses, o contrato só poderá ser rescindido depois de ...
7 Este contrato de representação é firmado inicialmente por um prazo experimental de 6 meses. Decorrido esse prazo experimental, é automaticamente prorrogado por ... anos.
8 O período experimental para a atividade de representação do(a) senhor(a) é de ... meses.
9 Após o término do período experimental de ... meses, o contrato de representação poderá ser rescindido de imediato.

Rescisão do contrato

1 Após um período mínimo de ... anos, este contrato de representação poderá ser rescindido por qualquer uma das partes com aviso prévio de ... meses.
2 Se uma das partes infringir este contrato, a outra parte poderá rescindi-lo sem aviso prévio. A rescisão deverá ser comunicada por carta registrada.
3 Após ... anos, este contrato de representação poderá ser rescindido trimestralmente.
4 Na rescisão, ambas as partes devem obedecer a aviso prévio de ... meses.

3 The agent/representative undertakes to work for us exclusively.
4 The agent/representative may not work for rival companies until ... years after termination of this agreement.
5 Part of this agreement is a ban on competition for ... months after termination thereof.

Length of agreement

1 This agency agreement is valid for a period of ... years.
2 The agency agreement is concluded for an unlimited period of time.
3 The agreement is initially concluded for a period of ... years. If it is not terminated within this time, it is automatically renewed for another year.
4 The agreement is valid for a period of ... years.
5 The agency agreement concluded between the agent/representative, Mr (Ms) ... and ... (firm) is first terminable on ... at the earliest.
6 On completion of the trial six-month period, the agency agreement is first terminable on ... at the earliest.
7 This agency agreement is initially concluded for a trial period of six months. On completion of the trial period it is automatically renewed for ... years.
8 Mr (Ms) ...'s probationary period as our agent/representative is ... months.
9 On completion of the trial period of ... months, the agency agreement may be terminated immediately.

Termination of agreement

1 After a minimum period of ... years, this agency agreement is terminable by either party at ... months' notice.
2 Should either party violate this agreement, it can be terminated without notice. Termination must be by registered post.
3 After ... years this agency agreement can be terminated on a quarterly basis.
4 When terminating the agreement both parties must give ... months' notice.

5 O descumprimento de um dos pontos do contrato não provocará a nulidade de todo o contrato.

Alterações do contrato

1 Ambas as partes reservam-se o direito de alterar o contrato.
2 No caso de uma alteração imprevisível da situação econômica, cláusulas particulares deste contrato de representação poderão ser alteradas de comum acordo.
3 Reservamo-nos o direito de alterar a remuneração fixa e a comissão.
4 O período experimental do(a) sr.(a) ... poderá ser prolongado ou abreviado por nós.
5 Alterações do contrato de representação entre o(a) sr.(a) ... e ... (empresa):
6 A duração mínima do contrato é ampliada de comum acordo por ... anos. Decorrido esse prazo, o contrato pode ser rescindido por qualquer uma das partes sem aviso.
7 Em alteração ao contrato de ..., concedemos ao(à) nosso(a) representante, sr.(a) ..., a partir desta data, uma comissão de ...%.
8 Qualquer alteração do contrato deverá ser feita por escrito.
9 Alterações do contrato feitas verbalmente não têm validade.
10 Por solicitação de nosso(a) representante, sr.(a) ..., seu período de experiência é prorrogado por ... meses.
11 Adendos ao contrato de representação acima:
12 Por solicitação de nosso(a) representante, sr.(a) ..., sua praça passará a abranger as cidades de ... e ...
13 Nosso(a) representante, sr.(a) ..., recebe adicionalmente o direito de representação exclusiva de nossos artigos em ...
14 A taxa de comissão é aumentada para ...%.
15 Por solicitação de nosso(a) representante, sr.(a) ..., o contrato de representação acima é alterado da seguinte maneira:
16 Reservamo-nos o direito de alterar o contrato.
17 O período experimental poderá ser prorrogado a pedido do(a) representante.
18 A alteração de cláusulas deste contrato não retira a validade do restante.

5 If one part of the agreement is infringed, the entire agreement may not therefore be declared null and void.

Changes to agreement

1 Both parties reserve the right to change the agreement.
2 In the event of an unforeseen change in the economic situation, individual points of this agency agreement may be changed with the consent of both parties.
3 We reserve the right to change the basic fee/salary and the commission.
4 Mr (Ms) ...'s probationary period can be extended or shortened by us.
5 Changes to the agency agreement between Mr (Ms) ... and ... (firm):
6 The minimum length of the agreement is extended with the consent of both parties by ... years. Thereafter, the agreement is terminable by either party without notice.
7 Our agreement of ... is changed to the effect that we will henceforth allow our agent/representative, Mr (Ms) ... a commission of ...%.
8 Changes to the agreement are only valid if in writing.
9 Verbal changes to the agreement are not valid.
10 At the request of our agent/representative Mr ..., his probationary period will be extended by ... months.
11 Supplementary agreement to the above agency agreement:
12 At the request of our agent/representative Mr ..., his territory will be enlarged to include the towns of ... and ...
13 Our agent/represenfive, Mr ..., will, in addition, receive the sole agency for our articles for ...
14 The commission rate will be increased to ...%.
15 At the request of our agent, Mr (Ms) ..., the above agency agreement is amended as follows: ...
16 We reserve the right to change the agreement.
17 The probationary period may be extended if the agent so desires.
18 The amendment of individual parts of the agreement in no way detracts from the validity of the rest of it.

Apresentação do representante

1 Gostaríamos de informar aos nossos prezados clientes de ... (local) que a partir de ... o(a) sr.(a) ... assumirá a representação de nossa empresa nessa região.
2 Os senhores logo receberão a visita de nosso(a) novo(a) representante, o(a) sr.(a) ...
3 Ficaríamos muito satisfeitos se os senhores pudessem depositar a mesma confiança em nosso(a) novo(a) representante, o(a) sr.(a) ...
4 Nomeamos o(a) sr.(a) ... representante exclusivo(a) de nossos artigos de marca na região de ... e temos certeza que a atuação dele(a) será de sua inteira satisfação.
5 A partir de ..., o(a) sr.(a) ... assumirá nossa representação em sua região. Esperamos que depositem nele(a) a mesma confiança que em seu(sua) antecessor(a).
6 Nosso(a) novo(a) representante na região de ..., sr.(a) ..., assumirá suas funções em ...
7 Nosso(a) novo(a) representante, o(a) sr.(a) ..., vai apresentar-se aos senhores em ... Ele(a) envidará todos os esforços para trabalhar para sua total satisfação.
8 A partir de ..., o(a) sr.(a) ... assumirá nossa representação exclusiva em ...
9 No futuro, nosso(a) novo(a) representante, sr.(a) ..., cuidará das relações comerciais entre os senhores e nossa empresa.
10 Informem-nos, por favor, quando nosso(a) novo(a) representante, sr.(a) ..., poderá visitá-los.

Introduction of the agent/representative

1 We wish to announce to our valued customers in ... that, as from ..., our company will be represented there by Mr (Ms) ...
2 You will, in future, be visited by our new agent/representative, Mr ...
3 We would be most gratified if you could also place the same trust in our new agent/representative, Mr (Ms) ...
4 We have appointed Mr (Ms) ... as the sole agent for our branded goods in the ... area and are convinced that his (her) work there will be to your entire satisfaction.
5 As from ... Mr (Ms) ... will be taking over our agency in your area. We very much hope you will place the same trust in him (her) as you did in his (her) predecessor.
6 Our new agent/representative for the ... district, Mr (Ms) ..., will be starting work on ...
7 Our new agent/representative, Mr (Ms) ..., will introduce himself to you on ... He will make every effort to serve you to your complete satisfaction.
8 As from ..., Mr (Ms) ... will be taking over our sole agency in ...
9 In future, our new agent/representative Mr (Ms) ... will be looking after business connections between yourselves and our company.
10 Please let us know when our new agent/representative, Mr ..., can call on you.

Informe do representante

Atividades

1 Já visitei com sucesso vários clientes.
2 Tive um êxito considerável com meu novo sistema informatizado de visitas.
3 Atualmente estou trabalhando na região de ...
4 O carro cedido pela empresa facilitou consideravelmente o meu trabalho.

Agent's/Representative's report

Activities

1 I have already paid successful visits to a number of customers.
2 I have had considerable success using my new computerized system to schedule customer calls.
3 At the moment I am working in the ... area.
4 The company car has made my work considerably easier.

5 Infelizmente não consegui entrar em contato com ... (nome do cliente). Vou procurá-lo novamente em minha próxima visita a essa região.
6 Sinto informar-lhes que o novo artigo não está tendo boa saída.
7 Minha atividade na região de ... teve um início bastante promissor.
8 Graças ao novo programa de vendas, pude aumentar meu volume de vendas em ...%.
9 Devido à conjuntura do mercado, as possibilidades de venda de seus produtos aumentaram consideravelmente.

5 I was unfortunately unable to see ... (name of customer). I will call on him the next time I am on my rounds in that area.
6 I am sorry to tell you that the new article is not going down well.
7 I have got off to a good start in the ... area.
8 I have thus far been able to increase my turnover by ...% thanks to the new sales range.
9 Thanks to current market trends, the sales opportunities for your goods have improved considerably.

Dificuldades

1 Surgiram algumas dificuldades nas negociações com ... (empresa)/(o sr. ...).
2 Devido à distância entre os clientes, muitas vezes é difícil visitar a todos.
3 É extremamente difícil vender o artigo n.º ...
4 As condições atualmente muito precárias das estradas impossibilitam visitar os clientes pontualmente.
5 Nossos clientes recusam-se a aceitar as condições de pagamento propostas.
6 Só se consegue vender a nova coleção em cidades médias e grandes.
7 Têm surgido problemas na demonstração do artigo.
8 Estão ocorrendo problemas decorrentes do fornecimento deficiente aos clientes.
9 Durante a demonstração do artigo n.º ..., ocorreram problemas técnicos.
10 Alguns clientes receiam ter contratempos na utilização do equipamento devido às novas normas técnicas da UE.
11 Haveria possibilidade de colocar no mercado um modelo do artigo n.º ... mais fácil de usar?
12 Sinto que o mercado ainda não está pronto para aceitar o artigo n.º ...
13 Os clientes ficam tão longe entre si que eu não consigo cumprir o roteiro especificado pelos senhores.
14 É freqüente os clientes se queixarem de que seus pedidos são entregues com atraso.

Difficulties

1 There have been some problems concerning our negotiations with ... (firm)/ (Mr ...).
2 The customers are so far apart that it is sometimes difficult to visit them.
3 It is extremely difficult to sell article No. ...
4 The particularly difficult road conditions at present are making it impossible to visit customers punctually.
5 Our customers are refusing to accept the terms of payment asked.
6 It is only possible to sell the new collection in cities and fairly large towns.
7 There are problems when the article is demonstrated.
8 There have been some problems as a result of poor delivery to customers.
9 There have been technical problems demonstrating article No. ...
10 Some customers are afraid they will run into difficulties when using the equipment as a result of the EU's new technical regulations.
11 Is it not possible to bring out a new version of article No. ... which is easier to use?
12 I feel the market is not yet ready to take article No. ...
13 The clientele is so widely spaced that I cannot keep to the circuit specified.
14 I hear complaint after complaint from our customers that their orders are delivered late.

Situação geral do mercado

1. Atualmente, a situação do mercado é excelente.
2. Devido à excelente situação do mercado, temos expectativa de um considerável aumento nas vendas.
3. O mercado encontra-se em alta. Agradeceria, portanto, que meus pedidos fossem atendidos o mais rápido possível.
4. O mercado está equilibrado.
5. Tenho a satisfação de comunicar-lhes que o mercado voltou a ser receptivo aos nossos artigos.
6. O mercado passa por uma situação tensa, o que nos impossibilita aumentar as vendas.
7. A persistente recessão econômica mundial dificulta muito os negócios.
8. Desejo informar-lhes que o mercado está saturado. Assim, as probabilidades de vendas futuras são reduzidas.
9. Com a entrada de uma nova empresa em nosso mercado, nossas vendas caíram bastante.
10. Acredito que agora o mercado esteja pronto para aceitar um novo produto.
11. Parece que o mercado está saturado para os artigos ... e ...

Poder aquisitivo

1. A moeda daqui está se desvalorizando rapidamente.
2. O poder aquisitivo dos clientes está diminuindo.
3. A disposição de compra dos nossos clientes não diminui nem com a incerteza econômica.
4. Nossos clientes parecem estar agora mais dispostos a comprar.
5. Espera-se um aumento/uma redução do poder aquisitivo.
6. Com o novo aquecimento da economia, temos expectativa de que nossos clientes tenham uma disposição de compra crescente.
7. Devido à recessão econômica, temos razões para temer a diminuição da disposição de compra de nossos clientes.
8. Aumentos salariais consideráveis melhoraram as chances de venda de seus produtos.
9. O processo econômico voltou a aumentar/diminuir o poder aquisitivo.

General market situation

1. Market conditions are excellent at present.
2. As a result of the excellent market conditions, we can expect a considerable increase in sales.
3. The market is booming at present. I would therefore be most grateful if my orders could be fulfilled as quickly as possible.
4. The market is steady.
5. I am pleased to inform you that the market is now once again receptive to our articles.
6. Market conditions are tight at the moment, so it is unfortunately impossible for us to sell more goods.
7. The continuing world recession is making business hard.
8. I wish to inform you that the market is saturated. I therefore see little opportunity for sales in the future.
9. The arrival of a new firm in our market means that our sales chances have noticeably worsened.
10. I believe the market can now absorb a new product.
11. It would seem that the market for ... (article) and ... (article) is saturated.

Purchasing power

1. Money is rapidly losing its value here.
2. The customers' purchasing power is diminishing.
3. Our customers' readiness to buy is not even being weakened by economic uncertainty.
4. Our customers seem to be more eager to buy now.
5. An increase/decrease in purchasing power is to be expected.
6. Now that the business cycle is picking up, we can expect increasing readiness to buy on the part of our customers.
7. As a result of the economic downturn, we have every reason to fear that our customers' readiness to buy will diminish.
8. Sizeable wage increases have improved sales chances for your products.
9. Economic trends have further increased/decreased purchasing power.

Concorrentes

1 Não temos concorrência neste mercado.
2 O número de concorrentes sobe constantemente.
3 Informo aos senhores que, infelizmente, o número de concorrentes neste mercado cresce de ano para ano.
4 O aumento da concorrência deve-se ao crescimento da demanda desses produtos.
5 A abertura do Mercado Comum levou ao aumento do número de concorrentes de ... para ...
6 O número de concorrentes está diminuindo um pouco.
7 Graças à excelente qualidade de nossos produtos, o número de concorrentes está diminuindo.
8 Tenho o prazer de informar-lhes que os nossos produtos são muito melhores que os dos concorrentes.
9 A fusão das empresas ... e ... fez surgir um concorrente que não pode ser ignorado.
10 A empresa ... pretende estabelecer-se em nosso mercado.
11 Somente poderemos manter nossa posição se agirmos contra a crescente e forte concorrência.
12 Nossos concorrentes ainda não têm força e têm pouca probabilidade de sobreviver a uma guerra de preços.
13 A falência da empresa ... deve pôr fim à concorrência em nosso mercado.
14 O comportamento dos concorrentes é preocupante.
15 Infelizmente, a ... (empresa) domina o mercado cada vez mais.
16 Nossos concorrentes estão tentando dominar o mercado por meios ilícitos.
17 Os concorrentes estão tentando conquistar nossos clientes.
18 Constatei várias vezes que representantes de empresas concorrentes visitaram nossos clientes.
19 Infelizmente, nossos concorrentes estão conquistando o mercado devido à melhor qualidade de seus produtos.
20 Nossos concorrentes estão tentando conquistar o mercado com uma campanha publicitária ampla.
21 O comportamento dos concorrentes (não) é preocupante.
22 Os concorrentes estão tentando conquistar o mercado com novos artigos.

Competitors

1 We have no competitors in this market.
2 The number of competitors is growing steadily.
3 I unfortunately have to tell you that the number of competitors in this market is increasing from year to year.
4 Competition is increasing because demand for these products is growing.
5 The opening up of the Internal Market has meant that the number of competitors has grown from ... to ...
6 The number of competitors is falling slightly at the moment.
7 Thanks to the excellent quality of our products, the number of competitors is decreasing.
8 I am pleased to be able to tell you that our products are far superior to those of our competitors.
9 The merger of ... (company) and ... (company) has produced a new competitor that cannot be ignored.
10 ... (firm) want to work our market.
11 We can only maintain our position if we take action against the increasingly strong competition.
12 Our competitors are still weak. They have little chance of surviving a price war.
13 The bankruptcy of ... (firm) has most likely put an end to the competition in our market.
14 Our competitors' behaviour is worrying.
15 Regrettably, ... (firm) are successfully taking over more and more of the market.
16 Our competitors are trying to take over the market by unfair means.
17 Our competitors are trying to lure away our customers.
18 It has repeatedly come to my notice that agents from rival companies have been visiting our customers.
19 Our competitors are unfortunately conquering the market with better quality.
20 Our competitors are trying to take over the market by launching a large-scale publicity campaign.
21 Our competitors' behaviour is (not) disturbing.
22 Our competitors are trying to conquer the market with new articles.

23 A grande expansão da empresa concorrente permite supor que iniciará em breve uma guerra de preços.
24 As novas regulamentações da OMC (Organização Mundial de Comércio) têm como conseqüência um número crescente de empresas concorrentes num mercado já bastante competitivo.

Sugestões de melhora

1 Só podemos fazer frente às iniciativas dos concorrentes com uma ampla campanha publicitária.
2 Precisamos vencer os concorrentes pela qualidade.
3 Poderíamos levar vantagem sobre os concorrentes com prazos menores de fornecimento.
4 A fim de impedir que os concorrentes conquistem nossos clientes, deveríamos adotar melhores condições de pagamento.
5 Se nosso fornecimento fosse melhor, evitaríamos que os concorrentes conquistassem nossos clientes.
6 Com publicidade dirigida, poderíamos conquistar o mercado, pondo fim à disputa por clientes.
7 O mercado ainda poderia absorver um modelo um pouco mais barato de seu artigo n.º ...
8 A embalagem de seus produtos deveria ser mais resistente.
9 Seus produtos não são embalados de acordo com as novas regulamentações da UE. Pedimos que tomem as devidas providências.

Pedidos

1 Anexo a esta os pedidos da ... (empresa).
2 Seguem anexos a esta os pedidos até agora obtidos.
3 Os pedidos recebidos seguem junto.
4 Os pedidos recebidos nesta semana seguem junto a esta.
5 Os pedidos anexos devem ser executados imediatamente.
6 Peço que executem até ... (data) o pedido anexo de nosso cliente, sr. ...
7 A pedido do cliente, a execução dos pedidos deve ser adiada até o início do próximo mês.

23 The vigorous expansion of our competitors' company would seem to indicate that they will soon be starting a price war.
24 The new WTO regulations mean that we will soon see even more firms competing against each other in an already highly competitive market.

Suggestions for improvements

1 We can only counter the efforts of the competition with a large-scale advertising campaign.
2 We must beat the competition on quality.
3 We could gain an advantage over the competition by having shorter delivery periods.
4 To stop the competition from taking away our customers we should go for better terms of payment.
5 If deliveries to our customers were better that would stop them being lured away by the competition.
6 With selective advertising we could conquer the market and put an end to the battle for customers.
7 The market could still absorb a slightly less expensive version of your article No. ...
8 Your products need to be more sturdily packed.
9 Your goods are not packed in accordance with new EU regulations. Please take appropriate measures.

Orders

1 I enclose ...'s (firm) orders.
2 Enclosed you will find the orders obtained.
3 The orders received are enclosed.
4 The orders received this week are enclosed.
5 The orders enclosed are to be dealt with immediately.
6 Please process the enclosed order from our customer, Mr ..., by ... (date).
7 The customer wishes to delay execution of his orders until the beginning of next month.

8 Pedimos que ao executar o pedido da ... (empresa) dêem atenção à solicitação especial sobre qualidade.
9 Só foi possível obter os pedidos das empresas ... e ... concordando com um prazo de pagamento de ... meses.
10 Para conseguir o pedido da ... (empresa), tive de fazer um desconto por quantidade de ...%.
11 Garanti à ... (empresa) que faremos a remessa da mercadoria por expresso às nossas expensas.
12 Como a ... (empresa) não estava satisfeita com o atendimento a seu último pedido, não foi possível fechar um pedido nesta ocasião.

8 Please bear the special requests regarding quality in mind when dealing with ...'s (firm) order.
9 It was only possible to secure orders from ... (firm) and ... (firm) by promising them ... months' credit.
10 In order to obtain ...'s (firm) order I had to promise them a quantity discount of ...%.
11 I have promised ... (firm) that we will send them the goods by express at our expense.
12 As ... (firm) were dissatisfied with the execution of their last order, I was unable to obtain one this time.

Informe da empresa ao representante

Confirmação de pedidos

1 Pela presente confirmamos o recebimento de seus pedidos datados de ...
2 Recebemos seus pedidos em ... Muito obrigado.
3 Recebemos os pedidos de ... (clientes). A entrega será feita conforme especificado (solicitado).
4 Agradecemos e confirmamos o recebimento de seus pedidos.
5 Agradecemos seus pedidos. As solicitações especiais da ... (empresa) serão atendidas com prazer.
6 Recebemos os pedidos da ... (empresa). Pedimos que informe ao sr. ... que a entrega deverá atrasar ... dias devido à solicitação especial referente a cor e qualidade.

Formalidades dos pedidos

1 Gostaríamos de pedir-lhe que preenchesse com clareza seus próximos pedidos a fim de evitarmos um fornecimento incorreto.
2 Pedimos que coloque a data do pedido na próxima vez.
3 Pedimos que da próxima vez indique o número do pedido do cliente e o departamento competente.

Company's report to agent/representative

Confirmation of orders

1 We hereby confirm receipt of your orders dated ...
2 We received your orders on ... Many thanks.
3 We have received orders from ... (customers). Delivery will be made as specified (requested).
4 We thank you for your orders, receipt of which is hereby confirmed.
5 Thank you for your orders. We will be pleased to comply with ...'s (firm) special requests.
6 We have received ...'s (firm) orders. Please inform Mr ... that delivery will be delayed by approx. ... days owing to his special requests regarding colour and quality.

Points of procedure regarding orders

1 May we ask you to write more clearly when submitting your next orders so as to prevent wrong delivery.
2 Please include the date of the order next time.
3 We would ask you to make a note of the customer's order number and the department responsible next time.

4 Solicitamos que seus pedidos sejam mais detalhados. Caso contrário, não podemos fazer fornecimentos corretos a seus clientes.
5 Gostaríamos de pedir-lhe que, de hoje em diante, envie tanto o original quanto uma cópia do pedido.
6 Pedimos que o(a) cliente assine o pedido, a fim de evitar o risco de recusa do fornecimento.
7 A partir de agora, o(a) senhor(a) não está autorizado(a) a concordar com nenhuma solicitação especial dessa natureza de nossos clientes.
8 Pedimos que anote em todos os pedidos o número do VAT (imposto sobre valor agregado), o número de identificação e o número do imposto sobre consumo, como o exige a regulamentação da UE.

4 We must ask you to include more details with your orders. Otherwise it is impossible for us to make proper deliveries to your customers.
5 We wish to point out that as from now, both the original and a copy of the order must be sent in.
6 Make sure the customer signs the order himself (herself) so there is no risk of delivery being refused.
7 You are not allowed to agree to any more special requests of this nature from our customers in future.
8 Please note the VAT No., the identification number and the excise duty number on all orders, as prescribed by EU regulations.

Conteúdo dos pedidos

1 No pedido n° ..., o(a) senhor(a) refere-se ao artigo n° ..., que não consta mais de nosso catálogo.
2 Não dispomos do produto mencionado.
3 No pedido n° ..., de ..., o(a) senhor(a) colocou o artigo n° ..., que não existe. Pedimos que corrija o erro.
4 Gostaríamos de chamar sua atenção para um erro em seu pedido n° ... O número do artigo é ... e não ...
5 Infelizmente não poderemos fornecer no prazo solicitado as mercadorias constantes do pedido de ... (cliente).
6 Não dispomos mais do artigo n° ... de seu pedido de ...
7 Pedimos que consulte seus clientes sobre a possibilidade de substituir o artigo n° ... pelo n° ...
8 Não permitimos que o(a) senhor(a) conceda um prazo de pagamento de ... meses.

Content of orders

1 In order No. ... you refer to article No. ... This article is not in our catalogue.
2 We do not stock the article stated.
3 In your order No. ... of ... you specify article No. ..., which does not exist. Please correct this error.
4 We wish to draw your attention to an error in your order No. ... The article No. is not ... but ...
5 The goods specified in ...'s (customer) order will unfortunately not be available at the time stated.
6 Article No. ... of your order dated ... is no longer available.
7 Please ask your customers whether we should supply a replacement for article No. ...
8 You have no right to grant a credit period of ... months.

Carta de reconhecimento

1 Gostaríamos de expressar nossa satisfação com seu serviço.
2 Até a presente data estamos muito satisfeitos com sua atuação como representante.
3 Temos o maior prazer em expressar nossos agradecimentos e nosso apreço ao(à) senhor(a) como um dos nossos melhores representantes.

Letter praising good service

1 We wish to express our appreciation of your good service.
2 We are thus far extremely satisfied with your performance as our agent/representative.
3 We take great pleasure in expressing our thanks and appreciation to you as one of our best agents/representatives.

4 Em reconhecimento a seus excelentes serviços, decidimos aumentar sua comissão em ...% a partir da presente data.

4 In recognition of your excellent services, we have decided to raise your commission rate by ... % as from today.

Repreensão ao representante

1 Infelizmente, não temos mais condições de tolerar seu método de trabalho.
2 Lamentamos ter de dizer-lhe que não estamos satisfeitos com seu trabalho.
3 Pedimos que daqui por diante trabalhe com mais atenção.
4 O modo como o(a) senhor(a) trabalha é insatisfatório.
5 Seu volume de vendas no último trimestre é insatisfatório.
6 Temos recebido várias queixas sobre sua forma de tratar os clientes.
7 Infelizmente recebemos queixas sobre sua maneira de negociar. Somos obrigados a pedir que o(a) senhor(a) seja mais polido(a) com os clientes.
8 Seus clientes queixam-se de que não podem confiar no(a) senhor(a).
9 Pedimos que dê mais atenção a seus clientes.
10 Queremos ressaltar que o número de pedidos recebidos do(a) senhor(a) até a presente data é demasiado baixo.

Reprimanding an agent/representative

1 We are unfortunately no longer able to tolerate your method of working.
2 We regret having to tell you that we are not satisfied with your work.
3 We would ask you to work with more care in future.
4 You work in an unsatisfactory manner.
5 Your sales figures for the last quarter are unsatisfactory.
6 There have been frequent complaints about your manner with customers.
7 We have unfortunately received complaints about your negotiating technique. We would ask you to be more polite to customers.
8 Your customers have complained about your unreliability.
9 Please look after your customers better.
10 We must point out that the number of orders we have received from you so far is too low.

Ampliação da produção

1 Colocamos um novo artigo em nossa linha.
2 Gostaríamos de informar-lhe que estamos fabricando novos produtos.
3 Nosso novo produto foi lançado no mercado. Os folhetos seguem nesta. Pedimos que divulgue este artigo aos nossos clientes.
4 Temos o prazer de informar-lhe que ampliamos consideravelmente nossa linha de produtos. Pedimos que informe nossos clientes a esse respeito.
5 Nosso programa de vendas conta agora com os seguintes novos artigos:
6 Devido à forte demanda, ampliamos nosso programa de vendas para incluir ... Pedimos que informe nossos clientes.

Expansion of production

1 We have added a new article to our range.
2 We wish to point out that we are manufacturing new products.
3 Our new product is now on the market. Brochures are enclosed. Please promote this article with your customers.
4 We are pleased to tell you that we have considerably expanded our sales range. Please also mention this to your customers.
5 Our sales range now includes the following new articles:
6 Owing to high demand, we have expanded our sales range to include ... Please point this out to your customers.

7 Nosso novo modelo da série ... já está disponível. Enviamos junto os prospectos.
8 Oferecemos os seguintes novos artigos: ... Esperamos que o(a) senhor(a) tenha sucesso em suas vendas.

Artigos fora de linha

1 Pedimos que informe seus clientes de que a fabricação do artigo nº ... será suspensa.
2 Os artigos a seguir foram cortados de nosso programa de vendas:
3 Nas próximas visitas a seus clientes, faça o favor de informar-lhes que o artigo nº ... saiu de linha.
4 Não fabricamos mais a seguinte série de produtos: ... Pedimos que se lembre disso ao negociar com seus clientes.
5 A produção do artigo nº ... não é mais rentável. Pedimos que informe os clientes de sua área de representação que não fabricamos mais esse produto.

Alterações de preço

1 Devido a custos crescentes, vemo-nos, infelizmente, obrigados a aumentar nossos preços em ...% a partir de ...
2 Apesar da necessidade de aumentar nossos preços em ..., temos certeza de que nossa posição no mercado não será afetada.
3 A fim de elevar nossa participação no mercado de seu país, reduziremos a partir de hoje nossos preços em ...%.

Correspondência entre cliente, empresa e representante

Do cliente à empresa

1 Peço que me informem quando poderei contar com a entrega.
2 Informem, por favor, seu representante de que novas visitas serão inúteis.
3 Em seu último fornecimento faltou a nota de entrega (a fatura). Façam o favor de enviá-la.

7 Our latest model in the ... series is now available. Brochures are enclosed.
8 We are now able to offer the following new articles: ... We hope you will be successful in selling them.

Discontinued lines

1 Please point out to your customers that production of article No. ... has been discontinued.
2 The following articles have now been dropped from our sales range:
3 When next visiting your customers please draw their attention to the fact that article No. ... is being discontinued.
4 We no longer produce the following series of articles: ... Please bear this in mind when advising customers.
5 It has become uneconomic for us to produce article No. ... Please let the customers in your territory know that we no longer manufacture it.

Changes in price

1 As a result of steadily rising costs, we are unfortunately obliged to increase our prices by ... % as from ...
2 In spite of the necessity to increase our prices by ... %, we feel sure that our market position will not be endangered.
3 To increase our market share in your country we are reducing our prices by ... % as from today.

Correspondence between customer, company and agent/representative

Customer to company

1 Please let me know when I can expect delivery.
2 Please tell your agent/representative that there is no point in calling on us again.
3 You forgot to include the delivery note (the invoice) with your last consignment. Please send it on to us.

4 Peço que me enviem por seu representante folhetos de sua mais recente oferta especial.
5 Se seu representante pudesse mostrar-nos o novo mostruário, poderíamos fazer um pedido até o dia ...
6 Seu representante, sr. ..., disse que teríamos de pagar um sinal de ...% do valor ao fazer um pedido. Não concordamos com isso.
7 Seu representante, sr. ..., não nos visitou na semana passada. Portanto, mandamos nosso pedido diretamente aos senhores.
8 Seu atual representante é muito descortês.
9 Somos obrigados a concluir que seu representante não dá a devida atenção a nossos pedidos.
10 O comportamento de seu representante nos dá margem a queixas.
11 Seu representante, sr. ..., não é digno de confiança.

Da empresa ao representante

1 De acordo com informações do cliente ..., o(a) senhor(a) não o visitou nesta semana. Gostaríamos que nos desse seus motivos.
2 O cliente ... escreveu para nós informando que o novo mostruário não lhe foi mostrado. Pedimos que corrija essa omissão.
3 O cliente sr. ... queixa-se de que o sr. não compareceu à reunião marcada. Pedimos que o procure imediatamente.
4 Recebemos informações de que o(a) senhor(a) não cumpre seu trabalho adequadamente. Aguardamos seus comentários a esse respeito.
5 Aguardamos seus comentários sobre o ocorrido em ...
6 Já por duas vezes a ... (empresa) queixou-se do(a) senhor(a). Pedimos seus esclarecimentos.
7 Estamos transmitindo ao(à) senhor(a) uma reclamação recebida de um de seus clientes.
8 Qual a razão de seus clientes queixarem-se constantemente de que não podem confiar no(a) senhor(a)?

4 Please have your agent/representative bring me brochures on your latest special offer.
5 If your agent/representative could show us the new collection of samples we would be able to place our order by ...
6 Your agent/representative, Mr ... has informed us that we have to pay ...% in advance when placing an order. We cannot agree to this.
7 Your agent/representative, Mr ..., did not pay us a visit last week. We are therefore sending you our order ourselves.
8 Your present agent/representative is most impolite.
9 We must assume that our orders are not being properly dealt with by your agent/representative.
10 Your agent's/representative's behaviour gives us cause for complaint.
11 Your agent/representative, Mr ..., is unreliable.

Company to agent/representative

1 ... (customer) tells us that you did not call on him last week. Please let us have your reasons for this.
2 ... (customer) has written to inform us that he has not been shown the new collection of samples. Please rectify this omission.
3 Our customer, Mr ..., complains that you did not keep your appointment with him. Please rectify this immediately.
4 We have had reports that you have not been attending to your duties properly. Please let us have your comments on this.
5 Please let us have your comments on the incident on ...
6 ... (company) has now complained about you twice. Please let us have your comments on this.
7 We are passing on a complaint about you which we have received from one of your customers.
8 Why is it that our customers are forever complaining about your unreliability?

Do representante à empresa

1 Gostaria de desculpar-me pelo incidente em ... (data).
2 Infelizmente, não foi possível visitar o cliente em ... (data).
3 Como me encontrava indisposto nesse dia, tive de interromper minhas visitas antes do previsto.
4 Essa falha será corrigida em breve.
5 Não compreendo a reclamação do sr. ..., pois eu o visitei no dia combinado.
6 Não posso aceitar as acusações de ... (cliente).
7 Visitei o(a) senhor(a) ... no dia e na hora combinados; mas ele(a) não estava presente.
8 A ... (empresa) é um cliente muito difícil. Peço-lhes que apurem as queixas atentamente.
9 Garanto que erros dessa ordem não mais ocorrerão.

Agent/Representative to company

1 I wish to apologize for the incident on ...
2 It was unfortunately impossible for me to call on ... (customer) on ... (date).
3 As I was unwell on the day in question I had to break off my visits prematurely.
4 I will rectify the matter shortly.
5 I cannot understand Mr ...'s complaint. I called on him as arranged.
6 I cannot accept ...'s (customer) accusations.
7 I called on Mr (Ms) ... at the time agreed but he (she) was not there.
8 ... (company) is a very difficult customer. Please check these complaints carefully.
9 I assure you that such mistakes will not happen again.

Da empresa ao cliente

1 Nosso representante está autorizado a receber o pagamento da fatura.
2 Consideramo-nos comprometidos com as condições apresentadas por nosso representante.
3 Agradecemos sua consulta. Nosso representante, sr. ..., fará uma visita aos senhores em breve.
4 Esperamos que nosso novo representante corresponda às suas expectativas.
5 Não conseguimos imaginar nenhum motivo de queixa contra nosso representante, sr. ... Nossos clientes estão extremamente satisfeitos com ele.
6 Devido a um problema de saúde, o(a) sr.(a) ... não pôde visitá-los em ...
7 Futuramente, em lugar do sr. ..., a sra. ... se encarregará de negociar com os senhores.
8 Encaminhamos sua reclamação ao nosso representante, sr. ...
9 Nosso representante, sr. ..., fará uma visita aos senhores em ... para examinar o assunto.
10 Pedimos que comentem esse caso com nosso representante na próxima visita que ele fizer.

Company to customer

1 Our agent/representative is authorised to collect the invoice amount.
2 The terms stated by our agent/representative are binding.
3 Thank you for your enquiry. Our agent/representative, Mr ..., will be calling on you in the near future.
4 We trust that our new agent/representative will be able to comply with your wishes.
5 We cannot imagine there being any reason to complain about our agent/representative, Mr ... Our customers are extremely satisfied with him.
6 Mr (Ms) ... was unfortunately unable to call on you on ... owing to illness.
7 In future, we will instruct Ms ... and not Mr ... to negotiate with you.
8 We have passed your complaint on to our agent/representative, Mr ...
9 Our agent/representative, Mr ..., will call on you on ... to look into the matter.
10 Please mention this incident to our agent/representative when he next calls on you.

Divergências entre a empresa e o representante

Processamento de pedidos
Queixas da empresa

1. Não estamos satisfeitos com sua maneira de processar os pedidos.
2. Tem aumentado o cancelamento de seus pedidos.
3. Pedimos que seja mais cuidadoso ao processar seus pedidos.
4. O(A) senhor(a) não está autorizado(a) a conceder favores especiais aos clientes.
5. Esperamos que daqui para a frente o(a) senhor(a) se atenha às normas de recebimento de pedidos de clientes.
6. Não constam de seus pedidos o VAT, o número de identificação e o número do imposto sobre consumo. De acordo com as novas regulamentações da UE, essas informações são imprescindíveis.
7. Não podemos cumprir o prazo de entrega prometido pelo(a) senhor(a).
8. Os descontos especiais prometidos pelo(a) senhor(a) significam que teremos prejuízo com seus pedidos.
9. Pedimos que nos envie os pedidos dos clientes mais rapidamente.
10. Faça questão que os clientes assinem os pedidos.
11. Lamentamos constatar que suas vendas têm caído mês a mês.

Resposta do representante

1. Gostaria que me informassem as razões de sua súbita insatisfação com minha maneira de processar os pedidos.
2. Até agora os senhores estiveram satisfeitos com meu método de trabalho. Peço que me informem o mais rápido possível como os senhores desejam que seja o trâmite dos pedidos.
3. A fim de obter pedidos, tenho sido obrigado(a) a fazer cada vez mais concessões aos clientes.
4. Caso continuem atendendo aos pedidos dessa maneira, os senhores correm o risco de perder o mercado para os concorrentes.
5. Insisto em que meus pedidos sejam atendidos mais rápida e cuidadosamente.
6. Sua maneira de processar os pedidos deixa muito a desejar.

Points of disagreement between company and agent/representative

Processing of orders
Complaints by the company

1. We are dissatisfied with the way you process orders.
2. More and more of your orders are being cancelled.
3. Please be more careful when processing orders.
4. You are not authorised to grant customers special favours.
5. We hope that you will keep to your guidelines in future when taking customers' orders.
6. Your orders do not include VAT, the identification number and the excise duty No. According to new EU regulations this information is essential.
7. We cannot keep to the delivery period you have promised.
8. The special discounts you have promised mean that we will be making a loss on your orders.
9. Please send in customers' orders more quickly.
10. Please make sure the customers sign their orders.
11. We are sorry to see that your sales figures are going down month by month.

Agent's/Representative's reply

1. Please let me know why you are suddenly dissatisfied with the way I process orders.
2. You have been happy with my way of working up to now. Please let me know immediately how you wish me to process orders.
3. In order to get any orders at all, I am having to make more and more concessions to customers.
4. If you carry on processing orders like this, you run the risk of losing the market to the competition.
5. I must insist that my orders be executed more quickly and carefully.
6. The way you process orders leaves a lot to be desired.

7 O modo como os senhores têm executado os pedidos não corresponde ao estipulado em nosso contrato.
8 Caso os senhores continuem a lidar com meus pedidos de maneira tão insatisfatória, só terei como alternativa renunciar à representação de seus produtos.

Pagamento de comissões e de despesas

Informe do representante

1 Não concordo com seu relatório de comissões.
2 Não estou disposto a esperar pela minha comissão até que o cliente pague. Peço que sugiram outra forma de pagamento.
3 Até o momento não recebi o pagamento das comissões do mês passado.
4 Cada ano que passa, as comissões pagas pelos senhores diminuem. Não estou mais disposto a aceitar esses cortes, tendo em vista o crescimento de custos.
5 Tenho garantida em contrato a taxa de ...% de comissão. Não posso aceitar a redução de minha comissão para ...%.
6 No último relatório de minhas comissões, os senhores não consideraram ... pedidos. Solicito que façam a correção imediatamente e enviem-me a quantia em questão.
7 Segundo meus lançamentos, minha comissão do último mês deveria ser de ... Solicito que revisem seu relatório.
8 Peço que me enviem imediatamente a comissão devida.
9 Infelizmente, o pagamento das comissões estão sempre mais atrasados de mês para mês.
10 Devo insistir também no pagamento das comissões sobre pedidos cancelados, pois o cancelamento ocorreu por falha de sua parte.
11 Seus relatórios de comissões sempre contêm erros. Peço-lhes mais uma vez calcular com exatidão os valores devidos a mim.

Resposta da empresa

1 Sua queixa a respeito de nosso relatório de comissões é infundada.
2 Não conseguimos encontrar erro algum no relatório de comissões referente ao mês passado.

7 The way you execute orders is not in accordance with our contractual agreements.
8 If you continue to deal with my orders in such an unsatisfactory manner, I will have no choice but to stop acting as your agent/representative.

Payment of commission and expenses

Agent's/Representative's statement

1 I am not satisfied with your commission statement.
2 I am not prepared to wait for my commission until the customer has paid. Please suggest another mode of payment.
3 My commission for last month has still not been paid.
4 You pay less and less commission every year. I am no longer prepared to accept these cuts in the face of steadily rising costs.
5 ...% commission was contractually agreed. I cannot accept my commission being cut to ...%
6 When making up my commission statement for last month you did not take ... orders into account. Please rectify this immediately and remit the amount in question.
7 According to my records, my commission for last month should amount to ... Please check your statement.
8 Please remit the commission due to me immediately.
9 Your commission payments are unfortunately more and more delayed every month.
10 I must also insist on commission for cancelled orders because it was your fault that they were cancelled.
11 You repeatedly make mistakes in your commission statements. I ask you once again to calculate exactly how much is due to me.

Firm's reply

1 Your complaint regarding our commission statement is unfounded.
2 We are unable to find any error in our commission statement for last month.

3 Pedimos que nos desculpe pelo erro de contas no último relatório de comissões.
4 O(A) senhor(a) reivindicou uma comissão muito alta sobre pedidos tão pequenos.
5 Não entendemos sua reclamação referente ao nosso último relatório de comissões.
6 A quantia que foi omitida será creditada no próximo relatório de comissões.
7 Lamentamos o erro em nosso último relatório de comissões.
8 Em ..., solicitamos ao nosso banco depositar em sua conta a comissão devida.
9 Chamamos sua atenção para o fato de que, segundo o contrato, as comissões são devidas apenas após o pagamento das faturas. Por essa razão, sua reclamação não procede.
10 Não podemos aceitar mais relatórios de despesas com valores tão altos.
11 Seus gastos são desproporcionais em relação a seus êxitos.
12 Não temos condições de pagar todas as suas despesas.
13 Somos de opinião que seus relatórios de despesas apresentam valores muito elevados.
14 Reembolsaremos as despesas que forem comprovadas por recibos.
15 O valor de seus gastos não corresponde à soma dos recibos apresentados. Infelizmente não poderemos reembolsar a quantia excedente.

3 Please accept our apologies for the arithmetical error in the last commission statement.
4 You have claimed too much commission for these small orders.
5 We cannot understand your complaint regarding our last commission statement.
6 The commission amount which was mistakenly overlooked will be taken into account in your next statement.
7 Please accept our apologies for the error in our last commission statement.
8 Our bankers were instructed on ... to transfer the commission due to your account.
9 We wish to point out that, according to our agreement, commission is not due for payment until settlement of invoice. Your complaint is therefore unfounded.
10 We are no longer prepared to accept your excessive expense claims.
11 Your expenditure is out of all proportion to your results.
12 We are not prepared to pay all your expenses.
13 We are of the opinion that your expense claims are too high.
14 We will refund the expenses for which you have submitted receipts.
15 The amount of expenditure claimed does not correspond to the total of your receipts. We are unfortunately unable to refund the extra amount.

Réplica do representante

1 O saldo de seu relatório de comissões é inferior ao montante estipulado em contrato.
2 Não tenho condições de arcar sozinho com as despesas.
3 Enviarei aos senhores os recibos que comprovam o montante de minhas despesas.
4 Com certeza não resta dúvida alguma sobre o montante de minhas despesas, tendo em vista os recibos anexos.
5 Diante do volume de meus pedidos, sem dúvida não cabe discutir minhas despesas.
6 Conforme sua carta, o(s) senhor(es) não está(ão) mais disposto(s) a pagar totalmente minhas despesas. Por isso insisto em que aumente(m) minha comissão em ...%.

Agent's/Representative's response

1 Your commission statement is lower than the contractually agreed amount.
2 I am not prepared to pay the expenses myself.
3 I will send you receipts justifying the level of my expenditure.
4 There will doubtless be no need to question the correctness of my expense claim in view of the receipts enclosed.
5 The volume of my orders will no doubt preclude any discussion of my expenses.
6 I note from your letter that you are no longer prepared to pay all my expenses. I must therefore insist on an increase in commission of ... %

Rescisão da representação
Rescisão contratual pela empresa

1 Gostaríamos de chamar sua atenção para o fato de que, de acordo com nosso contrato, sua representação se encerra no final do corrente ano.
2 Não pretendemos prorrogar o contrato de representação.
3 Não renovaremos seu contrato, que se encerrará em breve.
4 Em obediência ao prazo de notificação estipulado, desejamos informar-lhes desde já que seu contrato de representação se encerrará no final do corrente ano.
5 Como o(a) senhor(a) não correspondeu às expectativas que temos de nossos representantes, vemo-nos infelizmente obrigados a encerrar seu contrato em ..., de conformidade com o prazo de notificação estipulado.
6 Seu contrato de representação expira em ... Não estamos interessados em renová-lo.

Rescisão contratual pelo representante

1 Como assumirei outra atividade, informo, dentro do prazo de notificação, que desejo encerrar meu contrato de representação no final do corrente ano.
2 Meu contrato de representação expira em ... Não estou interessado em prorrogá-lo.
3 Por motivos pessoais, lamento não poder renovar o contrato de representação.
4 Meu estado de saúde não me permite continuar trabalhando como representante.
5 Como deverei mudar-me para outro lugar, infelizmente não posso renovar o contrato de representação.
6 Outra empresa ofereceu-me uma representação exclusiva. Por essa razão, não prorrogarei o contrato de representação que tenho com os senhores.

Rescisão contratual pela empresa sem aviso prévio

1 O(A) senhor(a) desrespeitou o contrato que firmamos. Por esse motivo, rescindimos nesta data seu contrato de representação.
2 Seu contrato de representação está encerrado a partir de hoje.

Termination of agency
Termination by the company as per agency agreement

1 We wish to draw your attention to the fact that, as per our agreement, your agency terminates at the end of this year.
2 We do not wish to extend the agency agreement.
3 We will not be renewing your contract, which is due to expire in the near future.
4 We wish to tell you as of today that your agency agreement will be terminated at the end of this year in accordance with the period of notice specified.
5 As you are not able to meet the demands we make of an agent/representative, we regrettably have no alternative but to terminate your contract on ... in accordance with the period of notice stipulated.
6 Your agency agreement expires on ... We are not prepared to renew this agreement.

Agent/Representative terminates agency as per contract

1 As I will be taking on other responsibilities, I wish to terminate my agency agreement at the end of this year in accordance with the period of notice specified.
2 My agency agreement expires on ... I do not wish to extend it.
3 I am unfortunately unable to renew my agency agreement for personal reasons.
4 The state of my health makes it impossible for me to continue acting as your agent/representative.
5 As I will be moving away, it is unfortunately not possible for me to renew the agency agreement.
6 I have been offered a sole agency by another company. I will therefore not be extending my agency agreement with you.

Termination of agency agreement by the company without notice

1 You have dishonoured our contractual agreements. We are terminating your agency agreement with immediate effect.
2 Your agency agreement is terminated as of today.

3 Temos recebido reclamações freqüentes sobre o(a) senhor(a) de clientes de sua praça. Por essa razão, vemo-nos obrigados a rescindir seu contrato de representação sem aviso prévio.
4 Como o(a) senhor(a) infringiu repetidas vezes a cláusula n.° ... de nosso contrato, não temos alternativa senão cancelar o contrato sem aviso prévio.
5 Se até ... (data) o(a) senhor(a) não atingir o faturamento estipulado em contrato, seremos, infelizmente, obrigados a rescindi-lo sem aviso prévio.

Rescisão contratual pelo representante sem aviso prévio

1 Como os senhores infringiram a cláusula ... de nosso contrato de representação, rescindo-o pela presente sem aviso prévio.
2 O apoio publicitário de sua empresa, estipulado no contrato, não se realizou até hoje. Assim sendo, não tenho alternativa senão rescindir o contrato de representação sem aviso prévio.
3 Minha atividade como seu representante não me rende o que o contrato me levou a supor. Assim sendo, vejo-me obrigado a rescindir imediatamente o contrato de representação.
4 Como os pagamentos das comissões estão cada vez mais atrasados, não tenho alternativa senão rescindir neste momento o contrato de representação.
5 Os senhores não se mostraram nem um pouco dispostos a cumprir suas obrigações constantes do nosso contrato de representação. Portanto, rescindo-o a partir desta data.

Negócios consignados e comissionados

Proposta de negócio comissionado: compra

1 Soubemos que o(a) senhor(a) se encarrega de compras comissionadas na região de ... Pedimos que nos informe se poderia trabalhar para nossa empresa.
2 Gostaríamos muito de tê-lo como nosso agente de compras em ...

3 We have received frequent complaints about you from clients in your territory. We therefore have no alternative but to terminate your agency agreement without notice.
4 As you have repeatedly infringed Article ... of our contract, we have no alternative but to terminate your agency without notice.
5 Unless you achieve the minimum sales figures stipulated in your contract by ..., we will have no alternative but to terminate the agency agreement without notice.

Termination of agency agreement by the agent/representative without notice.

1 As you have contravened Point ... of our contract, I hereby terminate the agency agreement without notice.
2 Your company's contractually guaranteed assistance with advertising has still not yet materialised. I therefore have no alternative but to terminate the agency agreement without notice.
3 My work as your agent/representative is not providing me with the earnings I was led to expect in my contract. I must therefore withdraw from the agency agreement immediately.
4 As your commission statements are increasingly late, I have no alternative but to withdraw from the agency agreement immediately.
5 You show no sign of being prepared to meet your contractual obligations arising from our agency agreement. I am therefore terminating it with immediate effect.

Agency and commission business

Offer of commission business: Purchasing

1 We have heard you that you undertake purchasing commissions in the ... area. Please let us know whether you are prepared to act on our behalf.
2 We would be pleased to commission you to act as our buying agent in ...

3 O senhor poderia realizar compras em seu nome e por nossa conta em ...?
4 Estamos precisando de um agente comercial para comprar matérias-primas em ... O senhor estaria disposto a aceitar esse trabalho?
5 A empresa ... recomendou-nos o senhor como comprador comissionado.
6 Caso o senhor esteja disposto a encarregar-se de um negócio de compras comissionadas em ..., pedimos que nos informe suas pretensões.
7 Nosso comprador comissionado em ... infelizmente não está mais à nossa disposição. O senhor poderia substituí-lo nos negócios?
8 Somos uma empresa de médio porte do ramo de ... e ficaríamos satisfeitos em contratá-lo como agente comercial em ...
9 A fim de nos tornarmos independentes de fornecedores, queremos estabelecer um escritório de representação para compra de produtos na região de ... O senhor estaria disposto a aceitar esse trabalho?
10 Garantimos comissões acima da média.

Resposta do agente comercial

1 Infelizmente não disponho de tempo para trabalhar para os senhores como agente de compras.
2 Lamento não poder trabalhar para os senhores como comprador comissionado.
3 Se suas taxas de comissão forem boas, estarei disposto a trabalhar para os senhores como agente de compras.
4 Terei disponibilidade de trabalhar para os senhores como comprador comissionado a partir do início do próximo ano.
5 Infelizmente não tenho possibilidade de trabalhar como seu comprador comissionado. Todavia, posso recomendar aos senhores ... (empresa).
6 Estou disposto a trabalhar para os senhores como agente comercial. Peço que me informem quais são suas taxas de comissão.
7 Se os senhores estiverem dispostos a pagar despesas, gastos de armazenamento e também uma comissão adequada, disponho-me a trabalhar para os senhores como comprador comissionado.

3 Could you purchase in your name and for our account in ...?
4 We are looking for a commission agent to purchase raw materials in ... Would you be prepared to take on this responsibility?
5 You have been recommended to us as a commission buyer by ... (company).
6 Should you be willing to take on a purchasing commission for us in ..., please state your terms.
7 Our commission buyer in ... is unfortunately no longer able to act on our behalf. Would you be prepared to take over from him?
8 We are a medium-sized company in the ... industry and would be pleased to engage you as our buying agent in ...
9 In order to become independent of suppliers, we wish to set up a commission agency for the purchase of goods in the ... area. Would you be willing to take on this responsibility?
10 We can guarantee you above-average commission.

Commission agent's reply

1 I unfortunately do not have the time to act as your buying agent.
2 I regret that I cannot act as your commission buyer.
3 If your commission rates are attractive I am willing to act as your buying agent.
4 I am prepared to act as a commission buyer on your behalf as from the beginning of next year.
5 Much to my regret, I am not in a position to act as your commission buyer. I can, however, recommend ... (firm).
6 I am willing to act as your commission agent. Please tell me your commission rates.
7 If you are willing to pay expenses and warehousing costs as well as a suitable commission, I am prepared to act as your commission buyer.

8 Disponho-me a fazer compras para os senhores sob comissionamento. Peço que me enviem uma lista com o tipo, a quantidade e a qualidade das mercadorias desejadas.
9 Informo por esta que, em princípio, estou disposto a trabalhar para os senhores como comprador comissionado. Proponho que conversemos pessoalmente a respeito dos outros detalhes.

Proposta de negócio comissionado: venda

1 Procuramos uma empresa comercial da região de ... para vender nossos produtos sob comissionamento.
2 O senhor gostaria de vender nossos produtos sob comissionamento?
3 Fomos informados de que os senhores ainda dispõem de espaço para depósito em ... Os senhores estariam dispostos a trabalhar para nós como agentes de venda?
4 Seu nome foi-me recomendado por um parceiro de negócios, sr. ... O senhor estaria disposto a efetuar vendas por nossa conta?
5 Nosso agente de vendas anterior de ... deixou o negócio. O senhor poderia responsabilizar-se pela venda de nossos produtos?
6 O mercado é receptivo a nossos produtos. Certamente o senhor seria bem recompensado se trabalhasse para nós como agente de vendas em ...
7 Estamos procurando ampliar nossa rede de vendas. O senhor poderia distribuir nossos produtos em ... sob comissionamento?
8 Se o senhor quiser trabalhar para nós como agente de vendas em ..., poderemos pagar-lhe uma comissão mensal de ... (valor).
9 Pretendemos instalar um armazém de consignação em outro continente. Os senhores poderiam recomendar-nos um bom consignatário?
10 Nossa firma pretende operar como consignadora e abrir um negócio de consignação em ... O senhor estaria disposto a ser nosso consignatário?
11 Como consignatário, o senhor poderia devolver-nos as mercadorias não vendidas e solicitar o reembolso dos impostos alfandegários.

8 I am prepared make purchases for you on a commission basis. Please send me a list of the type, quantity and quality of the goods required.
9 This is to inform you that I am, in principle, willing to act as your commission buyer. I suggest we discuss all further matters in a personal meeting.

Offer of commission business: Selling

1 We are looking for a trading company in the ... area to sell our products on a commission basis.
2 Would you be willing to sell our products on a commission basis?
3 We have learned that you still have storage space available in ... Would you be prepared to act as our selling agent?
4 You have been recommended to me by a business associate of mine, Mr ... Would you also be willing to sell for our account?
5 Our previous selling agent in ... has left the business. Could you take over responsibility for selling our products?
6 The market is receptive to our goods. It would certainly be worth your while to act as our selling agent in ...
7 We are seeking to expand our sales network. Could you sell our products in ... on a commission basis?
8 We can guarantee you ... (amount) commission per month if you act as our selling agent for ...
9 We intend to set up an overseas consignment store. Can you recommend us a good consignee?
10 Our company intends to operate as consignors and set up a consignment business in ... Would you be prepared to act as our consignee?
11 As our consignee you could return the unsold goods to us and apply for a customs duty refund.

Resposta do agente comercial/consignatário

1. Terei muito prazer em trabalhar para os senhores como agente de vendas aqui em ...
2. Aceito com prazer sua proposta de estabelecer um negócio de vendas comissionadas.
3. Apesar de ter-me especializado em comissionamento de compras, aceito com prazer sua proposta de trabalhar para os senhores como agente de vendas.
4. Mediante comissão adequada, estou disposto a vender seus produtos em consignação.
5. Como estou sobrecarregado de negócios, sinto ter de recusar sua proposta de comissionamento.
6. Infelizmente não me é possível trabalhar para os senhores como agente de vendas.
7. Lamento ter de recusar sua proposta de comissionamento. Todavia, posso recomendar-lhes a ... (empresa).
8. Como estou ligado por contrato à ... (empresa), não posso trabalhar para os senhores como agente de vendas.
9. Repassei sua proposta de comissionamento de vendas à ... (empresa) e estou certo de ter agido em seu interesse.
10. Estou bastante interessado em encarregar-me de um armazém de mercadorias em consignação e peço que me informem suas condições.
11. Já sou consignatário de ... e, dependendo das circunstâncias, estaria disposto a trabalhar para os senhores.

Commission agent's/Consignee's reply

1. I will be pleased to act as your selling agent here in ...
2. I am pleased to accept your offer regarding the setting up of a commission agency for the sale of your goods.
3. Although I specialise in purchasing commissions, I will be pleased to act as your selling agent.
4. In return for a suitable commission I am prepared to sell your products on a consignment basis.
5. As I am overloaded with business I am unfortunately unable to accept your offer of a commission.
6. I regret that it is impossible for me to act as your selling agent.
7. I must unfortunately decline your offer of a commission. I can, however, recommend ... (firm) to you.
8. As I am bound by contract to ... (firm), I cannot be commissioned to act as your selling agent.
9. I have passed on your offer of a sales commission to ... (firm) and trust I have acted in your interests.
10. I would be very pleased to run a consignment store for you and would ask you to state your terms.
11. I am already acting as a consignee for ... and, under the appropriate circumstances, would also be willing to act on your behalf.

Agente comercial procura comissionamento de compra

1. Os senhores poderiam contratar-me como agente de compras de ...?
2. Soube que os senhores estão procurando um agente de compras para a região de ... Estou disposto a trabalhar para os senhores.
3. Sou especializado na compra de ... Haveria possibilidade de eu também trabalhar para os senhores como agente de compras?
4. Tenho boa reputação como agente de compras de ... Os senhores estariam interessados em meus serviços?

Commission agent seeks purchasing commission

1. Could you commission me to act as your buying agent for ...?
2. I understand you are looking for a buying agent for the the ... area. I would be willing to act on your behalf.
3. I specialise in purchasing ... Could I also act as a buying agent on your behalf?
4. I have a good reputation as a buying agent for ... May I also offer you my services?

5 Eu teria imenso prazer em trabalhar para os senhores como agente de compras em ...
6 Tenho ótimos contatos no exterior. Os senhores estariam interessados em que eu trabalhasse como seu agente de compras?

5 I would be delighted to act as your buying agent in the ... area.
6 I have good contacts overseas. May I offer you my services as a buying agent?

Resposta do comitente

1 Em resposta à sua carta de ..., gostaríamos de dizer que estamos dispostos a encarregá-lo como nosso agente de compras em ...
2 Pedimos que nos visite em ... para colocarmos em contrato o que combinamos.
3 Estamos dispostos a encarregá-lo como nosso agente de compras.
4 Como suas referências são bastante satisfatórias, temos o prazer de encarregá-lo(a) de nossas compras sob comissionamento na região de ... Temos certeza de que nossa colaboração será mutuamente proveitosa.
5 Estamos satisfeitos que o(a) senhor(a) tenha oferecido seus serviços como comprador comissionado.
6 Nosso gerente-geral, sr. ..., vai visitá-lo nos próximos dias. Todas as questões referentes a qualidade, preço, comissão, reembolso de despesas etc. poderão ser tratadas nessa ocasião.
7 Por motivos administrativos, somos infelizmente obrigados a recusar sua proposta de atuar como nosso agente de compras.
8 Embora suas referências sejam excelentes, não poderemos encarregá-lo(a) da compra de matérias-primas. As razões desta decisão são exclusivamente de ordem interna.
9 Não podemos aceitar seu oferecimento de realizar compras em seu nome e por nossa conta, mas o recomendamos a uma parceira de negócios, a ... (empresa). Pedimos que envie sua solicitação aos cuidados do sr. ...

Principal's reply

1 In reply to your letter of ... I am pleased to inform you that we are willing to commission you to act as our buying agent in ...
2 Please call on us personally on ... for a contract to be drawn up specifying what we have agreed.
3 We are willing to commission you to act as our buying agent.
4 As your references are highly satisfactory, we will be pleased to have you effect purchases on our behalf on a commission basis in the ... area. We trust that our cooperation will be to our mutual advantage.
5 We are pleased that you have offered to take over as our commission buyer.
6 Mr ..., our General Manager, will be calling on you in the next few days. All your queries regarding quality, price, commission, the refunding of your expenses etc. can then be discussed.
7 We regret that, for organisational reasons, we are unfortunately compelled to decline your offer to act as our buying agent.
8 Although your references are outstanding we are, nevertheless, unable to commission you to act as our purchasing agent for raw materials. This decision is entirely due to internal company reasons.
9 We are unable to accept your offer to effect purchases in your name and for our account but have, however, recommended you to our business associates, ... (firm). Please send your application to their Mr ...

Agente comercial procura comissionamento de venda

1 Eu teria muito prazer em vender seus produtos sob comissionamento.

Commission agent seeks sales commission

1 I would be delighted to sell your products on a commission basis.

2 Os senhores poderiam confiar a mim o comissionamento de venda de seus produtos em ...?
3 Sou especializado na venda de ... Haveria possibilidade de eu trabalhar para os senhores como agente comercial?
4 Tenho boa reputação como agente de vendas. Gostaria de oferecer meus serviços aos senhores.
5 Sua linha de produtos é bastante apreciada em ... Por essa razão, gostaria de candidatar-me a agente de vendas nesta região.
6 Considero muito boas as chances de venda de seus produtos. Eu teria prazer de trabalhar para os senhores como agente de vendas.
7 Como ainda tenho disponibilidade, gostaria de trabalhar como seu agente de vendas.

Resposta do comitente/consignador

1 Infelizmente, vemo-nos obrigados a recusar sua proposta de trabalhar como nosso agente de vendas.
2 Uma vez que, por motivos administrativos, não podemos vender nossas mercadorias sob comissionamento, lamentamos não ter condições de aceitar sua proposta. Podemos repassá-la à nossa parceira, a ... (empresa), de ... (local)?
3 Estamos abrindo um escritório em ... e por isso não podemos encarregá-lo da venda de nossos produtos sob comissionamento.
4 Temos grande interesse em sua proposta de abrir um depósito de mercadorias em consignação em ... Teríamos prazer em confiar-lhe esse trabalho.
5 Nosso gerente-geral, sr. ..., vai visitá-lo em ... para estabelecer em contrato os termos de nosso acordo.
6 Aceitamos com prazer sua proposta de vender em consignação nossos produtos.
7 Demos ao nosso procurador, sr. ..., a incumbência de fechar as condições de nossas relações comerciais. Informem-nos, por favor, quando ele poderá visitá-lo.
8 Temos a satisfação de nomeá-lo consignatário para a venda de nossos produtos.

2 Could you grant me the sales commission for your goods in ...?
3 I specialise in selling ... May I also act as your commission agent?
4 I have a good reputation as a selling agent. May I also offer you my services?
5 Your sales range is very popular in ... May I therefore recommend you appoint me as your selling agent for my local area?
6 I feel your products have every chance of selling well and would be pleased to act as a selling agent on your behalf.
7 As I am still able to take on more work, I would be pleased to act as your selling agent.

Principal's/Consignor's reply

1 We must unfortunately decline your offer to act as a selling agent on our behalf.
2 As it is impossible for us to sell our goods on a commission basis for organisational reasons, we are unfortunately unable to accept your offer. May we pass it on to our business associates, ... (firm), in ...?
3 We are opening an office in ... and are thus unable to appoint you to sell our goods on a commission basis.
4 We are extremely interested in your offer to set up a consignment store for our products in ... We will be pleased to entrust you with this responsibility.
5 Our General Manager, Mr ..., will be calling on you on ... to draw up a contract specifying our terms and conditions of business.
6 We are pleased to accept your offer to sell our products on a consignment basis.
7 Our managing clerk, Mr ..., has been given the responsibility of finalising our terms and conditions of business. Please let us know when he can call on you.
8 We are pleased to appoint you as our consignee for the sale of our products.

Divergências entre comitente/consignador e agente comercial/consignatário

Carta do comitente/consignador

1 Consideramos muito alto o valor constante de seu relatório de despesas. Faça o favor de reexaminar suas contas.
2 Não concordamos com o valor muito alto de seu relatório de despesas.
3 Caso o valor para reembolso de despesas não seja reduzido, seremos obrigados a cancelar nosso negócio de comissionamento (consignação) com o senhor.
4 Com seus gastos tão elevados, as vendas comissionadas (consignadas) de nossos produtos constitui nada mais que prejuízo para nós.
5 Um erro de cálculo em seu relatório de despesas do mês passado resultou em lançamento indevido a seu favor de ...
6 Sua exigência de ressarcimento de despesas é de valor muito alto. Encarregaremos outra empresa da venda comissionada (consignada) de nossos produtos.
7 Havíamos combinado uma comissão de ...% do valor total da fatura. Assim, não podemos aceitar sua insistência em cobrar uma comissão de ...%.
8 Seu último relatório de comissões apresentou um valor a mais de ... Pedimos, portanto, que o deduza em seu próximo relatório.
9 Passaremos a examinar mais criteriosamente seus relatórios de comissões.
10 A taxa de armazenamento de nossos produtos sob comissionamento (em consignação) que o senhor está cobrando é incompreensivelmente alta.
11 No mês passado, o senhor não realizou compras para nós. Não compreendemos, portanto, sua taxa de armazenamento de ... Pedimos que cobre apenas as taxas de armazenamento costumeiras.
12 Suas taxas de estocagem estão ficando cada mês mais elevadas.

Resposta do agente comercial/consignatário

1 Uma vez que apresentei aos senhores meu relatório de despesas com toda boa-fé, não consigo compreender sua reclamação sobre o valor ser alto demais.

Points of disagreement between principal/consignor and commission agent/consignee

Principal's/Consignor's letter

1 We feel your expense claim is too high. Kindly re-examine your statement.
2 We cannot accept your high expense claim.
3 If your expense claims are not reduced, we will have no alternative but to cancel our commission (consignment) business with you.
4 With such excessive expenses on your part, commission (consignment) sales of our goods constitute an outright loss for us.
5 A miscalculation in your expense account statement of last month has resulted in your erroneously crediting yourself with ...
6 Your expense claims are too high for us. We will be commissioning another firm to sell our products on a commission (consignment) basis.
7 A commission of ...% of the invoice amount was agreed. We therefore cannot accept your new habit of charging us ...% commission.
8 Your last commission statement was ... (amount) too much. We would therefore ask you to deduct this sum from the next one.
9 We will have to examine your expense claims more carefully in future.
10 The fee you have charged for storage of our commission (consignment) goods is unbelievably high.
11 You made no purchases on our behalf last month. We are therefore at a loss to understand your storage charge of ... We would request you only to charge the usual storage fees in future.
12 Your storage charges are becoming higher from month to month.

Commission agent's/Consignee's reply

1 As my expense claim has been submitted in the utmost good faith I cannot understand your complaint about it being too high.

2 Peço que me desculpem pelo erro de contas em meu relatório de despesas de ...
3 Envio junto a esta os comprovantes originais para que os senhores possam verificar que meu relatório de despesas está correto.
4 As despesas que lhes apresentei realmente foram feitas. Os senhores podem conferi-las pelos recibos originais anexos.
5 Não consegui encontrar nenhum erro em meu relatório de despesas.
6 Ao calcular minha comissão, segui estritamente as cláusulas de nosso contrato de comissionamento (de consignação). Portanto, não aceito de modo algum sua queixa.
7 Peço que me desculpem pelo erro de meu relatório de comissões de ...
8 Não compreendo sua reclamação a respeito de meu relatório de comissões. Calculei como comissão exatamente ... % do valor da fatura.
9 Verifiquei mais uma vez meu relatório de comissões e não encontrei erro algum. Por isso, peço-lhes que examinem suas contas de comissões (de consignações).
10 Queiram desculpar o erro de conta em meu último relatório de comissões.
11 O erro em meu último relatório de comissões deve-se ao cancelamento de um pedido.
12 Cobrei taxa normal no armazenamento de suas mercadorias sob comissionamento (em consignação). Assim, não compreendo sua queixa sobre o valor cobrado.
13 Peço que me desculpem pelo erro no cálculo do valor de armazenamento de suas mercadorias sob comissionamento (em consignação). Abaterei a quantia de ... em meu próximo relatório.
14 Calculei da forma mais correta possível a taxa de armazenamento de suas mercadorias sob comissionamento (em consignação).

2 Please accept my apologies for the arithmetical error in my expense account statement of ...
3 I enclose the original receipts so that you can check for yourself that my expense claim is correct.
4 The expenses claimed for were actually incurred. As proof I enclose the appropriate original receipts.
5 I am unable to find any errors in my expense account statement.
6 When calculating my commission I adhered strictly to the terms of our commission (consignment) contract. I must therefore vigorously reject your complaint.
7 Please accept my apologies for the error in my expense account statement of ...
8 I cannot understand your complaint about my commission statement. I have charged you exactly ... % of invoice amount.
9 I have re-examined my expense claim and I am unable to discover any errors. I would therefore request you to examine your commission (consignment) accounts.
10 Please excuse the arithmetical error in my last commission account statement.
11 The error in my last commission statement was caused by the cancellation of an order.
12 I have charged the usual fee for storing your commission goods (consignment goods). I therefore cannot understand your complaint regarding storage charges.
13 Please accept my apologies for miscalculating the storage fee for your commission (consignment) goods. I will take the sum of ... into account when submitting my next statement.
14 The charge made for storage of your commission (consignment) goods has been calculated in the utmost good faith.

Rescisão do negócio comissionado

Rescisão de contrato pelo comitente/consignador

1 Como em várias ocasiões o(a) senhor(a) não deu atenção a nossas solicitações sobre a qualidade das mercadorias que o encarregamos de comprar, não vemos como manter nossa relação comercial. Assim sendo, somos obrigados a declarar a rescisão imediata de nosso contrato de compras comissionadas.
2 Como o(a) senhor(a) não representa nossos interesses com suficiente firmeza, não vemos nenhum motivo para manter nossa relação comercial.
3 Pedimos que considere encerradas nossas relações comerciais de comissionamento (consignação).
4 Infelizmente, vemo-nos obrigados a encerrar nosso negócio de comissionamento (consignação) por razões administrativas.
5 Os custos de despesas e de armazenamento tornaram-se muito altos. Por essa razão, somos obrigados a encerrar nosso negócio de comissionamento (consignação) a partir de ...
6 Ficamos sabendo que o senhor aceitou concomitantemente um comissionamento de vendas de nosso concorrente. Por isso, não vemos alternativa senão representar nossos interesses em ... por conta própria. Nossa relação comercial com o(a) senhor(a) está encerrada.
7 Pedimos que suspenda imediatamente as compras feitas por nossa conta.

Rescisão de contrato pelo agente comercial/consignatário

1 Já que meu método de trabalho não os satisfaz, não tenho mais condições de representá-los.
2 Suas queixas referentes ao meu preço de armazenamento obrigam-me a considerar encerrado nosso negócio de comissionamento (consignação).
3 Como encerrarei minhas atividades comerciais em ..., não poderei mais trabalhar para os senhores como agente de compras.

Termination of commission business

Termination of agreement by principal/consignor

1 As on repeated occasions no account has been taken of our requests regarding the quality of the goods you have been commissioned to purchase, we no longer see a basis for future co-operation. We therefore have no alternative but to terminate our agreement commissioning you to make purchases on our behalf with immediate effect.
2 As you do not represent our interests forcefully enough, we no longer see any basis for future co-operation.
3 Please regard our commission (consignment) business links as terminated.
4 We must unfortunately terminate our commission (consignment) business for organisational reasons.
5 Your charges for expenses and storage have become too high. We must therefore terminate our commission (consignment) business as of ...
6 We have learned that you have also accepted a commission to sell on behalf of our competitors. In future, we will therefore have no alternative but to represent our own interests in ... Our business links are hereby terminated.
7 Please stop purchasing goods for our account immediately.

Termination of agreement by commission agent/consignee

1 As you are dissatisfied with the way I work, I will no longer be able to act on your behalf.
2 Your complaints regarding my storage charges oblige me to regard our commission (consignment) business as terminated.
3 As I am giving up my business on ..., I will no longer be able to act as your buying agent in future.

4 Por estar encerrando meu negócio, vejo-me forçado a rescindir imediatamente nosso contrato de comissionamento (consignação). Devolverei prontamente a mercadoria ainda em estoque (a menos que me dêem outras instruções).
5 Suas queixas constantes levam-me a concluir que não estou representando seus interesses a contento. Assim, vejo-me obrigado a rescindir nosso contrato de comissionamento (consignação).
6 Como os senhores já estão ... meses atrasados no pagamento das taxas de armazenamento, vejo-me obrigado a romper nossas relações comerciais.
7 Como os senhores não estão dispostos a aceitar minhas exigências referentes a despesas, rescindo com efeito imediato nosso contrato de comissionamento (consignação).
8 Recebi uma proposta melhor de seu concorrente. Portanto, não poderei mais trabalhar para os senhores como agente de vendas.

4 As I am closing down my business, I am forced to terminate our commission (consignment) agreement with immediate effect. I will return the goods still in storage to you immediately (unless otherwise instructed).
5 Your constant complaints lead me to assume that I am not representing your interests to your satisfaction. I therefore see no alternative but to withdraw from our commission (consignment) agreement.
6 As you are now ... months in arrears with payment of storage charges, I must break off our business links.
7 As you are not prepared to accept my expense claims, I hereby withdraw from our commission (consignment) agreement with immediate effect.
8 I have received a better offer from your competitor and will therefore no longer be acting as your selling agent.

Cartas para ocasiões especiais
Letters on special occasions

Cartas de agradecimento

1 Agradecemos aos senhores a confiança em nós depositada.
2 Agradecemos o seu pedido recebido em ...
3 Agradecemos muito sua compreensão no tocante ao atraso no fornecimento.
4 Ficamos muito gratos pelo prazo de pagamento que nos foi concedido.
5 Obrigado por terem aceitado a mercadoria fornecida a mais.
6 Muito obrigado por nos enviar suas congratulações por ocasião do aniversário de nossa empresa.
7 Estamos agradecidos por terem-nos concedido um prazo de fornecimento maior, o que nos deu condições de obter a mercadoria.
8 Estamos muito agradecidos por seu pedido. Aproveitamos a oportunidade para apresentar-lhes uma proposta especial.
9 Agradecemos a hospitalidade que dispensaram ao(à) sr.(a) ..., de nossa empresa.
10 Muito gratos por seu grande auxílio em ...
11 Queremos expressar-lhes nossos agradecimentos, garantindo que teremos satisfação em retribuir o favor em qualquer ocasião.

Letters of thanks

1 Thank you for having placed your trust in us.
2 Thank you for the order we received from you on ...
3 Thank you very much for being so patient as regards the delay in delivery.
4 Many thanks for the credit period you have granted us.
5 Thank you for also accepting the unordered goods.
6 Many thanks for sending us your good wishes on the occasion of our company's anniversary.
7 Thank you for allowing us a longer delivery period. This gave us time to obtain the goods.
8 Many thanks for your order. May we also take this opportunity to submit our special offer to you.
9 Thank you for the hospitality extended by your company to our Mr (Ms) ...
10 Thank you for your good offices as regards ...
11 We wish to express our thanks to you and will be pleased to reciprocate the favour at any time.

Cartas de felicitações

Aniversário de empresa

1 Recebam nossas calorosas felicitações pelo ... aniversário de sua empresa.
2 Desejamos cumprimentá-los calorosamente pelo aniversário de sua empresa.

Congratulation

Company anniversary

1 Please accept our warmest congratulations on the occasion of your company's ... anniversary.
2 May we offer you our warmest congratulations on the occasion of your company's anniversary.

3 Desejamos dar-lhes os parabéns pelo aniversário de sua empresa e esperamos que nossas relações comerciais se mantenham repletas de êxito no futuro.

Natal e Ano-Novo

1 Nossos melhores votos de felicidades para o Natal e o Ano-Novo.
2 Desejamos aos senhores um feliz Natal e um Ano-Novo repleto de sucesso.
3 Desejamos a todos um feliz Natal e muita saúde no ano que entra.
4 Desejamos aos senhores e a seu pessoal feliz Natal e próspero Ano-Novo.
5 Desejo(amos) aos senhores um feliz Natal e um Ano Novo pleno de saúde e sucesso. ... (nome dos remetentes)
6 Gostaríamos de realizar novos negócios com os senhores no próximo ano e desejamos-lhes nossos melhores votos.
7 Gostaríamos de transmitir-lhes nossos melhores votos de Ano-Novo.

Abertura de novo negócio

1 Desejamos-lhes muito sucesso em sua nova empresa.
2 Esperamos que os senhores tenham bastante sucesso em seu novo negócio.
3 Congratulamo-nos com os senhores pela inauguração de seu novo escritório de vendas em ... Esperamos vir a fazer bons negócios com os senhores.
4 Gostaríamos de dar-lhes nossas mais calorosas felicitações pela abertura de seu novo negócio em ...
5 Nossos melhores votos de sucesso pela abertura de sua filial. Aproveitamos esta oportunidade para chamar sua atenção para nossa oferta especial.
6 Nossos parabéns pela abertura de sua empresa. Temos certeza de que em breve faremos negócios com os senhores.
7 Gostaríamos de nos congratular com os senhores pela ampliação de seu negócio. Temos certeza de podermos oferecer-lhes os melhores serviços a qualquer hora.

3 We wish to congratulate you on your company's anniversary and look forward to a continuation of our successful business relations in the future.

Christmas and New Year

1 Best wishes for Christmas and the New Year.
2 We hope you have a nice Christmas and wish you all the best in the New Year.
3 We wish you all a merry Christmas and good health in the coming year.
4 May we wish you and your staff a merry Christmas and a prosperous New Year.
5 May we (I) wish you a merry Christmas and health and success in the New Year. ... (Name[s] of well-wisher[s])
6 We look forward to doing business with you again in the New Year and wish you all the best.
7 May we offer you our best wishes for the New Year.

Opening a new business

1 We wish you every success with your new business.
2 We hope you will be most successful with your new business.
3 We congratulate you on opening your new sales branch in ... and look forward to doing business with you in the future.
4 May we offer you our warmest congratulations on the opening of your new business in ...
5 We wish to convey our very best wishes to you on the opening of your new branch. May we also take this opportunity to draw your attention to our special offer.
6 We wish to congratulate you on the opening your new business, which we hope to be dealing with in the near future.
7 We wish to congratulate you on expanding your business and feel sure that we will be able to provide you with satisfactory service at all times.

Casamento, aniversário

1 Desejamos transmitir-lhes nossas sinceras felicitações pelo casamento de seu(sua) filho(a).
2 Desejamos ao(à) senhor(a) muitas felicidades e muitos anos de vida.
3 Nossos calorosos parabéns pelo nascimento de seu(sua) filho(a).

Marriage, birthday

1 May we express our warmest congratulation on the marriage of your son (daughter).
2 We wish you many happy returns of the day on your ... birthday.
3 May we convey our warmest congratulations to you on the birth of your son (daughter).

Cartas de pêsames

1 Desejamos expressar nosso profundo pesar pelo falecimento do presidente (membro) de seu Conselho Deliberativo, sr. ...
2 Desejamos transmitir-lhe(s) nossos sentimentos de profundo pesar pelo falecimento do(a) sr.(a) ...
3 Sentimos profundamente o súbito falecimento de seu (sua) colaborador(a) tão estimado(a), sr.(a) ...
4 Os funcionários de nossa empresa lamentam sinceramente o inesperado falecimento de seu gerente industrial, sr. ...
5 Estamos todos profundamente chocados com o falecimento inesperado de sua esposa. Aceite, por favor, nossos sinceros pêsames.
6 Gostaríamos de apresentar-lhes nossas sinceras condolências.
7 Lamentamos ter de informar-lhes o falecimento de nosso colega, sr. ...

Letters of condolence

1 We wish to express our deep regret at the death of the Chairman (a member) of your Supervisory Board, Mr ...
2 We wish to convey feelings of the greatest sympathy to you on the death of Mr (Ms) ...
3 We deeply regret the sudden death of your highly respected member of staff, Mr (Ms) ...
4 Our staff wishes to express its sincerest regret at the unexpected death of your Plant Manager, Mr ...
5 We are all deeply shocked at the unexpected death of your wife. Please accept our sincerest condolences.
6 May we offer you our sincerest condolences.
7 We regret to inform you of the sad death of our Mr ...

Informações da empresa

Aviso de abertura de negócio/filial/escritório de vendas

1 Informamos aos senhores que em ... abriremos um novo negócio na cidade de ...
2 Aproveitamos a oportunidade para informar-lhes que abrimos uma filial em ...
3 Em ... (data), abriremos um escritório de vendas em ...

Company information

Announcement of the opening of a new business/new branch/new sales branch

1 We are pleased to inform you that we are opening a new business in ... on ...
2 We wish to take this opportunity to inform you that we have opened a new branch in ...
3 We will be opening a new sales branch in ... on ...

4 Desejamos informar-lhes que abrimos um novo ponto comercial na cidade de ... Esperamos que em breve possamos apresentar-lhes uma proposta vantajosa.
5 Abrimos um ponto comercial na cidade de ..., rua ... Esperamos que os senhores nos contatem em breve.
6 A inauguração de nosso novo negócio será em ...
7 Garantimos aos senhores que nosso novo negócio em ... executará seus pedidos de forma inteiramente satisfatória.
8 Temos a satisfação de comunicar-lhes que abrimos uma filial em sua cidade.
9 Comunicamos que no dia ... inauguraremos uma filial em ..., com muito maior facilidade de acesso para os senhores.
10 Nossa filial fica em ..., na rua ..., ... andar. Possui escritório, depósito e ponto de venda. Nesse endereço, entrem em contato com ...
11 Nossa nova filial de vendas fica em ..., no seguinte endereço: ...
12 Nosso novo número de telefone é ... e o de fax é ...
13 Gostaríamos de ressaltar que nossa filial também possui um armazém de distribuição.
14 Nossa filial é totalmente informatizada.
15 Nossa filial tem contato direto e constante com a matriz através de rede de computadores.

4 We are pleased to inform you that we have opened a new business in ... and hope to be making you a favourable offer in the near future.
5 We have opened a new business in ... (address). We hope you will be getting in touch with us soon.
6 Our new business is being opened on ...
7 You may rest assured that our new business in ... will carry out your orders to your entire satisfaction.
8 We are delighted to inform you that we have now also opened a branch in your town.
9 We wish to inform you that on ... we are opening a new branch, easily accessible for you by road, in ...
10 Our branch office is on the ... (floor) at ... (number, street) in ... (town/city). It comprises office, storage and sales facilities. Please contact ... there.
11 Our new sales branch is in ... at the following address: ...
12 Our new telephone number is: ... Our fax number is: ...
13 We wish to point out that our branch office also includes a distribution depot.
14 Our branch office is fully computerised.
15 Our branch office has a permanent, direct link with Head Office via our on-line computer network.

Alteração da razão social

1 Desejamos informar aos senhores que alteramos o nome de nossa companhia. A partir de agora, ela se chama ...
2 Devido à saída de nosso(a) sócio(a), sr.(a) ..., nossa empresa passará a se chamar ...
3 Informamos por meio desta que nossa empresa tornou-se companhia limitada.

Change of company name

1 We wish to inform you that we have changed our company name. As from now, our company is called: ...
2 Owing to the departure of our partner, Mr (Ms) ..., our firm will in future be called: ...
3 This is to inform you that our firm has now been made into a limited partnership.

4 Queremos informar-lhes que, devido à fusão com a ..., nossa empresa mudou de razão social e passou a se chamar ...
5 Devido à freqüente confusão do nome de nossa empresa com o de outra firma, decidimos alterar a razão social.
6 De acordo com decisão dos acionistas tomada em ..., a partir de ... o nome de nossa empresa será ...
7 Serve a presente para informar-lhes que transformei minha empresa individual em uma ... (p. ex., sociedade, sociedade em comandita, companhia limitada).
8 A partir de ..., nossa empresa passará a ser uma companhia limitada de capital aberto, registrada na Bolsa de Valores, com o nome de ...

4 We wish to inform you that, as a result of its amalgamation with ..., our company has a new name. It is now called: ...
5 As a result of the frequent confusion of our company's name with that of another one, we have decided to change our name.
6 In accordance with the shareholders' decision of ..., as from ... our name will be ...
7 This is to inform you that I have changed my sole proprietorship into a ... (e.g. partnership, limited partnership, private limited company).
8 As from ... our company will be a public limited company, listed on the Stock Exchange and called: ...

Alteração de endereço

1 Comunicamos por meio desta que a partir de ... nosso endereço será o seguinte: ...
2 Nosso novo endereço é ...
3 Mudamo-nos. Nosso novo endereço é ...
4 Aproveitamos a oportunidade para lhes comunicar que nosso endereço mudou. Por favor, passem a enviar suas propostas para o seguinte endereço: ...
5 Devido a problemas de acesso à nossa empresa, mudamo-nos para ... (rua, número).
6 A partir de ... teremos novo endereço. Estaremos em ...
7 Nossa empresa mudou de endereço. Pedimos que passem a utilizar o seguinte endereço: ...
8 Por causa da considerável expansão de nossa empresa, vimo-nos obrigados a buscar outro local para nossa indústria. Nossa nova fábrica está situada em ...
9 Com a adoção do novo sistema de endereçamento do correio, nosso código postal mudou. O código de nossa caixa postal é ... Se quiserem enviar correspondência ao nosso endereço, este é ...

Change in company's address

1 This is to inform you that as from ... our address will be as follows: ...
2 Our new address is: ...
3 We have moved. Our new address is: ...
4 We wish to take this opportunity to inform you that our address has changed. Please send your offers to the following address in future: ...
5 Owing to problems with road traffic access to our company, we have now moved to ... (number, street).
6 We will have a new address as from ... We will be in ...
7 Our company has a new location. Please use the following address in future: ...
8 Owing to the considerable expansion of our business, it has been necessary for us to find new premises. Our new factory is sited in ...
9 With the introduction of a new post code system our post code has now changed. The code for our Post Box is ... Should you write to our full address, it is ...

Alteração de número do telefone

1 O número de nosso telefone mudou para ...
2 Anotem, por favor, nosso novo número de telefone: ...

Change in telephone number

1 We now have a new telephone number. It is: ...
2 Please note our new telephone number: ...

3 Temos agora uma nova linha telefônica. A partir de agora os senhores podem contatar-nos tanto pelo número antigo, ..., quanto pelo número novo, ...
4 Pedimos que liguem para o número ... após as ... horas (em inglês, horas com números até 12 + am/pm).

3 We now have another line and can henceforth be contacted on both our old number ... and our new one ...
4 Please dial ... (phone number) after ... (time in figures only using 12-hour clock + am/pm).

Novo número de fax e alteração de número

1 Anotem, por favor, nosso novo número de fax: ...
2 Temos agora um número de fax: ...
3 A partir de agora os senhores podem enviar seus pedidos por fax no número ...

New (change in) fax number

1 Please note our new fax number. It is: ...
2 We now have a fax number. It is: ...
3 It is now also possible to fax your orders to us on ... (No.).

Alteração da participação societária

1 Aproveitamos a oportunidade para informar-lhes que a empresa ... adquiriu ...% de nosso capital de ações.
2 O banco ... adquiriu um volume substancial das ações de nossa empresa.
3 Ampliamos o capital de nossa empresa em ...
4 A participação de capital do sr. ..., falecido membro de nossa empresa, foi transferida para o(a) sr.(a) ...
5 O(A) sr.(a) ... e eu possuímos agora cada um ...% do capital social.
6 Durante a transformação de nossa empresa em companhia limitada de capital fechado, alteramos as cotas de participação acionária.
7 Assumi a cota de capital do sr. ..., que deixou a empresa.

Change in share-ownership ratio

1 May we take this opportunity to inform you that ... (firm) now own ... % of our share capital.
2 (The) ... Bank has acquired a substantial amount of our company's shares.
3 We have expanded our company's capital base by ...
4 The capital share of our late company member, Mr ..., has been transferred to Mr (Ms) ...
5 Mr (Ms) ... and I each own ... % of the working capital.
6 In the course of changing our company into a private limited company we have changed the capital shareholdings.
7 I have taken over the capital share of our outgoing member, Mr ...

Saída de colega/sócio

1 Devido à saída do(a) sócio(a), sr.(a) ..., passei a ser o único proprietário da empresa ... a partir de ...
2 O(A) sr.(a) ... saiu de nossa companhia/empresa/firma.
3 Pela presente, desejo informar que meu (minha) sócio(a), sr.(a) ..., deixou a empresa.

Company member/Partner leaves

1 As Mr (Ms) ... is now no longer a partner in the firm, I am the sole proprietor of ... (firm) as from ...
2 Mr (Ms) ... has left our company/firm.
3 I hereby wish to announce that my partner, Mr (Ms) ..., has now left the firm.

4 Tenho o triste dever de informar-lhes o repentino falecimento de nosso(a) sócio(a), sr.(a) ...
5 A cota pertencente ao nosso(a) antigo(a) procurador(a), sr.(a) ..., foi distribuída em partes iguais ao(à) sr.(a) ... e ao(à) sr.(a) ...
6 Temos certeza de que a saída de nosso(a) sócio(a), sr.(a) ..., não abalará nossas relações comerciais.
7 Meu (minha) sócio(a), sr.(a), ... acaba de se afastar da nossa empresa.
8 Adquiri a participação societária do(a) meu (minha) falecido(a) sócio(a).

4 It is my sad duty to inform you of the sudden death of our company member/partner, Mr (Ms) ...
5 The share in the company held by our former managing clerk, Mr (Ms) ..., has been transferred equally to Mr (Ms) ... and Mr (Ms) ...
6 We feel sure that the departure of our company member/partner, Mr (Ms) ..., will in no way be detrimental to our business relations.
7 My associate, Mr (Ms) ..., has now left the firm.
8 I have taken over the share in the company held by my late partner.

Entrada de sócio

1 O(A) sr.(a) ... será sócio(a) comanditário(a) de nossa empresa a partir de ...
2 O(A) sr.(a) ... tornou-se agora sócio(a) de nossa firma.
3 Desejamos informar-lhes que o(a) sr.(a) ... tornou-se sócio(a) de nossa companhia.
4 Com a entrada do(a) novo(a) sócio(a), sr.(a) ..., tivemos condições de ampliar significativamente nosso capital social.
5 O(A) sr.(a) ... passou a integrar nossa empresa com uma participação de capital de ...
6 Nosso(a) novo(a) sócio(a), sr.(a) ..., foi encarregado(a) da gestão da empresa.
7 No futuro, nossa companhia será dirigida pelo(a) novo(a) sócio(a), sr.(a) ...
8 Com a entrada de um(a) novo(a) sócio(a), sr.(a) ..., o capital social de nossa empresa aumentou para ...

New member/partner joins company

1 As from ... Mr (Ms) ... will be a limited partner in our firm.
2 Mr (Ms) ... has now become a partner in our firm.
3 We wish to inform you that Mr (Ms) ... has now become a member of our company.
4 With the arrival of our new partner, Mr (Ms) ..., we have been able to expand our capital base significantly.
5 Mr (Ms) ... has joined our company with a capital contribution of ...
6 Our new member, Mr (Ms) ..., has been entrusted with the management of the company.
7 Our company will in future be managed by our new member, Mr (Ms) ...
8 Now that our new member, Mr (Ms) ..., has joined the company, its working capital has increased to ...

Nomeações

1 O sr. ..., até agora nosso procurador, foi nomeado com efeito imediato diretor da empresa.
2 Pelos excelentes serviços que prestou, o(a) sr.(a) ... foi nomeado(a) procurador(a)-geral da empresa.
3 Temos o prazer de informar-lhes que o(a) sr.(a) ... foi escolhido(a) para o cargo de diretor de nossa empresa.
4 Desejamos informar-lhes que, desde o dia ..., a direção de nossa empresa está a cargo do(a) sr.(a) ...
5 A partir de ..., o(a) sr.(a) ... foi nomeado(a) gerente-geral de nossa filial de ...
6 Desde ..., nosso ponto comercial da rua ... tem como gerente o(a) sr.(a) ...
7 A gerência tem a satisfação de informar que o(a) sr.(a) ... foi nomeado(a) procurador(a)/contador(a)-geral de nossa empresa.

Appointments

1 Mr ..., who has been our managing clerk up to now, has been appointed Director with immediate effect.
2 By virtue of his (her) outstanding services Mr (Ms) ... has now been made into an authorised signatory.
3 We are pleased to announce that Mr (Ms) ... has been chosen as our new Director.
4 We wish to inform you that, with effect from ..., Mr (Ms) ... is now the Director of our company.
5 With effect from ... Mr (Ms) ... has been appointed the General Manager of our branch in ...
6 With effect from ... our business in ... (street) is now managed by Mr (Ms) ...
7 The management is pleased to announce that Mr (Ms) ... has been appointed managing clerk/accountant general of our company.

Mudanças de pessoal

1 O(A) sr.(a) ..., diretor(a) de nossa empresa, vai aposentar-se no dia ...
2 Desejamos informar-lhes que o(a) gerente-geral de nossa filial de ... está deixando a empresa.
3 Informamos aos senhores que, infelizmente, nosso(a) procurador(a) de longa data, sr.(a) ..., estará aposentado(a) a partir de ...
4 Sentimos informar-lhes que nosso(a) gerente geral, sr.(a) ..., foi transferido(a) para outra filial. Em seu lugar assumirá o(a) sr.(a) ...
5 Nosso(a) gerente geral de muitos anos, sr.(a) ..., deixará a empresa em ...
6 Nosso(a) diretor(a), sr.(a) ..., aposentou-se prematuramente por motivos de saúde.
7 Desejamos informar-lhes que o(a) sr.(a) ... não é mais nosso(a) representante. Pedimos, assim, que passem a contatar nosso escritório central.

Changes in personnel

1 Mr (Ms) ..., the Director of our company, will be retiring with effect from ...
2 We wish to inform you that the General Manager of our branch in ... will be leaving the company.
3 Much to our regret, we must inform you that our managing clerk of many years' service, Mr (Ms) ..., will be retiring on ...
4 We regret to inform you that our General Manager, Mr (Ms) ... is being transferred to a different branch. His (her) place will be taken by Mr (Ms) ...
5 Our General Manager of many years' service, Mr (Ms) ..., will be leaving the company on ...
6 Our Director, Mr (Ms) ..., has taken early retirement for health reasons.
7 We wish to inform you that Mr (Ms) ... is no longer acting as an agent/representative on our behalf. Please contact our Head Office directly in future.

Compromissos

Notificação de visita

1 Nosso representante tomará a liberdade de visitá-los em ...
2 Queremos avisá-los da visita de nosso(a) advogado(a), sr.(a) ...
3 Nosso(a) advogado(a) vai visitá-los em breve para tratar de ...
4 Nos próximos dias os senhores receberão a visita de nosso(a) diretor(a) administrativo(a) para tratar da negociação de ...
5 Devido a compromissos imprevistos, infelizmente temos de adiar nossa visita aos senhores para ...
6 A situação atual impede-nos de manter a data combinada para nossa visita. Assim, pedimos que nos indiquem uma data posterior.
7 Infelizmente, nosso representante só poderá visitá-los ... dias após a data marcada.

Pedido de permissão de visita

1 Gostaríamos que pudessem receber nosso(a) representante no dia ...
2 Ficaríamos muito gratos se os senhores pudessem receber o(a) sr.(a) ... no dia ...
3 Esperamos que os senhores concordem com a visita do(a) sr.(a) ... no dia sugerido.
4 Ficaríamos muito gratos se os senhores pudessem receber nosso(a) diretor(a) administrativo(a) ainda nesta semana.
5 Nosso(a) perito(a) estará em sua empresa em ... Ficaríamos muito gratos se os senhores tivessem disponibilidade para recebê-lo(a) nessa data.
6 Ficaríamos muito gratos se os senhores pudessem receber-nos no dia ...
7 Como nosso(a) representante está em sua cidade, agradeceríamos se os senhores pudessem permitir que ele os visite.

Appointments

Notification of visit

1 Our agent/representative will be taking the liberty of visiting you on ...
2 We wish to notify you that our solicitor, Mr (Ms) ..., will be paying you a visit on ...
3 Our solicitor will be visiting you in the near future in connection with ...
4 Our Managing Director will be calling on you shortly in connection with negotiations regarding ....
5 Owing to pressing unforeseen engagements, we are unfortunately obliged to postpone our visit until ...
6 The current situation makes it impossible for us to keep to the date planned for our visit. We would therefore request you to see us at a later date.
7 Our agent/representative is unfortunately only able to call on you ... days later than arranged.

Request for permission to visit

1 Please allow our agent/representative to pay you a visit on ...
2 We would be most gratified if you would let Mr (Ms) ... call on you on ...
3 We hope you will agree to let Mr (Ms) ... call on you on the date suggested.
4 We would be most pleased if our Managing Director could call on you before the end of this week.
5 Our expert will be calling on you on ... We would be very much obliged if you could be available to see him (her) on this date.
6 We would be most pleased if you would let us visit you on ...
7 As our agent/representative is in your town at present, we would be most pleased if you could give him (her) an appointment to see you.

Pedido de reserva de quarto e cancelamento de reserva

1 Pedimos que, por ocasião da visita do(a) sr.(a) ... a sua empresa, façam a reserva de um quarto para ele(a) de ... a ...
2 Pedimos que reservem para nós um quarto duplo com banheiro no hotel ..., de ... a ...
3 Seria possível os senhores providenciarem uma boa acomodação para o(a) sr.(a) ...?
4 Pedimos que cancelem nossa reserva de quarto no hotel ...

Request for room reservation and cancellation

1 Please reserve a room for Mr (Ms) ... for his (her) visit to your company from ... to ...
2 Please reserve us a double room with bathroom at the ... Hotel from ... to ...
3 Can you provide suitable accommodation for Mr (Ms) ...?
4 Please cancel our room reservation at the ... Hotel.

Ponto de encontro, pedido para ser pego

1 Vamos encontrar-nos no dia ..., às ... horas, no hotel ... Por favor, apresente-se na recepção.
2 Ao chegar, dirija-se por favor ao guichê (balcão) n.º ... no prédio da estação ferroviária, onde o(a) sr.(a) ... o(a) estará esperando.
3 Os senhores poderiam providenciar que alguém nos pegue no aeroporto?
4 Como não conhecemos os meios de transporte de sua cidade, pedimos que nos busquem no aeroporto (na estação ferroviária).
5 O(A) sr.(a) ..., de nossa empresa, chegará em ... (lugar) no vôo ... (de trem), no dia ..., às ... horas. Ficaríamos muito gratos se os senhores pudessem providenciar que ele (a) fosse apanhado(a) no local.

Meeting place, request to be collected

1 I have arranged for us to meet in the ... Hotel on ... (date) at ... (time). Please enquire at the reception desk.
2 On arrival please go to ticket-window (desk) No. ... in the station building, where Mr (Ms) ... will be waiting for you.
3 Can you have us collected from the airport?
4 As we are unacquainted with local transport facilities, we would ask you to collect us from the airport (station).
5 Our Mr (Ms) ... will be arriving in ... (place) on flight No. (on the train from) ... at ... on ... We would be most grateful if you could arrange for him (her) to be collected.

Cancelamento de visita

1 Infelizmente, precisamos cancelar nosso encontro marcado para ...
2 Lamentamos não poder visitá-los no dia marcado.
3 Pedimos que cancelem nossa reserva no hotel ..., pois não poderemos comparecer na data combinada.

Cancellation of visit

1 We must unfortunately cancel our appointment with you on ...
2 We regret that we will not be able to visit you at the time appointed.
3 Please cancel our rooms at the ... Hotel as we are unable to come at the time appointed.

Exposições

Comunicado de exposição

1 Queremos anunciar aos senhores nossa exposição em ...
2 Aproveitamos esta oportunidade para convidá-los para a nossa exposição em ...
3 De ... a ..., será realizada uma feira industrial de ... em nosso novo espaço de exposições.
4 Temos um estande próprio na feira de ...
5 Temos a satisfação de avisá-los de que exporemos nossos produtos em ... (local), em ... (data).
6 Na exposição de ... (local), de ... a ..., estaremos expondo nossos artigos de verão. Nosso estande encontra-se no pavilhão ...
7 A ... (empresa) e a ... (empresa) têm satisfação em anunciar que no dia ... realizarão uma exposição conjunta em ...
8 Na feira de ..., em ... (local), de ... a ..., nossos produtos estarão expostos no estande da Alemanha, no pavilhão ...
9 No pavilhão de exposições da cidade está sendo realizada a feira de ... Estamos representados com dois estandes.
10 Os senhores encontrarão a localização de nossos estandes no catálogo da feira.
11 De ... a ..., no prédio dos fundos de nossa sede, faremos uma pequena exposição dos produtos por nós fabricados.

Exhibitions

Notice of exhibition

1 May we draw your attention to our exhibition in ...
2 We wish to take this opportunity to invite you to our exhibition in ...
3 A trade fair for ... is being held at our new exhibition site from ... to ...
4 We have our own stand at the trade fair in ...
5 We are pleased to inform you that an exhibition of our products will be taking place in ... on ...
6 There is an exhibition in ... from ... to ... We will be showing our summer lines there. Our stand is in Hall No. ...
7 ... (firm) and ... (firm) are pleased to announce that they will be holding a joint exhibition in ... on ... (date).
8 At the trade fair in ... from ... to ... our goods will be on exhibition at the German stand in Hall ...
9 The ... Exhibition is currently being held at the municipal trade fairsite. Our company has two stands there.
10 Please refer to the exhibition catalogue for the location of our stands.
11 From ... to ... there will be a small exhibition at the rear of our premises showing all the articles produced by our company.

Convite para visitar uma exposição

1 Ficaríamos honrados com sua visita à feira de ...
2 Teremos grande satisfação em recebê-lo em nosso estande na feira de ...
3 Ficaríamos muito satisfeitos se os senhores pudessem visitar-nos na exposição.
4 Gostaríamos que aceitassem este convite cordial para a inauguração da feira de ...
5 Esperamos que os senhores tenham tempo de comparecer à pequena recepção que daremos por ocasião da inauguração da exposição, a realizar-se em ..., no dia ..., às ... horas.

Invitation to visit an exhibition

1 We would be honoured if you would visit us at the ... Fair.
2 We look forward to having you visit our stand at the ... Fair.
3 We would be delighted if you could visit us at the exhibition.
4 Please accept our warm invitation to attend the opening of the ... Fair.
5 We hope you will be able to find the time to come to a small reception we are giving on the occasion of the opening of the exhibition. It is in ... on ... (day) at ... (time).

6 Temos grande satisfação em convidá-lo para nossa exposição. Temos certeza de que a linha de produtos exposta será de seu interesse.
7 Temos a satisfação de convidá-lo para nossa exposição de amostras, que começará em ...
8 A diretoria tem a honra de convidar os senhores para a inauguração da exposição de primavera, a realizar-se às ... horas do dia ...
9 A exposição começa no dia ... Teremos muito prazer em recebê-los em nosso estande. Pedimos que perguntem no balcão de informações sobre a localização de nosso estande.

6 We take great pleasure in inviting you to our exhibition and feel sure that the range of products shown will be of interest to you.
7 We take pleasure in inviting you to the exhibition of our samples, which begins on ...
8 The management takes pleasure in inviting you to the opening of our spring exhibition at ... (time) on ... (date).
9 The exhibition begins on ... We would be pleased if you could visit our stand. Please ask at the information desk for directions.

Organização de exposição

1 Pela presente, solicitamos que nos reservem, conforme indicado em seu catálogo de exposições, o estande n? ..., no pavilhão ..., de ... a ...
2 Pedimos que reservem o estande a céu aberto n? ... na exposição de ...
3 Precisamos em nosso estande de dois pontos de força (duas tomadas).
4 Pedimos que cuidem para que em nosso estande haja ligação para água e luz.
5 Seria possível contratarem para nós um intérprete para a exposição?
6 Precisaremos de dois intérpretes para a exposição de ... a ... Os senhores poderiam ajudar-nos a consegui-los?
7 Confirmamos pela presente sua reserva de um estande, pedida em ..., para a exposição de ...
8 De acordo com sua solicitação, providenciamos a ligação para água e luz no estande.
9 Necessitamos de linhas de telefone e fax em nosso estande para o período de duração da exposição. Pedimos que nos apresentem um orçamento.

Organisation of exhibition

1 We wish to order Stand No. ... in Hall ... from ... to ... as per your exhibition catalogue.
2 Please reserve open-air stand No. ... for the ... Exhibition.
3 We will need two electrical points (sockets) on our stand.
4 Please ensure that our stand has water and electricity.
5 Can you arrange for us to have an interpreter for the duration of the exhibition?
6 We will require two interpreters for the exhibition from ... to ... Can you be of assistance?
7 We hereby confirm your stand reservation of ... for the ... Exhibition.
8 We have equipped the stand ordered with water and electricity as requested.
9 We will need telephone and fax lines on our stand for the duration of the fair. Please make us an offer.

Informatização

1 Como dentro em breve toda nossa contabilidade será informatizada, pedimos que compreendam o eventual atraso de faturas e avisos de despacho nas próximas semanas.

Computerisation

1 As we will shortly be computerising our entire accounting system, we ask you to make allowances for any delays with invoices and advices of despatch in the coming weeks.

2 A mudança para um moderno sistema de processamento de dados está causando pequenos atrasos em nossos trabalhos. Pedimos que nos desculpem por esse problema.
3 A informatização de todo nosso sistema contábil deverá causar certas mudanças.
4 Pedimos que passem a mencionar o número de referência de nosso computador, pois do contrário não teremos condições de localizar os dados.
5 A partir de agora, nossas faturas terão um número de referência de computador da empresa, o qual pedimos que mencionem em toda correspondência.
6 Nosso(a) técnico(a) em computação, sr.(a) ..., está encarregado(a) de todos os assuntos pertinentes e encontra-se à disposição a qualquer hora para dirimir quaisquer dúvidas a esse respeito.
7 Tão logo a informatização de nosso sistema contábil tenha sido completada, voltaremos a procurar os senhores.
8 A partir de agora, todas as contas têm um número de referência de computador. Dessa forma, os senhores têm a possibilidade de acessá-las por seu computador para processamento posterior.
9 Nosso programa de pedidos informatizado permite que os senhores tenham acesso direto a nossa rede, o que significa uma enorme economia de tempo.
10 Não fizemos economia para informatizar o sistema de pedidos. Assim, as entregas passarão a ser bem mais rápidas.
11 Nosso novo sistema informatizado de processamento de pedidos simplificou consideravelmente todas as etapas. Esperamos, assim, obter uma significativa redução dos custos.
12 Estamos convictos de que, depois de superar as dificuldades iniciais, os senhores não terão nenhum problema com o novo sistema.
13 Todas as nossas contas estão sendo processadas por um novo software. É o programa ..., da ... (empresa). Ficaríamos muito gratos se os senhores também pudessem passar a utilizar esse programa em seus relatórios de representação, de modo que nós possamos acessá-los por computador.

2 As we are now changing over to a modern data-processing system, some of our normal business procedures are taking a little longer than usual. Please accept our apologies for this.
3 The computerisation of our entire accounting system may give rise to certain changes.
4 Please quote our computer reference number in future, otherwise we will be unable to retrieve your data.
5 Henceforth, our invoices will also have an internal company computer reference No., which we would ask you to quote in all correspondence.
6 Our computer expert, Mr (Ms) ..., will deal with all such matters and is available for any consultation necessary at all times.
7 As soon as computerisation of our accounting system has been completed, we will get in touch with you.
8 Henceforth, all data will be allotted a computer reference number. You will thus be able to retrieve it via your own terminal for further processing.
9 Our computerised order system enables you to access our network directly, thereby economising significantly on valuable working time.
10 We have spared no expense computerising our order system. As a result, deliveries will be faster in future.
11 Our new computer-based system for the processing of orders has considerably simplified all our procedures. We hope thus to achieve a significant reduction in costs.
12 We are convinced that you will have no difficulty at all dealing with the new system after overcoming the initial teething problems.
13 All our accounts are now being processed by new software, in this case ... (name of program) by ... (firm). We would be most grateful if you could also use this program for your agent's/representative's account statements in future so that we can read them in directly.

Correspondência com órgãos oficiais
Correspondence with official bodies

Cartas a órgãos oficiais

1 À Câmara de Comércio de ...
2 À ... Câmara de Comércio de ...
3 Pedimos que nos informem se e quando será realizada uma feira de ... em ...
4 Agradeceríamos se nos informassem quem devemos contatar para reservar um estande na feira de ...
5 Os senhores poderiam ajudar-nos a conseguir uma reserva em hotel (uma acomodação durante o período da feira, pessoal para o estande)?
6 Os senhores poderiam fornecer-nos o endereço de empresas que executam serviços ... para a feira de ...?
7 Os senhores poderiam informar-nos de que documentos necessitamos para a importação de ... para seu país?
8 Existem regulamentações da UE para a importação de produtos ...?
9 Os senhores poderiam informar-nos que documentos são necessários para o trânsito de mercadorias através dos países da UE?
10 Existem na UE cotas para a importação de ...?

Writing to official bodies

1 To the Chamber of Commerce in ...
2 To the ... Chamber of Commerce in ...
3 Please let us know if and when there will be a(n) ... fair in ...
4 Would you please tell us who to approach in order to reserve an exhibition stand at the ... Fair?
5 Could you please assist us with hotel reservations (finding accommodation for the duration of the fair, taking on staff for the stand)?
6 Can you let us have the addresses of some firms that are able to carry out ... work at the fair?
7 Can you tell us what documents we require to import ... into your country?
8 Are there EU regulations for the import of ... products?
9 Can you tell us what documents we require for goods in transit through EU countries?
10 Are there EU import quotas on ...?

Respostas de órgãos oficiais

1 Informamos aos senhores que a próxima feira de ... será realizada em ..., de ... a ...
2 Pedimos que entrem em contato com ... para reservar um estande na feira de ... Já pedimos que lhes enviassem os formulários, que os senhores deverão devolver preenchidos.
3 A feira de ... ocorrerá de ... a ...
4 Teremos todo prazer em ajudá-los a conseguir as reservas de hotel e pedimos que nos informem de suas necessidades em tempo hábil.
5 Enviamos junto a esta uma lista de hotéis (das empresas encarregadas de ... na feira). Assim, os senhores poderão contatar diretamente o hotel (a empresa) de sua escolha.
6 Na qualidade de câmara de comércio, não podemos recomendar-lhes firmas específicas. Todavia, anexamos uma lista de empresas registradas na câmara no ramo de ...
7 Temos certeza de que a mais recente edição do catálogo da UE, anexa, responderá a todas as suas perguntas.
8 Não existem atualmente restrições na UE aos produtos mencionados pelos senhores.
9 No catálogo anexo, os senhores encontrarão todas as informações sobre produtos e cotas.
10 Se os senhores quiserem mais informações ou se puderem visitar-nos, teremos o maior prazer em esclarecer todas as suas dúvidas.
11 Para o trânsito de mercadorias através da UE, os senhores necessitarão de:
12 Teremos prazer em colocá-los em contato com as firmas pertinentes (uma firma de advocacia, um tabelião, as pessoas responsáveis).

Answers from official bodies

1 We are able to inform you that the next ... fair will take place in ... from ... to ...
2 Please contact ... to reserve an exhibition stand at the ... fair. We have already arranged for them to send you the forms, which we would ask you to fill in and return.
3 The ... Fair is from ... to ...
4 We will be pleased to assist you with hotel reservations and would ask you to let us know your requirements in good time.
5 We enclose a list of hotels (a list of firms carrying out ... work at the fair). We would ask you to make contact with the hotel (firm) of your choice personally.
6 As a chamber of commerce we are not allowed to recommend individual firms. We do, however, enclose a list of our member firms in the ... trade/business.
7 We feel sure that the latest EU brochure enclosed will answer your questions exhaustively.
8 There are, at present, no EU import limits on the products you have named.
9 Please refer to the enclosed brochure for details of products and quotas.
10 If you would like to call here personally, we will be pleased to discuss any further queries you may have.
11 For goods in transit through the EU you will require:
12 We will be pleased to put you in touch with suitable firms (a firm of solicitors, a notary, those responsible).

Correspondência hoteleira
Hotel correspondence

Generalidades

1 Tipos de quartos:
simples/com uma cama
duplo ou com duas camas
(camas separadas)
duplo/com duas camas
(camas juntas)
duplo com cama de casal
triplo/com três camas
cama dobrável
cama extra
cama para criança (berço)
divã/sofá/canapé
2 Instalações e mobiliário:
banheiro/chuveiro
banheiro no mesmo piso
bidê e toalete
toalete no mesmo piso
água corrente quente e fria no quarto
telefone
rádio e TV
geladeira (frigobar)
cofre
escrivaninha
canapé e poltronas (três peças)
cozinha, quitinete
guarda-roupa, quarto de vestir
sala, sala de estar
balcão, varanda, pátio/terraço, jardim
3 Localização:
quarto com face (norte, sul, leste, oeste)
sol pela manhã, à tarde, vista para ...
edifício principal, edifício novo, puxado
(ala), edifício anexo
4 Preços:
quarto com café da manhã
meia-pensão (quarto, café da manhã e
uma refeição)

General

1 Types of rooms:
Single room
Double room or
twin-bedded room
Double room or room with 2 adjacent
single beds (beds against each other)
Double room with a double bed (1 bed for
2 persons)
3-bed room
Folding bed
Extra bed
Child's bed (cot)
Couch/sofa/settee
2 Fittings:
Bathroom or shower
Bath on same floor
Bidet and toilet
Toilet on same floor
Hot and cold running water
in room
Telephone
Radio and TV
Refrigerator (minibar)
Safe
Desk (Writing desk)
Settee and armchairs (3-piece suite)
Kitchen, kitchenette
Wardrobe, walk-in wardrobe
Lounge, sitting-room
Balcony, veranda, patio/terrace, garden
3 Location:
Direction faced by room
(to the north, south, east, west)
Early morning sunshine, evening sunshine
(With a) view of ...
Main building, new building, annex (wing),
annex
With (a sunny) balcony
4 Prices:
Bed and breakfast
Half board (room, breakfast and either
lunch or evening meal)

pensão completa (quarto, café da manhã, almoço e jantar)
preço/taxa normal (com discriminação dos serviços)
serviço, taxas, aquecimento incluso/cobrado à parte

5 Com direito a:
quadra de tênis, teleférico de esqui, piscina, piscina ao ar livre, piscina coberta, sauna, solário,
campo de golfe, praia, barco a remo, veleiro, lancha
Seu hotel tem piscina própria?
A utilização da quadra de tênis está incluída no preço?
Há um professor de tênis (golfe) à disposição?

6 Transportes:
Quanto custa o serviço de carro da estação ferroviária/do aeroporto ao hotel?
Quanto tempo leva um táxi da estação ferroviária central até seu hotel?
Qual o intervalo de horários do funicular?
Qual a distância até a estação do funicular?
Os senhores oferecem serviço de traslado?

Pedidos especiais

Transporte

1 Carro do hotel:
Pedimos que nos busquem na estação com o carro do hotel.
2 Avião/trem:
Nosso vôo/trem n? ..., proveniente de ..., chega às ... horas.
(Importante! Mencione sempre o local de partida, o horário de chegada e o número do vôo ou do trem. O carro do hotel poderá pegá-lo mesmo que haja atraso do avião ou do trem).
3 Carro de locadora:
Pedimos que nos mandem um carro de aluguel (se possível, um ...) ao aeroporto ou o deixem lá à nossa disposição.

Full board (room, breakfast, lunch and evening meal)
Standard charge/flat-rate (with explanation of what is included)
Service, tax, heating included/charged separately

5 Use of:
Tennis court, ski-lift, swimming pool, open-air swimming pool, indoor swimming pool, sauna, solarium
Golf course, beach, rowing-boat, sailing-boat, motor boat
Has your hotel got its own swimming pool?
Is use of the tennis court included in the price?
Is there a tennis coach (golf instructor)?

6 Transport:
What charge is made for transport from the railway station/airport to the hotel by hotel taxi?
How long does it take to get from the main railway station to your hotel by taxi?
How frequent is the cable railway service?
How far is it to the cable railway?
Do you offer a hotel transfer service?

Special requests

Transport

1 Hotel taxi:
Please collect us from the station by hotel taxi.
2 Plane/train:
Our flight No. ... / train No. ... from ... arrives at ... (time).
(Important! Always give details of where you are coming from, your arrival time and the flight or train number. The hotel taxi can then still collect you if your flight or train is delayed).
3 Hire cars:
Please have a hire car (if possible a ...) sent to the airport or provided for us there.

Reservas

1 Refeições:
Pedimos que nos reservem em seu restaurante ... uma mesa junto à janela para ... pessoas, no dia ..., às ... horas.
2 Ingressos de teatro:
Por favor, reservem ... ingressos para a peça ..., no teatro ..., se possível no meio do balcão nobre (da platéia).
Por favor, reservem ... ingressos da ópera para uma das apresentações de ...
3 Os senhores poderiam providenciar a reserva de ... ingressos para o musical ...?
4 Passeio turístico pela cidade:
Pedimos que façam uma reserva em nosso nome para um passeio turístico pela cidade na manhã de ...
5 Excursão:
Pedimos que organizem para nós uma excursão para ...
Pedimos que providenciem um guia para nós para o passeio ...
6 Intérprete:
Pedimos que nos consigam um intérprete para o dia ..., das ... horas até aproximadamente ... horas.
7 Secretária:
Peço-lhes que me consigam uma secretária para correspondência comercial em ... para o dia ..., às ... horas.
8 Material:
Para nossa conferência, necessitaremos de material para escrever, lousas, uma tela de projeção (um retroprojetor, um projetor de transparências, um aparelho de vídeo, um projetor de *slides*, equipamento *multivision*, computador de mesa, aparelho de fax).

Faturas de hotel

1 Modo de pagamento:
Pedimos que nos enviem a conta de despesas dos srs. ... e ... para pagamento.
2 Fatura:
Pedimos que nos enviem a fatura de quarto e café da manhã. As demais despesas serão pagas pelo sr. ...
3 Banco:
Pedimos ao nosso banco que deposite a quantia de ... em sua conta.
4 Cheque:
Anexamos a esta um cheque nosso, n.° ..., no valor de ..., para pagamento da conta do sr. ..., com data de ...

Reservations

1 Meals:
Please book us a window table in your restaurant ... for ... people for ... (time), on ... (day/date).
2 Theatre tickets:
Please book us ... tickets for ... (play) at the ... theatre, if possible in the middle of the dress (lower) circle.
Please book us ... opera tickets for ... for one of the evening performances.
3 Could you please arrange for ... tickets to be reserved for the musical ...?
4 Sightseeing tour:
Please book us on a sightseeing tour for the morning of ...
5 Excursion:
Please organise an excursion to ... for us.
Please book a guide for us for the ... trip.
6 Interpreter:
Please arrange for us to have an interpreter on ... (date) from ... to approx. ...
7 Secretary:
Please arrange to have a secretary provided to take business letters in ... at ... on ...
8 Materials:
For our conference we will require writing materials, blackboards, a (projection) screen (an overhead projector, a flipchart, a video recorder, a slide projector, multivision equipment, a desktop computer, a fax machine).

Hotel bills

1 Mode of payment:
Please forward the bills of Mr ... and Mr ... to us for payment.
2 Bill:
Please send us the bill for bed and breakfast. Further charges will be covered by Mr ... personally.
3 Bank:
We have instructed our bank to transfer the amount of ... to your account.
4 Cheque:
We enclose our cheque No. ... for ... in settlement of Mr ...'s bill dated ...

5 Cartão de crédito:
Informem-nos, por favor, se os senhores aceitam ... (nome do cartão de crédito).
6 Depósito:
Faremos um depósito de ... para a reserva acima mencionada.
7 Pagamento adiantado:
Anexamos a esta o cheque nº ..., no valor de ..., como depósito para a estada do sr. ... em seu hotel.

5 Credit card:
Please let us know if you accept ... (name of credit card).
6 Deposit:
We will be pleased to pay a deposit of ... for the above reservation.
7 Payment in advance:
We enclose our cheque No. ... for ... as a deposit for Mr ...'s stay at your hotel.

Esclarecimentos

1 A fatura do hotel inclui despesas no valor de ... sob a rubrica "diversos". Pedimos que nos expliquem a que se referem.
2 Sua fatura inclui ... de despesas com lavanderia (lavagem a seco). O(A) sr.(a) ... não fez uso desses serviços durante sua estada no hotel. Pedimos que nos creditem essa quantia na próxima estada em seu hotel.

Information

1 Your hotel bill includes a charge of ... under "Sundries". Please explain what this refers to.
2 Your bill includes ... for laundry (dry cleaning) charges. During his (her) stay at your hotel Mr (Ms) ... did not have anything laundered (dry-cleaned). Please credit this amount to us when we use your hotel again.

Pedido de informações por escrito

Sugestões de cardápio

Temos a intenção de realizar em seu hotel um almoço (jantar) para aproximadamente ... pessoas, no dia ... Pedimos que nos enviem sugestões de cardápio e uma carta de vinhos.

Folhetos

Para um congresso de 3 dias em ..., estamos procurando um hotel com acomodações adequadas e sala de conferências para aproximadamente ... pessoas. Pedimos que nos enviem folhetos do hotel em que constem os preços.

Request for written information

Suggested menus

We intend to bring a party of approx. ... persons to lunch (dinner) at your hotel on ... Please therefore send us suggestions for the menu together with a wine list.

Brochures

We are looking for suitable hotel accommodation with a conference room to seat approx. ... people for our 3-day conference in ... Please send us your brochure stating prices.

Achados e perdidos

1 Desde a permanência do(a) sr.(a) ... em seu hotel, de ... a ..., ele(a) não consegue encontrar ... Ficaríamos muito gratos se os senhores pudessem informar-nos se esse objeto foi encontrado.
2 Durante sua estada em ..., no dia ..., o(a) sr.(a) ... perdeu a carteira (a bolsa) que continha: ... Caso os senhores a tenham encontrado, ficaríamos muito gratos se nos avisassem pelo fax ...

Lost property

1 Since staying on your premises from ... to ..., our Mr (Ms) ... has been unable to find the following: ... We would be most grateful if you would let us know whether this has been found.
2 When staying in ... on ..., Mr (Ms) ... lost his wallet (her purse) containing the following: ... Should you have found the wallet (purse) we would be extremely grateful if you would fax us as soon as possible on ... (number).

Quarto, objetos de valor e objetos perdidos

Entrada no quarto (horário de chegada): conforme confirmação (normalmente entre 14 horas e 15 horas).
Desocupação do quarto: de acordo com regulamento do hotel (normalmente entre 12 horas e 14 horas).
Objetos de valor:
O hotel só se responsabiliza por objetos de valor quando são entregues à gerência e com recibo.
Objetos perdidos:
Objetos deixados pelos hóspedes não são enviados automaticamente a eles. Pergunte por escrito à gerência do hotel sobre objetos perdidos, para que se faça a busca necessária.

Room, valuables and lost property

Occupation of room (Arrival time) as confirmed (normally as from 2/3 pm).
Vacation of room (Departure time) in accordance with hotel regulations (normally between noon and 2 pm).
Valuables:
The Hotel is only liable for valuables if these are deposited with the hotel management and a receipt is issued.
Lost property:
Objects left by guests on our premises will not automatically be sent on to them. Please address enquiries about missing items to the hotel management in writing to ensure that a thorough search can be made.

Listas de controle

Reservas

Reservas claras, precisas.
Informe, além da data, o dia da semana.
Informe o horário aproximado de chegada. (Muitas vezes as reservas são mantidas apenas até as 18 horas.)
Em caso de ser pego no aeroporto/estação ferroviária, informe número do vôo/trem.
Se uma empresa for receber a fatura, esclarecer quem pagará o quê.

Checklists

Bookings

Precise, clear booking.
Give the date in addition to the day of the week.
Give an approximate time of arrival. (In many cases bookings are only kept open until 6 pm.)
Give the flight or train number if being collected.
If the company is to receive the bill, note who is to pay what.

Sugestão de modelo de carta

Empresas com muita correspondência com hotéis são aconselhadas a utilizar uma carta-padrão em três vias, como segue: original mais uma cópia devem ser enviados ao hotel; essa cópia deve ser devolvida pelo hotel à empresa com a confirmação da reserva; a segunda cópia fica na empresa.
A carta-padrão deve conter:
1. Nome do hóspede
2. Data e dia da semana da chegada
3. Data e dia da semana da saída
4. Tipo de quarto
5. Horário de chegada, solicitação de traslado
6. Preferências de faturamento
7. Pedidos especiais
8. Espaço para o hotel confirmar a reserva.

Telefone – fax – computador

Telefone
Vantagem: confirmação rápida
Desvantagem: possibilidade de erro
Se possível, confirme por escrito a conversação telefônica.

Fax
Vantagem: praticamente substituiu o antigo aparelho de telex porque é por escrito, pode ser assinado e tem, por essa razão, validade legal na maioria dos países.

Computador
Vantagem: a sofisticação dos programas de computador possibilitou à maioria das companhias aéreas, agências de viagens e hotéis estar conectada por rede informatizada. A reserva é imediata e garantida por um código de computador.

Suggestions for form to be completed

Companies corresponding frequently with hotels are advised to use a pre-printed form in triplicate as follows: original + copy No. 1 to be sent to the hotel; copy No. 1 to be returned to the company with the hotel's booking confirmation; copy No. 2 to be retained by the company.
Content of form to be sent as a letter:
1. Name of guest
2. Arrival date and day
3. Departure date and day
4. Type of room
5. Arrival time, request for collection
6. Billing instructions
7. Special requests
8. Space for hotel to confirm booking

Telephone – fax – computer

Telephone
Advantage: rapid confirmation
Disadvantage: source of errors
If possible confirm telephone conversations in writing.

Fax
Advantage: has virtually taken over from the earlier telex machines because it is in writing, can be signed and is as such legally valid in most countries.

Computer
Advantage: increasingly sophisticated software has now made it possible to link most airlines, travel agencies and hotels via computer networks. Booking is immediate and confirmed by computer code number.

Correspondência bancária
Correspondence with banks

Abertura de conta

1 A fim de efetuar negócios de exportação,
   - temos a intenção de abrir uma conta corrente em seu banco.
   - pedimos que abram uma conta corrente em nome de ...
   - ficaríamos gratos se os senhores abrissem uma conta corrente sob a denominação de ...
   - solicitamos pela presente a abertura de uma conta corrente.
2 Pedimos que nos informem as formalidades/a documentação necessária(s) para abrir a conta.
3 Pedimos que nos informem as formalidades por cumprir para a abertura.
4 Agradeceríamos se nos informassem suas condições.
5 Anexamos a esta um cheque no valor de ... como depósito inicial.
6 As pessoas com assinatura autorizada e sob nossa responsabilidade legal são: (nome) (assinatura).
7 O sr. ..., sozinho, ou os srs. ... e ..., conjuntamente, poderão movimentar essa conta.
8 Estão autorizados a assinar ou o sr. ..., sozinho, ou os srs. ... e ..., conjuntamente.
9 A correspondência deverá ser remetida a ... (endereço).
10 Os extratos da conta devem ser-nos enviados
   - mensalmente
   - toda vez que ocorrer movimentação da conta.

Opening an account

1 In order to carry out export business
   - we wish to open a current account with your bank.
   - we would ask you to open a current account in the name of ...
   - we would be most grateful if you would open a current account entitled ...
   - we hereby apply for a current account to be opened.
2 Please let us know what formalities there are when opening an account.
3 Please let us know what formalities must be complied with to open one.
4 We would be most grateful if you would let us have your conditions.
5 We enclose a cheque for ... as our initial deposit.
6 The authorised signatories, whose signatures on our behalf are thereby legally binding, are: (Name) (Signature)
7 Mr ... alone or Mr ... and Mr ... jointly may draw upon this account.
8 The authorised signatories are either Mr ... alone or Mr ... and Mr ... jointly.
9 Please address all correspondence to ...
10 The statements of account are to be posted to us
   - monthly
   - each time there has been a transaction.

Encerramento de conta

1 Devido ao término de nossos negócios.
2 Como conseqüência da forte queda do comércio de exportação em seu país
   – solicitamos o encerramento imediato de nossa conta corrente
   – pedimos o encerramento da conta que mantemos com os senhores.
3 Pedimos que o saldo seja transferido para ...
4 Gostaríamos que transferissem o saldo a nosso favor para ...
5 O saldo a seu favor, inclusive os valores que lhes cabem de juros e comissões, será pago aos senhores tão logo recebamos seu demonstrativo.

Closure of account

1 Due to the cessation of our business
2 As there has been a significant decrease in your country's export trade
   – please close our current account with immediate effect.
   – please close our account with you.
3 Please transfer the credit balance to ...
4 We wish you to transfer the balance in our favour to ...
5 The balance in your favour, together with any sums owing to you in interest and commission, will be paid to you as soon as your statement has been received.

Solicitação de crédito

1 Pedimos que nos informem sob que condições os senhores estariam dispostos a
   – abrir uma carta de crédito
   – conceder um crédito em conta corrente
   – permitir saque a descoberto
   – conceder um crédito sem aval
   – conceder um crédito com desconto de letras
   – conceder um crédito com aval
   – abrir uma carta de crédito revogável/irrevogável.
2 A fim de realizar possíveis pagamentos,
3 A fim de poder aproveitar preços de mercado vantajosos,
4 A fim de financiar a compra de matérias-primas,
5 Uma vez que temos a intenção de importar em breve quantidades consideráveis de ...,
6 Em conseqüência do forte crescimento de nossos negócios de comércio exterior,
   – pedimos que nos informem sob que condições os senhores estariam dispostos a nos conceder um crédito de curto prazo/de médio prazo/de longo prazo no valor de ...

Credit applications

1 Please let us know on what conditions you would be prepared
   – to open a letter of credit
   – to grant a current account advance
   – to grant an overdraft facility
   – to allow us unsecured credit
   – to grant discount credit
   – to grant surety credit
   – to open a revocable/an irrevocable letter of credit.
2 In order to make payments arising
3 In order to take advantage of favourable market prices
4 In order to finance the purchasing of raw materials
5 As we intend to import considerable quantities of ... in the near future
6 As a result of a substantial increase in our foreign business
   – we would ask you to let us know us on what terms you would be prepared to grant us a short/medium/long-term credit facility of ...

7 Como garantia podemos oferecer-lhes
 – a concessão de todas as nossas contas por receber
 – a cessão de títulos negociáveis/mercadorias/bens imóveis/nosso depósito/nossa frota de veículos.
8 Poderemos obter as garantias adicionais necessárias.
9 O seguro de exportação cobre 80% do risco econômico e 85% do risco político.
10 A presente serve para informar-lhes que
 – nossa empresa tem a intenção de elevar seu capital em aproximadamente ... para ..., o que significa uma garantia adicional para os senhores.
 – anexamos nossos balanços dos últimos três anos.
 – tomamos a liberdade de enviar-lhes o parecer da auditoria.
11 Caso os senhores desejem mais informações sobre a solvência de nossa empresa,
 – pedimos que contatem os seguintes fornecedores: ...
 – pedimos que entrem em contato com a Câmara de Comércio de ...

7 We are able to offer you
 – the assignment of all our accounts receivable
 – the making over of negotiable documents/goods/immovables/our stock/our fleet of vehicles
 as security.
8 Any additional security required could be obtained.
9 The export insurance covers 80 % of the economic risk and 85 % of the political risk.
10 This is to inform you that
 – our company intends to increase its capital by approx. ... to ... This will mean additional security for you.
 – we are enclosing our balance sheets for the last three years.
 – we are taking the liberty of sending you the auditors' report.
11 Should you require additional information on our company's solvency,
 – please contact any of the following of our suppliers: ...
 – please get in touch with the Chamber of Commerce in ...

Remessa de documentos

1 Pedimos que instruam seu banco correspondente em ... a
 – liberar os documentos anexos contra pagamento de nossa promissória.
 – entregar ao destinatário/consignatário os documentos de embarque contra pagamento em espécie de nossa fatura n.º ..., de ...
 – entregar ao sacado o conhecimento de embarque e a fatura contra aceite de nossa letra de câmbio à vista de 30 dias.

Forwarding documents

1 We would ask you to instruct your correspondent bank in ... to
 – release the documents enclosed on payment of our draft.
 – surrender the shipping documents to the recipient/consignee on payment in cash of our invoice No. ... of ...
 – release the consignment note and invoice to the drawee on acceptance of our 30-day sight draft.

2 Em relação a nosso fornecimento de ...,
  enviamos anexos:
  o conhecimento de embarque,
  a apólice de seguro,
  a duplicata da fatura,
  o certificado de origem
  – e pedimos que providenciem a entrega
    deles ao destinatário/consignatário
    contra pagamento de nossa fatura de
    n.° ..., num total de ...
  – e pedimos que apresentem ao sacado
    nossa letra de câmbio à vista de 30 dias,
    enviada ontem aos senhores, para
    aceite.
3 Pedimos que creditem o valor em
  questão em nossa conta, após dedução
  de suas despesas.
4 Pedimos que creditem no devido tempo
  o citado valor em nossa conta nesse
  banco.

Extrato de conta

1 Depois de examinar o extrato enviado
  pelos senhores em carta de ...,
  – confirmamos pela presente que
    concordamos com o saldo apresentado.
  – anexamos à presente nossa
    declaração de concordância,
    devidamente assinada.
  – permitimo-nos chamar sua atenção
    para um erro nele encontrado
  – informamos que os senhores não nos
    creditaram, por engano, a quantia de ...
  – desejamos informar que o depósito
    efetuado em ... não foi creditado em
    nossa conta.
2 Pedimos que examinem esse
  assunto/essa diferença e nos enviem um
  extrato corrigido.
3 Pedimos que tomem as providências
  necessárias.
4 Temos certeza de que os senhores
  reconhecerão que nossa reclamação é
  fundada.
5 Tendo examinado seus encargos de
  juros/comissão/tarifas bancárias,
  lamentamos informar que não
  concordamos com seu extrato.

2 In connection with our consignment
  dated ..., we are sending you enclosed:
  the bill of lading,
  the insurance policy,
  the duplicate invoice,
  the certificate of origin,
  – and would ask you to arrange to
    have them released to the recipient/
    consignee on payment of our invoice
    No. ... for the total sum of ...
  – and would ask you to present the
    30-day sight draft, forwarded to you
    yesterday, to the drawee for accept-
    ance.
3 Please credit the amount in question
  to our account after deducting your
  expenses.
4 We would ask you to credit the sum
  mentioned to our account with you at the
  appropriate time.

Statement of account

1 After examining the statement of account
  included with your letter of ...,
  – we hereby confirm that we agree with
    the balance shown.
  – we include our declaration of consent,
    duly signed.
  – we feel we must draw your attention to
    an error we have found in it.
  – we wish to point out that you have
    mistakenly omitted to credit us with the
    sum of ...
  – we wish to inform you that the original
    entry dated ... has not been credited
    to us.
2 Please check this matter/discrepancy
  and send us an amended statement.
3 Please make the necessary enquiries.
4 We feel sure you will acknowledge the
  legitimacy of our claim.
5 Having examined your debits for interest/
  commission/bank charges we regret to
  inform you that we do not agree with your
  statement.

6 Como pode ser verificado pelo lançamento/lançamento contábil anexo ao extrato da conta, o crédito/débito não nos diz respeito.
7 Como o lançamento/lançamento contábil não nos diz respeito, pedimos que corrijam o extrato.
8 De seu extrato de conta datado de ... consta um lançamento no valor de ..., contendo uma anotação "conforme anexo". Esse anexo não estava junto com o extrato.
9 De acordo com nossos livros contábeis, o cheque por nós emitido em ... é no valor de ..., e não de ...
10 Infelizmente não recebemos os extratos diários de nossa conta n? ...,
 – de ... a ...
 – do n? ... ao n? ...
11 Supomos que tenham sido extraviados no correio.
12 Pedimos que nos enviem cópias.
13 Pedimos que os senhores examinem esse assunto imediatamente.
14 Acreditamos que se trate de um engano de sua parte e ficaríamos gratos se os senhores pudessem examinar o assunto.

6 It can be seen from the entry/bookkeeping entry enclosed with the statement that the debit/credit does not apply to us.
7 As the entry/bookkeeping entry does not apply to us we would ask you to correct/amend the statement.
8 Your statement of account dated ... includes an entry for the sum of ..., against which there is the annotation "as per enclosure". This enclosure was not included with your statement.
9 According to our books, the cheque issued by us on ... is for the sum of ... and not ...
10 We have unfortunately not received the following daily statements of our account No. ...
 – from ... to ...
 – from No. ... to No. ...
11 We assume that they have been lost in the post.
12 Please send us copies.
13 We must insist that the matter be looked into immediately.
14 We believe that this is due to an error on your part and would be most grateful if you would look into the matter.

Operações na bolsa de valores

Stock exchange dealings

1 Gostaríamos que os senhores comprassem para nós, ao menor preço possível, os seguintes títulos:
 ... ações de ...
 ... títulos da dívida pública
 ... certificados de investimento
 e debitem de nossa conta n? ...
2 Com a intenção de aproveitar a tendência de baixa das ações do setor químico, pedimos que comprem para nós ... ações de ... a uma cotação máxima de ...
3 Pedimos que mantenham esses títulos, por nossa conta, em uma conta de custódia coletiva/depósito separado.
4 Os títulos em questão serão retirados/devem ser enviados a nós.
5 Pedimos que vendam pelo melhor preço possível os seguintes títulos depositados em nosso nome em sua instituição: ...

1 Please buy us the following securities at the lowest possible price:
 ... shares in ...
 ... government bonds
 ... investment trust certificates
 and debit our account No. ... accordingly.
2 We wish to take advantage of the bearish tendency of shares in the chemical industry and would therefore ask you to purchase ... shares in ... at a maximum price of ...
3 We would ask you to keep these securities at our expense in a collective safe custody account/under special wrapper.
4 The securities in question will be collected/are to be forwarded to us.
5 We would ask you to sell the following securities deposited with you in our name at the best possible rate: ...

6 Pedimos que creditem o produto das vendas em nossa conta.
7 Aguardamos seu aviso de execução das nossas instruções.

6 Please credit the proceeds to our account.
7 We await your notification that our instructions have been carried out.

Pagamento por transferência de valores

1 Pedimos que nos informem se os senhores concordam com o pagamento de sua fatura de ... por meio de débito direto em nossa conta.
2 Recebemos sua transferência eletrônica n° ..., datada de ..., a qual agradecemos.
3 Enviamos nesta seu cartão magnético, válido até ... (ano).
4 Enviamos nesta seu código para retiradas nos caixas eletrônicos.
5 O número de código anexo deve ser guardado em lugar seguro e sua perda deve ser informada imediatamente ao banco.
6 Retiradas em dinheiro ou transferências podem ser efetuadas pelo telefone n° ..., utilizando o código anexo, que é estritamente confidencial.
7 Seu pedido de n° ... a este banco foi encaminhado hoje pelo sistema SWIFT. O senhor será avisado assim que nossa filial no exterior confirmar que a quantia foi debitada.
8 O cartão de crédito anexo permite fazer pagamentos até o valor de ... O cartão deve ser guardado em local seguro.
9 O senhor está recebendo nesta seu novo talonário, com cheques numerados de ... a ... Anexamos também o cartão eletrônico, válido até ... (ano).
10 O cartão de crédito anexo permite-lhe fazer compras/pagamentos nas seguintes lojas e postos de gasolina: ...

Cashless payment

1 Please let us know whether you agree to payment of your ... invoice by direct debit in future.
2 We have received your electronic remittance No. ... dated ..., for which we thank you.
3 We enclose your cheque card for ... (year).
4 We enclose your code number for direct debits initiated via your automated teller.
5 The encoded reference number enclosed is to be kept in a safe place. Its loss must be reported to the bank at once.
6 Cash withdrawals or transfers can be initiated by telephoning ... and using the strictly confidential code number enclosed.
7 Your order No. ... to this bank was carried out by SWIFT today. You will be notified immediately as soon as our foreign branch has confirmed that the sum has been debited.
8 Cashless payments of up to ... at any time may be made using the credit card enclosed. Please keep it in a safe place.
9 We enclose your new cheques numbered ... to ... We also enclose your cheque card for ... (year).
10 The enclosed credit card entitles you to make purchases at the following stores and service stations: ...

Marketing e publicidade
Marketing and advertising

Pesquisa de mercado

Consultas

1 Temos grande interesse em verificar o potencial de venda dos produtos que fabricamos.
2 Os senhores poderiam informar-nos o nome de duas ou mais empresas que fazem pesquisa de mercado em ...? Qual dessas firmas os senhores recomendariam?
3 Agradecemos sua carta de ..., na qual os senhores declaravam-se dispostos a realizar para nós uma pesquisa de mercado em ... Evidentemente, gostaríamos de saber quanto isso custará.
4 Seria possível os senhores realizarem também uma pesquisa parecida na região vizinha de ...?
5 Gostaríamos de saber para que empresas internacionais de renome os senhores já realizaram pesquisas de mercado em ...
6 Estamos particularmente interessados em saber que tipo de concorrência enfrentaremos.
7 Os senhores poderiam apresentar seu parecer em ... (idioma)?
8 Quanto tempo levará para os senhores nos apresentarem uma análise completa?
9 Estamos enviando nesta uma lista de empresas com as quais mantemos ótimas relações comerciais.
10 Os senhores teriam condições de realizar uma pesquisa de mercado que abrangesse toda a União Européia?

Market research

Enquiries

1 We are very interested in having the market potential of the goods we produce assessed.
2 Could you give us the names of one or more agencies involved with market research in ...? Which of these firms do you recommend?
3 Thank you for your letter dated ..., in which you offer to carry out market research for us in ... We would, of course, like to know how much this will cost.
4 Could you also conduct a similar survey in the neighbouring area of ...?
5 Please let us know what well-known international firms you have already conducted market research for in ...
6 We are especially interested in finding out what competition we will have to contend with.
7 Could you submit your report in ... (language)?
8 How long will it take for you to compile a comprehensive report?
9 We enclose a list of companies with which we enjoy successful business links.
10 Are you in a position to carry out a market survey covering the entire EU?

Respostas

1 Enviamos hoje aos senhores a relação das empresas que poderiam realizar pesquisas de mercado em ...
2 Por conhecermos bem a agência ..., podemos recomendá-la aos senhores sem restrições.
3 Estamos dispostos a realizar a pesquisa de mercado em ... e agradeceríamos que ela nos fosse encomendada. Os custos deverão ser de aproximadamente ...
4 Agradecemos por nos terem contratado. Cumpriremos seu pedido o mais breve possível e, esperamos, a seu inteiro contento.
5 Caso não ocorram dificuldades imprevistas, os custos serão da ordem de ...
6 Lamentamos informar-lhes que não temos relações na região vizinha de ...
7 Recomendamos a empresa ..., de ..., cujo trabalho conhecemos muito bem.
8 Informamos com satisfação que entre nossos clientes se encontram as seguintes empresas internacionais de renome:
9 Não teremos problema em apresentar a análise em ... (idioma).
10 Infelizmente, não poderemos apresentar a análise em ... (idioma). Só temos condições de redigi-la em ... (idioma).
11 Precisaremos de ... para apresentar-lhes uma análise detalhada. Aguardamos sua manifestação o mais rápido possível e agradecemos desde já.
12 Como temos funcionários por toda a União Européia, não haverá dificuldade em apresentar-lhes essa pesquisa de mercado, que poderá ser elaborada em qualquer idioma dos países-membros.
13 Agradecemos por nos terem encarregado da pesquisa de mercado. Dentro de alguns dias, apresentaremos aos senhores uma sugestão a respeito do composto mercadológico.
14 A fim de poder executar a pesquisa de campo da melhor maneira possível, precisaremos recrutar colaboradores externos, o que encarecerá bastante o trabalho.
15 Utilizamos principalmente estudantes na execução de pesquisas de opinião. Depois, os questionários são analisados pela nossa agência de marketing.
16 Tão logo tenhamos os resultados da pesquisa de mercado, apresentaremos sugestões sobre os meios de divulgação adequados.

Replies

1 A list of companies able to undertake market research in ... is being sent to you today.
2 We are well acquainted with the ... agency and can highly recommend it.
3 We are willing to conduct market research in ... and would be pleased to be commissioned. The costs would come to approx. ...
4 We thank you for commissioning us. We will carry out your instructions as quickly as possible and, we hope, to your entire satisfaction.
5 If there are no particular problems, the costs will amount to ...
6 We regret to inform you that we have no links with the neighbouring area of ...
7 We recommend ... (firm) in ..., with whose work we are acquainted.
8 We are pleased to inform you that our clientele so far includes the following internationally known firms:
9 We will be pleased to submit the report in ...(language).
10 We are unfortunately unable to submit the report in ... (language). We are only able to compile it in ... (language).
11 In order to provide you with a thorough report we will require ... We look forward to hearing from you at your earliest convenience and thank you in advance.
12 As we have field workers throughout the EU, there will be no difficulty carrying out a market survey, which can be compiled in any EU language.
13 Thank you for commissioning us to conduct a market survey. We will be sending you our suggestions as to the marketing mix in the next few days.
14 We would have to take on field workers to carry out the best possible field research. This would increase the price considerably.
15 We mainly use students to conduct opinion polls. The questionnaires are then analysed by our marketing agency.
16 As soon as the results of the market research are available, we will make suggestions as regards suitable advertising media.

17 Nossa agência é especializada em promoções de venda e poderia assisti-los de todas as maneiras.
18 Para conduzir uma pesquisa de mercado, necessitamos de informações precisas sobre o tipo do produto, seu mercado potencial e seus canais de distribuição.

Publicidade e relações públicas

Consultas

1 Digam-nos se os senhores estariam interessados em organizar uma campanha publicitária para nosso produto ...
2 Pedimos que nos apresentem uma proposta para uma campanha publicitária no valor de aproximadamente ... Entre os meios de divulgação deverão estar rádio, TV e jornais diários.
3 Pedimos que nos apresentem um orçamento para a divulgação de ...
4 A ... (empresa) recomendou-nos sua agência. Pedimos que nos digam qual é o composto mercadológico que os senhores recomendariam para os produtos descritos em detalhe no anexo.
5 Os senhores certamente já ouviram falar da marca ... Até hoje a agência ..., de ..., deteve nossa conta. Como não estamos mais satisfeitos com os serviços dela, gostaríamos de perguntar se há interesse de sua parte em fechar conosco um contrato de publicidade. Em caso afirmativo, quais seriam suas condições?
6 Os senhores nos foram recomendados como agência de relações públicas. Se os senhores estiverem interessados em nos representar, pedimos que contatem o(a) sr.(a) ... pelo telefone ...
7 A empresa americana ... pretende instalar-se no mercado de ... Para tanto, procura uma agência de RP. Os senhores estariam interessados?
8 Nossa empresa deseja melhorar sua imagem pública em breve. Para isso, necessitamos dos serviços de uma agência experiente. Os senhores poderiam apresentar-nos uma proposta adequada e dizer qual é seu preço?

17 Our agency specialises in sales promotion and would assist you in every possible way.
18 In order to conduct a market survey we require precise information on the type of product, its potential market and its distribution channels.

Advertising and public relations

Enquiries

1 Please let us know whether you would be interested in organising an advertising campaign for our ... (product).
2 Please let us have your offer for an advertising campaign costing approx. ... The advertising media should include radio, TV and daily newspapers.
3 Please let us have your quotation to advertise ...
4 ... (firm) have recommended your agency to us. Please give us a brief indication of the marketing mix you would recommend for the products described in detail as per the enclosed.
5 You will most certainly have heard of the ... brand. Up to now the ... agency in ... has acted on our behalf. As we are no longer satisfied with its performance, we wish to enquire whether you would be interested in being contracted to advertise our products. If so, what would be your terms?
6 You have been recommended to us as a PR agency. If you are interested in working on our behalf, please contact Mr .../Ms ... on ... (telephone number).
7 The American company ... plans to establish itself on the ... market and is thus looking for a PR agency. Would you be interested?
8 Our firm would like to improve its public image in the near future. To do so we require the services of an experienced PR agency. Could you make suitable suggestions and give us an indication of your price?

Respostas

1 Obrigado por sua carta de ... Estamos muito interessados em aceitar o contrato de publicidade de seus produtos. Propomos que o(a) sr.(a) ..., de nossa empresa, faça uma visita aos senhores para discutir o assunto em detalhe.
2 Estamos enviando junto a esta um prospecto que esclarece como conduzimos campanhas publicitárias em geral. Para a elaboração de campanhas específicas, necessitamos de informações mais detalhadas, tais como: ...
3 Ficaríamos satisfeitos em fazer a publicidade de seus produtos (sua marca ..., sua logomarca ...).
4 Como agência de relações públicas presente em toda a União Européia, dispomos de colaboradores bem-preparados, com conhecimento de idiomas, que podem atuar em qualquer país da UE. Ficaríamos satisfeitos em poder conversar pessoalmente com os senhores no momento que acharem oportuno.
5 Para a campanha publicitária que os senhores pretendem realizar, seriam bastante adequados comerciais de TV (anúncios em jornais diários, folhetos, mala direta, cartazes de rua com frases publicitárias, publicidade em sacolas e papel de embrulho, em letreiros luminosos, em ingressos ou espetáculos de teatro e cinema, reclames em veículos).
6 A análise estatística de sua pesquisa de mercado demonstra que os meios de divulgação (a estratégia de relações públicas) mais adequados seriam: ...
7 Se os senhores desejam lançar uma campanha de relações públicas para promover sua imagem, recomendamos sem sombra de dúvida os seguintes meios de divulgação: ...

Replies

1 Many thanks for your letter of ... We would be pleased to accept the advertising contract for your products and suggest that our Mr .../Ms ... visit you in person to discuss the matter in detail.
2 We enclose our brochure explaining how we conduct general advertising campaigns. In order to devise individual campaigns we require the following more detailed information: ...
3 We would be most pleased to advertise your products (your ... brand, ... logo).
4 As a PR agency operating throughout the EU we have trained staff with foreign language skills who are deployable in any EU country. We will be pleased to meet you for a personal discussion at any time of your choice.
5 TV commercials (advertisements in daily newspapers, circulars, posters with advertising slogans on hoardings, advertisements on carrier bags and wrapping paper, neon signs, advertisements on theatre and cinema tickets or programmes, advertisements on vehicles) would be particularly appropriate for the advertising campaign you envisage.
6 The statistical analysis of your market survey has revealed that the most suitable means of advertising (PR strategy) would be the following: ...
7 If you wish to launch a PR campaign to promote your image, we would most definitely recommend the following advertising media ...

Proposta de uma agência de publicidade ou de relações públicas

1 Somos especializados na propaganda de ... e gostaríamos de vê-los incluídos em nossa clientela. Enviamos junto um folheto sobre nossos serviços.
2 Anexamos um catálogo sobre os serviços que podemos oferecer aos senhores.

Offer from an advertising or public relations agency

1 We specialise in the advertising of ... and would be pleased to include you among our customers. We enclose a brochure outlining the services we offer.
2 We enclose a catalogue on the services we can perform for you.

3 Graças à nossa vasta rede de filiais (sucursais) por toda a UE, temos condições de oferecer-lhes um serviço que abrange um amplo espectro de divulgação.
4 Mesmo em caso de pedidos especiais, os senhores poderão contar com um serviço ultra-rápido.
5 Apresentamos aos senhores nosso novo programa publicitário informatizado. Com ele, os senhores poderão atingir seus clientes com mais rapidez e facilidade.
6 Atualmente, a publicidade é quase inconcebível sem nosso sistema ... Teremos o maior prazer em demonstrá-lo aos senhores quando desejarem.
7 Gostaríamos de apresentar nosso novo programa de publicidade na feira de ... Poderemos contar com sua presença?
8 Junto a esta, os senhores estão recebendo nosso prospecto com enorme variedade de informações e uma relação das empresas para as quais atuamos com sucesso.
9 Acreditamos poder realizar para os senhores uma publicidade muito bem-sucedida. Gostaríamos que os senhores nos dessem a oportunidade de nos conhecermos pessoalmente.
10 Nossos publicitários e relações-públicas estão a seu inteiro dispor para atendê-los em qualquer dúvida.

Resposta positiva a proposta de agência de publicidade ou de relações públicas

1 Agradecemos sua proposta de ... e gostaríamos muito que os senhores elaborassem uma estratégia apropriada para nós.
2 Os senhores conhecem nosso produto ... Estamos interessados em saber que estratégias publicitárias os senhores utilizariam para comercializá-lo.
3 Estamos bastante interessados em conhecer seu novo programa de computador. Quando os senhores poderão apresentá-lo a nós?
4 Tomamos contato com sua empresa na feira de ... e estamos interessados em suas modernas técnicas de RP. Os senhores poderiam informar-nos exatamente como as colocariam em prática para nossa empresa?

3 By virtue of our extensive network of local branches throughout the entire EU, we are able to offer you a service covering a wide field.
4 You can count on high-speed service, even for special orders.
5 May we introduce you to our new computerised advertising program? You will be able to reach your customers faster and more easily with its help.
6 Nowadays, advertising is hardly conceivable without our ... system. We will be pleased to demonstrate it to you at any time.
7 We intend to demonstrate our new advertising program to you at the ... Fair. Can we expect to see you there?
8 We enclose our brochure with a wide variety of information and a reference list of the companies we have successfully advertised for.
9 We believe we can conduct highly successful advertising for you. Please give us an opportunity to introduce ourselves.
10 Our team of advertising and PR experts is available for consultation at any time.

Positive response to an offer from an advertising or PR agency

1 We thank you for your offer dated ... and would be pleased to have you work out an appropriate strategy for us.
2 You will have heard of ... (product). We would be interested to hear what advertising strategy you would use to market it.
3 We would be most interested to see your new computer program. Could you demonstrate it to us some time? ·
4 We first made the acquaintance of your company at the ... Fair and are most interested in your modern approach to PR. Can you tell us exactly how you would put this into practice for our company?

5 Planejamos para muito em breve lançar uma campanha publicitária dirigida para nossa marca ... (nosso produto ..., nossa logomarca). A verba de que dispomos é de cerca de ... (moeda). Pedimos que nos apresentem sugestões.
6 Seu catálogo de publicidade e relações públicas agradou-nos bastante. Gostaríamos de saber quando um de seus especialistas poderá fazer-nos uma visita.
7 Como fomos obrigados recentemente a fechar nosso departamento de RP por motivos de racionalização, desejamos terceirizar esse trabalho. Assim, gostaríamos que os senhores nos apresentassem uma proposta concreta.
8 A publicidade torna-se cada vez mais sofisticada, de modo que decidimos confiar esse trabalho a uma equipe externa de publicitários experientes. Os senhores poderiam dar-nos apoio nisso?

Resposta negativa a proposta de agência de publicidade ou de relações públicas

1 Agradecemos sua proposta de ..., mas, devido aos custos, infelizmente temos de recusá-la.
2 Como há muitos anos temos um departamento de propaganda e RP próprio, não poderemos aceitar sua proposta bastante interessante.
3 Seu prospecto interessou-nos bastante. Todavia, no momento não estamos planejando uma campanha publicitária ou de relações públicas.
4 A recessão econômica mundial obrigou-nos, infelizmente, a cortar a verba de publicidade deste ano, devido a custos.
5 Como nossa marca ... (nosso ... [produto], ... nossa logomarca) é bastante conhecida, não temos planos no momento de fazer nenhuma campanha publicitária.
6 Sua proposta parece muito boa, mas ultrapassa em muito a verba destinada para esse fim.
7 Sentimos informar os senhores de que outra agência de propaganda (equipe de RP) já foi contratada.
8 O programa de composto mercadológico elaborado pelos senhores para nossa empresa não nos agradou. Confiamos mais na publicidade convencional nos veículos de comunicação. Esperamos que entendam nossa decisão.

5 We intend to conduct a selective advertising campaign for our ... brand (our ... [product], our company's logo). Our budget for this is approx. (currency) ... Please let us have your suggestions.
6 We very much liked your advertising and PR catalogue. Please let us know when one of your experts can pay our company a visit.
7 As we have recently had to close down our PR department as a result of rationalisation, we now want to contract out for this. Please make us a concrete offer.
8 Advertising is becoming more and more sophisticated, so we have decided to commission an experienced outside advertising team to do this work in future. Could you be of assistance to us?

Negative response to an offer from an advertising or public relations agency

1 We thank you for your offer dated ... but are unable to accept it owing to the costs involved.
2 As we have had our own advertising and PR department for many years now, we unfortunately cannot take you up on your most interesting offer.
3 We were most interested by your brochure. However, we are not planning to conduct an advertising or public relations campaign for the time being.
4 The worldwide economic recession has, unfortunately, made it necessary for us to cut all advertising this year owing to the costs involved.
5 Since our ... brand (our ... [product], our company's logo) is very well known at the moment, we are not planning any further advertising.
6 Your offer sounds good but far exceeds the budget we have allocated for this.
7 We are sorry to inform you that another advertising agency (PR team) has already been commissioned.
8 The marketing mix programme you have devised for us is not really to our liking, so we will be relying on conventional advertising in the media. We trust you will appreciate our position.

Cartas de recomendação, cartas de apresentação, solicitações de emprego
Letters of recommendation, letters of introduction, applications

Notificação de visita

1 O(A) sr.(a) ..., da empresa ..., viajará nos próximos dias (semanas) para ... e, seguindo minha recomendação, vai visitá-lo(a).
2 O propósito da visita do(a) sr.(a) ... a sua cidade é participar da feira de ...

Notification of a visit

1 Mr (Ms) ... from ... (firm) will be going to ... in the next few days (weeks) and will be visiting you on my recommendation.
2 Mr (Ms) will be visiting your town (city) to attend the ... Fair.

Pedido de assistência

1 É possível que o(a) sr.(a) ... precise de um conselho ou uma ajuda ao visitar sua cidade.
2 Como o(a) senhor(a) é especialista na área de ..., eu ficaria grato(a) se pudesse auxiliar o(a) sr.(a) ... nas eventuais dúvidas que tenha sobre o assunto.
3 Já que o(a) sr.(a) ... não tem relações com a empresa ..., seria muito amável de sua parte se pudesse colocá-lo(a) em contato com as pessoas certas (as autoridades competentes, os órgãos competentes).
4 Entreguei ao(à) sr.(a) ... uma breve carta de apresentação para os senhores.
5 Tenho certeza de que o(a) senhor(a) poderá dar ao(à) sr.(a) ... algumas indicações (informações) úteis sobre a situação de mercado em ...
6 Ficaremos muito gratos pela ajuda que puderem prestar ao(à) sr.(a) ...

Request for assistance

1 Mr (Ms) ... might well need some advice or assistance whilst visiting your town (city).
2 As you are an expert in the field of ..., I would be grateful to you if could assist Mr (Ms) ... by answering any queries he (she) may have in this connection.
3 As Mr (Ms) ... has not had any dealings with ... (firm), it would be most appreciated if you could put him (her) in touch with the right people (right authorities, offices responsible in this matter).
4 I have given Mr (Ms) ... a short letter of introduction for you.
5 I am sure you can give Mr (Ms) ... a few useful tips (some useful information) on the market situation in ...
6 We will be most grateful for any assistance you can give to Mr (Ms) ...

Informações sobre novos funcionários

1 O(A) sr.(a) ... mencionou os senhores como referência em sua solicitação de emprego.
2 Soubemos que o(a) sr.(a) ... já trabalhou para os senhores.
3 Seu antigo funcionário, sr. ..., está pleiteando uma vaga em nossa empresa.
4 O(A) sr.(a) ... candidatou-se à vaga que estamos oferecendo e citou os senhores como referência.
5 Que informações os senhores poderiam prestar-nos sobre o(a) sr.(a) ...?
6 Gostaríamos que os senhores nos revelassem sua opinião sobre o(a) sr.(a) ... como funcionário.
7 Qual sua opinião sobre as qualidades profissionais e pessoais do(a) sr.(a) ...?
8 Gostaríamos de saber se o(a) sr.(a) ..., seu(sua) antigo(a) ..., mostrou-se eficiente nesse cargo.
9 O que motivou o(a) sr.(a) ... a sair de sua empresa?
10 Os senhores acreditam que o(a) sr.(a) ... tem condições de exercer essa função?

Information about new employees

1 Mr (Ms) ... has named you as a reference in his (her) application.
2 We have heard that Mr (Ms) ... used to work for you.
3 One of your former employees, Mr ..., has applied for a post at our company.
4 Mr (Ms) ... has applied for the post we are offering and has given you as a reference.
5 What information on Mr (Ms) ... are you able to provide us with?
6 Please let us have your assessment of Mr (Ms) ... as an employee.
7 What is your assessment of Mr (Ms) ...'s professional and personal qualities?
8 We would very much like to know whether your former ..., Mr (Ms) ..., performed successfully in this role..
9 What were Mr (Ms) ...'s reasons for leaving?
10 Do you believe that Mr (Ms) ... is up to the job?

Treinamento/capacitação

1 Pedimos que nos informem quando o(a) sr.(a) ... poderá apresentar-se em sua fábrica para o treinamento inicial.
2 Consideramos muito importante que o(a) sr.(a) ... receba treinamento inicial sobre o manejo do equipamento.
3 O treinamento deve ser iniciado o mais rápido possível.
4 Reservamos ... dias para o treinamento inicial (a capacitação).
5 Confirmamos pela presente que a capacitação (o treinamento inicial) do(a) sr.(a) ... deverá ocorrer em ..., como solicitado.
6 Garantimos uma vaga para o(a) sr.(a) ... em nosso próximo curso de capacitação.
7 Uma experiência de muitos anos e uma excelente equipe de treinamento são nossa garantia de que o curso de treinamento satisfará a todas as exigências.

Initial training/Induction

1 Please let us know when Mr (Ms) ... can come to your plant for initial training.
2 We consider it of great importance that Mr (Ms) ... be given some initial training on how to operate the equipment.
3 The initial training should take place as soon as possible.
4 We have allowed ... days for initial training (for induction).
5 We hereby confirm that the induction session (initial training) for Mr (Ms) ... is to take place on ... as requested.
6 We assure you that Mr (Ms) ... has been reserved a place on our next induction course.
7 Our first-class training staff and many years' experience are our guarantee that the induction course will meet all demands.

Referência favorável

1 Em resposta a seu pedido de informações de ... sobre o(a) sr.(a) ..., tenho o prazer de confirmar que ele (ela) foi funcionário(a) de nossa empresa durante ... anos e que seu trabalho teve sempre um nível excelente.
2 Sempre consideramos o(a) sr.(a) ... como pessoa que cumpre seu trabalho, de extrema confiança e boa aparência.
3 Posso recomendar-lhes o(a) sr.(a) ... sem restrição alguma.
4 Conhecemos o(a) sr.(a) ... de longa data como parceiro comercial digno de confiança.
5 O(A) sr.(a) ... trabalha em nossa empresa há muitos anos e goza da confiança e da simpatia de todos.
6 O(A) sr.(a) ... é uma pessoa comunicativa, cordial, altamente confiável e consciente do trabalho.
7 Por iniciativa própria, o(a) sr.(a) ... participou de ... cursos e seminários de capacitação em serviço.
8 Tenho certeza de que o(a) sr.(a) ... executará conscienciosamente todas as tarefas sob sua responsabilidade.
9 Só temos uma opinião extremamente positiva sobre o(a) sr.(a) ... e, portanto, podemos recomendá-lo(a) sem hesitação.
10 Lamentamos muito a saída do(a) sr.(a) ... de nossa empresa, pois ele(a) sempre cumpriu o trabalho com precisão, pontualidade e confiabilidade.

Favourable reference

1 In reply to your enquiry of ... regarding Mr (Ms) ..., I am pleased to confirm that he (she) was employed by our company for ... years and that his (her) work was always of an excellent standard.
2 We have always found Mr (Ms) ... to be reliable in his (her) work, highly trustworthy and personable.
3 I am able to recommend Mr (Ms) ... unconditionally.
4 We have known Mr (Ms) ... for many years now as a trustworthy business associate.
5 Mr (Ms) ... has been working for our company for many years now and is universally well-trusted and highly popular.
6 Mr (Ms) ... is open-minded, friendly, highly reliable and always thorough in his (her) work.
7 Mr (Ms) ... has attended ... courses and in-service training sessions on his (her) own initiative.
8 I feel sure that Mr (Ms) ... will carry out conscientiously all the responsibilities he is entrusted with.
9 We only have extremely positive things to say about Mr (Ms) ... and can recommend him (her) without hesitation.
10 We were extremely sad when Mr (Ms) ... left our company, for he (she) always worked with the utmost precision, punctuality and reliability.

Referência vaga

1 O(A) sr.(a) ... realmente trabalhou em nossa empresa de ... a ...
2 O(A) sr.(a) ... trabalhou em nosso departamento de ..., de ... a ..., e era responsável por ...
3 Infelizmente não podemos dar mais informações sobre o(a) sr.(a) ...
4 O(A) sr.(a) ... sempre se esforçou em executar conscienciosamente as tarefas que lhe eram confiadas.

Non-committal reference

1 It is true that Mr (Ms) ... was employed by us from ... to ...
2 Mr (Ms) ... worked in our ... Department from ... to ... and was responsible for ...
3 We are unfortunately unable to give any further information about Mr (Ms) ...
4 Mr (Ms) ... always did his (her) best to carry out the duties he (she) was entrusted with conscientiously.

5 O(A) sr.(a) ... tinha como incumbência realizar serviços gerais de escritório no departamento de ... Não houve motivo de reclamações.
6 Lamentamos dizer que não podemos dar-lhes informações mais detalhadas sobre o trabalho do(a) sr.(a) ... em nossa empresa, pois seu(sua) superior(a) imediato(a) daquela época não trabalha mais conosco.

5 It was Mr (Ms) ...'s duty to carry out general office work in the ... Department. There was no cause for complaint.
6 We regret to inform you that we are unable to provide you with any more detailed information on Mr (Ms) ...'s work at our company, because his (her) superior at that time has now left.

Cartas de solicitação de emprego

Frases introdutórias

1 Soube por intermédio de ... que os senhores estão procurando um(a) ...
2 Soube por meio da central de empregos daqui que os senhores procuram um(a) experiente ...
3 Pela presente, gostaria de candidatar-me ao cargo anunciado de ...
4 O(A) sr.(a) ... disse-me que os senhores têm uma vaga para ... Tenho bastante interesse por esse emprego e acredito possuir as qualificações necessárias.
5 Fui informado(a) pelo(a) sr.(a) ... que há em sua empresa uma vaga para ... Tomo a liberdade de candidatar-me a ela.
6 Fiquei muito interessado ao ler no jornal (na revista) ..., de ..., que os senhores procuram um(a) ... para começar em ...
7 Gostaria de candidatar-me à vaga de ...

Letters of application

Opening phrases

1 I note from ... that you are looking for a(n) ...
2 I have learned from my local JobCentre (employment office) that you are looking for an experienced ...
3 I hereby wish to apply for the job of ... advertised.
4 I have been told by Mr (Ms) ... that you have a vacancy for a ... I would be most interested in filling it and feel sure that I possess the necessary qualifications.
5 I have learned from Mr (Ms) ... that there is a vacancy for a(n) ... at your company and am thus taking the liberty of submitting my application to you.
6 I was extremely interested to read in the newspaper (magazine) of ... that you are looking for a(n) ... as from ...
7 I would like to apply for the post of ... at your company.

Detalhes complementares

1 Envio junto a esta meu *curriculum vitae* (um resumo de meu histórico profissional/uma lista de referências/um resumo de minha formação e experiência profissional).
2 Peço que vejam no *curriculum vitae* anexo as informações sobre minha escolaridade e experiência profissional.
3 De ... a ..., trabalhei como ... e disponho de ótimos conhecimentos na área de ...
4 Tenho ... anos, sou ... (nacionalidade) e após a conclusão dos estudos passei por capacitação em ...

Further details

1 I enclose my CV (a brief outline of my employment background/ a list of references/a summary of my professional training and work experience).
2 Please refer to the CV (curriculum vitae) enclosed for details of my educational and professional background.
3 I worked as a(n) ... from ... to ... and am well-versed in the field of ...
4 I am ... years old, ... (nationality, e.g. German) and after leaving school I trained as a(n) ...

5 Depois de receber o diploma escolar, completei minha formação profissional como ... (p. ex., administrador de empresas/chefe de escritório) na empresa ...
6 Concluí recentemente o curso de ... na Universidade de ...
7 Em ..., recebi o diploma de secretária com formação em inglês, francês e alemão, o qual é reconhecido em toda a UE.
8 O diploma europeu de ... que recebi comprova minha capacidade para trabalhar em qualquer país da UE como ...
9 Após ... anos de experiência profissional na área de ..., pretendo agora mudar de área e adquirir experiência em ...
10 Soube que os senhores dão preferência a colaboradores com experiência em informática. Como tenho diploma universitário em informática, possuo excelente conhecimento nessa área.
11 Meu salário atual é de ... (moeda) por ano.
12 Em meu cargo atual recebo um salário mensal (anual) de ... (moeda).
13 Se os senhores desejarem mais informações a meu respeito, posso apresentar-lhes como referência algumas pessoas que se disporão a fornecê-las.
14 As seguintes pessoas estão prontas a dar referências sobre mim: ...
15 Anexo a esta declarações de meus empregadores anteriores.
16 Meu atual empregador está ciente de minha candidatura a esse cargo. Assim, os senhores podem sentir-se à vontade para consultá-lo sobre mim.
17 Posso pedir demissão de meu atual emprego no dia ... Dessa forma, só teria condições de começar a trabalhar em sua empresa a partir de ...
18 Como estou desempregado, poderei iniciar imediatamente.

Frases finais

1 Eu ficaria grato(a) se os senhores pudessem marcar uma entrevista comigo.
2 Estou à sua inteira disposição para uma entrevista a fim de esclarecer quaisquer dúvidas.

5 After obtaining my school-leaving certificate (the equivalent of GCSEs in ... [subjects] in Britain) I completed a recognised training course as a(n) ... (e.g. business/ office administrator) at ... (firm).
6 I have just completed a course of study at the University of ... to become a(n) ...
7 The diploma in European secretarial studies in English, French and German which I was awarded on ... is recognised throughout the EU.
8 The European diploma in ... awarded to me is proof that I am able to work in any EU country as a(n) ...
9 After ... years' experience in the field of ... I am now looking for a change and wish to gain experience in the field of ...
10 I have heard that you attach particular importance to having staff with data-processing skills. I have special knowledge of this field, having obtained a degree in this subject at university.
11 My current salary is (currency) ... p.a.
12 My current post has a monthly (an annual) salary of (currency) ...
13 Should you so wish, I can provide you with the names of referees who will be willing to provide you with a personal reference at any time.
14 The following persons are willing to give a reference for me: ...
15 I enclose testimonials from my previous employers.
16 My present employer knows I am making this application. You may therefore feel free to approach him for information about me.
17 I would be able to resign my present post with effect from ... The earliest date on which I could start at your company would thus be ...
18 As I am currently unemployed, I could start immediately.

Closing phrases

1 I would be grateful if you could offer me the opportunity of attending an interview in the near future.
2 I am available for an interview to clarify any further questions whenever you may wish.

3 Peço que me informem sua decisão pelo telefone ... (número) ou pelo fax ... (número).
4 Ficaria grato(a) se, ao preencher essa vaga, os senhores se lembrassem de minha candidatura e de que estou à sua disposição para uma entrevista.
5 Estou à disposição para uma entrevista quando desejarem. Meu telefone é ... Se não me encontrarem, ficaria grato(a) se deixassem uma mensagem na secretária eletrônica. Retornarei a chamada imediatamente.
6 Peço-lhes que mantenham sigilo sobre minha candidatura e aguardo com interesse sua resposta.
7 Agradeço antecipadamente por sua pronta resposta.

3 Please notify me of your decision by telephone ... (number) or fax ... (number).
4 I would be grateful if, when filling this vacancy, you would bear in mind my application and that I am available to attend an interview at any time.
5 I am also available for interview at short notice. My telephone number is ... If I am not available, I would be grateful if you would leave a message on my telephone answering machine. I will then call you back immediately.
6 I would ask you to treat my application in the strictest confidence and look forward with interest to receiving your reply.
7 I thank you in advance for your reply at your earliest convenience.

Resposta a pedido de emprego e convite para entrevista

1 Agradecemos seu pedido de ... para a vaga de ...
2 Lemos com grande interesse seu anúncio nos classificados de "Empregados oferecem-se" no jornal (revista) ...
3 Pedimos que preencha a ficha de solicitação de emprego anexa e que a traga para a entrevista.
4 O(A) sr.(a) ..., chefe do Departamento de Pessoal de nossa empresa, vai recebê-lo(a) para uma entrevista de apresentação em ...
5 Temos a satisfação de informar-lhe que estamos interessados em sua candidatura e pedimos que o(a) sr.(a) se apresente em ... (data) ao(à) sr.(a) ... para entrevista.
6 Pedimos que compareça ao nosso Departamento de Pessoal em ..., às ... horas. Por favor, confirme essa data por escrito ou por telefone.
7 As eventuais despesas de viagem serão pagas por nós.

Reply to application and invitation to interview

1 Thank you for your application dated ... for the post of ...
2 We read your advertisement in the "Situations Wanted" column in the ... (newspaper/magazine) with great interest.
3 Please complete the application form enclosed and bring it with you to your interview.
4 Our Personnel Manager, Mr (Ms) ..., would like you to attend an interview with him (her) on ...
5 I am pleased to inform you that we are interested in your application and wish you to attend an interview with Mr (Ms) ... on ... at ...
6 We would ask you to report to our Personnel Department at ... (time) on ... (date). Please confirm this appointment by telephone or in writing.
7 Any travel expenses incurred will be borne by us.

Emprego concedido

1 Depois de nossa conversa (entrevista) em ..., estou satisfeito em poder oferecer-lhe o cargo de ... em nossa empresa.
2 Teremos a satisfação de admiti-lo(a) em nosso departamento, na função de ..., a partir de ...
3 Temos a satisfação de informar-lhe que, a partir de ..., o(a) senhor(a) passará a ser nosso(a) estagiário(a) em ...
4 Confirmamos pela presente que a partir de ... o(a) admitiremos na função de ..., recebendo um salário de ..., com um período de experiência de ... meses.
5 Sua admissão ocorrerá nas seguintes condições: ...

Applicant is employed

1 Following our discussion (your interview) on ..., I am now pleased to be able to offer you the post of ... at our company.
2 We will be pleased to employ you as a(n) ... in our department as from ... (with effect from ...).
3 We are pleased to inform you that you will receive a place as a trainee ... as from ...
4 We hereby confirm that we will employ you as a(n) ... at a salary of ... for an initial probationary period of ... months as from ...
5 Your terms of employment are as follows: ...

Recusa de solicitação de emprego

1 Agradecemos sua solicitação de ..., mas, infelizmente, não podemos contar com o(a) sr.(a) para a vaga (o[a] sr.[a] não estava entre os candidatos finais/o cargo vago já foi ocupado/a vaga foi ocupada por um funcionário nosso).
2 Como o número de candidatos foi inesperadamente alto, infelizmente o(a) sr.(a) não ficou entre os candidatos finais.
3 Devido à má situação dos negócios, infelizmente não temos vagas (estágios) para oferecer no momento.
4 Agradecemos o interesse demonstrado, mas pedimos que compreenda que não pudemos aceitar seu pedido de emprego.

Rejection of application

1 We thank you for your application of ... but regret to inform you that we have been unable to consider you for the post (you were not short-listed/ the vacancy has already been filled/a member of our staff has been found to fill the vacancy).
2 As there was an unusually high number of applicants, we have unfortunately not been able to put you on our short list.
3 Owing to the poor state of business, we are unfortunately not able to offer any posts (any additional traineeships/apprenticeships) at present.
4 We thank you for your interest in our company but regret that we have been unable to consider your application.

Demissão pelo empregador

1 Informamos pela presente que seu contrato de trabalho estará rescindido a partir de ...
2 Lamentamos comunicar-lhe que nossa empresa não precisará mais de seus serviços após o período de experiência.
3 Pedimos que considere esta carta como aviso formal de seu desligamento da empresa.
4 Devido às medidas de racionalização em nossa empresa, infelizmente vemo-nos obrigados a encerrar seu contrato de trabalho a partir de ...
5 Como o departamento em que o(a) senhor(a) trabalha será desativado em conseqüência da reestruturação de nossa empresa, vemo-nos obrigados a demiti-lo em ...

Employer gives employee notice

1 We hereby inform you that your contract of employment will be terminated as from ...
2 We regret to inform you that this company is not willing to continue employing you after the end of your probationary period.
3 Please consider this letter to be your formal notice of dismissal.
4 As a result of rationalisation, this company is unfortunately obliged to terminate your contract of employment as from ...
5 As the department in which you are employed will be closed down as a consequence of the restructuring of the company, we are unfortunately compelled to make you redundant as from ...

Demissão por parte do empregado

1 Como aceitei o convite para ocupar o cargo de ... a partir de ..., desejo pela presente afastar-me desta empresa na data de hoje.
2 Peço que aceitem meu pedido de demissão do cargo de ... a partir de ...
3 Ficaria grato(a) se aceitassem meu pedido de demissão a partir de ...
4 Apresento nesta meu pedido de demissão, obedecendo ao prazo de aviso prévio, a partir de ...
5 Como terei oportunidade de utilizar meus conhecimentos de ... (idioma) em outra empresa, decidi encerrar meu contrato de trabalho com os senhores a partir de ...
6 Como me ofereceram a oportunidade de trabalhar por algum tempo no exterior, peço-lhes que cancelem meu contrato de trabalho com os senhores a partir de ...

Employee gives in his (her) notice

1 As I have been offered the post of ... with effect from ..., I hereby wish to terminate my contract of employment with you as of ...
2 Please accept my resignation as ... as from ...
3 I would be grateful if you would accept my resignation with effect from ...
4 I hereby tender my resignation, in accordance with the specified notice period, with effect from ...
5 As I am able to make use of my knowledge of ... (language) at another company, I have decided to terminate my employment contract with you as of ...
6 As I have been offered the opportunity of working abroad for some time, I would request you to terminate my contract of employment with you as from ...

Correspondência de transportes
Correspondence in freight forwarding

Frete aéreo

Consulta a transportadora

1 Seu endereço nos foi dado por sua embaixada (seu consulado, sua câmara de comércio e indústria etc.).
2 Os senhores teriam condições de transportar nossa mercadoria por via aérea e, em caso afirmativo, sob que condições? Gostaríamos que nos respondessem sem demora.
3 Enviem-nos, por favor, uma cópia da regulamentação de transporte de carga aéreo.
4 Obtivemos seu endereço na publicação técnica "...".
5 Passaremos a enviar nossos produtos – mercadorias normais – por frete aéreo a Buenos Aires, Londres, Paris, Madri, Lisboa e Munique. Serão embalados em caixas de papelão de 34 x 34 x 50 cm, com peso médio unitário de 35 kg. Informem-nos, por favor, os custos por partida da fábrica ao aeroporto de destino.
6 Informem-nos, por favor, quanto custa fretar um avião para transporte de ...
7 Nossa remessa semanal para ... (local) totaliza ... toneladas. Pedimos que negociem para nós uma tarifa especial com ... (nome da companhia aérea).
8 Existe a possibilidade de enviar uma máquina (não embalada, em palete de madeira medindo ...) em um avião cargueiro para ... e, em caso afirmativo, sob que condições?
9 Pedimos que verifiquem se nossos produtos (veja o prospecto anexo) estão sujeitos a restrições de transporte por via aérea.

Air freight

Enquiry made to freight forwarder

1 We have been given your address by your embassy (consulate, chamber of commerce and industry etc.).
2 Are you able to transport our goods by air freight and, if so, on what terms? Please let us know.
3 Would you please send us a copy of the air freight regulations.
4 We found your address in the trade journal "...".
5 We will, in future, be sending our goods – normal commercial items – by air freight to Buenos Aires, London, Paris, Madrid, Lisbon and Munich. They will be packed in cardboard boxes measuring 34 x 34 x 50 cm and weighing an average of 35 kg each. Please let us know what costs would be incurred per consignment for transport ex factory to the airport of destination.
6 Please let us know what it would cost to charter an aircraft to transport ...
7 Our weekly freight volume to ... (location) amounts to ... tonnes. Please negotiate a special rate for us with ... (name of airline/air carrier).
8 Is it possible to send a machine (uncrated on a wooden base measuring ...) on a freight-only plane to ... and, if so, on what terms?
9 Please ascertain whether our products (see brochure enclosed) are subject to air freight transport restrictions.

10 Quando nos serão enviadas as taxas de reembolso contra entrega de mercadoria recebidas pelos senhores no conhecimento aéreo n.º ...?
11 Os senhores podem expedir uma remessa de ...kg para ... pela ... (companhia aérea)?
12 Não ficou claro pela correspondência que trocamos até agora se os senhores são filiados à IATA ou não. Como essa informação é muito importante para nós, pedimos que nos esclareçam a respeito.
13 É muito importante para nós que os senhores sejam uma empresa filiada à IATA.

10 When will the C.O.D. charges collected by you on AWB No. ... be remitted to us?
11 Can you transport a consignment of ... kg to ... with ... (airline)?
12 It is not clear from our previous correspondence whether you are an IATA agent or not. As this is of great importance to us, we would ask you to let us know.
13 We attach great importance to IATA membership.

Resposta da transportadora

1 Em resposta a sua consulta datada de ..., informamos os seguintes detalhes: ... .
2 Sua mercadoria está prevista na lei tarifária n.º ...
3 O custo de frete do aeroporto de ... ao aeroporto de ... é de ... por quilograma.
4 A retirada das mercadorias em sua fábrica e sua tramitação no aeroporto (a expedição do conhecimento aéreo, o trâmite alfandegário etc.) são calculados com base na tarifa de frete aéreo para serviços adicionais, que anexamos à presente.
5 Caso os senhores ainda tenham dúvidas, teremos prazer em esclarecê-las.
6 De acordo com sua solicitação, enviamos junto a esta a regulamentação de transporte de carga aéreo.
7 Pelo que pudemos apurar, suas mercadorias não estão sujeitas a restrições de transporte.
8 O preço do afretamento de um avião para transportar ... para ... é de ...
9 O custo do afretamento parcial de ...m³ de ... para ... é de ...
10 Para que sua máquina embarque num avião cargueiro, os senhores precisam dar-nos a data exata da remessa com pelo menos ... dias de antecedência.
11 Para que possamos obter tarifas especiais nas companhias aéreas, é necessário que o transporte seja de no mínimo ... kg diários.
12 No momento, apenas a ... (companhia aérea) serve o aeroporto de ... Portanto, é impossível transportar mercadorias pela ... (nome de outra companhia aérea).

Forwarding agent's reply

1 On the basis of your enquiry dated ... we are pleased to provide you with the following details:
2 Your goods come under tariff No. ...
3 The freight costs from ... Airport to ... Airport are ... per kilo.
4 The charges made for collecting the goods from your plant, processing them at the airport (issuing an AWB, customs clearance etc.) are calculated using the air freight tariff for additional services, which we enclose for your information.
5 Should you have any more queries we will be pleased to answer them.
6 As requested, we enclose a copy of the air freight regulations.
7 As far as we have been able to ascertain, your goods are not subject to transport restrictions.
8 It would cost ... to charter a whole aircraft to transport ... to ...
9 The part-charter of ... m³ of aircraft space from ... to ... would cost ...
10 You would have to give us a firm loading date at least ... days before the flight date in order to have your machine transported on a freight-only plane.
11 A minimum of ... kg per day would have to be transported for us to negotiate a special rate with individual air carriers.
12 At present, ... Airport is only being served by ... (name of airline). It is therefore not possible to forward goods using ... (name of different airline).

13 Somos filiados à IATA desde ... Temos, portanto, a experiência necessária para executar suas remessas por via aérea.

Pedidos de transporte

1 Com base em sua proposta de ..., encarregamos os senhores pela presente para que em ... recebam e despachem a seguinte remessa por frete aéreo imediato:
... caixas de papelão, com peso total de ... kg, para ...
... engradados (caixotes), com peso total de ... kg, para ...
... pacotes, com peso total de ... kg, para ...
Todos os custos até os aeroportos de destino serão por nossa conta. Após a tramitação das mercadorias, pedimos que nos enviem duas cópias de cada um dos conhecimentos aéreos.
2 Pedimos que retirem em nossa fábrica em ... (data) ... caixas de papelão de ... e as despachem por frete aéreo para ..., de acordo com a ordem de expedição anexa.
3 Pedimos que retirem na ... (empresa), em ... (data), um total de ... caixas de peças de reposição e as despachem imediatamente por frete aéreo ao seguinte endereço: ...
4 A ... (empresa) vai entregar as mercadorias aos senhores, no dia ..., em seu escritório do aeroporto ... Pedimos que as despachem para ... no primeiro vôo.
5 A mercadoria estocada em seu estabelecimento precisa ser enviada por frete aéreo para ...
6 Vejam na fotocópia da carta de crédito anexa as instruções exatas de expedição.
7 Pela presente, encarregamos os senhores da reserva para o dia ... de um avião fretado para ..., ao preço de ...
8 A taxa de reembolso contra entrega da mercadoria na remessa para ... é de ...
9 Se for possível o reembolso contra entrega da mercadoria, pedimos que cobrem a quantia de ...
10 Se o reembolso contra entrega da mercadoria não for permitido, pedimos que excluam essa taxa ao despachar a remessa e cobrem apenas seus encargos de manuseio.
11 Lembrem-se, por favor, de que em caso de emergência deve-se sempre recorrer à ... (empresa).

13 We have been IATA agents for ... (length of time) / since ... (date) and thus have all the necessary expertise to handle your air freight consignments.

Awarding contracts

1 On the strength of your offer of ... we hereby commission you to take charge of the following consignment on ... and transport it by air freight immediately:
... cardboard boxes, total weight ... kg, to ...
... crates, total weight ... kg, to ...
... packages, total weight ... kg, to ...
All costs incurred up to the airports of destination will be borne by us. After the goods have been processed, please send us two copies of each of the airway bills by return.
2 Please take charge of ... cardboard boxes of ... at our plant on ... and send them by air freight to ..., as per the despatch order attached.
3 Please collect a total of ... cases of spare parts from ... (firm) on ... and then despatch them by air freight to the following address immediately:
4 ... (firm) will be delivering the goods to your airport office ... on ... Please fly them out to ... on the next available flight.
5 The consignment stored with you is now to be sent to ... by air freight.
6 Please refer to the photocopy of the letter of credit enclosed for exact forwarding instructions.
7 We hereby commission you to order a charter aircraft to ... at a cost of ... for ... (date).
8 The additional C.O.D. charge to be made for the consignment to ... is ...
9 Assuming it is possible to deliver the goods C.O.D., we would request you to collect the sum of ...
10 Should C.O.D. not be permissible, please exclude this charge when forwarding the goods and only collect your own handling fees.
11 Please note that the emergency address to be entered is always that of ... (firm).

12 Fazemos questão de que os senhores sejam filiados à IATA.
13 Recebemos do consignado a orientação de transportar as mercadorias apenas por empresas filiadas à IATA.
14 O consignado deseja expressamente que a transportadora seja a ...

Confirmação de pedido

1 Agradecemos nos terem contratado para cuidar de todas as remessas aéreas que os senhores recebam.
2 De acordo com seu pedido, as mercadorias prontas para embarque serão retiradas em ... (data) e despachadas por frete aéreo para ...
3 As mercadorias especificadas serão retiradas na ... (empresa) no dia ..., de acordo com suas instruções, e despachadas por frete aéreo.
4 Providenciaremos o embarque das mercadorias especificadas tão logo elas sejam entregues em nosso escritório no aeroporto.
5 Seguiremos à risca suas instruções de expedição das mercadorias.
6 De acordo com o combinado, fretamos em seu nome, para o dia ..., um avião com carga útil de ... da ... (empresa aérea). O avião estará pronto pontualmente.

Disposições gerais

1 Todos os volumes enviados por avião para ... devem estar rotulados com o nome do país de origem, além dos dados costumeiros.
2 Em ... (local), exigem-se 4 cópias não autenticadas das faturas comerciais contendo as informações usuais.
3 Em ... (local), exige-se que as remessas postais tenham a mesma documentação que as remessas de mercadorias.
4 Em ... (local), amostras de mercadorias sem valor comercial podem ser importadas isentas de impostos alfandegários.
5 As mercadorias retidas pela alfândega de ... podem ser armazenadas por 3 meses, sujeitas a encargos (às vezes por períodos mais longos em portos livres). Após esse período, são levadas a leilão público.

12 We attach great importance to official IATA membership on your part.
13 The consignee has instructed us only to have the goods transported by IATA agents.
14 The consignee has expressly requested that ... (name of freight forwarder) be used.

Confirmation of contract

1 We thank you for commissioning us to process all incoming air freight consignments.
2 The goods awaiting loading will be collected on ... as instructed and sent to ... by air freight.
3 The goods specified will be collected from ... (firm) on ... as per your instructions and sent on by air freight.
4 As soon as the goods specified have been delivered to our airport office, they will be processed.
5 Your forwarding instructions for the goods will be strictly adhered to.
6 As agreed, a charter aircraft with a payload of ... has been ordered for you from ... (airline) for ... (date). The aircraft will be made available in good time.

Miscellaneous regulations

1 All parcels sent by plane to ... must be labelled with the country of origin and also bear the usual marks.
2 In ... (location), 4 unauthenticated copies of the commercial invoice containing all the usual information are required.
3 In ... (location), consignments sent by post require the same documentation as freight consignments.
4 Samples without commercial value can be imported into ... duty-free.
5 Goods not cleared by customs in ... can be stored for a fee under customs supervision for 3 months (sometimes for longer in the free port). After this time they are auctioned off to the public.

6 Em ... (local), todas as importações estão sujeitas a imposto aduaneiro padrão de ...%, além de um imposto adicional de ...% sobre os chamados bens de luxo.
7 Em ... (local), as amostras são isentas de impostos alfandegários, ao passo que brindes comerciais estão sempre sujeitos a taxação.
8 Uma vez que não se podem exceder as cotas anuais de importação de ..., em ... (local), será necessário o Ministério de ... aprovar as remessas excedentes.

6 In ... (location), all imports are subject to ...% standard customs duty as well as an additional tax of ...% on so-called luxury goods.
7 In ... (location), samples are duty-free whereas free gifts for commercial purposes are always subject to customs duty.
8 Since the annual import quotas for ... in ... must not be exceeded, approval is required from the Ministry of ... for any extra consignments.

Frete marítimo e frete fluvial

Solicitação de proposta

1 Temos ... engradados (caixotes) de ... (dimensões: ..., peso total: ...) para ser entregues FOB ... a ... Pedimos que nos apresentem sua melhor proposta.
2 Qual o custo do transporte de ... fardos (dimensões: ..., peso bruto: ...) postos a bordo do navio para ...?
3 De acordo com a tabela de fretes marítimos que temos, nossa mercadoria (...) não está sujeita a tarifas. Por isso, gostaríamos de saber se os senhores podem oferecer-nos uma "tarifa aberta".

Sea freight and inland waterway freight

Requests for offer

1 We have ... crates of ... (dimensions: ..., total weight: ...) to be delivered to ... FOB ... Please make us your most favourable offer.
2 What are the costs for forwarding ... bales of ... (dimensions: ..., gross weight: ...) from on board ship to ...?
3 According to our sea freight list, our goods (...) are not subject to a freight tariff rate. Can you therefore offer us an "open rate"?

Consultas gerais à transportadora

1 A representação comercial de seu país em nossa cidade deu-nos seu endereço.
2 Pedimos que nos informem que companhias de navegação os senhores representam.
3 Todos os navios que transportam sua carga constam, sem exceção, do Registro do Lloyd?
4 De que informações os senhores necessitam a respeito da mercadoria por embarcar?
5 Nossas cargas gerais seriam embarcadas em navios conferenciados ou de armadores independentes ("outsiders")?
6 Pedimos que nos enviem informações sobre cargueiros a granel.
7 Qual a vantagem do sistema "lash" na prática?

General enquiries to freight forwarder

1 We have been given your address by your country's local trade representative.
2 Please let us know which shipping lines you represent.
3 Are all the ships carrying your cargoes listed, without exception, in Lloyd's Register?
4 What details do you need regarding the goods to be loaded?
5 Would you ship our general cargoes using conference ships or outsiders?
6 Please let us have some literature on bulk carriers.
7 What effect does the lash system have in practice?

8 Pedimos que nos informem por fax quando a embarcação fluvial ... estará pronta para ser carregada.
9 Sua proposta geral de frete inclui também as tarifas de eclusas?

8 Please let us know by fax as from when the inland waterway craft ... will be ready for loading.
9 Does your general freight offer also include lock charges?

Contratos de frete

1 Os senhores têm relações com companhias de navegação que possam realizar um afretamento completo de embarcação?
2 Os senhores têm relações com companhias de navegação que aluguem navios vazios (frete a casco nu) sob contrato anual? Procuramos navios com capacidade aproximada de ... TRB, cujo ano de construção seja posterior a 19...
3 Gostaríamos que os senhores fretassem parcialmente um navio para um embarque de carga para ...
4 Nosso cliente exige que utilizemos um navio sob bandeira ...
5 Quais as condições para se alugar um navio-tanque?
6 Os senhores poderiam recomendar um tipo de navio especial para o transporte de carga a granel?

Charter contracts

1 What connections do you have with shipping companies able to handle a full charter?
2 Do you have any connections with shipping companies hiring out empty ships (bareboat charters) on annual contracts? We are looking for sea-going vessels with a capacity of approx. ... GRT and which must have been built since 19 ...
3 We would like you to arrange a part-charter for us for a shipment to ...
4 Our customer has instructed us to use a ... -flagged vessel.
5 What terms can tankers be hired on?
6 Can you recommend a particular type of vessel suitable for transporting bulk cargo?

Possibilidade de carga

1 Pedimos que verifiquem se o navio ..., que deverá zarpar em ..., ainda tem com certeza possibilidade de acomodar no porão ... toneladas de ..., embaladas em sacos plásticos com dimensões de ...
2 É possível reservar ... m³ para carga a bordo do navio ..., que deverá zarpar em ...?
3 Pedimos que verifiquem se o navio ... pode aceitar nossa carga como frete facultativo. Quais os custos adicionais daí decorrentes?
4 É possível transportar mercadorias por via fluvial sem transbordo de ... para ...?

Loading possibilities

1 Please find out whether the vessel ..., due to set sail on ..., is still definitely able to take a hold cargo on board of ... tonnes of ... packed in plastic sacks measuring ...
2 Is it still possible to reserve ... m³ of space on board the vessel ..., which sets sail on ...?
3 Please find out whether the vessel ... is able to accept our load as optional freight. What additional costs would be incurred for this?
4 Is it possible to transport the goods by inland waterway without transhipment from ... to ...?

Carga, descarga, embarque

1. Informem-nos, por favor, se nossa carga será posta no porão ou no convés.
2. Seria possível termos conhecimento do plano de estiva quando as mercadorias forem embarcadas?
3. Informem-nos, por favor, se as mercadorias expedidas para ... irão direto para lá ou se será feito transbordo.
4. De acordo com o boletim de navegação, o navio "..." deve atracar em ... Quando se iniciará a descarga?
5. O navio já atracou?
6. As mercadorias transportadas pelo navio (a motor) "..." já foram desembarcadas? Em caso contrário, quando deverá começar o descarregamento?
7. Providenciem, por favor, o transporte imediato para ..., por via fluvial, das mercadorias vindas no navio "...", que atraca em ...
8. Os senhores poderiam encarregar-se, sob condições acessíveis, da mercadoria armazenada no galpão no ... e enviá-la em caminhão para ...?
9. Seria possível enviar por trem a mercadoria que está no galpão no ... ou é necessário primeiro transportá-las por outro meio?
10. Os senhores poderiam cuidar do trâmite alfandegário no porto e depois expedir a mercadoria para ... da maneira mais rápida possível?
11. O total do pagamento no ato da entrega das mercadorias que chegaram em ... é de ... Pedimos que enviem imediatamente as mercadorias para ..., contra reembolso de todas as despesas até o presente.
12. Não podemos responsabilizar-nos pela mercadoria até que o pagamento do reembolso seja acertado com o expedidor.
13. Os senhores poderiam, sob condições favoráveis similares, armazenar por ... dias a carga em volumes que está chegando ao porto livre e depois providenciar na alfândega a remessa de parte deles, segundo nossas instruções?
14. Os senhores podem fazer embarques por nossa conta para ... mediante conhecimentos de embarque pagos no ato?

Loading, unloading, shipping

1. Please let us know whether our consignment will be loaded below or above deck.
2. Can the stowage plan be made available to us when the goods are loaded?
3. Please let us know whether the goods to be shipped to ... will be transported there directly or whether they will have to be transhipped.
4. According to the shipping list, SS "..." is due to dock on ... When will unloading commence?
5. Has the ship docked yet?
6. Have the goods which arrived on board MS "..." been unloaded yet? If not, when is unloading expected to take place?
7. Please ensure that the goods arriving on board SS "...", docking on ..., are immediately transferred to an inland waterway craft and forwarded to ...
8. Can you take over the goods stored in shed No. ... on favourable terms and forward them to ... by lorry?
9. Can goods be directly forwarded by rail from shed No. ... or must they first be transported by other means?
10. Can you attend to customs clearance at the port and then forward the consignment to ... by the fastest available means?
11. The C.O.D. charge on the goods which arrived on ... is ... Please send the goods on immediately to ..., C.O.D. all charges incurred to date.
12. We are not prepared to accept the goods until the matter of the C.O.D. charges has been cleared up with the consignor.
13. Can you, on similarly favourable terms, temporarily store package freight arriving in the free port for ... days and then arrange for partial customs clearances as per our instructions?
14. Can you ship consignments for us to ... on partially prepaid bills of lading?

15 Verifiquem, por favor, se foi assinado um conhecimento marítimo sem restrições. Caso haja alguma limitação, avisem-nos por fax imediatamente.
16 O conhecimento de embarque em seu poder contém alguma restrição?

15 Please ascertain whether a clean bill of lading has been signed. If it is claused in any way, please fax us imediately.
16 Is the bill of lading in your possession claused?

Contêineres

1 Temos a intenção de despachar ... em contêiner para ... Os senhores poderiam fornecer-nos um conhecimento de transporte ponto a ponto?
2 O próximo cargueiro porta-contêineres para ... realmente não vai zarpar até ...?
3 É possível enviar uma carga em contêiner diretamente para ...?
4 Em que data será possível enviar um contêiner para ...?
5 Em que embalagem devem seguir as mercadorias dentro do contêiner?
6 Ao usar um contêiner, devem ser pagas taxas de aluguel?
7 Ao usar um contêiner, deve-se pagar um frete global (lump sum)?
8 Há taxas extras na devolução do contêiner?
9 Que tipos de transporte podem ser usados para despachar para ... o contêiner que chega em ... (data) no navio (a motor)?
10 Quanto tempo leva para transportar o contêiner do terminal do porto de chegada para a estação de destino, ...?
11 Já que o contêiner está sendo enviado CIF ... e o destinatário, domiciliado em ..., quer entrega em domicílio, os senhores terão de cobrar de nós os gastos adicionais a partir do porto de chegada. Caso os senhores desejem um pagamento antecipado, por favor avisem-nos por fax.

Containers

1 We plan to forward a consignment of ... to ... by container. Can you provide us with a through bill of lading?
2 Does the next container ship to ... really not sail until ...?
3 Is it possible to ship goods directly by container to ...?
4 When can a container be shipped to ...?
5 How must the goods be packed in the container?
6 Is there a hire charge for a container?
7 Must a a flat-rate freight charge (lump sum) be paid for a container?
8 Are there any additional costs when the container is returned?
9 What modes of transport are available to forward the container arriving on board MS "..." on ... (date) to ...?
10 How long will it take for the container to get from the container terminal at the port of arrival to its final destination, ...?
11 As the container is being sent CIF ... but the consignee, whose premises are in ..., wants us to deliver franco domicile, you will have to charge us for all costs incurred as from the port of entry. Should you wish us to make an advance payment, please fax us to this effect.

Custos

1 Os fretes podem ser pagos em que moedas?
2 Os contratos temporais de frete contêm uma cláusula de rescisão que estipule a suspensão das despesas de aluguel em caso de falha mecânica, colisão ou tripulação insuficiente?

Charges

1 What currencies can charter costs be paid in?
2 Has a clause (breakdown clause) also been included in the time-charter contracts to be used, stipulating when hire charges are interrupted in the event of engine failure, collision or a lack of crew members?

3 Paga-se uma tarifa adicional se um navio fretado for carregado ou descarregado com mais rapidez?
4 Fora as despesas com frete total (parcial) de navio, teremos de pagar outras tarifas de permissão para descarregamento (para zarpar)?
5 Quando devem ser pagas as despesas de frete?
6 É obrigatório o pagamento de sinal e, em acaso afirmativo, quanto é?
7 Ainda se cobra uma sobretaxa de ...% no porto de ...?
8 Espera-se uma redução da sobretaxa para breve?
9 Os senhores poderiam nos informar quando a sobretaxa deve ser abolida ou se será reduzida em breve?
10 Gostaríamos que nos informassem a respeito das tarifas da Conferência de Fretes sobre primagens e descontos nas mercadorias embarcadas para ...
11 Que vantagens recebemos ao assinar contratos?
12 A quanto chegarão as sobretaxas de inverno?
13 As mercadorias recebidas devem ser estocadas no porto livre por prazo indefinido, à nossa custa. Informem-nos, por favor, o mais rápido possível, qual será o custo disso.
14 Qual é a diferença de preço no transporte de ... toneladas de ..., com ... (dimensões), utilizando navios conferenciados e de armadores independentes ("outsiders")?

3 Is dispatch-money payable if a charter ship is loaded or unloaded more quickly?
4 Will we also have to pay charges for clearing in and out, in addition to full (part) charter costs?
5 When must the charter costs be paid?
6 Is there an obligatory advance payment and, if so, how much is it?
7 Is there still a surcharge of ... % at the port of ...?
8 Is the surcharge expected to be reduced in the near future?
9 Are you able to tell us when the surcharge is expected to be abolished, or if it is going to be reduced in the near future?
10 Please let us have details of conference rates as regards primages and discounts on goods forwarded to ...
11 What benefits are there for us if we sign a contracts?
12 How high will the winter surcharges be?
13 The goods received are to be stored in the free port at our expense for an indefinite period of time. Please let us know the costs for this as quickly as possible.
14 What is the difference in price when transporting ... tonnes of ..., dimensions ..., using conference ships as opposed to outsiders?

Pedidos

1 Nas condições de sua proposta de ..., gostaríamos de encarregá-los do embarque FOB de ... engradados (caixotes) de ..., com peso total de ..., para ...
2 Estando de acordo com seu orçamento, encarregamos os senhores por meio desta para transportar ... fardos de ..., de ... para ...
3 Pedimos que reserve um espaço de carga de ... m^3 no navio "...", com partida prevista para ...
4 Pedimos que reservem espaço de porão no navio "..." para nossa remessa de ...
5 Em resposta a sua confirmação, pedimos que embarquem no navio (a motor) "..." nossa partida de ..., como carga facultativa.

Orders

1 On the basis of your offer of ... we wish to entrust you with the FOB shipment of a consignment of ... crates of ..., total weight ..., to ...
2 We accept your quotation for transporting ... bales of ... from ... to ... and hereby commission you to do so.
3 Please reserve ... m^3 of space on board the vessel "...", which is due to sail on ...
4 Please book our load of ... as hold cargo on board the vessel " ...".
5 As per your confirmation, please ship our consignment of ... with an option on MS "...".

Respostas a consultas

1 Em rápida resposta a sua consulta, informamos que os gastos com remessa FOB dos engradados (caixotes) de ..., com peso total de ... kg, totalizarão ...
2 Os custos de expedição de ... fardos de ... de bordo do navio para ... compreendem o seguinte: despesas de frete marítimo até ... kg, ...; taxa de seguro sobre o valor da mercadoria, ...; tarifa portuária por 100 kg, ...
3 Com base em sua lista de produtos, verificamos que incidem sobre eles as tarifas ...
4 Temos a satisfação de lhes informar que as mercadorias podem ser expedidas diretamente para ...
5 De acordo com a cláusula de valor, seus produtos estão classificados como "ad valorem".
6 Em resposta a sua consulta, informamos com satisfação que ainda é possível reservar espaço de carga no navio "...", que zarpa em ...
7 Não é praxe trabalhar com planos de estiva no caso de mercadorias embaladas individualmente.
8 O navio "..." faz escala nos seguintes portos:
9 Confirmamos com a companhia de navegação que nossa partida pode ser embarcada como carga de porão no navio (a motor) "...".
10 Sem dúvida teremos prazer em cuidar do trâmite de todas as suas remessas de carga geral a um preço favorável.
11 A companhia de navegação acaba de nos informar que sua remessa para ... ainda pode ser contratada como carga facultativa.
12 As despesas extras totalizarão ...
13 Segundo a companhia de navegação, suas mercadorias serão transportadas no convés (no porão).
14 Graças às nossas relações com companhias de navegação respeitadas, podemos fazer para os senhores, quando desejarem, o frete total de navios de cerca de 8.000 toneladas brutas.
15 Sem dúvida temos relações com companhias de navegação que fazem afretamento a casco nu mediante contrato anual.

Replies to enquiries

1 In immediate response to your enquiry, we wish to inform you that the FOB costs for the crates of ..., total weight ... kg will come to ...
2 The costs for forwarding ... bales of ... from on board ship to ... can be broken down as follows: sea freight costs up to ... kg ..., insurance charge on value of goods ..., wharfage charge per 100 kg ...
3 We see from your list of products that your goods classify for the ... rate.
4 We are pleased to inform you that the goods can be shipped to ... direct.
5 According to the valuation clause, your goods classify as "ad valorem".
6 In reply to your enquiry we are pleased to inform you that it is still possible for space to be booked for you on board the vessel "...", which sets sail on ...
7 It is not standard practice to work with a stowage plan for general cargoes.
8 SS "..." will call at the following ports on the way:
9 We have checked with the shipping company and learned that your consignment can be shipped as hold cargo on board MS "...".
10 We will, of course, be pleased to process all your future package freight at favourable rates.
11 We have just heard from the shipping company that your consignment to ... can still be booked as a shipment with option.
12 The additional charges will amount to ...
13 According to the shipping company, your goods will be shipped above (below) deck.
14 Thanks to our links with all the well-known shipping companies, we are able to charter whole ships of approx. 8000 GRT for you at any time.
15 We do, of course, have connections with shipping companies which hire out empty ships on annual contracts (bareboat charters).

16 A fim de contratar um frete parcial, precisamos das seguintes informações: peso total da carga, cubagem de cada pacote e, se houver, quaisquer características particulares das mercadorias.
17 É sem dúvida praxe no ramo incluir no contrato uma cláusula de rescisão (breakdown clause).
18 Nossa companhia paga (não paga) taxas extras pela rapidez no carregamento ou descarregamento de navios fretados.
19 Cobram-se (não se cobram) tarifas de permissão de descarregamento (de zarpar) em fretes totais (parciais), de ...% do montante fretado.
20 Devem ser pagas ...% das despesas de frete na apresentação do pedido, e o saldo pode ser liquidado contra recebimento das mercadorias no porto de destino.
21 Deve ser feito um pagamento adiantado de ...%.
22 As despesas de frete devem ser pagas em ...
23 Em resposta à sua consulta, informamos que (não) podemos emitir um conhecimento de transporte ponto a ponto para sua remessa a ...
24 A próxima saída de um cargueiro porta-contêineres está prevista para ...
25 Para a utilização de um contêiner, pode ser paga uma quantia mínima pelos fretes, que, todavia, estão sujeitos a livre negociação.
26 Incorre-se nas seguintes (não se incorre em) despesas na devolução de um contêiner: (...)
27 Os contêineres serão levados do porto de ... para ... pela ... (nome da empresa), transportadora associada a nós.
28 Levará cerca de ... dias o transporte de seu contêiner do terminal ... para o local de destino em ...
29 A mudança de rota do contêiner ocasionará as seguintes despesas: ... Pedimos que transfiram prontamente essa quantia para nossa conta no banco ...
30 Conforme solicitado, anexamos a esta informações sobre transporte de carga a granel.
31 O folheto anexo, "...", traz informações sobre as vantagens do sistema LASH.
32 A comissão do corretor é fixada pela tabela de taxas cabíveis em cada caso.

16 In order to arrange a part charter we require the following details: total weight of shipment, cubic dimensions of the individual packages and, if applicable, any peculiarities of the goods.
17 It is, of course, quite customary in the trade for a "breakdown clause" also to be included.
18 (No) additional allowance is granted by our company for loading or unloading charter ships more quickly.
19 Clearing in (out) charges are incurred (are not incurred) for a whole (part) charter, i.e. ...% of the total charter amount.
20 ...% of the charter costs are due when the order is placed, the balance being payable on receipt of the goods at the port of destination.
21 There is an obligatory advance payment of ...%
22 The charter costs must be paid in ...
23 In reply to your query, we wish to inform you that we are able (unable) to issue a through bill of lading for your consignment to ...
24 The next container ship is expected to set sail on ...
25 A minimum freight rate is payable for the use of a container, but is, however, freely negotiable.
26 There are (no) the following additional costs when a container is returned:
27 ... (name of firm), the freight forwarding agency with which we are affiliated, will forward containers from the port of ... to ...
28 It will take approx. ... days for your container to get from the terminal ... to its final destination ...
29 The following charges will be incurred for the rerouting of the container: ... Please transfer this amount to our account at the ... Bank immediately.
30 We enclose literature on bulk carrier transport as requested.
31 The enclosed brochure, "...", will provide you with information on what effect the lash system has in practice.
32 The broker's commission is determined by the scale of charges applicable in each case.

#	Portuguese	English
33	Enviamos nesta a lista de tarifas fixadas pela administração portuária.	We enclose the scale of charges as laid down by the port authorities.
34	A diferença de preço de frete entre os cargueiros da Conferência e os de armadores independentes ("outsiders") é de cerca de ...%.	The difference in price between conference and outsider freight amounts to approx. ... %
35	De acordo com o peso e as dimensões informados, as despesas de descarga somarão ...	On the basis of the weight and dimension lists provided, the unloading costs will amount to a total of ...
36	O barco será descarregado assim que atraque no cais (no) ...	The vessel is unloaded immediately once it has docked at wharf (No.) ... (... wharf).
37	O barco está atracado junto ao galpão no ... O descarregamento tem início previsto para as ... (hora).	The vessel is already moored at shed No. ... Unloading is expected to start today at approx. ... (time).
38	Conforme as instruções, as mercadorias vindas no navio (a motor) "..." serão imediatamente transferidas para um barco fluvial e expedidas a ...	As instructed, the goods arriving on board MS "..." will be loaded on an inland waterway craft immediately and forwarded to ...
39	Sem dúvida poderemos transportar por caminhão, a qualquer momento, a mercadoria que se encontra no galpão n? ...	We will, of course, be pleased to forward the goods in shed No. ... by lorry at any time.
40	O galpão n? ... tem ramal ferroviário próprio. Assim, sugerimos que as mercadorias sejam transportadas por via férrea.	Shed No. ... has its own rail link. We therefore recommend that the goods be sent on by rail.
41	Somos especialistas no trâmite alfandegário portuário e dispomos de transporte consolidado bem-organizado para as principais cidades da UE.	We specialise in customs clearance at the port and operate a well-organised groupage system to all the major cities of the EU.
42	Os embarques para ... podem ser feitos mediante conhecimentos de embarque pagos antecipadamente.	Shipments to ... can be made on partially prepaid bills of lading.
43	Pedimos que verifiquem na lista anexa a classe do navio "...".	Please refer to the enclosed list for the classification of the vessel "...".
44	Todos os navios que transportam nossas mercadorias constam, sem exceção, do Registro do Lloyd.	The vessels carrying our cargo are, without exception, listed in Lloyd's Register.
45	Segundo o conhecimento de embarque, a mercadoria desembarcada em ... (data) encontra-se no galpão em perfeito estado.	According to the bill of lading, the goods which arrived on ... are at the shed and undamaged.
46	O conhecimento de embarque contém cláusulas restritivas. Já pedimos que as mercadorias sejam examinadas por uma firma de perícia.	The bill of lading is claused. We have arranged for the goods to be examined by the ... claims agency.
47	O conhecimento marítimo está subscrito sem restrições.	The bill of lading is certified clean.
48	Há (não há) um certificado de peso específico para as mercadorias chegadas em ... a bordo do navio (a motor) "...".	There is (no) separate weight certificate for the goods which arrived on board MS "..." on ...
49	A franquia para o embarque de ... em barris está prevista nos termos do nosso conhecimento de embarque.	The franchise for shipping ... in barrels is included among the terms of our bill of lading.
50	Enviamos aos senhores o manifesto de embarque em ..., por carta registrada.	The mate's receipt was sent to you on ... by registered post.
51	O barco fluvial ... está atracado na doca ...	The inland waterway craft ... is moored in the ... basin.

52 A sobrestadia do rebocador ... é de ... por dia.
53 O canal ... é navegável a qualquer tempo para embarcações de aproximadamente ... TRB.

Contratação

1 As referências que os senhores forneceram são irrepreensíveis, de modo que nós os contratamos por meio desta para processar todos os nossos fretes marítimos de importação e exportação.
2 A eficiência de seus serviços fica clara nos folhetos que recebemos. Portanto, contratamos os senhores, primeiramente por curto limitado, para processar nossas remessas de exportação FOB.
3 A variedade de serviços oferecida pelos senhores é irrecusável. Portanto, nós os encarregamos por meio desta de todas as nossas remessas fluviais.

Contratação com restrições

1 Antes que possamos contratá-los para fretar um navio de 8.000 TRB, gostaríamos que nos enviassem por fax os custos exatos.
2 Por meio desta, encarregamos os senhores de um frete parcial de ... a ...
3 Como sua companhia faz o reembolso pelo tempo de despacho, nos os encarregamos por meio desta do afretamento de um navio para o transporte de ..., de ... a ... (rota).
4 Pedimos que só reservem para nós um frete total (parcial) se não houver tarifas de entrada e saída.
5 Já que, conforme sua proposta de ..., os senhores podem emitir um conhecimento de transporte ponto a ponto para ..., nós os encarregamos da remessa.
6 Pedimos que despachem a remessa, que já se encontra no porto, no próximo cargueiro porta-contêineres para ...
7 Em vista da considerável diferença de preço entre os fretes dos navios conferenciados e de armadores independentes ("outsiders"), gostaríamos que só embarcassem nossos produtos nestes últimos.

52 The demurrage for the pusher barge ... is ... per day.
53 The ... Canal is navigable for vessels of approx. ... GRT at any time.

Awarding contracts

1 Your references are so convincing that we hereby commission you to process all incoming and outgoing sea freight for us.
2 The brochures received make the efficiency of your service quite apparent. We are therefore commissioning you – initially for a limited period – to handle our outgoing FOB shipments.
3 The range of services you offer is so convincing that we hereby commission you to deal with all our inland waterway consignments.

Awarding contracts with qualifications

1 Before we finally commission you to charter an 8000 GRT vessel, please let us have exact details of the costs by fax.
2 We hereby commission you to arrange a part charter from ... to ... for us.
3 As your company makes refunds for faster loading or unloading, we hereby commission you to order a charter ship for us. The vessel will be used to transport ... on the ... – ... route.
4 Please only reserve a full (part) charter for us if there are no clearing in and out costs.
5 As, according to your offer of ..., you are able to issue a through bill of lading to ..., we hereby commission you to take charge of the shipment.
6 Please forward the consignment, which is already at the port, on board the next container ship to ...
7 In view of the considerable difference in price between conference and outsider freight, we wish you only to use outsiders to ship our products.

8 Se os senhores nos concederem um desconto imediato de ...%, nós os encarregaremos do embarque.
9 Assim que os senhores nos enviarem a quantia atrasada do desconto por tempo, nós os encarregaremos de outros embarques.
10 Em vista de seus preços tão convidativos, teremos satisfação em assinar imediatamente um contrato com os senhores.
11 Assim que a mercadoria tenha sido descarregada do navio (a motor) "..." conforme o conhecimento de embarque, gostaríamos que a expedissem para ..., frete pago (não pago, livre em domicílio).
12 Já os informamos de que as mercadorias a bordo do navio "..." devem ser expedidas imediatamente, sem armazenagem, por barco fluvial para ...
13 Os engradados (caixotes) de ..., estocados no galpão n.º ..., devem ser expedidos para ... por caminhão (trem), com pagamento contra entrega de todas as despesas incorridas.
14 Os fardos de ... que se encontram no porto livre, sob o número de armazenagem ..., devem ser desembaraçados e enviados livres em domicílio para ...
15 Assim que o perito em sinistros tenha examinado os produtos avariados, gostaríamos que obtivéssemos dele uma declaração de liberação.
16 O boletim de sinistros e uma cópia do conhecimento de embarque devem ser enviados à nossa seguradora fazendo referência ao sinistro n.º ...
17 Em virtude de sua confirmação, nós os encarregamos por meio desta a aprestar um barco fluvial de 2.000 TRB para transportar em ... (data) uma carga de ... a granel para o porto marítimo de ..., doca ...
18 Recebemos sua confirmação da possibilidade de despachar as mercadorias por barco fluvial de ... para ... sem escala. Pedimos que se encarreguem da seguinte expedição da sede da ... (empresa) e a processem imediatamente:

Confirmação da contratação

1 Ficamos satisfeitos em saber que a partir de agora nos encarregaremos do processamento de todas as suas remessas FOB e CIF.

8 If you can grant us an immediate reduction of ... %, we will commission you to take charge of the shipment.
9 As soon as the long overdue deferred rebate has been remitted to us, we will contract with you for the forwarding of more shipments.
10 In view of your favourable prices we will be pleased to sign a contract immediately.
11 As soon as MS "..." has unloaded our goods as per the B/L, we would request you to send them on, carriage paid (carriage forward/delivered free/franco domicile) to the following address:
12 We have already informed you that the goods arriving on board SS "..." are to be forwarded to ... by inland waterway craft immediately and without temporary storage.
13 The crates of ... stored in shed No. ... are to be sent to ... by lorry (rail), C.O.D all expenses incurred thus far.
14 The ... bales in the free port, storage No. ..., are to be cleared through customs and then forwarded franco domicile to ...
15 As soon as a claims agent has examined the damaged goods, please obtain a release from him.
16 The certificate of average and one copy of the B/L are to be forwarded to our underwriters with reference to claim No. ...
17 As per your confirmation, we hereby commission you to supply a 2000 GRT inland waterway craft to take on a cargo of loose ... at the sea port of ..., basin ..., on ...
18 We note your confirmation that it is possible to forward goods by inland waterway craft from ... to ... direct. Please take charge of the following consignment at the premises of ... (firm) and forward it immediately:

Confirmation of contract

1 We are most gratified to learn that you will be commissioning us to process all your FOB and CIF shipments from now on.

2 Ficamos muito satisfeitos ao saber de nosso escritório que a partir de agora nos encarregaremos de todas as entradas e saídas de suas mercadorias.
3 A corretora ... pediu-nos que confirmássemos para os senhores a possibilidade de reserva de espaço no navio "...".
4 Como se pode verificar no conhecimento de embarque anexo, a remessa de ... engradados (caixotes) de ... foi devidamente embarcada em ... (data) no navio (a motor) "...".
5 Tomamos conhecimento no manifesto de que sua remessa de ... fardos de ..., proveniente de ..., dará entrada em ...
6 Confirmamos por meio desta que sua remessa de ... foi embarcada no navio "..." como carga de porão.
7 O navio fretado contratado pelos senhores em ..., com rota de ... para ..., estará atracado em ... (data) no porto de ..., berço n.º ..., pronto para carregamento.
8 Conforme suas instruções, sua remessa de ... foi despachada em contêiner para ...
9 Conforme seu pedido, sua remessa de ... foi embarcada no navio independente ("outsider") "...".
10 Podemos conceder um abatimento imediato de ...%. As mercadorias estocadas em galpão serão embarcadas hoje.
11 Como os senhores já assinaram os contratos, embarcaremos o mais rápido possível todas as mercadorias armazenadas no porto livre.
12 As mercadorias chegadas no navio (a motor) "..." serão carregadas imediatamente no barco fluvial "...".
13 Conforme suas instruções, os(as) ... (mercadorias) que estavam estocados(as) no galpão n.º ... foram expedidos(as) hoje para ..., pagamento contra entrega de todas as despesas.
14 Já desembaraçamos na alfândega sua remessa de ... e a expedimos livre em domicílio para os(as) senhores(as).
15 Conforme o pedido em sua carta, o boletim de sinistros foi remetido para ...
16 O certificado de peso foi enviado em ... para ...
17 As mercadorias avariadas foram liberadas depois de examinadas por um perito oficial.
18 As mercadorias em questão foram coletadas na ... (empresa), conforme a ordem, e serão expedidas para ... por via fluvial, de acordo com seu pedido.

2 We are most pleased to learn from our inland office that from now on we will be processing all incoming and outgoing shipments for you.
3 The broker's office ... has requested us to confirm to you that cargo space can be booked on board SS "...".
4 As can be seen from the enclosed B/L, the consignment of ... crates of ... was duly shipped on board MS "..." on ...
5 We note from the manifest that your consignment of ... bales of ... from ... will be arriving here on ...
6 This is to confirm that your consignment of ... was shipped on board SS "..." as hold cargo.
7 The charter ship, ordered by you on ... to sail from ... to ..., will be moored in the port of ..., berth No. ... on ..., ready for loading.
8 As per your instructions, your shipment of ... has been forwarded by container to ...
9 As requested, your consignment of ... has been shipped on board the outsider "...".
10 We are able to grant you an immediate reduction of ...%. The goods currently being stored in the shed will be shipped today.
11 As you have now signed the contracts, we will ship all the consignments stored in the free port as quickly as possible for you.
12 The goods which arrived on board MS "..." were immediately loaded onto the inland waterway craft "...".
13 As per you instructions, the goods ... stored in shed No. ... were forwarded to ... today, C.O.D. all charges.
14 We have now cleared your consignment of ... through customs and forwarded it to you franco domicile.
15 As per your letter, the certificate of average has been sent directly to ...
16 The weight certicate was sent to ... on ...
17 The damaged goods have now been released after being examined by a sworn expert.
18 The goods in question were collected from ... (firm) as instructed and will be forwarded to ... by inland waterway craft in accordance with your wishes.

19 Agradecemos a contratação. O barco de navegação fluvial ... estará disponível em ... no porto marítimo de ... para carregamento.

19 Thank you for your contract. The inland waterway craft ... will be made available in the seaport of ... to take a cargo of ... on board on ...

Transporte rodoviário e ferroviário

Consulta s genéricas

1 A fim de oferecer a nossos clientes um serviço ainda melhor, gostaríamos de trabalhar com transportadoras (transitários de carga) reconhecidamente eficientes.
2 Para fazer frente à concorrência, sentimo-nos obrigados a utilizar meios de expedição mais avançados.
3 Pedimos que nos dêem informações detalhadas dos serviços prestados pelos vários setores de sua empresa.
4 Pedimos que nos enviem seus prospectos de vendas para termos uma visão geral da capacidade de sua empresa.
5 Precisamos de um caminhão de 20 toneladas para um transporte especial de ... a ... Os senhores teriam um caminhão articulado com comprimento de carga de 12 m?
6 Precisamos de um veículo com capacidade para paletes e carga útil de ... toneladas para uma viagem de ... para ...
7 Os senhores utilizam caminhões próprios?
8 Os senhores fazem subcontratação em expedição?
9 Os senhores utilizam apenas seus veículos em percursos específicos?
10 Os senhores também aceitam cargas imprevistas?
11 Os senhores também fazem transportes a curta distância?
12 Temos um transporte diário de carga geral e, como nos estabelecemos nesta região, gostaríamos de saber que transportador atua aqui. Como não há aqui nenhuma estação ferroviária com posto de entrega de carga geral, pedimos que o seu transportador se encarregue da coleta diária dos pacotes em nossa sede.

Road haulage and rail freight

General enquiries

1 In order to offer our customers an even better service, we would like to work with efficient freight forwarding agencies.
2 In order to keep up with our competitors, we are compelled to use different, improved means of forwarding.
3 Please send us an overview of all the services offered by the different sections of your company.
4 As we wish to obtain an overall picture of your company's capabilities, we would ask you to send us your sales literature.
5 We require a 20-tonne lorry for a special trip from ... to ... Are you able to provide an articulated lorry with a loading length of 12m?
6 We require a vehicle of pallet width and with a payload of ... tonnes for a trip from ... to ...
7 Do you use your own lorries?
8 Do you subcontract forwarding contracts?
9 Do you only use your own vehicles for certain routes?
10 Will you also transport unscheduled loads?
11 Do you also make short haul deliveries?
12 We have package freight to be forwarded daily and wish to know what haulage contractor is responsible for our area as we have set up business here. As there is no railway station here with a package freight collection point, please arrange for your haulage contractor to make daily collections of the packages accumulating on our premises.

Consultas específicas

1 Os senhores poderiam conseguir um caminhão para transportar uma mercadoria em depósito de ... para ...?
2 Os senhores também têm caminhões-silo em sua frota?
3 Contratamos regularmente a expedição de cargas de ... para ... Os senhores estariam interessados nesse transporte e, em caso positivo, sob que condições? Impomos como condição que sejam utilizados no transporte veículos isotérmicos.
4 Precisamos de caminhões-cisterna do tipo ... para o transporte de partidas regulares de 20 toneladas a partir do porto marítimo de ... Os senhores dispõem de veículos desse tipo?
5 Os senhores têm experiência no transporte de ...
6 Os senhores têm em sua frota um caminhão com equipamento para içamento?
7 Os senhores têm em sua frota caminhões com plataformas desmontáveis?
8 Os senhores dispõem de equipagem para contêineres?
9 Os senhores têm equipamento apropriado?
10 Os senhores têm condições de fazer transportes com reboques baixos? Precisamos transportar de ... para ... uma máquina que pesa ..., medindo ...

Entroncamento ferroviário

1 Pretendemos construir um entroncamento ferroviário para a fábrica de ...
2 A produção anual de nossa fábrica é de aproximadamente ... toneladas.
3 Seriam necessários anualmente cerca de ... vagões para o transporte dos produtos.
4 Os senhores poderiam mandar um representante de sua firma para inspecionar as condições do lugar?
5 Os senhores incluíram nossas instalações industriais no projeto de expansão?
6 Quanto custará a construção do entroncamento ferroviário?
7 Há como pré-requisito um volume mínimo para o transporte de mercadorias?
8 Há alguma tarifa especial de manutenção de um entroncamento ferroviário?
9 Que fatores determinam a cobrança de tarifas sobre um entroncamento ferroviário?

Special enquiries

1 Are you able to provide a lorry to transport a bonded load from ... to ...?
2 Do you also have silo-lorries in your fleet?
3 We regularly contract for loads to be forwarded from ... to ... Would you be interested in transporting such loads and, if so, on what terms? One pre-condition would, of course, be that refrigerated vehicles are used for forwarding.
4 For our regular collections of 20-tonne loads from the seaport of ... we require class ... tanker lorries. Can you supply vehicles of this type?
5 Do you have any experience in transporting ...?
6 Does your fleet include a lorry with hanger devices?
7 Does your fleet include lorries with demountable bodies?
8 Do you have container handling equipment?
9 Do you have the appropriate operating units?
10 Are you also able to transport goods using low-loaders? In our case, this would be a machine weighing ... and measuring ..., to be transported from ... to ...

Rail link

1 We intend to have a rail link to the ... plant constructed.
2 Our plant's annual output amounts to approx. ... tonnes.
3 Approx. ... wagons per year would be required to transport the products.
4 Would you send a representative of your company to examine the local conditions?
5 Has our industrial site been taken into consideration in your development plan?
6 How high would the railway link construction costs be?
7 Is a minimum volume of goods to be forwarded a pre-condition for the construction of a rail link?
8 Are there any particular maintenance charges for a rail link?
9 What factors are rail link charges determined by?

10 As preferências do transportador são levadas em conta na construção de um entroncamento ferroviário?
11 Assim que o entroncamento fique pronto, transportaremos todos os nossos produtos por ferrovia.

Consulta sobre condições

1 Pedimos que nos informem os custos do frete de ... engradados (caixotes), com peso de ..., de ... para ...
2 Quais são suas tarifas de frete para o transporte de ... de ... para ...? Informem-nos, por favor, as tarifas para cargas de 5, 10, 15 e 20 toneladas.
3 Sua empresa faz o carregamento das mercadorias ou devemos providenciar o pessoal?
4 Pedimos que discriminem os custos variáveis de um caminhão de 5 toneladas.
5 Qual é o volume mensal mínimo que os senhores exigem para um transporte de carga com média diária de ... a curta distância?
6 Qual deve ser a relação entre a quilometragem (milhagem) com carga e a quilometragem (milhagem) sem carga?
7 Se forem utilizados veículos especiais, há alguma sobretaxa além das tarifas convencionais de frete?
8 Os senhores trabalham com remessas com pagamento contra entrega recebendo os senhores mesmos o reembolso?
9 Quando nos será creditado o reembolso do pagamento contra entrega?
10 Quanto custa um trem de carga completo com 50 vagões de ... para ...?
11 Os senhores podem oferecer tarifas de frete especiais?
12 Enviem-nos, por favor, a relação de suas tarifas de frete, discriminando as tarifas de carga geral e de vagões completos.
13 Pedimos que nos forneçam também a relação de estações ferroviárias.
14 Gostaríamos também de conhecer as tarifas para serviços extras.
15 Gostaríamos que nos informassem especialmente sobre o custo do uso de gruas da ferrovia.
16 Essas tarifas são uniformes ou a utilização do equipamento é cobrada por hora?

10 Are the forwarder's wishes taken into consideration when the rail link is constructed?
11 As soon as the rail link has been constructed we will immediately switch over to rail transport for all our goods.

Request for conditions

1 Please indicate the freight costs for ... crates ..., weighing ..., from ... to ...
2 What are your freight rates for forwarding ... from ... to ...? Please indicate the freight charges for loads of 5, 10, 15 and 20 tonnes.
3 Do you load the goods yourselves or must we provide labour?
4 Please let us have a break-down of the variable costs for a 5-tonne lorry.
5 What is the minimum monthly freight volume required for vehicles averaging ... per day on short haul deliveries?
6 What must the ratio of loaded to unloaded mileage (kilometres) be?
7 Are there also surcharges in addition to the normal freight rates if special vehicles are used?
8 Will you accept C.O.D. consignments and collect payment from the consignee yourselves?
9 When would the C.O.D. amount be credited to us?
10 What would the costs be for an entire goods train with 50 wagons from ... to ...?
11 What special freight rates are you able to offer us?
12 Please send us a copy of your goods tariff. It must show both package freight and wagonload rates.
13 We also require a list of railway stations.
14 We also wish to have a copy of the tariff for additional services.
15 Please also indicate in particular what it costs to use cranes belonging to the railway.
16 Are these flat-rate charges or is use of the equipment charged by the hour?

17 Que prazos de entrega são previstos em um contrato de transporte?
18 As sobretaxas especiais se aplicam a prazos de entrega menores?
19 Cobra-se alguma taxa pela não-utilização de vagões reservados?
20 Qual o valor dessas taxas? Após quanto tempo de carregamento cobram-se sobrestadias?

17 What delivery periods are provided for in the contract of carriage?
18 Are there special surcharges for shorter delivery periods?
19 Are there cancellation charges for the non-use of wagons ordered?
20 How high are such charges? How long can loading take before demurrage charges are incurred?

Material de embalagem

1 Os senhores podem fornecer-nos unidades de embalagem (contêineres, paletes, embalagens dobráveis etc.)?
2 As embalagens são gratuitas?
3 Os senhores cobram alguma taxa pelo uso de seus recipientes?
4 Os senhores cobram tarifas básicas de frete pelo uso de seus contêineres (paletes)?
5 Cobram-se taxas adicionais pela devolução das embalagens?
6 Os senhores podem fornecer-nos embalagens descartáveis?
7 Quanto custa uma unidade de embalagem?

Packaging material

1 Can you provide us with your own packing units (containers, pallets, collapsible containers etc.)?
2 Are the packing units provided free of charge?
3 Do you make any particular charges for the use of your own receptacles?
4 Are there minimum freight charges if your containers (pallets) are used?
5 Will additional charges be incurred for returning the packaging units?
6 Can you provide us with non-returnable containers?
7 How much would one packaging unit cost?

Transporte multimodal

1 O que significa "transporte multimodal"?
2 Os senhores trabalham com transporte multimodal?
3 Se sua firma não pode fazer esse tipo especial de transporte, seria possível indicar-nos outra empresa?
4 Quais são as vantagens do transporte multimodal?
5 Há condições especiais no transporte multimodal?
6 Seria possível nossas firmas trabalharem juntas no transporte multimodal?
7 Que mercadorias não se prestam ao transporte multimodal?
8 Devemos formar um "pool" com alguns semi-reboques (caminhões com plataforma móvel/contêineres)?
9 Há restrições mínimas e máximas de tamanho para os veículos usados no transporte multimodal?

Combined forwarding

1 Please explain what is meant by "combined forwarding".
2 Do you arrange combined forwarding?
3 If your company is unable to arrange this type of special forwarding, could you tell us whom to approach?
4 What are the advantages of combined forwarding?
5 Are there any special conditions as regards combined forwarding?
6 Would it be possible for our companies to co-operate in the joint forwarding of goods on a combined basis?
7 What goods are not eligible for combined forwarding?
8 Must we put a certain number of articulated lorries (demountable lorries/containers) into a pool?
9 Are the vehicles used in combined forwarding subject to any particular maximum or minimum dimensions?

10 O frete de transporte com paletes (contêineres) é mais vantajoso?
11 Os senhores concedem restituição de acordo com o volume mensal transportado?
12 Quais são as condições para a concessão de restituição?
13 De que maneira é feita a restituição?
14 Há alguma relação com prazos?
15 Veículos especiais, como caminhões-silo, podem ser utilizados no transporte multimodal?
16 O frete também deve ser pago na devolução de unidades de carga vazias?
17 Existe uma tarifa especial para a devolução de semi-reboques vazios?
18 Cobra-se uma tarifa uniforme por unidade de carga ou o valor do frete depende do volume embarcado?

10 Is the freight on standard-sized pallets (containers) more favourable?
11 Are there refunds for forwarding a certain amount per month?
12 What factors determine whether refunds are granted?
13 What procedure is used for making refunds?
14 Are there any time limits?
15 Can special vehicles such as silo-tankers also be used for combined forwarding?
16 Must freight also be paid for the return of empty load units?
17 Is there a special tariff for the return of empty articulated lorry trailers?
18 Is there a fixed freight charge per load unit or does freight depend on loaded weight?

Documentos de transporte

1 O consignador deve fornecer os documentos de transporte?
2 Até quanto tempo depois da ordem de transporte podem ser dadas instruções complementares?
3 Costuma-se entregar os documentos de expedição ao transportador (transitário) quando a mercadoria é recolhida.
4 Podem-se dar instruções complementares desde que a mercadoria não tenha sido expedida para o consignatário.
5 Podemos usar o talonário de expedição que temos tanto para carga geral quanto para carga em vagões completos?
6 Podem-se fazer correções numa nota de transporte?
7 Há normas especiais a esse respeito?
8 Nós podemos mandar um aviso para o consignatário no conhecimento de embarque?
9 Além do peso bruto, devemos discriminar no conhecimento de embarque também o volume da mercadoria?
10 Podem-se juntar anexos ao conhecimento de embarque?
11 Devemos fornecer documentos complementares ao utilizar contêineres (paletes)?

Transport documents

1 Must the consignor provide the transport documents?
2 By what time must supplementary instructions be issued?
3 It is customary to give the transport documents to the freight forwarder when the goods are collected.
4 Supplementary instructions are possible as long as the goods have not been delivered to the original consignee.
5 Can the consignment note forms in our possession be used for package freight as well as whole wagonloads?
6 Are corrections permitted on a consignment note?
7 Do any special regulations apply here?
8 Are we allowed to write a note to the consignee on the consignment note?
9 Must the volume of the consignment also be stated on the consignment note as well as the gross weight?
10 Are enclosures permitted with the consignment note?
11 Are we required to provide any accompanying documents when using containers (pallets)?

Assuntos diversos

1. Gostaríamos de saber quanto tempo demora uma entrega expressa de ... para ...
2. É possível enviar uma remessa expressa com pagamento contra entrega? Até que quantidade?
3. As tarifas de expedição podem ser pagas contra entrega? Existe uma quantia-limite?
4. Sempre se avisa o consignatário antes da entrega de uma remessa?
5. O próprio consignatário pode retirar a mercadoria na estação de destino?
6. É obrigatório, sob certas circunstâncias, utilizar o serviço de entregas da ferrovia?
7. Contêineres podem ser expedidos por via expressa?
8. Há normas a respeito de peso máximo?
9. Os senhores dispõem de vagões especiais do tipo ... para transportar nossos produtos? Usaríamos ... vagões por dia.
10. Sua firma dispõe de vagões graneleiros?
11. Os senhores dispõem de vagões-gôndola para o transporte de maquinaria pesada de engenharia? Com que antecedência devemos reservá-los com os senhores?
12. A estação de destino, ..., dispõe de uma grua para descarregar peça de máquinas?
13. A estação de destino, ..., dispõe de caminhões porta-vagões para entregar a mercadoria ao consignatário por rodovia?
14. Pedimos que nos forneçam uma relação de todos os vagões em uso. Temos particular interesse na carga permitida por eixo e cubagem.
15. Para nós é importante ter a lista das dimensões de carga.
16. Os senhores têm condições de fornecer diariamente ... vagões com grua para transportar ...?

Miscellaneous

1. Please let us know how long it takes to send a consignment from ... to ... by express.
2. Can an express consignment to ... be sent C.O.D.? What is the maximum amount?
3. Can forwarding charges be collected C.O.D.? Is there any limit to the amount?
4. Is the consignee always notified before an express consignment is delivered?
5. Is the consignee able to collect the goods himself at the station of destination?
6. Is it, under certain circumstances, obligatory for the railway's contract carrier to be used?
7. Can containers be sent by express?
8. Are there any regulations regarding the maximum weight?
9. Can you supply special, ... (type) wagons to transport our products? We require approx. ... of them per day.
10. Does your company use wagons that are particularly suited for bulk loads?
11. Can you supply low loaders to transport heavy engineering equipment? By when must these be ordered from you at the latest?
12. Does the station of destination, ..., have a crane to unload the machine parts?
13. Is the station of destination, ..., equipped with a wagon-carrying trailer to transport the wagons to the consignee by road?
14. Please send us a directory of all the types of wagons in use. We are particularly interested in a classification according to the permitted axle and cubic metre loads.
15. It is important for us to have a list of the loading gauges.
16. Can you supply ... wagons with unloading gear per day to transport ...?

Propostas

1 Podemos fornecer-lhes quando desejarem um caminhão de 20 toneladas para transportes especiais de ... a ...
2 Se formos avisados com antecedência, podemos providenciar um caminhão articulado com 12 m de comprimento de carga.
3 Os veículos com capacidade para paletes devem ser reservados ... dias antes da data de transporte.
4 Nossa firma só utiliza veículos próprios.
5 Utilizamos diferentes subcontratantes em certos percursos.
6 Nós realmente temos caminhões em serviço em todas as cidades grandes da UE.
7 Só realizamos transportes imprevistos com acordo prévio.
8 Sem dúvida, teremos satisfação de fazer entregas em curtas distâncias.
9 Veja no verso desta carta nossas condições de negócio.
10 Em vista de trabalharmos mais com transporte internacional, a maioria da nossa frota possui chancela alfandegária. Assim, não teremos dificuldade em transportar sua mercadoria de ... para ...
11 Nossa empresa conta com um departamento especializado em silos, que poderá apresentar-lhes as melhores cotações de fretes.
12 Nossa associação de transportadores também possui caminhões isotérmicos. Desse modo, podemos apresentar-lhes sempre bons orçamentos.
13 Contamos em nossa frota com caminhões-cisterna, que podem ser carregados no porto marítimo de ...

Offers

1 We can provide you with a 20-tonne lorry for special trips from ... to ... at any time.
2 We will be able to provide an articulated lorry with a loading length of 12m, if advance notice is given.
3 Vehicles of pallet width must be ordered approx. ... days prior to the date of forwarding.
4 Our company only uses its own vehicles.
5 We use different subcontractors on certain routes.
6 It is true that our company has lorries operating in all major EU cities.
7 Unscheduled loads can only be forwarded if prior notice is given.
8 We will, of course, be pleased to make short haul deliveries.
9 Please refer to the reverse of this letter for our terms and conditions of business.
10 As we mainly deal with consignments abroad, most of our lorries have customs seals, so there will be no difficulty in forwarding your goods from ... to ...
11 Our company has its own separate silo section, which will be pleased to make you favourable freight quotations.
12 Our group of forwarders also uses refrigerated lorries, so we would always be pleased to oblige you with a favourable quotation.
13 Our fleet includes class ... tanker lorries, which can be used for collections from the seaport of ...

Custos

1 As tarifas de frete para ... engradados (caixotes) de ..., pesando ..., de ... para ..., totalizam ...
2 A tarifa do frete de ... de ... para ... é:
... por kg para carga de 5 toneladas.
... por kg para carga de 10 toneladas.
... por kg para carga de 15 toneladas.
... por kg para carga de 20 toneladas.
3 O carregamento das mercadorias deve ser efetuado pelo consignador.
4 Os custos variáveis para caminhões de 5 toneladas são os seguintes:

Charges

1 The freight charges for ... crates of ..., weight ..., from ... to ..., amount to ...
2 The freight rate for ... from ... to ... is
... per kg for 5-tonne loads.
... per kg for 10-tonne loads.
... per kg for 15-tonne loads.
... per kg for 20-tonne loads.
3 The goods must be loaded by the consignor.
4 The variable costs for a 5-tonne lorry are as follows:

5 O volume mínimo mensal para uma quilometragem (milhagem) média diária de ... é de ... e, para viagens a curtas distâncias, de ...
6 A relação entre quilometragem sem carga e com carga deve ser de ...
7 Há tarifas distintas que incluem todas as sobretaxas para veículos especiais.
8 Faremos com satisfação o transporte de mercadorias com pagamento contra entrega. As quantias coletadas serão remetidas imediatamente aos senhores, sem passar pela sua conta conosco.
9 Em pagamentos contra entrega cobramos ...% sobre o valor da mercadoria.

Custos de embalagens

1 Forneceremos aos senhores quando desejarem nossos materiais de embalagem.
2 As taxas são cobradas de acordo com nossa lista de preços. Infelizmente não podemos fornecer a embalagem gratuitamente.
3 O uso de embalagens de nossa firma sujeita-se a uma taxa mínima, escalonada de acordo com o tamanho.
4 As seguintes taxas são cobradas pelo retorno de nossas embalagens: ... (Não são cobradas taxas de retorno.)
5 Podemos fornecer a preço de custo recipientes descartáveis medindo ...
6 Consultem, por favor, a lista de preços anexa.

Transporte multimodal

1 O "transporte multimodal" compreende o serviço de transporte de mercadoria combinado entre um transportador rodoviário e outro ferroviário.
2 Oferecemos o "transporte multimodal" para as seguintes localidades:
3 Além das vantagens para a economia nacional, o "transporte multimodal" proporciona uma economia substancial para os transportadores, especialmente em mão-de-obra.
4 É possível (infelizmente, não é possível) a parceria entre nossas empresas.

5 The minimum monthly freight volume for an average daily mileage of ... (an average distance of ... kilometres per day) would be ... and ... for short haul deliveries.
6 The ratio of loaded to empty kilometres should be ...
7 There are separate tariffs in which all surcharges are included for special vehicles.
8 We will be pleased to forward goods on a C.O.D. basis. Monies thus collected will be remitted to you immediately and not via your account with us.
9 We charge ... % of the value of the goods for C.O.D. consignments.

Charges for packaging materials

1 We will be pleased to make our company's own packaging material available to you at any time.
2 Charges are made as per our company's own price list. Packing unfortunately cannot be provided free of charge.
3 Use of our company's own packaging material is subject to a minimum freight charge, staggered according to size.
4 The following (no) charges are incurred for the return of our packaging material: ...
5 Non-returnable containers measuring ... can be provided at cost.
6 Please refer to the enclosed list for prices.

Combined forwarding

1 When goods are jointly transported by a haulage contractor and the railway service this is known as "combined forwarding".
2 We offer a "combined forwarding" service to the following locations:
3 In addition to the overall economic advantages, "combined forwarding" results in considerable savings for the individual carrier, especially in terms of labour.
4 Our companies will (unfortunately not) be able to co-operate on this.

5 Conforme as regulamentações vigentes, os seguintes produtos não podem ser incluídos em "transporte multimodal":
6 No momento não é necessário incluir certo número de semi-reboques (caminhões com plataforma móvel/contêineres) em um "pool".
7 Os veículos utilizados em "transporte multimodal" estão sujeitos a restrições de tamanho e peso.
8 As tarifas de frete para paletes (contêineres) (não) são mais vantajosas.
9 Concedemos restituição mediante uma quantidade de remessa mínima. Vejam, por favor, mais informações no folheto anexo.
10 Também podem ser usados caminhões-silo no "transporte multimodal", desde que não ultrapassem o tamanho e o peso máximos permitidos.
11 Na devolução de semi-reboques etc. são normalmente cobradas taxas de acordo com a tarifa de frete correspondente.
12 O frete é calculado atualmente conforme a unidade de carga.

5 According to the regulations currently in force, the following goods are not eligible for "combined forwarding":
6 At the present time it is not necessary to put a certain number of articulated lorries (demountable lorries/containers) into a pool.
7 The vehicles used for "combined forwarding" are subject to maximum dimensions and an overall weight limitation.
8 The freight charges for pallets (containers) are (not) more favourable.
9 Refunds are granted if a certain minimum quantity is forwarded. Please refer to the information sheet included for details.
10 Silo vehicles can also be used in "combined forwarding", insofar as they do not exceed the maximum dimensions and weights permitted.
11 When empty articulated lorries etc. are returned, charges are, of course, incurred in accordance with the corresponding freight tariff.
12 At present, freight is charged per load unit.

Documentos de transporte e anexos

1 Normalmente, os conhecimentos de embarque são fornecidos pelo agente de carga.
2 Devem ser utilizadas sempre as notas-padrão de expedição.
3 São usados conhecimentos de embarque do mesmo tipo para carga geral e carga de vagão completo.
4 Podem ser feitas correções nos documentos de transporte, mas elas devem ser assinadas.
5 Pode-se mandar um recado na nota se ele tiver relação com as mercadorias expedidas.
6 É aconselhável fazer constar da nota os pesos bruto, tara e líquido.
7 A administração da ferrovia determina o peso que servirá de base para o pagamento do frete.

Forwarding documents and accompanying documents

1 The consignment notes are normally provided by the freight forwarder.
2 Standard consignment notes should always be used.
3 Uniform consignment notes are used for package freight and whole wagonloads.
4 Corrections are permitted on freight documents. They must, however, be countersigned.
5 Brief notes directly relating to the goods being forwarded are permitted.
6 It is advisable to state the gross, tare and net weights on the consignment note.
7 The railway authorities usually determine the weight on which freight is payable.

Diversos

1 Sua remessa será expedida pela ... (empresa).
2 A estação de destino (não) tem transportador próprio.
3 Desde que o consignatário tenha autorizado perante a estação ferroviária de destino que o transporte seja feito por determinado agente de carga, este se encarregará da entrega da remessa.
4 O agente de carga do local se encarrega de certas formalidades da alfândega.
5 Existem tarifas fixas para os serviços de transporte, mas acordos mútuos de preço são possíveis.
6 Depende do que está expresso no documento de transporte se o consignatário é ou não responsável pelos custos de entrega.
7 Em resposta a sua consulta, temos para informar-lhes que uma remessa expressa para ... leva aproximadamente ... horas.
8 Uma remessa expressa pode ser feita com pagamento contra entrega até ... no máximo.
9 O serviço de transporte de carga pode ser cobrado até o máximo de ... no ato da entrega.
10 Se o conhecimento de embarque contiver a advertência de que o consignatário deve ser notificado da chegada da remessa, ele será informado pela administração da ferrovia.
11 O consignatário pode recolher pessoalmente as mercadorias na estação de destino.
12 A entrega (não) é obrigatória.
13 Só recipientes com peso máximo de ... podem ser expedidos por expresso.
14 Se o pedido for feito em tempo hábil, podemos fornecer vagões especiais do tipo ...
15 Também temos em nosso material circulante vagões específicos para cargas a granel.
16 Só dispomos de um número reduzido de vagões-gôndola. O pedido de remessa deve, portanto, ser feito com antecedência.
17 A estação de destino de ... tem um guindaste de ... toneladas.
18 A entrega (infelizmente não) pode ser feita por reboque porta-vagões.
19 Em resposta a sua solicitação, anexamos uma relação com todos os tipos de vagão em uso com as respectivas características técnicas.

Miscellaneous

1 Your consignment will be delivered by ... (firm).
2 The station of destination has (does not have) a contract carrier.
3 Insofar as the consignee has provided the station of destination with his authorisation that a particular freight forwarder is to be given the contract, this latter will be entrusted with the delivery of the consignment.
4 The local freight forwarder attends to certain customs formalities.
5 There are fixed tariffs for haulage services but bi-lateral agreements are, however, possible.
6 Whether delivery costs are to be paid for by the consignee is determined by the freight payment marking.
7 In reply to your enquiry, we wish to inform you that an express consignment to ... takes approx. ... hours.
8 A maximum of ... in C.O.D. charges can be collected on an express consignment.
9 A maximum of ... in freight forwarding charges can be collected on delivery.
10 If the consignment note bears an annotation to the effect that notification is required, the consignee will be informed by the railway authorities.
11 The consignee may collect the goods at the station of destination himself.
12 Delivery is (not) compulsory.
13 Only containers weighing no more than ... can be sent by express.
14 If notice is given in good time, a sufficient number of special, ... (type) wagons can be provided.
15 Our rolling stock also includes special wagons for bulk loads.
16 We only have a limited number of low loaders available. Notice of forwarding must therefore be given in good time.
17 The station of destination at ... has a ...-tonne crane.
18 Delivery can (unfortunately cannot) be made by wagon-carrying trailer.
19 As requested, we enclose a directory containing details of all the types of wagons in use together with technical data.

20 Podemos conseguir vagões com equipagem de descarga se formos avisados com antecedência.
21 Os vagões isotérmicos são continuamente resfriados depois de certa distância.
22 Geralmente a partida de vagões isotérmicos obedece a uma tabela de horários.

Contratos especiais

1 Em referência a sua proposta de ..., encarregamos os senhores por meio desta a providenciar o transporte especial das mercadorias de ... para ... em ...
2 Pedimos que providenciem para ... (data) um semi-reboque com comprimento de carga de ... m.
3 Precisamos para o dia ... de um veículo com largura para paletes.
4 Como os senhores utilizam veículos próprios em viagens para ..., nós os encarregamos por meio desta da expedição da seguinte remessa:
5 Por meio desta, contratamos os senhores para o transporte de todas as nossas remessas de curta distância da fábrica em ... para ..., pelo período de ... a ...
6 Aceitamos suas condições comerciais.
7 Por meio desta, encarregamos os senhores de recolher nossa remessa de ... na ... (empresa) em ... e, em veículo com chancela alfandegária, transportá-la para ...
8 Gostaríamos de utilizar pela primeira vez seus serviços de transporte de silos e pedimos que, de acordo com a ordem de expedição nº ..., se encarreguem em ... da seguinte remessa:
9 Um total de ... toneladas de ... deve ser recolhido em ... na ... (empresa) por veículo isotérmico.
10 Na forma de contrato experimental, devem ser coletadas ... toneladas no depósito de tanques ..., de acordo com instruções anexas.
11 Pedimos que recolham ... na ... (empresa), em ..., que estarão prontos para remessa nessa data.
12 Enviamos hoje aos senhores um contêiner, que deverá ser transportado para ... (empresa) para ovação imediata.
13 Em ..., estarão prontas para ser recolhidas na ... (empresa) cerca de ... toneladas de ... Pedimos que se encarreguem dessa remessa imediatamente.

20 Wagons with unloading gear can be provided if prior notice is given.
21 Refrigerated wagons are recooled after a certain distance.
22 Refrigerated wagons are normally run on a special timetable.

Special contracts

1 We refer to your offer of ... and hereby commission you to arrange for special transportation of the goods from ... to ... on ...
2 Please provide an articulated lorry with a loading length of ... m on ...
3 We require a vehicle of pallet width on ...
4 As you use your own vehicles for trips to ..., we hereby commission you to forward the following consignment: ...
5 We hereby commission you to collect all our short haul consignments for forwarding ex works ... to ..., for the period from ... to ...
6 We hereby accept your terms and conditions of business.
7 We hereby commission you to collect our consignment of ... from ... (firm) on ... and transport it in a bonded vehicle to ...
8 We wish to avail ourselves of your silo transport services for the first time and would request you, as per forwarding order No. ..., to take charge of the following load on ... : ...
9 A total of ... tonnes of ... is to be collected by refrigerated vehicle from ... (firm) on ...
10 As a trial order, ... tonnes are to be collected from the ... tank storage depot, as per the instructions for collection enclosed.
11 Please pick up ... , which will be ready for collection at ... (firm) on ...
12 A container was sent to you today which is to be forwarded to ... (firm) for loading as soon as it arrives.
13 Approx. ... tonnes of ... will be ready for collection from ... (firm) on ... Please then pick up this load immediately.

14 Em virtude de sua proposta, pedimos que os senhores recolham em nossa sede, na data de ..., a partida de ... e a transportem para ...
15 Todas as remessas normais de carga geral deverão ser automaticamente expedidas pelo transportador ... Pedimos que nos avisem antecipadamente sobre remessas com pagamento contra entrega.
16 Pedimos que instruam seu escritório de recepção para avisar-nos por telefone da chegada de cargas ferroviárias a nós destinadas, já que o descarregamento será por nossa conta.
17 Pedimos que a partir de agora desviem os vagões destinados a nós para o entroncamento da ... (empresa).

Aviso de despacho

1 Agradecemos pelo fato de os senhores nos térem contratado e confirmamos que sua remessa de ... foi devidamente despachada.
2 Faremos o possível para que a execução de contratos de expedição futuros seja de sua inteira satisfação.
3 As remessas confiadas a nós e as instruções pertinentes foram despachadas hoje para os consignatários indicados.
4 Todas as remessas confiadas a nós em ... foram processadas no mesmo dia.
5 A mercadoria foi despachada imediatamente, em conformidade com seu conhecimento de embarque.
6 De acordo com suas instruções de carga de ..., a remessa de ... foi despachada por expresso para ... em ...

Seguro de transporte
Condições

1 O comprador (vendedor) assume o risco do transporte.
2 As mercadorias estão cobertas contra perda e/ou avaria durante o transporte.
3 Nós assumimos (os senhores assumem) o risco de perda ou avaria.
4 A mercadoria está coberta contra danos no transporte.

14 As per your offer, we would request you to collect the consignment of ... from our premises on ... and forward it to ...
15 All normal package freight is to be delivered automatically by the haulage contractor ... We must be given prior notification of all C.O.D. consignments.
16 Please instruct your receiving office to advise us by telephone of all incoming wagonloads, as unloading will be carried out by us.
17 Please arrange for incoming wagons for us to be directed to ...'s (firm) rail link from now on.

Advice of despatch

1 We thank you for your contract and hereby confirm that your consignment of ... was duly forwarded.
2 We will do our best to ensure that any future forwarding contracts will always be carried out to your entire satisfaction.
3 The consignments given to us together with your forwarding instructions were despatched to the consignees indicated today.
4 All the consignments given to us on ... were processed on the same day.
5 The goods were despatched immediately as per your consignment notes.
6 In accordance with your loading instructions of ..., the consignment of ... was despatched to ... on ... by express.

Transport insurance
Conditions

1 The transport risk is borne by the buyer (seller).
2 The goods are insured against loss and/or damage in transit.
3 The risk of loss of or damage to the goods is borne by us (by you).
4 The goods are insured in transit.

5 Fizemos seguro das mercadorias. Os gastos correm por nossa (sua) conta.
6 Os gastos do seguro de transporte cabem a nós (aos senhores).
7 As mercadorias estão cobertas contra avaria ou perda até sua chegada ao local de destino.
8 Os gastos do seguro de transporte serão divididos igualmente entre o comprador e o vendedor.
9 Se desejarem, faremos o seguro de transporte e lhes mandaremos a conta das despesas.
10 Se desejarem, faremos o seguro das mercadorias a seu encargo.
11 Pode ser feito um seguro de transporte, cujas despesas cobraremos dos senhores.
12 Os gastos com seguro de transporte (não) estão incluídos no preço de compra.
13 O seguro de transporte (não) é cobrado à parte.

5 The goods are insured by us at our (your) expense against damage in transit.
6 The costs of transport insurance are borne by us (you).
7 The goods are insured against damage or loss until their arrival at the place of performance.
8 The costs of transport insurance are shared equally by the buyer and the seller.
9 If requested, we will take out transport insurance, for which costs you will be invoiced.
10 We will insure the goods at your expense if you so wish.
11 Transport insurance can be taken out, the costs of which will be debited to you.
12 The costs of transport insurance are (not) included in the purchase price.
13 Transport insurance is (not) charged for separately.

Consultas

1 Gostaríamos que nos informassem da navegabilidade e qualidade (classe) do navio em que nossas mercadorias serão embarcadas.
2 As mercadorias desembarcadas em ... estão em perfeito estado e em armazém alfandegário? Se estiver patente que houve avaria/furto, nós sem dúvida pediríamos a um perito oficial um boletim de avarias, que nós encaminharíamos à nossa seguradora de transportes.
3 O manifesto de embarque (manifesto de bordo) foi enviado para nós? Esse documento é exigido por nossa seguradora de transportes.
4 Existe outro certificado de peso das mercadorias que vieram no navio (a motor) "..."? Nossa seguradora de transportes acaba de pedir que ele seja remetido.
5 Gostaríamos de saber se o nosso produto pode ser classificado como "ad valorem" (o valor médio por kg é de ...) tendo em vista o frete.
6 Informem-nos, por favor, se os seguintes riscos teriam cobertura na cláusula B do Institute Cargo Clauses:
extravio
insurreição/distúrbios

Enquiries

1 We require information on the seaworthiness and quality of the vessel (classification of the ship) our goods are to be shipped on.
2 Are the goods which arrived on ... undamaged and in a bonded warehouse? If it is apparent that there has been damage/pilferage, we would most certainly require a certificate of damage from a sworn expert, which we will then forward to our transport insurance company.
3 Has the mate's receipt (board receipt) been sent to us yet? This document is required by our transport insurance company.
4 Is there a separate weight certificate for the goods that arrived on board MS "..."? Our transport insurance company has just asked for it to be sent in.
5 Please let us know whether our product qualifies as "ad valorem" (average value per kg ...) for freight purposes.
6 Are the following risks covered by an Institute Cargo Clauses B Cover insurance policy?:
loss
riot

furto/assalto	pilferage/robbery
avaria	damage
manchas	soiling
quebra	breakage
roubo	theft
terremoto	earthquake
falha mecânica	hook failure
guerra	war
umidade	wetness
oxidação	oxydation
furto/saque	pilferage/looting
ferrugem	rust
sabotagem	sabotage
danos de outra carga	damage from other cargo
avaria por maresia	seawater damage
greve	strike
empenamento/deformação.	bending/distortion.

7 Que riscos são cobertos por uma apólice de cláusula C?

8 Podemos (devemos) incluir uma soma a mais ao declarar o valor assegurado? Em caso afirmativo, até quanto?

7 What risks are covered by a Clause C policy?

8 Can (must) we include projected profits when stating the insured value? If this is so, up to what amount?

Propostas

1 Agradecemos sua consulta e anexamos a esta a tabela de prêmios, conforme sua solicitação.
2 Como solicitado, anexamos nossa mais recente tabela de prêmios, subdividida em transporte terrestre, marítimo e aéreo.
3 Já que nosso prospecto engloba todos os tipos de seguro de transporte, achamos desnecessária uma resposta específica a sua pergunta.
4 Os senhores encontrarão o prêmio correspondente na página ... Observem que há um imposto de seguro de ...% sobre o prêmio citado.
5 Tomamos a liberdade de lhes enviar um formulário para que façam uma apólice geral. Pedimos que nos devolvam o formulário em breve com todos os campos preenchidos. Só então lhes apresentaremos nossa proposta.

Offers

1 We thank you for your enquiry and enclose the premium scales as requested.
2 As requested, we enclose our latest premium scales, subdivided into land, sea and air transport.
3 As our brochure covers all types of transport insurance, a detailed answer to your specific question is not necessary.
4 You will find the corresponding premium on page ... Please note that there is an additional insurance tax charge of ...% on the premium quoted.
5 We are taking the liberty of sending you an application form for the purpose of taking out an open policy. Please return this form to us, with all parts completed, in the near future. We will then submit our offer to you by return.

Contratação

1 Em vista da tabela de prêmios que recebemos, pedimos por meio desta que façam um seguro contra riscos gerais de nossa remessa de ... para ...

Awarding contracts

1 On the basis of the premium scale received, we hereby request you to insure our consignment of ... to ... against general risks.

2 Pedimos que façam o seguro da remessa abaixo discriminada com cobertura livre de avaria particular (FPA) (com avaria particular [WPA]), de acordo com a cobertura C (cobertura B) das Institute Cargo Clauses: ...
3 Solicitamos pela presente que nos forneçam uma apólice de seguro para nossas remessas de exportação.
4 Os prêmios oferecidos não atendem às nossas expectativas, de modo que não estamos interessados em fazer um seguro com sua companhia.
5 A proposta de seu concorrente é bem mais vantajosa. Portanto, faremos o seguro com essa companhia.

Confirmação de contrato

1 Agradecemos seu pedido. Temos a satisfação de lhe enviar nesta a apólice de seguro.
2 Teríamos imenso prazer em fechar outras apólices com os senhores quando desejarem.
3 Conforme solicitado, estamos enviando aos senhores o contrato de seguro de sua remessa para ...
4 Graças à apólice geral que fizeram com nossa companhia, suas remessas encontram-se cobertas contra todos os riscos. Pedimos que nos comuniquem mensalmente sobre as remessas expedidas ou recebidas.

Extensão da cobertura do seguro

1 Pedimos que nossa remessa tenha cobertura até a fronteira (incluindo o desembaraço aduaneiro/até o endereço de destino).
2 Conforme sua solicitação, a remessa destinada aos senhores tem cobertura de seguro até a fronteira (incluindo desembaraço aduaneiro/até o endereço de destino).
3 A remessa está coberta por seguro, após o desembarque, até ser entregue em nosso endereço?
4 A remessa está assegurada até o endereço de destino (até descarga do transporte consolidado/até a entrega em seu endereço).

2 Please insure the following consignment with f.p.a. coverage (w.p.a. coverage) as per Institute Cargo Clauses, C Cover (B Cover): ...
3 We hereby request you to supply us with an insurance policy for our export consignments.
4 The premium rates quoted do not meet our expectations. We are therefore not prepared to consider taking out an open policy with you.
5 The offer made by your competitor is considerably more favourable. We will therefore be taking out our insurance cover with that company.

Confirmation of contract

1 We thank you for the contract and take pleasure in sending you the insurance policy enclosed.
2 We will be pleased to conclude further policies with you at any time.
3 As requested, we are sending you an insurance certificate for your consignment to ...
4 Thanks to your having taken out an open policy with our company, your consignments are now covered against all risks. Please advise us of incoming and outgoing consignments retrospectively each month.

Extent of insurance cover

1 Please insure our consignment up to the border (including customs clearance/ to the place of destination).
2 As requested, we have insured the consignment intended for you up to the border (including customs clearance/to the place of destination).
3 Is the consignment insured after arrival until it is delivered to our premises?
4 The consignment is insured up to the place of destination (until unloaded from group transport/until delivery to your premises).

Sinistros

1 Ref.: Sua (nossa) reclamação de seguro datada de ...
2 Pedimos que nos enviem os formulários de seguro para registrarmos um caso de sinistro.
3 Os formulários de seguro solicitados já foram enviados aos senhores.
4 Gostaríamos de informar-lhes do seguinte caso de sinistro e pedimos ainda que mande um de seus peritos para inspecionar as avarias no local.
5 Tomamos conhecimento de sua reclamação e a passamos para a companhia de seguros.
6 Pedimos que devolvam os formulários de seguro anexos depois de preenchidos.
7 Recebemos suas instruções datadas de ... e entraremos em contato com ...

Claims

1 Re: Your (our) claim dated ...
2 Please send us the insurance forms necessary for us to register our claim.
3 The insurance forms requested have been sent to you.
4 We wish to report the following claim to you and would ask you to instruct one of your agents to inspect the damage on the spot.
5 We have taken note of your claim and passed it on to the insurance company.
6 Please complete the insurance forms enclosed and return them to us.
7 We have received your instructions dated ... and will get in touch with ...

Anexos

Anexos

Abreviaturas comerciais e expressões técnicas internacionais

a/a	always afloat *borda livre*		c.c.	carbon copy *cópia-carbono*
a.a.r.	against all risks *contra todos os riscos*		C.C.	charges collect *cobrança de taxas*
a/c	account *conta*		CFR	cost and freight *custo e frete*
a/d	after date *após a data*		CIF	cost insurance freight *custo, seguro e frete*
AGM	annual general meeting *assembléia geral anual*		CIP	carriage and insurance paid to *porte e seguro pagos até*
a.m.	ante meridiem *da meia-noite ao meio-dia*			
approx.	approximately *aproximadamente*		c/o	care of *aos cuidados de*
art.	article *artigo*		Co	company *companhia, firma*
A/S	account sales *relação de vendas efetuadas*		COD	cash on delivery *pagamento contra entrega*
ATM	automated teller machine *caixa eletrônico*		COS	cash on shipment *pagamento de embarque*
Bdy.	broadway *nome de rua dos EUA e da Grã-Bretanha*		cm	centimetre (-er) *centímetro*
			c.p.d.	charterer pays dues *afretador paga o devido*
B/E (B(s)/E)	bill(s) of exchange *letra(s) de câmbio*		CPT	carriage paid to *frete pago até*
B/L (B(s)/L)	bill(s) of lading *conhecimento(s) de embarque,* *conhecimento(s) marítimo(s)*		cr.	creditor *credor*
			c.r.	current rates *taxas (tarifas) em vigor*
Bros.	brothers *Irmãos*		Cres.	crescent *nome de rua britânica*
c. / ca.	circa *cerca de*		c.t.	conference terms *cláusulas da conferência*
CAD	cash against documents *pagamento contra apresentação de documentos*		cv	curriculum vitae *curriculum vitae (currículo)*

cwt.	hundredweight *100 libras*		ECU	European Currency Unit *unidade monetária européia*
D/A	deposit account *conta de depósito*		EDP	electronic data processing *processamento de dados eletrônico*
D/A	documents against acceptance *documentos contra aceite*		EEA	Exchange Equalisation Account *conta de compensação cambial*
DAF	delivered at frontier *entrega na fronteira*		EFTPOS	Electronic funds transfer at the point of sale *transferência eletrônica de fundos no ponto de venda*
d.d.	dangerous deck *mercadoria perigosa em convés*		e.g.	exempli gratia, for example *por exemplo*
d/d	days after date *dias após a data*		EMS	European Monetary System *Sistema Monetário Europeu*
DDP	delivered duty paid *imposto de entrega pago*		EMU	European Monetary Union *União Monetária Européia*
DDU	delivered duty unpaid *imposto de entrega a pagar*		E.O.M.	end of month *fim do mês*
dep.	departure *partida, tabela horária*		ERM	Exchange Rate Mechanism *Sistema de Taxa Cambial*
DEQ	delivered ex quay *livre no cais*		ETA	estimated time of arrival *hora de chegada prevista*
DES	delivered ex ship *livre no navio*		etc.	et cetera / and so on *etc. / e assim por diante*
div.	dividend *dividendo*		e.t.c.	expected to complete *término previsto*
doz.	dozen *dúzia*		e.t.s.	expect to sail *partida prevista*
D/P	documents against payment *documentos contra pagamento*		EXW	ex works *posto em fábrica*
Dr	Doctor *doutor*		f.a.q.	fair average quality *qualidade média*
d/s	days after sight *dias após prazo à vista*		FAS	free alongside ship *livre ao costado do navio*
E.&O.E.	errors and omissions excepted *exceção feita a erros e omissões*		FCA	free carrier *livre agente transportador*
			FCR	forwarding agent's certificate of receipt *nota de recebimento do agente transportador*

FCT	forwarding agent's certificate of transport *manifesto de transporte do agente de carga*		IMO	International Money Order *Ordem de Pagamento Internacional*
Fed.	Federal Reserve Bank (USA) *Banco Central dos EUA*		in. (1")	inch *polegada*
FIFO	first in first out *lançar primeiro o estoque mais antigo (contabilidade)*		Inc.	incorporated with limited liability (AE) *sociedade de responsabilidade limitada*
FOB	free on board *livre a bordo*		incl.	including *incluindo, inclusive*
FPA	free from particular average *livre de avaria particular*		INCOTERMS	international commercial terms *termos da Câmara Internacional de Comércio*
ft. (1')	foot, feet *pé, pés*		IOU	"I owe you" *"eu lhe devo"*
FTSE	Financial Times Stock Exchange Index *índice de ações britânico*		kg	kilogram *quilograma*
GDP	gross domestic product *produto interno bruto*		l	litre (-er) *litro*
Gds.	gardens *jardins, logradouro britânico*		lb (lbs)	pound(s) *libra(s)*
gm (gr)	gramme (gram) *grama*		L/C (L(s)/C)	letter(s) of credit *carta(s) de crédito*
GNP	gross national product *produto nacional bruto*		LIFO	last in first out *lançar primeiro o estoque mais recente*
HGV	heavy goods vehicle *veículo de carga pesada*		Ltd.	limited *limitada*
HMS	Her (His) Majesty's Ship (Steamer) *Navio (Vapor) de Sua Majestade (britânica)*		m	metre (-er) *metro*
H.P.	horse power *cavalo-vapor*		mm	millimetre (-er) *milímetro*
HP	hire purchase *compra a prestação*		m/d	months after date *meses após a data*
ICC	institute cargo clauses *cláusulas de seguro de transporte de mercadorias*		Miss	Srta. *(forma de tratamento para mulheres solteiras)*
i.e.	id est, that is to say *isto é, ou melhor*		MLR	minimum lending rate *taxa mínima de empréstimo*
			M.O.	money order *ordem de pagamento*

Mr	mister *Sr. (senhor)*	P.O. Box	Post Office Box *Caixa Postal*
M/R	mate's receipt *manifesto de embarque*	p.o.d.	paid on delivery *pagamento contra entrega*
Mrs	Sra. *(forma de tratamento para mulheres casadas)*	pp	per pro(curationem) *por procuração; por delegação*
m/s	months after sight *meses após prazo à vista*	ppd	pre-paid *pago antecipadamente; pago na execução*
Ms	*Forma de tratamento de uma mulher, sem especificar se ela é ou não casada.*	psbr	public sector borrowing requirement *requerimento de crédito do setor público*
MS	motor ship *barco (navio) a motor*	p.t.o.	please turn over *favor entregar*
MV	motor vessel *embarcação a motor*	Pty	proprietary company, *companhia limitada de capital fechado da África do Sul ou da Austrália*
nd (2nd)	second *segundo*		
No / Nos	number(s) *número (n.º) / números (n.ºˢ)*	q.v.	quod vide *queira ver, veja*
O/o	to the order of *à ordem de*	rd (3rd)	third *terceiro(a)*
oz (oz(s))	ounce(s) *onça(s)*	recd.	received *recebido(a)*
p.a.	per annum *por ano*	regd.	registered *registrado(a)*
pc (pc(s))	piece(s) *unidade(s); peça(s)*	R.O.G.	receipt of goods *recibo de mercadoria*
pd	paid *pago*	R.P.	reply paid *carta-resposta / porte pago*
PEP	personal equity plan *plano de patrimônio líquido pessoal*	r.p.m.	revolutions per minute *rotações por minuto*
		rsvp	répondez s'il vous plaît *responda por favor*
PIN	personal identity number *número de identidade pessoal*	S/A	statement of account *extrato de conta*
		sgd.	signed *ass., assinado*
plc	public limited company *companhia limitada de capital aberto*	Sqr.	square *praça*
p.m.	post meridiem *após meio-dia e até meia-noite*	SR&CC	(free from) strikes, riots and civil commotion *(livre de) greves, motins e tumultos públicos*
P.O.	postal order *vale postal*		

st (1st)	first *primeiro(a)*	v.	vide *vide, veja*
STD	Subscriber Trunk Dialling *interurbano do assinante*	VAT	value added tax *imposto sobre valor agregado*
TESSA	Tax Exempt Special Savings Plan *plano especial de poupança com isenção fiscal*	W(P)A	with (particular) average *com avaria (particular)*
th (4th)	fourth *quarto(a)*	WB, w/b	waybill (AE) *conhecimento aéreo*
Through B/L, Thru B/L	through bill of lading *conhecimento de embarque ponto a ponto*	wt.	weight *peso*
T.T.	telegraphic transfer *transferência (remessa) telegráfica*	yd.	yard *jarda*

Índice de países com moeda corrente e idioma comercial internacional

A = alemão, E = espanhol, F = francês, I = inglês

Afeganistão – *Afghanistan* I 1 afegane = 100 puls *1 afghani = 100 puli*	Áustria – *Austria* A 1 xelim austríaco = 100 groschen *1 schilling = 100 groschen*
África do Sul – *South Africa* I 1 rand = 100 cents *1 rand = 100 cents*	Bahamas – *The Bahamas* I 1 dólar bahamense = 100 cents *1 Bahamian dollar = 100 cents*
Albânia – *Albania* F/E 1 lek = 100 quindarkas *1 lek = 100 qindars/qintars*	Bahrein – *Bahrain* I 1 dinar do Bahrein = 1.000 fils *1 Bahraini dinar = 1.000 fils*
Alemanha – *Germany* A 1 marco alemão = 100 pfennige *1 deutschmark = 100 pfennigs*	Bangladesh – *Bangladesh* I 1 taca = 100 poisha *1 taka = 100 poisha*
Andorra – *Andorra* F/E franco francês/peseta espanhola *French franc/Spanish peseta*	Barbados – *Barbados* I 1 dólar barbadiano = 100 cents *1 Barbados dollar = 100 cents*
Angola – *Angola* I 1 cuanza = 100 lueis *1 kwanza = 100 cents*	Bielo-Rússia – I/A/F *Belarus (White Russia)* 1 rublo = 100 copeques *1 rouble/ruble = 100 copecks*
Antígua e Barbuda I *Antigua and Barbuda* 1 dólar caribenho = 100 cents *1 East Caribbean dollar = 100 cents*	Bélgica – *Belgium* F 1 franco belga = 100 cêntimos *1 Belgian franc = 100 centimes*
Arábia Saudita – *Saudi Arabia* I 1 rial saudita = 20 kurush *1 riyal = 20 qirshes*	Belize – *Belize* I 1 dólar de Belize = 100 cents *1 Belize dollar = 100 cents*
Argélia – *Algeria* F 1 dinar argelino = 100 cêntimos *1 dinar = 100 centimes*	Bolívia – *Bolivia* E 1 Boliviano = 100 centavos *1 boliviano = 100 centavos*
Argentina – *Argentina* E 1 peso argentino = 100 centavos *1 peso = 100 centavos*	Bósnia-Herzegovina – A/F/E *Bosnia and Hercegovina* 1 dinar iugoslavo = 100 paras *1 Yugoslavian dinar = 100 paras*
Armênia – *Armenia* I 1 rublo = 100 copeques *1 rouble/ruble = 100 copecks*	Botsuana – *Botswana* I 1 pula = 100 tebe *1 pula = 100 cents*
Austrália – *Australia* I 1 dólar australiano = 100 cents *1 Australian dollar = 100 cents*	

Brasil – *Brazil* I/E 1 real = 100 centavos *1 real = 100 centavos*	Congo – *Congo* F 1 franco CFA = 100 cêntimos *1 CFA franc = 100 centimes*
Brunei – *Brunei* I 1 dólar do Brunei = 100 cents *1 Brunei dollar = 100 cents*	Coréia do Norte – *North Korea* I 1 uon norte-coreano = 100 chon *1 won = 100 jon/chon*
Bulgária – *Bulgaria* I/F/A 1 lev = 100 stotinki *1 lev = 100 stotinki*	Coréia do Sul – *South Korea* I 1 uon sul-coreano = 100 chon *1 won = 100 jon/chon*
Burundi – *Burundi* F 1 franco do Burundi = 100 cêntimos *1 Burundi franc = 100 centimes*	Costa do Marfim – *Ivory Coast* F 1 franco CFA = 100 cêntimos *1 CFA franc = 100 centimes*
Camarões – *Cameroon* F/E 1 franco CFA = 100 cêntimos *1 CFA franc = 100 centimes*	Costa Rica – *Costa Rica* E 1 colón costa-riquenho = 100 cêntimos *1 colon = 100 centimos*
Camboja – *Kampuchea* F 1 rial cambojano = 100 sen *1 riel = 100 sen*	Croácia – *Croatia* A/E/F 1 dinar da Croácia = 100 para *1 Croatian dinar = 100 para*
Canadá – *Canada* I/F 1 dólar canadense = 100 cents *1 Canadian dollar = 100 cents*	Cuba – *Cuba* E 1 peso cubano = 100 centavos *1 Cuban peso = 100 centavos*
Casaquistão – *Kazakhstan* I 1 tumen = 1 rublo *1 tumen = 1 rouble/ruble*	Dinamarca – *Denmark* A/E 1 coroa dinamarquesa = 100 ore *1 krone = 100 ore*
Catar – *Qatar* I 1 rial do Catar = 100 dirrãs *1 Qatar riyal = 100 dirham*	Djibuti – *Djibouti* F 1 franco do Djibuti = 100 cêntimos *1 Djibouti franc = 100 centimes*
Chade – *Chad* F 1 franco CFA = 100 cêntimos *1 CFA franc = 100 centimes*	Dominica – *Dominica* I 1 dólar caribenho = 100 cents *1 East Caribbean dollar = 100 cents*
Chile – *Chile* E 1 peso chileno = 100 centavos *1 peso = 100 centavos*	Equador – *Ecuador* E 1 sucre = 100 centavos *1 sucre = 100 centavos*
China, Rep. Popular da – I *China, People's Republic of* 1 iuan = 10 jiao/100 fen *1 yuan = 10 chiao/100 fen*	Egito – *Egypt* I/F 1 libra egípcia = 100 piastras *1 Egyptian pound = 100 piastres*
Chipre – *Cyprus* I 1 libra cipriota = 100 cents *1 Cyprus pound = 100 cents*	El Salvador – *El Salvador* E 1 colón salvadorenho = 100 centavos *1 colon = 100 centavos*
Cidade do Vaticano – *Vatican City* I/F/A/E lira italiana *Italian lira*	Emirados Árabes Unidos I *United Arab Emirates* 1 dirrã = 100 fils *1 dirham = 100 fils*
Cingapura – Singapore I 1 dólar de Cingapura = 100 cents *1 Singapore dollar = 100 cents*	Eslováquia – *Slovakia* A/E 1 coroa eslovaca = 100 haleru *1 Slovakian koruna = 100 haleru*
Colômbia – *Colombia* E 1 peso colombiano = 100 centavos *1 peso = 100 centavos*	Eslovênia – *Slovenia* A/E tolar *tolar*

Espanha – *Spain* E peseta *peseta*	Guiana – *Guyana* I 1 dólar guianense = 100 cents *1 Guyana dollar = 100 cents*
Estados Unidos da América (EUA) I *United States of America* 1 dólar = 100 cents *1 dollar = 100 cents*	Guiné – *Guinea* F 1 franco da Guiné = 100 cauris *1 Guinea franc = 100 cauris*
Estônia – *Estonia* I/A 1 coroa estoniana = 100 senti *1 Estonian krone = 100 sinti*	Haiti – *Haiti* F 1 gourde = 100 cêntimos *1 gourde = 100 centimes*
Etiópia – *Ethiopia* I/F 1 birr = 100 cents *1 Ethiopian birr = 100 cents*	Holanda – *The Netherlands* I/A/F 1 florim = 100 cents *1 guilder = 100 cents*
Fiji – *Fiji* I 1 dólar de Fiji = 100 cents *1 Fiji dollar = 100 cents*	Honduras – *Honduras* E 1 lempira = 100 centavos *1 lempira = 100 centavos*
Filipinas – *Philippines* I/E 1 peso filipino = 100 centavos *1 peso = 100 centavos*	Hungria – *Hungary* A/E 1 florim húngaro = 100 fillér *1 forint = 100 filler*
Finlândia – *Finland* I/A 1 marco finlandês = 100 penniä *1 markka = 100 pennia*	Iêmen – *Yemen* I 1 rial = 100 fils *1 rial = 100 fils*
França – *France* F 1 franco francês = 100 cêntimos *1 franc = 100 centimes*	Ilhas Comores – *Comoro Islands* F 1 franco comorense = 100 cêntimos *1 Comoro franc = 100 centimes*
Gabão – *Gabon* F 1 franco CFA = 100 cêntimos *1 CFA franc = 100 centimes*	Ilhas Salomão – *Solomon Islands* I 1 dólar salomônico = 100 cents *1 Solomon dollar = 100 cents*
Gâmbia – *Gambia* I 1 dalasi = 100 butut *1 dalasi = 100 butut*	Índia – *India* I 1 rúpia indiana = 100 paisa *1 rupee = 100 paise*
Gana – *Ghana* I 1 cedi = 100 pasewas *1 cedi = 100 pasewas*	Indonésia – *Indonesia* I 1 rúpia indonésia = 100 sen *1 rupiah = 100 sen*
Geórgia – *Georgia* I/A/F 1 rublo = 100 copeques *1 rouble/ruble = 100 copecks*	Irã – *Iran* I/F/A 1 rial = 100 dinares *1 rial = 100 sen*
Grã-Bretanha – *United Kingdom* I 1 libra esterlina = 100 pence *1 pound sterling = 100 pence*	Iraque – *Iraq* I 1 dinar iraquiano = 1000 fils *1 Iraqi dinar = 1.000 fils*
Granada – *Grenada* I 1 dólar do Caribe = 100 cents *1 East Caribbean dollar = 100 cents*	Irlanda – *Ireland, Republic of* I 1 libra irlandesa = 100 pence *1 punt = 100 pence*
Grécia – *Greece* I/A/F dracma *drachma*	Islândia – *Island* I/A 1 coroa islandesa = 100 aurar *1 krona = 100 aurar*
Guatemala – *Guatemala* E 1 quetzal = 100 centavos *1 quetzal = 100 centavos*	Israel – *Israel* I 1 shekel = 100 agorot *1 shekel = 100 agorot*

Itália – *Italy* I/F lira *lira*	Luxemburgo – *Luxembourg* F/A 1 franco luxemburguês = 100 cêntimos *1 Luxembourg franc = 100 centimes*
Iugoslávia – *Yugoslavia* I/A/F 1 dinar iugolsavo = 100 paras *1 dinar = 100 paras*	Macedônia – *Macedonia* I/A/F dinar *denar*
Jamaica – *Jamaica* I 1 dólar jamaicano = 100 cents *1 Jamaican dollar = 100 cents*	Madagáscar – *Madagascar* F 1 franco do Madagascar = 100 cêntimos *1 Malagasy franc = 100 centimes*
Japão – *Japan* I 1 iene = 100 sen *1 yen = 100 sen*	Malaísia – *Malaysia* I 1 ringgit = 100 sen *1 ringgit = 100 cents*
Jordânia – *Jordan* I 1 dinar jordaniano = 1.000 fils *1 dinar = 1000 fils*	Malavi – *Malawi* I 1 cuacha malaviana = 100 tambala *1 kwacha = 100 tambala*
Kirgistão – *Khirgizia* I 1 som = 100 tyin *1 som = 100 tyin*	Maldivas – *Maldive Islands* I 1 rúpia maldívia = 100 laari *1 rupee = 100 paise*
Kiribati – *Kiribati (Gilbert Islands)* I 1 dólar australiano = 100 cents *1 Australian dollar = 100 cents*	Mali – *Mali* F 1 franco CFA = 100 cêntimos *1 CFA franc = 100 centimes*
Kuait – *Kuwait* I 1 dinar kuaitiano = 1.000 fils *1 dinar = 1.000 fils*	Malta – *Malta* I 1 lira maltesa = 100 cents *1 Maltese pound = 100 cents*
Laos – *Laos* F 1 kip = 100 at *1 kip = 100 at*	Marrocos – *Morocco* F/E 1 dirrã = 100 cêntimos *1 dirham = 100 centimes*
Lesoto – *Lesotho* I 1 loti = 100 lisente *1 maloti = 100 lisente*	Maurício – *Mauritius* I 1 rúpia mauriciana = 100 cents *1 Mauritian rupee = 100 cents*
Letônia – *Latvia* I/A rublo letoniano *Latvian rouble/ruble*	Mauritânia – *Mauritania* F 1 ugüia = 5 khoums *1 ouguiya = 5 khoums*
Líbano – *Lebanon* F/E 1 libra libanesa = 100 piastras *1 Lebanese pound = 100 piastres*	México – *Mexico* E 1 peso mexicano = 100 centavos *1 Mexican peso = 100 centavos*
Libéria – *Liberia* I 1 dólar liberiano = 100 cents *1 Liberian dollar = 100 cents*	Mianmar (Birmânia) – *Myanmar (Burma)* I 1 quiat = 100 pias *1 kyat = 100 pyas*
Líbia – *Libya* I/F 1 dinar líbio = 1.000 dirrãs *1 Libyan dinar = 1.000 dirhams*	Micronésia – *Micronesia* I 1 dólar americano = 100 cents *1 US dollar = 100 cents*
Liechtenstein – *Liechtenstein* A 1 franco suíço = 100 rappen *1 Swiss franc = 100 rappen*	Moçambique – *Mozambique* I 1 metical = 100 centavos *1 metical = 100 centavos*
Lituânia – *Lithuania* I/A 1 litas = 100 centas *1 litas = 100 centas*	Moldávia – *Moldavia* I 1 rublo = 100 copeques *1 rouble/ruble = 100 copecks*

Mônaco – *Monaco* 1 franco suíço = 100 cêntimos *1 French franc = 100 centimes*	F
Mongólia – *Mongolia* 1 tugrik = 100 mongo *1 tugrek = 100 möngös*	I
Namíbia – *Namibia* 1 rand sul-africano = 100 cents *1 South African rand = 100 cents*	I
Nepal – *Nepal* 1 rúpia nepalesa = 100 paisa *1 Nepalese rupee = 100 paisa*	I
Nicarágua – *Nicaragua* 1 córdoba = 100 centavos *1 cordoba = 100 centavos*	E
Níger – *Niger* 1 franco CFA = 100 cêntimos *1 CFA franc = 100 centimes*	I
Nigéria – *Nigeria* 1 naira = 100 kobo *1 naira = 100 kobo*	I
Noruega – *Norway* 1 coroa norueguesa = 100 ore *1 krone = 100 öre*	I/A
Nova Zelândia – *New Zealand* 1 dólar neozelandês = 100 cents *1 New Zealand dollar = 100 cents*	I
Omã – *Oman* 1 rial omani = 1000 baizas *1 Omani rial = 1000 baizas*	I
Panamá – *Panama* 1 balboa = 100 centésimos *1 balboa = 100 centesimos*	E
Paquistão – *Pakistan* 1 rúpia paquistanesa = 100 paisa *1 Pakistan rupee = 100 paise*	I
Paraguai – *Paraguay* 1 cuarani = 100 cêntimos *1 guarani = 100 centimos*	E
Peru – *Peru* 1 inti/sol = 100 centavos 1 inti/sol = 100 centavos	E
Polônia – *Poland* 1 zloty = 100 groszy *1 zloty = 100 groszy*	I/A/F
Portugal – *Portugal* 1 escudo = 100 centavos *1 escudo = 100 centavos*	I/E
Quênia – *Kenya* 1 xelim queniano = 100 cents *1 shilling = 100 cents*	I
República Centro-Africana *Central African Republic* 1 franco CFA = 100 cêntimos *1 CFA franc = 100 centimes*	F
República Dominicana – *Dominican Republic* 1 peso dominicano = 100 centavos *1 peso = 8 reals/100 centavos*	E
República Tcheca – *Czech Republic* 1 coroa tcheca = 100 halern *1 Czech koruna = 100 haleru*	A/E/F
Romênia – *Romania* 1 leu = 100 bani *1 leu = 100 bani*	A/E/F
Ruanda – *Rwanda* 1 franco ruandês = 100 cêntimos *1 Rwandan franc = 100 centimes*	F
Rússia – *Russia* 1 rublo = 100 copeques *1 rouble/ruble = 100 copecks*	I/A/F
Samoa – *Samoa* 1 tala = 100 sene *1 tala = 100 sene*	I
San Marino – *San Marino* lira italiana *Italian lira*	I
Santa Lúcia – *Santa Lucia* 1 dólar caribenho = 100 cents *1 East Caribbean dollar = 100 cents*	I
São Kitts e Nevis – *St. Kitts and Nevis* 1 dólar caribenho = 100 cents *1 East Caribbean dollar = 100 cents*	I
São Tomé e Príncipe – *Sao Tome and Principe* 1 dobra = 100 cêntimos *1 dobre = 100 centimos*	I
São Vicente e Granadinas – *St. Vincent/Grenadines* 1 dólar caribenho = 100 cents *1 East Caribbean dollar = 100 cents*	I
Senegal – *Senegal* 1 franco CFA = cêntimos *1 CFA franc = 100 centimes*	F

Serra Leoa – *Sierra Leone* I
1 leone = 100 cents
1 leone = 100 cents

Seychelles – *Seychelles* I
1 rúpia seichelense = 100 cents
1 rupee = 100 cents

Síria – *Syria* F/E
1 libra síria = 100 piastras
1 pound = 100 piastres

Somália – *Somalia* I
1 xelim somaliano = 100 cents
1 Somali shilling = 100 cents

Sri Lanka – *Sri Lanka* I
1 rúpia cingalesa = 100 cents
1 Sri Lanka rupee = 100 cents

Suazilândia – *Swaziland* I
1 lilangeni = 100 cents
1 lilangeni = 100 cents

Sudão – *Sudan* I
1 libra sudanesa = 100 piaster
1 Sudanese pound = 100 piastres

Suécia – *Sweden* I/A
1 coroa sueca = 100 ore
1 krona = 100 öre

Suíça – *Switzerland* A/F/E
1 franco suíço = 100 rappen
1 Swiss franc = 100 rappen

Suriname – *Surinam* I
1 florim surinamês = 100 cents
1 Surinam guilder = 100 cents

Tadjiquistão – *Tadzhikistan* I
1 rublo = 100 copeques
1 rouble/ruble = 100 copecks

Tailândia – *Thailand* I
1 baht = 100 satang
1 baht = 100 satang

Taiwan – *Taiwan* I
1 dólar taiuanês = 100 cents
1 Taiwanese dollar = 100 cents

Tanzânia – *Tanzania* I
1 xelim tanzaniano = 100 cents
1 shilling = 100 cents

Togo – *Togo* F
1 franco CFA = 100 cêntimos
1 CFA franc = 100 centimes

Tonga – *Tonga* I
1 paanga = 100 seniti
1 pa'anga = 100 senik

Trinidad e Tobago I
Trinidad and Tobago
1 dólar trinitino = 100 cents
1 Trinidad dollar = 100 cents

Tunísia – *Tunisia* F
1 dinar tunisiano = 100 millièmes
1 dinar = 1000 milliémes

Turcomenistão – *Turkmenistan* I
1 rublo = 100 copeques
1 rouble/ruble = 100 copecks

Turquia – *Turkey* F/A/E
1 lira turca = 100 kurus
1 Turkish lira = 100 kurus

Ucraine – *Ukraine* I/A/F
1 carbovanez = 1 rublo
1 karbovanez = 1 rouble/ruble

Uganda – *Uganda* I
1 xelim ugandense = 100 cents
1 Ugandan shilling = 100 cents

Uruguai – *Uruguay* E
1 peso uruguaio = 100 centavos
1 peso = 100 centesimos

Uzbequistão – *Uzbekistan* I
1 rublo = 100 copeques
1 rouble/ruble = 100 copecks

Venezuela – *Venezuela* E
1 bolívar = 100 cêntimos
1 bolívar = 100 centimos

Vietnã – *Vietnam* F/E
1 dong = 10 hao = 100 xu
1 dong = 10 hao = 100 xu

Zaire – *Zaire* F
1 zaire = 100 makuta
1 zaire = 100 makuta

Zâmbia – *Zambia* I
1 cuacha zambiana = 10 ngüi
1 kwacha = 10 ngwee

Zimbábue – *Zimbabwe* I
1 dólar zimbabuano = 100 cents
1 Zimbabwe dollar = 100 cents

Pesos e medidas britânicos e americanos

Medidas de comprimento

1 Inch (polegada)		= 2,54 cm
1 foot (pé)	= 12 inches	= 30,48 cm
1 yard (jarda)	= 3 feet	= 91,44 cm
1 (statute) mile (milha inglesa)		
	= 1760 yards	= 1,609 km

Medidas náuticas

1 fathom = 6 feet = 1,829 m
1 nautical mile (milha marítima)
= 1,852 km

Medida de capacidade (Grã-Bretanha)

Secos e líquidos
1 gill		= 0,142 l
1 pint (pinto)	= 4 gills	= 0,568 l
1 quart (quarto)	= 2 pints	= 1,136 l
1 gallon (galão)	= 4 quarts	= 4,5459 l
1 quarter	= 64 gallons	= 290,935 l

Secos
1 peck (salamim)
= 2 gallons = 9,092 l
1 bushel = 4 pecks = 36,368 l

Líquidos
1 barrel (barril) = 36 gallons = 163,656 l

Medidas de capacidade (EUA)

Secos
1 pint (pinto)		= 0,5506 l
1 quart (quarto)	= 2 pints	= 1,1012 l
1 gallon (galão)	= 4 quarts	= 4,405 l
1 peck (salamim)		
	= 2 gallons	= 8,8096 l
1 bushel	= 4 pecks	= 35,2383 l

Líquidos
1 gill		= 0,1183 l
1 pint (pinto)	= 4 gills	= 0,4732 l
1 quart (quarto)	= 2 pints	= 0,9464 l
1 gallon (galão)	= 4 quarts	= 3,7853 l
1 barrel (barril)	= 31,5 gallons	
	= 119,228 l	
1 barrel petroleum (barril de petróleo)		
	= 42 gallons	= 158,97 l

Medidas de superfície

1 square inch (pol. quadrada)
= 6,452 cm^2
1 square foot (pé quadrado)
= 144 square inches
= 929,029 cm^2
1 square yard (jarda quadrada)
= 9 square feet
= 8361,26 cm
1 acre = 4840 square yards
= 4046,8 m^2
1 square mile (milha quadrada)
= 640 acres
= 259 ha = 2,59 km

Pesos "avoirdupois"

1 grain (grão) = 0,0648 g
1 dram (dracma) = 27,3438 grains
= 1,772 g
1 ounce (onça) = 16 drams = 28,35 g
1 pound (libra) = 16 ounces = 453,59 g
1 hundredweight = 1 quintal
GB. = 112 pounds
= 50,802 kg
Am. = 100 pounds
= 45,359 kg
1 long ton
GB. = 20 hundredweight
= 1016,05 kg
1 long ton
Am. = 20 hundredweight
= 907,185 kg
1 stone = 14 pounds = 6,35 kg
1 quarter
GB. = 28 pounds
= 12,701 kg
Am. = 25 pounds
= 11,339 kg

Medidas de volume

1 cubic inch (pol. cúbica)
= 16,387 cm^3
1 cubic foot (pé cúbico)
= 1728 cubic inches
= 0,02832 m^3
1 cubic yard (jarda cúbica)
= 27 cubic feet
= 0,7646 m^3

Índice

Índice remissivo

A

À atenção de 15, 16
Abertura de crédito documentário 80
Abertura de empresa: aviso de - 65, 265, 266, 267
Ação judicial 212, 213
Ação judicial: ameaça de 183, 184
Ação judicial: despesas com - 212
Aceitação de convite para exposição 68
Aceitação de pedido 46, 173, 174; confirmação da - 244; - com modificações 174; - com reprodução do pedido 174
Aceite 82, 165, 287; - Apresentação de documentos contra 82
Achados e perdidos 283
Acionistas: reunião 65
Ações 289
Ações: queda de preço 289
Ações: tendência de alta 87
Acordo especial 129
Acordo prévio 101
Administração empresarial 66
Advertência 197, 208; - e advogados 187; primeira - 185; terceira - 187; - final 187; segunda - 186
Advogado 212
Afretamento 100, 307, 310, 317; - despesas de 312, 317; - de longa distância 99
Agência de publicidade 217, 236; consulta a - 293; contratação de - 89, 293; resposta de consulta a - 294; resposta negativa de - 296; resposta positiva de - 295, 296; relatório de - 91
Agência de relações públicas 293, 294; consulta a - 293; proposta de - 294, 295; resposta de - 294; resposta negativa a proposta de - 296; resposta positiva a proposta de - 295, 296;
Agente comercial 254 ss.; resposta do - a reclamação do comitente 260; - de compra 254, 255, 256, 257, 262; - de venda 256, 258, 263; - solicita comissionamento de compra 257, 258; - solicita comissionamento de venda 258, 259

Agente comercial de vendas 256, 257, 258, 263
Agente de carga: veja Transportadora
Agente de compras 254, 255, 257, 262
Agente de embarque 99
Agradecimento por consulta 27, 28, 29, 30
Alfândega 309; chancela da - 321, 327, 331
Alfândega: trâmite na 98, 102, 152, 177, 306, 309, 311, 314, 316
Alimentação: preço por pessoa da - 71
Alteração da garantia 135
Alteração: - do número de fax 269; - das condições de entrega 42, 133; - da quantidade 131; - do número de telefone 268; - da embalagem 133; - do tipo de entrega 135; - de participação societária 269; - de endereço da empresa 268; - de razão social 267; - de razão social e endereço da empresa 65
Ameaça: - de medidas judiciais 187
Amostra 29, 30, 31, 35, 91, 116, 120, 121, 123, 207; pedido de - 109; diferença de qualidade da - 190; aviso de envio de - 119; impossibilidade de fornecer - 123; recebimento de - 30; oferecimento de - 91
Amostra: recebimento de - 30
Ampliação de empresa 63, 64, 65, 266
Anúncio de inauguração de escritório de vendas 65, 266 s.
Apólice aberta 161
Apólice geral 333, 334
Apólice suplementar 44
Apresentação de cheque 84
Apresentação de documentos contra aceite 82
Apresentação de documentos para cobrança 81
Apresentação de empresa 25, 26, 32, 55, 60, 107, 127, 128
Apresentação de fatura: frases costumeiras na - 178
Apresentação de pedido 36, 45, 167 ss.; - de armazenamento 150, 151; - de embalagem 158, 159, 169; - da firma ao representante 243, 244

Apresentação de pedido de frete aéreo 307, 308
Apresentação de pedido de frete marítimo 317, 318
Apresentação de pedido de seguro de transporte 334, 335
Apresentação de referências 40 s., 140 ss.; - negativas 41, 143, 144; - positivas 40, 142, 143, 299; - impossível 41; - incomum 145; - evasivas 40, 143, 299, 300
Apresentação do representante 59, 239
Apresentação: data de - de funcionário 224, 231
Aprovação de candidato 95, 303
Área de representação 229, 230; descrição da - 217, 218; apoio na - 233; preferência por - 225, 226, 228;
Armazém 161, 210
Armazém alfandegário 332
Armazenamento 42, 146, 209; - cancelamento 151; - em geral 146; apresentação de pedido de - 150, 151; confirmação de - 151; particularidades de - 146, 147; - temporário 100
Armazenamento ao ar livre 148, 149
Armazenamento especial 146, 147
Armazenamento temporário 100
Armazenamento: capacidade de 57
Armazenamento: resistência do piso 149
Artesanato 229
Artigos 117, 133, 174, 189, 191, 216, 241, 245; - de marca 229, 232, 236, 239
Artigos: número de catálogo 134, 174, 189, 190, 191, 245
Artigos: suspensão de produção 247
Assinatura em cartas 15, 18
Assistência ao cliente 56, 60, 64, 144
Assunto da carta 15, 17
Assuntos diversos sobre transporte rodoviário 325, 329, 330
Atacadista 127
Atraso de pagamento: advertência com prazo 187
Atraso na entrega 50, 51, 182, 183, 184, 196, 208; desculpas por - 53, 198 s.; justificativa de - 196 s., prazo de entrega 153 s.
Atraso no pedido 181; notificação sobre - 181
Auditoria 83
Auditoria: parecer da - 287
Aumento de produção 246, 247
Avaria 190, 191, 210, 332 ss.
Avaria 52; - geral 161; - particular 161

Avaria por maresia 333
Avaria por transporte 133, 209, 210, 331
Avião fretado 307, 308
Aviso de abertura de carta crédito 48
Aviso de inauguração de ponto de venda 64, 265 ss.
Aviso de crédito em conta 207
Aviso de despacho 47, 48, 50, 159, 177, 210, 331; - de amostras 119
Aviso de envio de folhetos 118, 119
Aviso de envio de lista de preços 119
Aviso de exposição 274 s.
Aviso de início de produção 47, 176
Aviso de término de produção 176
Aviso prévio 96
Aviso prévio 96, 222, 227, 231; - contratual 96

B

Balanço 287
Balanço anual 76
Banco avisador 42, 80
Banco avisador 42, 80; Carta de crédito bancário: irrevogável 162
Banco correspondente 287
Banco de abertura de crédito 80
Banco emissor 76
Barril 117, 156, 159
Base de capital 142, 269
Bens de capital 229
Boletim de sinistros 318, 319

C

Cabine para interpretação simultânea 73, 75
Caixa de papelão 52, 117, 122, 133, 147, 155, 156, 160, 169, 189, 200, 209, 305, 307
Caixa eletrônico 290
Cálculo de preço 30, 43, 113, 114, 115
Câmara de Indústria e Comércio 215
Câmara: - de Comércio 70, 79, 277; - de Indústria e - 215
Caminhão-pipa 160
Caminhão-silo 321, 326, 328
Campanha publicitária 243, 293, 294, 296
Campanha publicitária 90
Canais de distribuição 293
Cancelamento contratual pela empresa representada 253

Cancelamento contratual pelo representante 253
Cancelamento de cheque 85
Cancelamento de pedido 184
Cancelamento de pedido 50, 51, 196
Cancelamento de proposta 81, 196
Cancelamento de reserva 273
Cancelamento de visita 273
Capacidade competitiva 142
Capacidade creditícia 39, 139 ss., 287
Capital circulante 269
Capital de ações 269
Capital social 269, 270.
Capital: base de - 142, 269; - de ações 269; - social 269, 270.
Cardápio: pedido de sugestão de - 71, 282
Carga a granel 310, 326
Carga de porão 310, 314, 319
Carga facultativa 313, 314
Carga ferroviária 331
Carga unitizada 153
Carregamento 311, 312
Carta comercial: - norte-americana 16 ss.; - britânica 15 ss.
Carta de apresentação 92 ss., 297 ss.
Carta de crédito 42, 179, 286; - fornecimento de mercadoria 165; – comunicação de abertura 48; - irrevogável 111, 125, 165, 178, 286; - revogável 286
Carta de crédito irrevogável 162
Carta de crédito para viagem 78
Carta de crédito revogável 286
Carta de pêsames 266
Carta de reconhecimento: - da empresa para o representante 245, 246
Carta-padrão para correspondência hoteleira 284
Carta: - de comemoração de anos de serviço 64; - de aniversário 63, 266; - em resposta a proposta 36; - sobre abertura de filial 63, 266, 267; - em jubileu de empresa 63, 264, 265; - em casamento 266, - de Natal e Ano-Novo 265
Carta: cabeçalho 15, 16
Carta: composição 16 ss.
Carta: corpo 15, 17
Carta: destinatário individual 15, 16
Carta: nome e assinatura em - 15, 18
Carta: referência 15, 16
Cartão de crédito 290; perda do - 85
Cartão magnético 290
Cartas a órgãos oficiais 277
Cartas de agradecimento 62, 264
Cartas de felicitações 63, 264 ss.

Cartas de pedido de emprego 94, 223, 291 ss.; frases introdutórias de - 300; em representação 223; detalhes em - 300, 301; frases finais em - 301, 302; documentos anexos a - 95
Cartas de recomendação 92 s., 297 ss.; resposta a - 92 s.
Carteira de ações 82, 88
Cartões magnéticos: código 290
Catálogo de exposição 274, 275
Certificado de análise 81
Certificado de carga 81
Certificado de origem 80, 81, 288
Certificado de peso 316, 332
Certificados de estudo 94, 219
Certificados de investimento 289
Cessão de crédito 164, 165
Cesto 117
Chamada para anexos 15, 18, 27, 29, 30, 31, 33, 34, 38, 68, 70, 73, 82
Chamadas telefônicas 73, 75
Chancela alfandegária 321, 327, 331
Chegada de remessa 98, 100, 103
Cheque 76, 84, 164; cancelamento de - 85; - sacado contra 84; - sem fundos 84; devolução de - 84; - cruzado 172, 206; apresentação de - 84
Cheque cruzado 172, 206
Classe de navios 316, 332
Cliente 129, 184, 216, 232, 233, 240, 241 ss.; satisfação do - 142, 174, 218
Cobertura de conta corrente 78, 286
Cobertura de seguro: - em transportes 334 s.
Cobertura de seguro: guerra 333
Cobertura de seguro: manchas 333
Cobertura de seguro: oxidação 333
Cobertura de seguro: roubo 333
Cobertura de seguro: sabotagem 333
Cobertura de seguro: terremoto 333
Cobertura de seguro: umidade 333
Cobertura de seguro: empenamento / deformação 333
Cobrança 166: escritório de - 212; apresentação de documentos para - 81
Cobrança: consulta sobre - 76
Códigos postais de área: - da Grã-Bretanha 18 s.; - dos EUA 19
Comentário: solicitação de - 84, 85; - de representante sobre relatório de comissões e despesas 252
Comércio atacadista 128, 129
Comissão 56, 58, 61, 76, 79, 128, 129, 214, 220, 221, 230, 234, 255 s.; - de vendas 230; - prevista em contrato 234

Comissão de garantia ("del credere") 220, 227, 230
Comissão de vendas 220, 230, 234
Comissão prevista em contrato 234
Comissão: negócios sob 61, 254 ss.
Comissionamento 254 ss.; acordo sobre - 60, 255, 256, 258, 259, 262; contrato de - 262; - de compra 254 ss. - de venda 256, 258, 259, 262; pedido de - 257, 258
Comissionamento de compra 254, 255, 256; agente comercial solicita - 257
Comissionamento de vendas 256, 258, 259, 262; agente comercial procura - 258
Comitente 258, 259; reclamações do - 260
Companhia aérea 98
Companhia de navegação 99, 100, 314, 315; pedido a - 99; resposta da - 100
Companhia limitada 267
Companhia limitada de capital aberto 268
Compra alternativa e indenização por perdas 185
Compra de títulos 86
Compra a título de prova 110
Compra: poder de - 241
Compras: diretor de - 66
Compromissos 272 ss.
Computação: técnico especialista 276
Computador 284
Computador: número de referência 276; veja também Informatização
Concessão de crédito 111, 163, 172
Concorrência 142, 242, 243; - segundo informe do representante 242, 243; cláusula sobre - em contrato de representação 58
Concorrência de mercado 242, 243
Condições 42 ss., 146 ss.; - de seguro de transportes 331, 332
Condições de entrega 29, 30, 152, 173 s.; diferenças nas condições de - 124; alteração das - 42, 134; consulta sobre - 111
Condições de pagamento diferentes 125, 135
Conferência de fretes 313
Conferência de mercadoria 45
Conferência: sala de - 72, 74, 75
Confirmação de congresso 75
Confirmação de hotel 75
Confirmação de pedido 45, 46, 173; solicitação de - 85, 87, 173; - de armazenagem 151; - de embalagem 159

Confirmação de pedido de frete aéreo 308
Confirmação de pedido de frete marítimo 318 s.
Confirmação de pedido de seguro de transporte 334, 335
Confirmação de recebimento 130, 179
Confirmação de recebimento de mercadoria 36
Confirmação de reservas 74, 75, 284
Conforme encomenda 173, 194, 195
Congresso: número de participantes 75
Congresso: reserva para 72, 73, 281
Conhecimento de embarque 82, 125, 287, 288, 312, 316, 318, 324, 328
Conhecimento de embarque ponto a ponto 312, 315, 317
Conhecimento marítimo 81, 312; - ponto a ponto 312, 315, 317; - sem restrições 80, 312, 316
Conhecimento marítimo sem restrições 80, 312, 316
Consignação: condições de 259 s., 262; rescisão de contrato de 262; produtos sob - 262
Consignador 256, 259 s.; resposta do - 259; reclamação do - 260; rescisão de contrato pelo - 262; divergências entre - e consignatário 260
Consignatário 256, 259; resposta do - 260, 261; rescisão de contrato pelo - 262, 263
Consulta 25 s., 107 ss.; - a companhia de navegação 99; - a transportador (exportação/importação) 97; - a transportador 305; - de empresa a banco 76; - de pesquisa de mercado 291; - jurídica 212; - transferida 27, 28
Consulta a armazenadores 42
Consulta jurídica 212
Consulta sobre condições de entrega 111
Consulta sobre condições de pagamento 111
Consulta sobre condições de transporte rodoviário 322, 323
Consulta sobre embalagem 155, 156
Consulta sobre expedição por via marítima 309 ss.
Consulta sobre oferta especial 110, 111, 125
Consulta sobre pesquisa de mercado 88, 291
Consulta sobre publicidade 293
Consulta sobre relações públicas 293

Consulta sobre seguro de transporte 43, 332 ss.
Consulta sobre seguros 160, 161
Consulta sobre transporte rodoviário 320 ss.
Consultas 35, 107 ss.
Consultas sobre entrega 152
Conta bancária: abertura de - 76, 77, 285; extrato de - 83, 84, 285, 288, 289; encerramento de - 77, 286; ordem sobre - 77; titulares 77
Conta corrente 76, 78, 79, 84, 86, 285
Conta corrente especial 79
Conta de depósito de prazo fixo 86
Contabilidade 199
Contabilidade: erro de - 199
Contato comercial: manutenção do - 27, 30, 31, 36
Contêiner 100, 103, 117, 153, 159, 209, 312, 315
Contêiner 156, 323 ss., 328, 330
Contratação de agência de publicidade 89
Contratação de seguro: solicitação de - 161
Contratempo nos negócios 69
Contrato com prazo indeterminado 227, 231, 237
Contrato de armazenamento 150, 151
Contrato de comissionamento 263
Contrato de comissionamento de compras 262.
Contrato de consignação 262, 263
Contrato de fornecimento 172
Contrato de representação geral 58
Contrato de representação: cláusula sobre concorrência em - 58
Contrato de representação; acordo 232
Contrato de trabalho 95, 96, 304
Contrato de vendas 42, 50, 80, 97
Contrato especial de transporte rodoviário 330, 331
Contrato: - de trabalho 95, 96; - com prazo determinado 222; - por prazo indeterminado 227; - de representação 58, 222 ss.
Contrato; alterações de - 238; - em representação 238
Contratos de frete 310
Contratos de frete marítimo 310
Controle de qualidade 116, 172, 209
Convite: - para estande 68, 274; - para exposição 68, 274; - para entrevista 94, 223, 302
Cópia carbono 15, 18
Correspondência bancária 76 ss., 285 ss.

Correspondência hoteleira 71, 279 ss.; carta-modelo para - 284; pedidos especiais em - 280 ss.
Correspondência: - bancária 76 ss., 285 ss.; - de marketing e publicidade, 89 ss., 291 ss.; - de transportes 97 ss., 305 ss.; - com órgãos oficiais 277 ss.; - hoteleira, 71 ss., 279 ss.
Correspondência: da empresa ao cliente 249; - da empresa ao representante 248; - do cliente à empresa 247, 248; - do representante à empresa 249; - entre cliente, empresa e representante 247 ss.
Cotação de ações 86, 87, 289
Cotação de preço 42, 113, 114, 115, 122
Cota-parte de acionistas 66, 269 s.
Cotas de participação 269
Crédito 286
Crédito 83, 207, 290
Crédito com aval 286
Crédito com desconto de letras 286
Crédito documentário 80 ss.; abertura de - 80; - irrevogável 80
Crédito documentário irrevogável 80
Crédito em conta 81, 83, 84, 87, 207
Crédito para saques descobertos 79, 286
Crédito sem aval 79, 290
Cumprimento final em cartas 15, 17, 18
Currículo 93, 94, 219, 300, 301
Curso profissionalizante de comércio 226
Custos de frete 51, 205, 306, 307, 322, 323, 326 s.
Custos de transporte 169, 170, 178, 205 s.

D

Danos de outra carga 333
Data de entendimentos 56
Data de pagamento 44, 45, 80, 111, 125, 162, 163, 171, 172, 185 ss., 197 s.
Data de visita 272; aviso de - 67; confirmação de - 67
Data de visita 67
Data do pedido não pode ser mantida 46
Data em carta 15, 16
Débito 83, 84, 289
Débito com cartão 290
Dedução das taxas de armazenagem 42
Demonstração de produto 68
Departamento de assessoria de vendas 65
Departamento de Expedição 153
Departamento de Pessoal 66, 302

Departamento de produção: erro 198
Depósito ao ar livre 42, 146
Depósito bancário 78, 86, 87, 288 s.
Depósito de produção 177
Depósito para abertura de conta 77
Depósito: de distribuição 146; ao ar livre 42, 146; encarregado de 103; transporte até - 147, 148; consulta sobre - 146; recusa de - 148
Descarga 311, 312
Descarga: despesas de - 316
Descarte de embalagens 158
Desconto 110, 111, 114, 115, 128, 129, 132, 137, 138, 188, 192, 193, 194, 198, 203 ss.; omissão de - 193, 194
Desconto 34, 115, 207; - em pagamento à vista 169, 178; - de apresentação 32, 115, 194; - por quantidade 169, 178, 193, 194, 205 s.; - especial 115, 178, 250
Desconto (pagamento à vista ou antecipado) 44, 45, 115, 125, 162, 163, 171, 194, 207
Desconto de apresentação 32, 115, 194
Desconto em pagamento à vista 169, 178
Desconto especial 115, 178, 250
Desconto por quantidade 169, 178, 193, 194, 205 s.
Descontos não efetuados 193, 194
Descontos: - Resposta a erro 205 s.
Descrição de atividades de representante 215, 232, 233
Descrição de atividades no contrato de representação 232, 233
Descrição de atividades no informe do representante 239 s.
Descrição dos produtos 215 s.
Desculpas: - por atraso de pagamento 199; - por atraso de fornecimento 53, 198, 199
Descumprimento de seguro 185
Despacho 43, 45, 46, 153, 159, 177
Despacho intercontinental 157
Despesa de transporte 45, 133
Despesas 221, 230, 235, 255 s.; - previstas em contrato 235
Despesas de viagem 58, 235
Despesas previstas em contrato 235
Detalhes complementares em cartas de pedido de emprego 300 s.
Devolução de cheque 84
Devolução de embalagem 43, 45, 104, 117, 118, 312, 315, 323, 324
Diferença de qualidade 31, 52, 120, 131, 189, 190, 191, 209; - em relação à amostra 189 s.; - em relação à proposta 190; -em relação ao pedido 190, 195; - em relação ao fornecimento para prova 190
Diferença de quantidade 188, 189
Diferença nas condições de fornecimento 124
Diferenças: - de quantidade 121; - de tamanho 121, 122; de qualidade 120; - de embalagem 122, 123; – e irregularidades 181 ss.
Dificuldades segundo informe do representante 240
Direitos alfandegários: imposto aduaneiro padrão 309
Direitos dos representantes 235
Diretor: nomeação de - 66
Discrição em pedido de referências 140
Disponibilidade da mercadoria 176, 177
Disposições gerais sobre frete aéreo 308
Distribuidor 128
Divergência: - entre empresa e representante 250 ss.; - entre comitente/consignador e agente comercial/ consignatário 260 ss.
Documento de transporte 48, 80, 81, 82, 99, 101, 307, 312, 316, 317, 318, 324, 328
Documentos alfandegários para exportação 97
Documentos anexos 328
Documentos de embarque 177, 287
Documentos de transporte 324
Documentos de transporte 328
Documentos: contra pagamento 80, 287; - em transações 285; remessa de - 287, 288; apresentação de - contra aceite 82; apresentação de - para cobrança 81

E

Economia, aquecimento da 241
Embalagem 29, 30, 43, 45, 102, 114, 117, 118, 122, 123, 132, 136 ss., 155 ss.; mudança de - 133; consulta sobre - 155; proposta de - 156, 157; encomenda de - 158, 159, 169; confirmação de pedido de - 159; - insatisfatória 191 s.; - avulsa 156; - especial 156; - padronizada 156; precauções a respeito de - 209

Embalagem de madeira 156, 157
Embalagem de papelão 156, 160
Embalagem descartável 156, 158
Embalagem especial 158
Embalagem insatisfatória 191 s.
Embalagem insatisfatória 191 s.; rejeição de reclamação sobre - 202; reconhecimento de reclamação sobre - 204
Embalagem metálica 156
Embalagem: condições gerais de - 159 s.
Embalagem: custo 43, 45, 157, 158, 169 s., 323
Embalagens dobráveis 323
Embalagens especiais de plástico 160
Embalagens, condições gerais 159 s.
Embarque 311, 312
Embarque parcial 80
Empilhadeira 149
Emprego: duração 222
Emprego: início 222
Empresa desconhecida 144
Empresa e representante 214 ss.
Encerramento de conta 286
Encerramento de conta corrente 77
Encomendas de Natal 211
Endereçamento 15, 16, 18 ss.
Endereçamento: - na GB 18, - nos EUA 19
Endereço para contato 70
Endividamento: grau de - 142
Engradado 117, 156, 159; - de madeira 159, 169
Entrada de sócio na empresa 270
Entrega antecipada 159
Entrega de mercadorias em perfeito estado 45
Entrega errada 192; reconhecimento de erro na - 202 ss.
Entrega não cumprida 185
Entrega porta a porta 44, 102
Entrega: local de - 111
Entrega: nota de - 149, 247
Entrega: pontualidade da - 46
Entrega: prazo de - 30, 33, 36, 124, 133 s.
Entrega: preço de - 152
Entrevista 94, 223, 302; convite para - 94, 224, 302
Envio de material publicitário 90
Equipamento de içamento 149, 329, 330
Equipamento em salas 72
Equipamento *multivision* 73, 75, 281
Equívocos e ambigüidades 194 s.; respostas a - 207
Erro 52; reconhecimento de - 202 ss.
Escola secundária 226
Escritório de advocacia 212

Escritório de vendas: inauguração de - 65, 266, 267
Espaço de armazenagem 60, 146, 147, 149, 150, 151
Especificação técnica 30
Espuma sintética 156 ss.
Espuma sintética 156, 157, 158, 159, 169, 209
Estação de destino 103, 324, 325, 328, 329
Estação ferroviária de destino 103; - terminal de contêineres 103
Estagiário 303
Estimativa de custo 157
Estoque 108, 109, 111, 113, 129, 149, 153, 154, 175, 185, 194, 201, 202, 203, 221, 234, 263
Estoque excedente 121
Exclusividade de venda 217
Execução de pedido 37
Expedição 47, 51, 102, 170, 177
Expedição normal 153, 177
Expedição rápida 183, 189
Experiência profissional 94, 225, 300, 301
Exposição 68, 274 ss.; aviso de - 274; convite para - 68, 274, 275; possibilidade de visitar - 68; organização de - 275
Exposição 68, 70, 274 ss.; convite para - 68, 274; pavilhão de - 68, 274, 275; estande em - 68, 274, 275; veja também Feira
Expressões da área postal 22
Expressões da área postal e de transportes 22
Extrato de conta 83, 84, 285, 288, 289 s.; pedido para envio de - 83; - está correto 83; - contém erro 84
Extravio 332
Extravio de carga 195, 210 s.

F

Falência 142
Fardos 117, 159
Fatura 81, 103, 128, 162 ss., 192, 193, 199, 205, 206, 207, 287; - original 98; total da - 43, 162 ss., 172, 178, 207; frases costumeiras na apresentação de - 178 s.; duplicata de - 81, 287
Fatura comercial 80, 82, 308
Fatura original 80, 98
Faturamento 48, 178; resposta a erros de - 205, 206; - errado 192 s.; justificativas sobre o - 205 ss.; - confuso 207

Faturamento confuso 207
Faturamento errado 192 s.
Fax 20, 21, 97, 98, 103, 201, 269, 281, 302; pedidos por - 129, 194; novo número de - 269
Feira industrial 274; transporte para - 71; veja também Exposição
Ferrugem 333
Finanças 164
Folheto 27, 30, 31, 34, 91, 102, 167; pedido de - 107, 108; aviso de envio de - 118, 119
Folheto 70, 91; - publicitário 90, 91
Folheto publicitário 90, 91
Formação em comércio 219, 226, 301
Formação escolar 226, 300, 301
Formalidades dos pedidos 244 s.
Formulário de pedido 36, 207
Fornecedor 130, 175, 255
Fornecimento 42, 43, 80, 82, 129, 134, 135, 152 ss., 170 s.; - em perfeitas condições 45; - condizente com pedido 54, 116 s.; - diferente do pedido 52; - errado 192; diferenças nas condições de 115, 124, 129, 312, 318;- contra carta de crédito 165; - de amostras 201; - fora do prazo 53; - porta a porta 44, 102; - com reserva de domínio 166; - a mais 188 s., 200; falta de - 185; - incompleta 200 s.; Medidas preventivas a respeito de - 207 s.; compromisso de - 183
Fornecimento a mais 188 s., 200
Fornecimento de amostras 201
Fornecimento incompleto; resposta negativa sobre - 200 s.
Fornecimento para prova 110, 168; negativa de - 32, 123, 124; qualidade diferente do - 190
Fornecimento pontual 46
Fornecimento suplementar 200
Fornecimento: prazo-limite de - 153, 154
Foro competente 58, 166
Frase final: - em consulta 25, 26, 44, 90, 98; - em proposta 29, 32, 33, 34, 35; - em pedido 83; - em remessa 47, 48; - em atraso da remessa 53; - sobre problema com mercadoria 52; - sobre faturamento 48; - em pedido de referências 39; - sobre recusa de trabalho 46; - sobre condições 43
Frases costumeiras na apresentação de fatura 178, 179
Frases finais em cartas de pedido de emprego 301, 302

Frases introdutórias de carta de pedido de emprego 300
Frases introdutórias: - em proposta condizente com pedido 113; - em resposta a pedido de proposta 112; - em apresentação de pedido 167 s.; - em proposta não solicitada 34
Frete 114, 132, 328; global 312 s.
Frete a casco nu 310
Frete aéreo 97, 98, 136, 170, 211, 305 ss.; consulta sobre remessa por - 305, 306; resposta da transportadora sobre - 306, 307; confirmação de contrato de - 308; contratação de - 307 s.; disposições gerais sobre - 308 s.
Frete de longa distância 99
Frete facultativo 310
Frete fluvial 99, 309 ss.; consulta a transportador sobre - 309, 310; pedido de orçamento de - 309; resposta a consulta sobre - 314 ss.; pedido de - 313; confirmação de contrato de - 318 ss.; contratação de - 317; contratação de - com restrições 317, 318; contratos de - 310
Frete global 312
Frete marítimo 99, 100, 309 ss.; consulta a transportadora - 309, 310; solicitação de proposta de - 309; resposta a consulta sobre - 314 ss.; pedido de - 313; confirmação de contrato de - 318 ss.; contratação de - 317; contratação de - com restrições 317, 318; contratos de - 310
Frete pago 45, 158
Frete rápido 170, 189, 211
Frota de veículos 321, 329, 330
Frota de veículos 287
Funcionários: apoio de - 69
Funcionários: exigências para - 218 ss.
Funcionários: situação de - para concessão de crédito 142
Fundos de investimento 85
Furto 332, 333

G

Garantia 78, 116, 117, 286, 287; alterações na - 135;
Garantia de entrega 111
Garantia: pedido de informações sobre - 108, 109
Giro 46, 55, 128, 142, 230

Gravador de som 72
Greve 175, 197, 333
Guerra de preços 242

H

Hospedagem 75
Hotel: acomodações em - 71, 72, 74, 75, 279
Hotel: conta de - 72, 73, 281, 282; informações sobre - 282
Hotel: preços 71, 279 s.
Hotel: recusa do - 74; resposta do - 74 s.; confirmação do - 75; resposta positiva do - 74; transporte para e de - 280
Hotel: reservas 283
Hotel: solicitação de folheto a - 282

I

IATA: filiado a - 306, 307, 308
Importação de produtos 98
Importador 127
Imposto aduaneiro padrão 309
Impostos em hotel 74
Inauguração de ponto de venda 64
Incoterms 42, 43, 80, 81, 99, 108, 114, 152
Indenização monetária 185
Indicação de qualidade 131, 201 s.; pedido de - 108, 109
Indústria de bens de consumo 214
Indústria de transformação 229
Informações pessoais 223, 226
Informações sobre fatura de hotel 282
Informações sobre novos funcionários 298
Informatização 69, 275, 276
Informe da empresa ao representante 244 ss.; Conteúdo dos pedidos em - 245; confirmação de pedido em - 244; artigos fora de linha 247; alterações de preço 247; gastos de produção 247
Informe do representante 239 ss.; descrição da concorrência no - 242, 243; poder de compra segundo informe do - 241; situação do mercado segundo - 241; descrição de dificuldade no - 239, 240; descrição de atividades no - 240; sugestões de melhora segundo - 243
Institute Cargo Clauses 44, 160 s., 332, 334

Instituto de pesquisa de mercado 55
Instruções de expedição 307, 308
Insurreição 332
Interpretação simultânea 73, 75
Investigação de extravio 195, 210, 211
Investimento de capital 85, 86; - de curto prazo 85
Investimento de curto prazo 85
Irregularidades: Discrepâncias e - 181 ss.
Irregularidades: resposta sobre - 195 ss.

J

Jubileu de empresa 264, 265
Juro 76, 85, 86, 288
Justificativa de atraso de fornecimento 196, 197
Justificativa de atraso de pagamento 197, 198

L

Letra de câmbio 82, 111, 165, 172, 287; - à vista 82, 165, 287, 288
Letra de câmbio irrevogável 111, 125, 165, 172, 178, 286
Letras à vista 82, 165, 287, 288; - de 30 dias 82, 287, 288
Liberação aduaneira 97, 98, 177, 306, 311, 316
Licença de importação 98, 107
Língua inglesa, peculiaridades norte-americanas 16 ss.
Linha de produtos 31, 123
Linha de produtos 31, 70, 101, 107, 119, 128, 131, 246, 259, 275
Liquidação de contas 128; - acerto de despesas 235
Liquidez: dificuldades de - 208
Lista de convidados 73
Lista de preços 128
Lista de preços 29, 32, 35, 108, 113, 122, 156, 158, 167, 169, 178, 205; aviso de envio de - 119
Lista de referências 124
Listas de controle 283 s.
Lloyd: Registro do 309, 316
Local de armazenagem e distribuição 146, 176, 177
Local de destino 171, 210
Local de execução 166; - de entrega 171

M

Manifesto de embarque 316, 332
Manuseio de mercadoria 102
Mão-de-obra qualificada 175
Mapa de hotel 71
Margem de lucro 114
Marketing 88 ss., 291 ss.; composto mercadológico 292, 293, 296
Material de embalagem 43, 117, 155, 156, 157, 158, 159, 169, 323; devolução de - 43, 45, 103, 118
Material de embalagem: custo de - 326, 327
Material de informações 26, 27, 156
Material publicitário 217, 236; envio de - 90
Material: especificação de - 29
Material: fornecimento de - 175
Matéria-prima 33, 116, 255, 258, 286; estoque de - 175
Medidas preventivas 207 ss.
Meios de transporte 47, 81, 98, 99, 100, 103, 124, 136, 147, 153, 170, 177, 209, 321
Mensageiro 22, 97; serviço por - 211
Mensageiro especial 211
Mercado Comum Europeu 88, 230
Mercado, situação geral 241
Mercado: preço de - 115
Mercado: situação do - segundo informe do representante 240
Mercado: situação geral do - 241
Mercado: tendência de alta no - 241
Mercado; descrição do - 216
Mercadoria em volumes: rótulos em - 308
Mercadoria: avaria em - 52, 190, 191; - frágeis 156
Mercadoria: avarias em - 52, 190, 191
Mercadoria: confirmação de recebimento 179
Mercadoria: devolução de - por diferença na qualidade 52
Mercadoria: pagamento de - contra entrega 44, 162, 171, 306, 307, 325
Modelo de carta para reservas em hotéis 284
Modelo pedido não disponível 31
Modo de pagamento 29, 30
Moeda local 80
Mostruário 207
Mostruário 29, 119, 123, 207, 215, 248
Movimento de conta bancária 83
Mudanças de pessoal 271

N

Navegação fluvial 99, 100, 309 ss.
Navio fretado 315, 317, 319
Navio independente 309, 313, 317 ss.; frete em - 316
Navio porta-contêiner 314, 317
Navios conferenciados 309, 310, 313, 317
Negociações no mercado de ações 87
Negócio comissionado 60, 254 ss.; proposta de - (compra) 254, 255; proposta de - (venda) 256; término de - 262 s.
Negócios consignados 256, 259 s., 262
Negócios de comércio exterior 286
Negócios: contratempos em - 69
Nome comercial de produto 129
Nomeações 271; - de diretor 66
Notário 212
Notificação de atraso de encomenda 181
Notificação de visita 272
Notificação de visita 92, 272, 297
Nova filial 265, 266, 267
Número do pedido 245

O

Oferecimento de amostra 91
Oferta com quantidade limitada 126, 127
Oferta de produtos 246, 247
Oferta especial 34, 128, 129, 130, 132, 138; consulta após - 110, 111, 126
Omissão de descontos prometidos 193, 194
Operações na bolsa de valores 86, 87, 289, 290
Ordem de pagamento 179, 194, 290
Organização de exposição 275
Organização Mundial de Comércio 243
Organizadores de exposição 70

P

Pagamento 162 ss.; - após recebimento da fatura 162, 163
Pagamento à vista 44, 81, 111, 115, 125, 162, 163, 194; - sem desconto na entrega da mercadoria 162
Pagamento contra entrega 44, 162, 171, 306, 307, 325

Pagamento inicial, sinal 125
Pagamento: - após recebimento 162, 163; - contra documentos 80; medidas preventivas de - 208
Pagamento: - por transferência 290
Pagamento: atraso de 51, 185 ss.; desculpas por - 199; advertência com prazo sobre - 187; justificativa de - 197, 198
Pagamento: condições de - 37, 44, 51, 80, 125, 136, 138, 162 ss., 171, 172, 174, 178; alterações de - 125, 134, 135; consulta sobre - 111
Pagamento: confirmação de - 179, 180
Pagamento: ordem de - 83, 84
País de origem 308
País terceiro 98
Palete 117, 156, 159, 323, 324, 327 s.; - descartável 158; veículo com largura para - 326, 330
Partes contratantes 232, 233; - em contrato de representação 232, 233
Participação de mercado 142, 247
Participação em negócios 232
Participação societária 142
Participação societária 269, 270
Participação societária: alteração da - 269
Partida suplementar 110, 121
Pastas 73
Pedido 45 ss., 167 ss.; aceitação de - 46, 173, 174; - de quantidades específicas 168; - de embalagens específicas 169; - mínimo 127; - e preço 167; - ao representante 244
Pedido ao agente de cargas aéreas 307, 308
Pedido ao transportador 98, 307, 308
Pedido ao transportador ferroviário 103
Pedido ao transportador rodoviário 103
Pedido de cliente 233
Pedido de comissionamento 257 ss.; resposta do comitente a - 258, 259
Pedido de crédito 78, 286, 287
Pedido de emprego 92 ss., 297 ss.; recusa de - 95, 303; resposta a - 302
Pedido de envio de extrato bancário 83
Pedido de frete marítimo 313
Pedido de informação: - sobre garantia 108, 109; - sobre tamanho 109; - sobre quantidade 109; - sobre qualidade 108, 109; - por escrito 282 ss.
Pedido de mercadoria: resposta negativa 27, 28, 31, 32
Pedido de permissão de visita 272
Pedido de quantidades específicas 168
Pedido de referências: 39, 139 ss.; recusa de - 144 s.; - a serviços de proteção ao crédito 141, 142; - a bancos 140, 141; - a terceiros 39; - a parceiro comercial 39, 140; discrição em - 140; - sobre novos funcionários 298
Pedido de resposta: - a consulta 25; - a proposta 25; - sobre visita 34
Pedido de resposta: comentários 84
Pedido direto 233
Pedido grande 199
Pedido mínimo 29, 43, 109, 117, 127, 128, 130, 132, 154
Pedido para congresso 72, 75
Pedido para prova 29, 167
Pedido para ser apanhado 273
Pedido para ser pego - 273
Pedido por fax 129, 194
Pedido repetido 117
Pedido: de alteração da proposta 37, 131 ss.; confirmação 173; - de informações a órgão oficial 70: - de assistência 297; - de compreensão pelo fornecedor 53
Pedido: direto 233; feito pelo cliente 233; conforme encomenda 173, 194, 195; qualidade diferente do - 190; adiamento de fornecimento do - 46
Pedido: ordem de execução de - 173
Pedidos especiais em correspondência hoteleira 280 ss.
Pedidos subseqüentes: referência a - 172, 173
Perda do cartão de crédito 85
Perdas e danos 334
Perícia de sinistros 332 s.; número do boletim da - 318
Período de experiência 222, 227, 229, 303, 304
Personalidade 218
Pesquisa de mercado 127, 216, 291 ss.; consulta sobre - 291
Pesquisa de mercado: consulta sobre realização de - 88, 291; resposta a consulta sobre - 89, 292, 293
Pessoal especializado 65
Ponto de encontro 273
Ponto de venda: inauguração de - 64
Porto de destino 44
Porto de embarque 152
Porto livre 308, 311, 313, 319
Portos de escala 314
Possibilidade de carga 310
Postagem: - na Grã-Bretanha 18 s.; - nos EUA 19

363

Post scriptum (P.S.) 15, 18
Potencial de venda 55, 216, 217, 241, 242, 243
Praça de representação 233
Prateleira para paletes 147, 149
Prazo de contrato 58, 222; - do ponto de vista do representante 227; - do ponto de vista da empresa 231
Prazo de entrega 111, 118, 129, 132; - e pedido 170 s.; prorrogação do - 50
Prazo determinado: contrato de trabalho com - 222
Prazo determinado: proposta com 32, 33, 34, 115
Prazo do contrato de representação 58
Prazo: fornecimento com - limitado 153, 154
Prazo: proposta com - limitado 126
Preço 30, 33, 35, 36, 113, 114, 115, 116, 117, 125, 130, 132, 133, 134, 136, 137, 154, 157, 158, 162, 178, 192 s.; diferença de - 122; consulta sobre - 108; - de apresentação 114; - de exportação 114, 115, 119; - estipulado 114; - de entrega 152; - de tabela 128; - de mercado 115; - de alimentação 71; - especial 121, 122, 129, 305; - e pedido 169; reajuste de - 42, 132, 133; cotação de - 42, 113, 114, 115, 122; cálculo de - 31, 43, 114, 115
Preço de apresentação 114
Preço de exportação 114, 115, 119
Preço especial 121, 122, 129
Preço estipulado 114
Preço unitário 45
Preço: alterações de - 247
Processamento de dados 275, 276
Processamento de pedidos 47 ss., 172, 173, 210; discrepâncias e irregularidades em - 50 ss.; queixas à firma sobre - dos representantes 250, 251; - rotineiro 47 ss., 176 ss.
Processamento rotineiro do pedido 47 ss., 176 ss.
Processo de embalagem 156
Produção por pedido especial 120, 121, 195
Produção: perdas na - 197 s.; aumento de - 246, 247; aviso sobre início de - 47, 176; aviso sobre término de - 176, 177
Produto e mercado 32, 35, 57, 116, 128, 217; descrição de - 216
Produto: demonstração do novo - 68
Produto: linha de 57, 58

Produtos comissionados 60, 260, 262
Produtos consignados 260, 262
Programa de vendas 25, 31, 57, 61, 90, 128, 129, 131, 214, 240, 246, 247
Proibição de concorrência 236, 237
Projetor de transparências 72, 281
Promoção de vendas 90, 293
Proposta 27 ss., 112 ss.; - divergente 31 ss., 120 ss.; - com prazo determinado 32, 33, 34, 115; restrições a - 32 s., 126 s.; - condizente com consulta 29, 113 ss.; reapresentação da - 138; validade da - 115; impossibilidade de - 112, 113; - quantidade limitada 126 s.; - adequada 29; - não solicitada 34 s., 127 ss.; cancelamento da - 181, 182, 195, 196; - com prazo 126
Proposta com restrições 32 s., 126, 127
Proposta condizente 29
Proposta de agência de publicidade 294, 295
Proposta de agência de relações públicas 294, 295
Proposta de comissionamento 254, 255, 256; resposta do agente comercial a - 255, 256
Proposta de negócio comissionado (compra) 254, 255
Proposta de negócio comissionado (venda) 256
Proposta de remuneração feita por empresa 230
Proposta de representação 55, 127, 129, 214 ss.; resposta a - 56, 224; - em carta pessoal 214, 215; - em anúncio de jornal 214, 225
Proposta de transportador rodoviário 326 ss.
Proposta de transportadora 102
Proposta diferente 31 ss., 120 ss.
Proposta não solicitada 34 s., 127 ss.
proposta sobre - 148; proposta sobre - ao ar livre 148, 149; proposta sobre - com equipamento especial 149, 150
Proposta sobre embalagem 156 s.
Proposta sobre entrega 152
Proposta, pedido de alteração: - aceito com restrições 38; - aceitação 37
Proposta: - pedido de alteração pode ser atendido 137
Prorrogação do - 50
Prorrogação do prazo de entrega 50, 183
Proteção ambiental 123, 133
Publicidade prevista em contrato 236

Publicidade: 58, 88 ss., 217, 291 ss.; - exclusiva do representante 236; - no contrato de representação 236; prevista em contrato - 236; - e Relações Públicas 293 ss.
Publicidade: apoio da empresa a - 236
Publicidade: contrato de - 293
Publicidade: despesas de - 58, 236
Publicidade: meios de - 89, 292, 293
Publicidade: trabalho de - 129; - por representantes 217

Q

Qualidade 30, 31, 35, 114, 116, 117, 119, 120, 123, 132, 137, 167, 168 s., 195; reconhecimento de erros na - 203 s.; pedido de - específica 168 s.; garantia de - 64, 116, 117; medidas preventivas sobre - 209
Qualidade: requisitos 209
Qualificação profissional 218, 219
Quantidade 29, 30, 117; pedido de informações sobre - 109; - em falta 33
Quantidade 31, 110, 127, 115, 122, 126, 129
Quantidade 43, 154 s.; diferença de - 188, 189; alteração da - 131, 132; pedido de - quantidade específica 168; - pedida não disponível 154, 155; - mínima do pedido 43, 154; - entregue de fato 43; medidas preventivas quanto a - 208; desconto por - 169, 178, 193 s., 206
Quantidade diferente 188, 189
Quantidade do pedido 117, 154, 155
Quantidade entregue de fato 43
Quantidade fornecida: reconhecimento de erro na - 202, 203
Quantidade mínima do pedido 154
Quantidade pedida não disponível 154, 155
Quarto de hotel: informação sobre - 283
Quarto de hotel: instalações de - 71 ss., 279
Quarto de hotel: preço de 71, 279, 280
Quarto de hotel: reserva de - 71, 75 ; - confirmação de - 73; - quarto simples 72
Quartos de hotel: tipos de - 279
Questões jurídicas 212 ss.
Quilometragem 227
Quilometragem: - sem carga 327; - com carga 327

R

Ramal ferroviário 102, 316, 321, 322
Ramo de atividade: especificação de - em pedido de representação 226
Ramo de comércio 226
Rampa: plataforma de carga com - 147, 149, 151
Reajuste de preço 42, 132, 133
Rebocador 317
Recebimento de amostra 30
Recessão 241
Recibo original 261
Reclamação da firma sobre processamento de pedido pelo representante 250
Reclamação do comitente 260
Reclamação do consignatário 260
Reclamação do representante sobre remuneração 227
Reclamação sobre qualidade: resposta negativa a - 201, 202
Reclamação sobre relatório de despesas 251 s., 260 s.
Reclamação: apuração de - 53; rejeição de - 54
Reclamação: resposta a - 53; - por diferença na quantidade 188, 189
Reclamação: resposta do representante a - sobre processamento de pedido 250, 251; - da empresa sobre processamento de pedidos pelo representante 250; - sobre relatório de despesas do representante 251, 252
Reclamações 51, 52, 188 ss.; resposta negativa a - 200 ss.
Reconhecimento de embalagem insatisfatória 204
Reconhecimento de reclamações 202 ss.; - sobre fornecimento errado 204; - sobre quantidade fornecida 202, 203
Recusa de fornecimento a mais 200
Recusa de pedido 46, 175; - de armazenagem 151; - sem justificativa 175; - com justificativa 175
Recusa de pedido de referências 144 s.
Recusa de pedido de representação 228
Recusa de pedido: sem justificativa 175
Recusa de recebimento de remessa 111
Recusa do pedido de alteração da proposta 37, 136, 137; e nova proposta 138
Recusa: - de pedido de emprego 95, 303; - de espaço de armazenamento 148; - de hotéis 74

Reembolso de despesas de viagem 56, 302
Reembolso de imposto aduaneiro 256
Referência a pedidos subseqüentes 172, 173
Referência desfavorável 41, 143, 144
Referência em cartas 15, 16
Referência favorável 40, 93, 142, 143, 299
Referências 30, 39 ss., 79, 139 ss., 175, 220, 226; - favoráveis 93; - evasivas 93
Região de atuação 56, 127, 217, 218, 229, 230; - segundo o representante 228; - de representação exclusiva 58; - em contrato de representação 233
Região de comissionamento 65, 257 s.
Região de representação prevista em contrato 233
Regulamentação do Comércio Exterior 98
Regulamentação portuária 316
Relação comercial: criação de - 25, 34, 35, 57
Relações comerciais 25, 66, 67, 107
Relações públicas 90, 293 ss.
Relatório de comissão 254, 260, 261; resposta da empresa a reclamação sobre - 251, 252; reclamação do representante sobre - 251; resposta do representante - 252
Relatório de despesas: reclamação sobre - 251, 259, 260
Remessa de carga 312, 314, 320, 324, 328, 331
Remessa de carga por expresso 325, 329
Remessa de documentos 287, 288
Remessa expressa 153
Remessa incompleta 200, 201
Remessa parcial 32, 43, 52, 134
Remessa rápida - 183, 189
Remessa: chegada de - 98, 100, 103; extravio de - 195, 210
Remuneração 58, 215, 220 ss.; - prevista em contrato 234
Remuneração em contrato de representação 234 ss.
Remuneração fixa 58, 220, 221, 227, 230, 234
Remuneração mensal 214
Remuneração prevista em contrato 234
Reposição de mercadoria 52, 191
Repreensão do representante 246
Representação comercial 35
Representação de empresa 55 ss.
Representação exclusiva 128
Representação exclusiva 59, 215, 228, 229

Representação geral 58, 214, 229
Representação: condições de - 128, 129
Representação: contrato de - 58, 222, 227, 231 ss., 252 ss.; descrição de atividades em - 232, 233; remuneração prevista em - 234 ss.; alterações em - 238; partes em - 232; região de representação prevista em - 233; publicidade prevista em - 236
Representação: pedido de - 57; recusa de - 228; aceitação de - 229; resposta a - 57; - em anúncio de jornal 225
Representação: recebimento de solicitação 244
Representação: região de - 233
Representante 167, 225, 226, 232 ss.; - exclusivo 128; apresentação do - 59, 239; empresa e - 214 ss.; informe da empresa ao - 244 ss.; - regional 233; descrição de atividades do - 215, 232, 233; roteiro do - 239, 240, 249
Representante autorizado 60
Representante empresarial: visita de - 67
Representante regional 233
Representante: poder de compra segundo informe do - 241
Representante: quilometragem para - 227
Representante-geral 58, 215, 217
Representantes de vendas: congresso de - 71
Reputação da empresa 39, 141, 216
Rescisão 96, 231, 237, 238; - de representação 253 ss.; - pelo comitente 262; - pelo empregador 304; - pelo funcionário 304; - pelo agente comercial 262 s.; - sem aviso pela empresa 253 s.; - sem aviso pelo representante 254 s.; - pelo representante segundo contrato 253; - da representação pela empresa segundo contrato 253
Rescisão de contrato de representação pela empresa sem aviso prévio 253 s.
Rescisão de contrato de representação pelo representante sem aviso prévio 254.
Rescisão de contrato: prazo de - 58; - do ponto de vista do representante 59, 227; - do ponto de vista da empresa 60, 231
Rescisão do negócio comissionado 262 s.
Rescisão pelo consignador 262
Rescisão pelo consignatário 262, 263
Reserva de domínio: entrega de mercadoria com - 166

Reserva de domínio sobre mercadorias 212
Reserva de quarto de hotel 273
Reserva de quartos 71, 75
Reserva para grupo 73
Reservas 281, 283; sugestão de modelo de carta para - 284; - por telefone, fax, 284
Resposta a consulta a agência de publicidade 294
Resposta a consultas sobre fretes marítimos 314 ss.
Resposta a consultas sobre pesquisa de mercado 292, 293
Resposta a pedido de emprego 302
Resposta a pedido de representação 57
Resposta a proposta de representação 56, 224, 225
Resposta a propostas 36 ss., 112 ss., 130 ss.; - negativa 36, 112, 113, 130; - positiva 36, 130; jurídicas - 212, 213
Resposta a reclamação 53
Resposta a solicitação de proposta 27 ss., 112 ss.; recusa - 27; positiva - 29 s.
Resposta a uma carta de recomendação 92 s.
Resposta da transportadora 98, 306 s.
Resposta da transportadora aérea 306 s.
Resposta de agência de relações públicas 294
Resposta de companhia de navegação 100
Resposta de hotéis 74
Resposta do comitente ao agente comercial 258, 259
Resposta do consignador 259
Resposta do consignatário 260, 261
Resposta negativa a proposta 36, 112 s., 130
Resposta negativa: - a solicitação de proposta 27, 200 ss.; - reclamações sobre qualidade 201, 202; - embalagem insatisfatória 202; - sobre fornecimento incompleto 200;- reclamações 200, 201 ss.
Resposta positiva a pedido de proposta 29 s.
Resposta positiva a proposta 36, 130
Resposta sobre descontos incorretos 205, 206
Resposta sobre incorreções de faturamento 205, 206
Respostas a equívocos e ambigüidades 207
Respostas a notificações de irregularidades 195 ss.
Respostas de órgãos oficiais 278
Ressarcimento 183 s., 185; reclamação de 202, 203
Restrições de transporte 305
Retiradas 290; em dinheiro 290; transferências 289
Retroprojetor 72, 281
Risco de transporte 80, 331 ss.
Rota de transporte 97, 136

S

Sacado 82
Saída de membro da empresa 66, 267, 269 s.
Salário previsto em contrato 234
Salário: - inicial 220; pretensão de - 220; - mensal 220; - previsto em contrato 234
Saldo 288; - negativo 79, 180
Saldo credor 86, 180
Saldo de conta corrente 77, 83, 286
Saldo positivo 286
Saque 333
Saudação 15, 17
Seguro 114, 160 s.; consulta sobre - 160, 161; - em exportação 287; - contra fogo e roubo 60; - de armazenamento 149; descumprimento de - 185; - de despacho marítimo 44
Seguro contra incêndio e roubo 60
Seguro de exportação 287
Seguro de transporte 43, 331 ss.; consulta sobre - 332, 333; proposta de - 333; confirmação de contrato de - 334; contratação de - 333, 334; condições de - 331, 332; - marítimo 44
Seguro de transporte marítimo 44
Seguro: cobertura contra quebra 333
Seguro: falha mecânica 333
Seguro: formulário de - 333
Seguro: prêmio de - 160 s., 333
Seguro: proteção com - 334
Seguro: quantia em - 333
Seguro; apólice de - 44, 80, 81, 161, 333, 334
Semi-reboque 321, 323, 328, 330
Serviço de consertos 65
Serviço de traslado em hotel 280
Serviços hoteleiros 71, 72, 73, 74, 75, 281
Setor de atividade 229
Sistema contábil 69, 275, 276

Sobrepreço 115, 122
Sobrestadia 317, 323
Sócio 66; entrada de - 270; saída de - 66, 267, 269, 270; responsabilidade de - 270.
Sócio comanditário 270
Solicitação de confirmação de pedido 85, 87, 173
Solicitação de contrato de seguro 161
Solicitação de proposta 25, 107
Solicitação de proposta sobre frete marítimo 309
Solvência 140 ss.
Sortimento 52, 127, 128, 129
Sugestões de melhora segundo informe do representante 243
SWIFT: remessa bancária 199, 290

T

Tabela de comissões 58
Tabela de fretes marítimos 309
Tabela de tarifas 315, 316
Tamanho 117; pedido de informação sobre - 109
Tambor 158
Tarifa de eclusa 310
Tarifa de frete 102, 306, 327
Tarifa especial 305, 306
Tarifa portuária 314
Taxa de armazenagem 42, 149, 260; consulta sobre - 42; desconto em - 42
Taxa de armazenamento 260, 262
Tarifas de conta corrente 76
Taxa de estoque em depósito 149
Tarifas de transferência bancária 83
Telefax: veja Fax
Telefone: mudança do número de - 268, 269
Terminal de contêineres 103, 153, 312
Tipo de despacho 135, 136; alteração do - 136; - e pedido 170
Titulares de conta bancária 77
Títulos 78, 86, 289
Títulos 86; compra de - 86; venda de - 87
Títulos da dívida pública 86
Títulos da dívida pública 86, 289
Títulos negociáveis 287
Tráfego de veículos 277, 278
Transbordo 102, 103, 310
Transferência bancária 164
Transferência eletrônica 290

Transportadora 47, 101, 177, 210; consulta a - 97, 305, 306; proposta de - 102; resposta da - 98, 306, 307; pedido a - 98, 307, 308; pedido a - ferroviária 103; pedido a - rodoviária 103; pedido a - aérea 307, 308
Transporte 44; - a distância 44; - até o depósito 147, 148
Transporte a curta distância 320, 322, 330
Transporte aéreo 97, 305
Transporte consolidado 316
Transporte de carga a granel 310, 315
Transporte de carga geral 159, 207, 314, 315, 320, 331; tarifas de - 322; conhecimento de embarque 324, 328
Transporte especial 320, 326, 330
Transporte ferroviário 101, 102, 103, 321 ss.
Transporte multimodal 323, 327, 328
Transporte rodoviário 101, 102, 103, 320 ss.; consulta sobre - 320 ss.; proposta de - 326; condições de - 321, 323; assuntos diversos sobre - 325, 329 s.; contrato especial de - 330, 331
Transportes 97 ss., 305 ss.
Treinamento 215; curso de - 298
Treinamento/capacitação 298
Tribunal Federal de Justiça 213
Trimestre: prazo de liquidação de contas 128

U

União Européia: - diretriz 213; - cotas de importação 277; países-membros da - 277; legislação vigente da - 213; normas da - 138; - normas técnicas 240, 277

V

Vagão isotérmico 330
Validade da proposta 115
VAT (Imposto sobre Valor Agregado) 74, 193; número de identificação do - 245, 250
Veículo para palete 326, 330
Veículos de entrega 57, 60
Veículos isotérmicos 136, 153, 321, 326, 330
Veja Navio independente

368

Venda 215, 216, 217
Venda de títulos 87
Venda, direito exclusivo 128
Venda: exclusividade de - 217
Vendas: comunicações internas 246, 247
Vendas: diretor de - 66

Vendedor externo 214
Verba de publicidade 227, 236, 296
Videocassete 72
Visita de representante empresarial 67
Visita: aviso de - 92, 272, 297
Visita: pedido de permissão de - 272

Cromosete
Gráfica e editora Ltda.

Impressão e acabamento
Rua Uhland, 307 - Vila Ema
03283-000 - São Paulo - SP
Tel/Fax: (011) 6104-1176
Email: odm@cromosete.com.br